O ROUBO DA HISTÓRIA

Proibida a reprodução total ou parcial em qualquer mídia
sem a autorização escrita da editora.
Os infratores estão sujeitos às penas da lei.

A Editora não é responsável pelo conteúdo deste livro.
O Autor conhece os fatos narrados, pelos quais é responsável,
assim como se responsabiliza pelos juízos emitidos.

Consulte nosso catálogo completo e últimos lançamentos em **www.editoracontexto.com.br**.

O ROUBO DA HISTÓRIA

Jack Goody

Copyright © 2006 Syndicate of the Press
of the University of Cambridge
The Theft of History, by Jack Goody

Todos os direitos desta edição reservados à
Editora Contexto (Editora Pinsky Ltda.)

Montagem de capa e diagramação
Gustavo S. Vilas Boas

Tradução
Luiz Sérgio Duarte da Silva

Revisão técnica
Carla Bassanezi Pinsky

Revisão de tradução
Mirna Gleich

Revisão de prova
Lilian Aquino

Dados Internacionais de Catalogação na Publicação (CIP)
(Câmara Brasileira do Livro, SP, Brasil)

Goody, Jack
O roubo da história / Jack Goody ; [tradução Luiz Sérgio
Duarte da Silva]. – 2. ed., 2ª reimpressão – São Paulo :
Contexto, 2015.

Título original: The theft of history.
Bibliografia
ISBN 978-85-7244-384-5

1. Eurocentrismo 2. História – Filosofia I. Título.

07-9582	CDD-901

Índices para catálogo sistemático:
1. História : Filosofia 901

2015

EDITORA CONTEXTO
Diretor editorial: *Jaime Pinsky*

Rua Dr. José Elias, 520 – Alto da Lapa
05083-030 – São Paulo – SP
PABX: (11) 3832 5838
contato@editoracontexto.com.br
www.editoracontexto.com.br

Frequentemente, as generalizações das ciências sociais – e isso
é verdade tanto para a Ásia quanto para o Ocidente – baseiam-se
na crença de que o Ocidente ocupa a posição normativa na
construção do conhecimento. Quase todas as nossas categorias –
política e economia, Estado e sociedade, feudalismo e capitalismo –
foram construídas a partir da experiência histórica ocidental.
(Blue e Brook, 1999)

A dominação euro-americana do mundo acadêmico tem de ser
aceita no momento como a lamentável mas inevitável contrapartida
do desenvolvimento do poder material e dos recursos intelectuais do mundo
Ocidental. Mas seus riscos precisam ser reconhecidos e devem-se fazer
constantes tentativas de superá-los. A antropologia é o veículo
adequado para isso.
(Southall, 1998)

Para Juliet

SUMÁRIO

APRESENTAÇÃO 9

INTRODUÇÃO 11

PARTE I – UMA GENEALOGIA SOCIOCULTURAL

Quem roubou o quê? Tempo e espaço 23

A invenção da Antiguidade 37

Feudalismo: transição para o capitalismo
ou colapso da Europa e a dominação da Ásia? 83

Sociedades e déspotas asiáticos:
na Turquia ou noutro lugar? 117

PARTE II – TRÊS PERSPECTIVAS ACADÊMICAS

Ciência e civilização na Europa renascentista 145

O roubo da "civilização": Elias e a Europa absolutista 177

O roubo do "capitalismo": Braudel e a comparação global... 207

PARTE III – TRÊS INSTITUIÇÕES E VALORES

O ROUBO DE INSTITUIÇÕES, CIDADES E UNIVERSIDADES 245

A APROPRIAÇÃO DE VALORES: HUMANISMO,
DEMOCRACIA E INDIVIDUALISMO 273

AMOR ROUBADO: EUROPEUS REIVINDICAM AS EMOÇÕES 303

PALAVRAS FINAIS 325

OBRAS CITADAS EM PORTUGUÊS 347

REFERÊNCIAS BIBLIOGRÁFICAS 349

O AUTOR 367

AGRADECIMENTOS 368

APRESENTAÇÃO

UM LIVRO FASCINANTE. E NECESSÁRIO

Se o Ocidente tivesse levado a sério Jack Goody, teria entendido melhor o desenvolvimento supostamente inexplicável da China, assim como o surgimento dos "tigres asiáticos" e do próprio "milagre japonês". O mundo não se resume à Europa e aos países de colonização europeia. Óbvio? Talvez. Mas o fato é que nunca houve um livro como este.

Pesquisador cuidadoso, dono de erudição extraordinária, acumulada em seus quase 90 anos de vida, Goody tem uma obra variada e muito respeitada. Transita por temas tão distintos como a família, o feminismo, a cozinha, a cultura das flores, o contraste entre a cultura ocidental e oriental, e até o impacto da escrita em diferentes sociedades. Seu livro *O roubo da história*, que acaba de sair na Inglaterra e que apresentamos ao leitor brasileiro, é uma espécie de síntese e revisão de suas pesquisas e pensamento. Aqui ele critica aquilo que considera um viés ocidentalizado e etnocêntrico, difundido pela historiografia ocidental, e o consequente "roubo", perpetrado pelo Ocidente, das conquistas das outras culturas. Goody não discute apenas invenções como pólvora, bússola, papel ou macarrão, mas também valores como democracia, capitalismo, individualismo e até amor. Para ele, nós, ocidentais, nos apropriamos de tudo, sem nenhum pudor. Sem dar o devido crédito.

Não reconhecer as qualidades do outro é o melhor caminho para não se dar conta do potencial dele. E Goody analisa que certo desprezo pelo Oriente pode ainda custar muito caro ao mundo ocidental. Assim, ele acusa teóricos fundamentais, como Marx, Weber, Norbert Elias, e questiona enfaticamente Braudel, Finley e Anderson por esconderem conquistas do Oriente e mesmo por se apropriarem delas em seus escritos. Arrasa os medievalistas que querem transformar um período violento, repressivo, dogmático e sem muita criatividade (a Idade Média) em algo simpático e palatável, só por ser, supostamente, a época da criação da Europa. E mostra que, ao menos em termos de capitalismo mercantil, o Oriente tem sido, ao longo da História, bem mais desenvolvido do que o Ocidente.

Claro que suas conclusões são polêmicas. Mas atenção: este livro não é um simples ensaio, um trabalho apenas opinativo. Considerado um dos mais importantes cientistas sociais do mundo, Goody tem uma obra sólida, consistente, plena de informações e de comparações, reconhecida por colegas como Eric Hobsbawm, com quem estudou e trabalhou. Neste livro recorre a pesquisas feitas na Ásia e na África (muitas realizadas por ele mesmo) para dar peso às suas teses. Assim, mesmo que se venha a discordar de alguns de seus pontos de vista, ou conclusões, temos muito a aprender com ele, principalmente como entender o mundo globalizado – e não sob uma ótica puramente econômica. Mais que um grande intelectual, Jack Goody é um verdadeiro cidadão planetário. E neste livro, apaixonado e apaixonante, abre uma janela para aqueles que querem descortinar o mundo.

O Editor

INTRODUÇÃO

O "roubo da história" do título refere-se à dominação da história pelo Ocidente. Isto é, o passado é conceituado e apresentado de acordo com o que aconteceu na escala provincial da Europa, frequentemente da Europa ocidental, e então imposto ao resto do mundo. Esse continente pretendeu ter inventado uma série de instituições-chave como "democracia", "capitalismo" mercantil, liberdade e individualismo. Entretanto, essas instituições são encontradas em muitas outras sociedades. Eu defendo que essa mesma pretensão se volta para emoções tais como o amor (ou o amor romântico) que é sempre visto como tendo aparecido apenas na Europa no século XII e sendo intrinsecamente constitutivo da modernização do Ocidente (na família urbana, por exemplo).

Isso fica evidente nas considerações do conhecido historiador Trevor-Roper em seu livro *The rise of Chistian Europe* (*A formação da Europa cristã*). Ele se refere a extraordinárias conquistas da Europa desde a Renascença (embora alguns historiadores comparatistas localizem conquistas europeias apenas a partir do século XIX). Para Trevor-Roper essas conquistas são exclusivas do continente europeu. A vantagem pode ser temporária, mas ele afirma que:

> Os novos governantes do mundo, sejam lá quem forem, herdaram uma posição que foi construída pela Europa e somente pela Europa. São técnicas europeias, exemplos europeus, ideias europeias que arrancaram o mundo não europeu de seu passado – alijando-o da barbárie da África, e das antigas, majestáticas e vagarosas civilizações da Ásia. A história do mundo nos últimos cinco séculos, se tem algum significado, é a história europeia. Não acho que temos de nos desculpar se nosso estudo da história estiver centrado na Europa.[1]

---

[1] Trevor-Roper, 1965:11.

Embora Trevor-Roper afirme que o historiador "para testar sua filosofia da história tenha de viajar para fora do país, mesmo para regiões hostis", não acredito que ele tenha praticado o que defende nem empírica nem teoricamente. Além de aceitar que essas vantagens concretas começaram na Renascença, Trevor-Hoper adota uma perspectiva essencialista que atribui essas conquistas ao fato de o cristianismo "ter em si mesmo fontes de nova e enorme vitalidade".[2] Alguns historiadores consideram Trevor-Roper um caso extremo. Eu pretendo mostrar que há várias versões mais sensíveis dessa tendência que encobrem tanto a história dos continentes quanto do mundo.

Depois de uma permanência de vários anos entre "tribos" africanas e em um reino em Gana me vi questionando a pretensão europeia de ter inventado formas de governo (como a democracia), formas de parentesco (como a família nuclear), formas de troca (como o mercado) e formas de justiça, quando, pelo menos embrionariamente, tais formas já estavam presentes em outros lugares. Essas pretensões foram incorporadas tanto pela história como disciplina acadêmica como nas representações da cultura popular. Obviamente, houve muitas conquistas europeias em tempos recentes, mas boa parte delas foi copiada de outras culturas urbanas como a da China. De fato, a divergência entre Oriente e Ocidente, tanto econômica como intelectualmente, mostrou-se relativamente recente e pode ser temporária. No entanto, segundo muitos historiadores europeus, a trajetória do continente asiático e mesmo do resto do mundo teria sido marcada por um processo de desenvolvimento bem diferente (algo como um "despotismo asiático"), que vai contra meu entendimento de outras culturas e de arqueologia (de períodos anteriores e posteriores à escrita). Um dos objetivos deste livro é considerar essas aparentes contradições, reexaminando como as mudanças básicas na sociedade desde a Idade do Bronze (cerca de 3000 a.e.c.) foram interpretadas pelos historiadores europeus. Empreendo aqui a releitura das obras de historiadores que admiro, como Laslett, Finley, Braudel e Anderson.

O resultado é uma crítica à forma como esses autores, incluindo Marx e Weber, trataram aspectos da história mundial. Tentei introduzir uma perspectiva comparativa mais ampla em debates como os que se desenvolvem em torno das características individuais e comunais da vida humana, das atividades de mercado e não mercado e de democracia e "tirania".

---

[2] Trevor-Roper, 1965:21.

Essas são áreas em que o problema da história cultural foi definido pelos eruditos ocidentais em moldes mais limitados. No entanto, uma coisa é negligenciar as "pequenas sociedades primitivas" (aquelas estudadas pelos antropólogos) quando lidamos com a Antiguidade e o desenvolvimento inicial do Ocidente; outra coisa é negligenciar as grandes civilizações da Ásia ou, o que é tão problemático quanto, categorizá-las como "Estados asiáticos". É uma questão muito mais séria e que demanda uma reflexão sobre a história da Ásia e da Europa. De acordo com Trevor-Roper, Ibn Khaldum considerou que a civilização no Oriente estava muito mais bem estabelecida do que no Ocidente. O Oriente possuía "uma civilização assentada em raízes tão profundas que possibilitou sua sobrevivência mesmo diante de sucessivas conquistas".[3] Essa é uma perspectiva bem diferente da maioria dos historiadores europeus.

O meu argumento é produto da reação de um antropólogo (ou de um sociólogo comparatista) à história "moderna". Esse problema se colocou para mim com a leitura de Gordon Childe e outros historiadores da pré-história que descreveram o desenvolvimento das civilizações da Idade do Bronze na Ásia e Europa como ocorrendo em linhas paralelas. O que teria então levado vários historiadores europeus a admitir padrões de desenvolvimento tão diferentes nos dois continentes a partir da Antiguidade, que pudessem ter conduzido, no final, à "invenção" do "capitalismo"? A única argumentação a favor dessa divergência inicial se apoiou no contraste entre a agricultura de irrigação de algumas regiões do Oriente e a agricultura de estações no Ocidente.[4] Esse argumento negligenciou as várias similaridades derivadas da Idade do Bronze em termos da agricultura de arado, tração animal, artes urbanas e outras especialidades, que incluem o desenvolvimento da escrita e dos sistemas de conhecimento que ela produz, assim como de muitos outros usos da escrita que já discuti em meu livro *The logic of writing and the organization of society* (*Lógica da escrita e organização da sociedade*) de 1986.

Acho que é um erro observar a situação somente em termos de algumas diferenças nos modos de produção quando há várias similaridades não somente na economia, mas também nos modos de comunicação e de destruição, incluindo aí a pólvora. Todas essas similaridades, incluindo estrutura familiar e cultura no sentido amplo, são desconsideradas em favor da hipótese "oriental" que acentua as diferentes trajetórias históricas do Ocidente e do Oriente.

---

[3] Trevor-Roper, 1965:27.   [4] Wittfogel, 1957.

As várias similaridades entre Europa e Ásia nos modos de produção, comunicação e destruição tornam-se mais claras quando contrastadas com a África e são com frequência ignoradas quando a noção de Terceiro Mundo é usada indiscriminadamente. Em particular, alguns escritores tendem a menosprezar o fato de a África utilizar mais a agricultura de enxada que o arado e a irrigação. A África não passou pela experiência da revolução urbana da Idade do Bronze. No entanto o continente não estava isolado. Os reinos dos Asante e do Sudão ocidental produziam ouro que, juntamente com escravos, eram transportados pelo Saara até o Mediterrâneo. Lá, era usado na troca de produtos orientais (via cidades da Andaluzia e da Itália), para a qual a Europa, nessa época, necessitava muito de metal precioso.[5] Em troca, a Itália enviava contas venezianas, sedas e algodão indiano. Um mercado ativo conectava as "economias de enxada", o incipiente "capitalismo" mercantil e as agriculturas de estação do sul da Europa, de um lado, com as economias manufatureiras, urbanas e de agricultura irrigada do Oriente, de outro.

Além dessas ligações entre Europa e Ásia e das diferenças entre os modelos eurasiano e africano, fiquei impressionado com certas similaridades na família e sistemas de parentesco entre as principais sociedades da Europa e da Ásia. Em contraste com o "preço da noiva" (ou melhor, "riqueza da noiva") da África, por meio do qual os parentes do noivo concedem bens ou serviços aos parentes da noiva, o que encontramos na Ásia e na Europa foi a alocação de propriedade parental às filhas, tanto por herança na morte quanto por dote no casamento. Essa similaridade na Eurásia é parte de um paralelismo mais amplo de instituições e atitudes que qualifica os esforços de colegas na história demográfica e da família, que tentaram e continuam tentando explicar o padrão diferencial "europeu" de casamento. Tal padrão seria encontrado na Inglaterra desde o século XVI e estaria conectado, com frequência implicitamente, ao desenvolvimento único do "capitalismo" no Ocidente. Essa ligação me parece questionável e a insistência na diferença entre o Ocidente e o Outro é etnocêntrica.[6] Meu argumento é que, embora muitos historiadores tentem evitar o caráter etnocêntrico de suas interpretações (como a teleologia), eles tropeçam sempre em seu conhecimento limitado do outro (e também das próprias origens). Essa limitação os leva, muitas vezes, a produzir afirmações insustentáveis, implícita ou explicitamente, acerca da especificidade do Ocidente.[*]

---

[5] Bovil, 1933.
[6] Goody, 1976.

[*] Nota da Tradução (N.T.): O autor usa com frequência os termos *east* e *west*. Optamos pela manutenção dos termos já fixados Oriente e Ocidente, admitidos como recurso de tradução que não prejudica, se explicitado o seu sentido, os intentos do projeto goodyano de crítica do etnocentrismo das ciências humanas.

INTRODUÇÃO   15

Quanto mais eu observava outras facetas da cultura da Eurásia e ganhava experiência em partes da Índia, China e Japão, mais sentia que a sociologia e a história dos grandes Estados ou "civilizações" da Eurásia necessitavam ser entendidas como variações uma da outra. É exatamente o que noções de despotismo asiático, excepcionalidade asiática ou distintas formas de racionalidade ou de "cultura" tornam impossível considerar. Elas impedem uma investigação e uma comparação "racionais" lançando mão do recurso de distinções categoriais. A Europa teve coisas como Antiguidade, feudalismo, capitalismo, que os outros não tiveram. Diferenças certamente existem. Mas o que se requer é uma comparação mais cuidadosa, não um contraste grosseiro entre Ocidente e Oriente, que acaba sempre favorecendo o primeiro.[7]

Há alguns pontos que quero tratar desde o início já que considero que negligenciá-los é em parte fator responsável por nosso descontentamento. Em primeiro lugar, há uma tendência em organizar a experiência a partir daquele que a examina, seja indivíduo, grupo ou comunidade. Uma das formas que essa atitude pode tomar é o etnocentrismo, postura que, não é de se surpreender, caracterizou gregos e romanos, assim como de resto todas as comunidades. Todas as sociedades humanas exibem um certo etnocentrismo que, em parte, é um requisito de identidade pessoal e social de seus membros. O etnocentrismo, do qual eurocentrismo e orientalismo são variantes, não é uma doença exclusiva da Europa. Os navajos, do sudoeste norte-americano, que se autodenominam "o povo", possuem também tendência etnocêntrica. Assim como os judeus, os árabes ou os chineses. É por isso que, mesmo aceitando que há variações de intensidade, reluto em aceitar argumentos que localizam a produção de tais preconceitos nos anos de 1840, como Bernal[8] faz para a Grécia antiga, ou nos séculos XVII e XVIII, como Hobson[9] faz para a Europa. O etnocentrismo é um fenômeno muito mais geral. Os gregos antigos não possuíam nenhuma paixão pela "Ásia", os romanos discriminavam os judeus.[10] As razões variam. Os judeus baseiam-se em argumentos religiosos, os romanos priorizam a proximidade com sua capital e civilização, a Europa atual justifica-se pelo sucesso no século XIX. Assim, um risco etnocêntrico oculto é ser eurocêntrico sobre etnocentrismo, uma armadilha na qual o pós-colonialismo e o pós-modernismo frequentemente caem. Mas se a Europa não inventou o amor, a democracia, a liberdade ou o capitalismo de mercado, ela também não inventou o etnocentrismo.

---

[7] Finley, 1981.
[8] Bernal, 1987.
[9] Hobson, 2004.
[10] Goodman, 2004:27.

O problema do eurocentrismo é ampliado pelo fato de uma visão particular de mundo produzida na Antiguidade europeia, cuja autoridade foi reforçada pelo uso extensivo do sistema de escrita grego, ter sido apropriada e absorvida pelo discurso historiográfico europeu, produzindo uma cobertura aparentemente científica em uma variante do fenômeno comum. A primeira parte do livro concentra-se na análise dessas teses com especial atenção à cronologia histórica que elas produziram.

Em segundo lugar, é importante entender como essa noção de divergência radical entre Europa e Ásia emergiu e isso eu faço discutindo o conceito de Antiguidade.[11] O etnocentrismo inicial foi agravado por eventos posteriores no continente europeu, como a dominação mundial em várias esferas que foi com frequência vista como primordial. No século XVI, a Europa alcançou uma posição dominante no mundo em parte por conta da Renascença e dos avanços na navegação e nos armamentos[12] que lhe permitiram explorar e colonizar novos territórios e desenvolver sua empresa mercantil, em parte pela adoção da imprensa, que ampliou o alcance do conhecimento.[13] Pelo final do século XVIII, com a Revolução Industrial, a Europa alcançou o domínio econômico mundial. No contexto da dominação, o etnocentrismo assume um aspecto mais agressivo. "Outra raça" passa a ser automaticamente "raça inferior" e na Europa um ensino sofisticado (às vezes racista no tom, embora a superioridade fosse considerada de caráter cultural e não natural) criou justificativas para explicar por que as coisas eram assim. Alguns pensavam que Deus, o Deus cristão ou a religião protestante, assim determinara. Muitos ainda acreditam nisso. Como muitos autores têm insistido, essa superioridade precisa ser explicada. Mas as explicações apoiadas em fatores primordiais de longa duração, sejam raciais ou culturais, são insatisfatórias, tanto teórica como empiricamente, pois a divergência veio depois. Devemos ser prudentes ao interpretar a história de uma maneira teleológica, isto é, interpretando o passado do ponto de vista do presente, projetando vantagens contemporâneas em épocas pretéritas e muitas vezes em termos "espirituais" aparentemente justificáveis.

A perfeita linearidade dos modelos teleológicos rotula tudo o que não é europeu como faltoso e carente e força a história europeia a se encaixar

---

[11] Esse ponto se relaciona com a polêmica de Ernest Gellner com Edward Said sobre orientalismo, em Gellner, 1994.

[12] Cipolla, 1965.

[13] Essa vantagem foi questionada por Hobson, 2004. Mas nós devemos tê-la em conta com relação ao sucesso da "expansão europeia" não somente nas Américas, mas principalmente no Oriente, onde sobrepujou as conquistas chinesas e indianas nessa área. Ver também Eisenstein, 1979.

em uma narrativa de mudanças progressivas duvidosas. Esse modelo tem de ser substituído por uma historiografia que seja mais flexível na abordagem da periodização, que não pressuponha a superioridade europeia única no mundo pré-moderno e que relacione a história europeia com a cultura compartilhada da Revolução Urbana da Idade de Bronze. Temos de enxergar desenvolvimentos históricos subsequentes na Eurásia em termos de um conjunto dinâmico de características e relações em interação múltipla e contínua, especialmente associada com a atividade ("capitalista") mercantil, que permutava tanto ideias quanto produtos. Dessa forma, podemos compreender desenvolvimento societário em um quadro mais amplo, como interativo e evolucionário em um sentido social e não em termos de uma sequência de eventos europeus, determinada em termos ideológicos.

Em terceiro lugar, a história mundial tem sido dominada por categorias como "feudalismo" e "capitalismo" propostas por historiadores que pensam exclusivamente na Europa. Com outras palavras, a periodização "progressiva" tem sido elaborada para uso interno a partir de um pano de fundo que considera apenas a trajetória europeia.[14] Assim, não há dificuldade em mostrar que o feudalismo é um fenômeno europeu, ainda que eruditos como Coulbourn se ofendam com as comparações e sempre partam e retornem à Europa, única base. A comparação sociológica não deve proceder dessa forma. Como eu já sugeri, deve-se começar por questões como a da propriedade condicional da terra e construir uma grade de características de vários tipos.

Finley mostrou que é mais produtivo examinar diferenças em situações históricas por meio de uma grade que ele criou para analisar a escravidão, definindo a relação a partir de várias situações servis, incluindo servidão, arrendamento e emprego, em vez de usar uma distinção explícita, por exemplo, entre escravo e homem livre, uma vez que há várias possíveis gradações.[15] Surge dificuldade semelhante com o arrendamento da terra, frequentemente classificado de forma grosseira como "propriedade individual" ou "propriedade comunal". A ideia de Maine da coexistência de uma "hierarquia de direitos" distribuída por diferentes níveis na sociedade (na forma de uma grade) nos permite evitar essas oposições enganadoras. E permite que se examine situações humanas de uma maneira mais sutil e dinâmica. Dessa forma, pode-se examinar similaridades e diferenças entre,

---

[14] Ver Marx e Engels, 1969:504.
[15] Ver Bion, 1970:3 e também Bion, 1963, em que a noção de grade foi usada para a compreensão de fenômenos psicológicos.

por exemplo, a Europa ocidental e a Turquia, sem se envolver prematuramente com afirmações grosseiras tais como "a Europa teve feudalismo, a Turquia não". Mundy e outros mostraram de várias formas que a Turquia teve algo muito parecido com o feudalismo europeu.[16] Usando uma grade, pode-se perguntar se a diferença parece suficiente para produzir consequências para o futuro desenvolvimento do mundo, como se pensava. Não se lida mais com conceitos monolíticos, formulados de um modelo não comparativo e não sociológico.[17]

A situação com relação à história mundial muito se alterou desde que abordei pela primeira vez esse tema. Vários autores, especialmente o geógrafo Blaut, têm insistido em denunciar as distorções criadas pelas interpretações dos historiadores europeus.[18] O economista Gunter Frank mudou radicalmente sua posição a respeito do "desenvolvimento" e tem nos conclamado a *Re-Orientalizar*, ou seja, reavaliar o Oriente.[19] O sinólogo Pomeranz forneceu um resumo erudito do que chamou de *The Great Divergence*[20] (a grande divergência) entre Europa e Ásia que ele vê como ocorrendo apenas no início do século XIX. O cientista político Hobson fez recentemente um balanço abrangente do que chama de "as origens orientais da civilização ocidental", tentando mostrar a superioridade das contribuições do Oriente.[21] Há também a fascinante discussão de Fernández-Armesto sobre os grandes Estados da Eurásia, tratados como iguais, nos últimos mil anos.[22] Soma-se a isso um número crescente de estudiosos da Renascença, como a historiadora da arquitetura Deborah Howard e o historiador da literatura Jerry Brotton, que enfatizaram o significativo papel de estímulo que o Oriente Médio desempenhou sobre a Europa,[23] da mesma forma que vários historiadores da ciência e da tecnologia chamaram a atenção para as enormes contribuições do Oriente para as subsequentes conquistas do Ocidente.[24]

Meu objetivo é mostrar como a Europa não só tem negligenciado ou representado mal a história do restante do mundo e, em consequência, interpretado equivocadamente sua própria história, mas também tem imposto seus conceitos e períodos históricos, comprometendo nossa compreensão da

---

[16] Mundy, 2004.

[17] Falo da comparação sociológica. Há poucos sociólogos capazes de produzir estudos de instituições em escala mundial e também poucos antropólogos. Talvez o trabalho de A. R. Radcliffe Brown seja uma exceção. Nas duas profissões, a regra é ficar travado em duvidosas comparações Oriente-Ocidente e talvez apenas a escola durkheimiana do *Année sociologique* chegue perto de um programa satisfatório.

[18] Blaut,1993, 2000.

[19] Frank, 1998.

[20] Pomeranz, 2000.

[21] Hobson, 2004.

[22] Fernández-Armesto, 1995.

[23] Howard, 2000; Broton, 2002.

[24] Para detalhes ver Goody, 2003.

Ásia de uma forma significativa tanto para o futuro quanto para o passado. Eu não estou procurando reescrever a história do território eurasiano, mas estou interessado em corrigir a forma como enxergamos seu desenvolvimento desde os chamados tempos clássicos. Ao mesmo tempo, tento ligar a história da Eurásia à história do resto do mundo, numa tentativa de mostrar que seria muito mais frutífero redirecionar a discussão para a história mundial. Concentrei-me no Velho Mundo e na África. Outros, especialmente Adams,[25] compararam o Velho e o Novo Mundo, no que diz respeito, por exemplo, à urbanização. Tal comparação poderia levantar outras questões – seu comércio e comunicação no desenvolvimento de "civilização" –, mas requereria mais uma ênfase na evolução social interna do que na difusão mercantil ou outra difusão, com importantes consequências para qualquer teoria do desenvolvimento.

Minha meta geral é similar àquela de Peter Burke para a Renascença, exceto que eu começo da Antiguidade. Ele escreve: "Eu procuro reexaminar a Grande Narrativa da ascensão da civilização ocidental", que ele descreve como "um balanço triunfante das conquistas ocidentais a partir dos gregos, que tem na Renascença um elo na cadeia que inclui a Reforma, a Revolução Científica, o Iluminismo, a Revolução Industrial e assim por diante".[26] Em sua revisão da pesquisa recente sobre a Renascença, Burke tenta "observar a cultura da Europa ocidental como uma cultura entre outras, coexistindo e interagindo com seus vizinhos, principalmente o Islã e Bizâncio, que por sua vez também tiveram seus próprios 'renascimentos' da Antiguidade grega e romana".

O livro pode ser dividido em três partes. A primeira examina a validade da concepção europeia de um tipo equivalente do árabe *isnad*, uma genealogia sociocultural, que surge da Antiguidade, progride para o capitalismo por intermédio do feudalismo e coloca a Ásia na posição de "excepcional", "despótica" ou atrasada. A segunda parte examina três grandes eruditos, todos altamente influentes, que tentaram enxergar a Europa em relação com o mundo, mas que continuaram a privilegiar essa suposta linha exclusiva de desenvolvimento. São eles Needham, que demonstrou a excelente qualidade da ciência chinesa, o sociólogo Elias, que localizou a origem do "processo civilizador" na Renascença europeia, e Braudel, o grande historiador do Mediterrâneo, que discutiu as origens do capitalismo. Fiz isso para mostrar que mesmo os historiadores mais considerados, que expressaram sempre aversão a uma história eurocêntrica e teleológica, podem

---

[25] Adams, 1966.   [26] Burke, 1978:3.

cair nessa armadilha. A parte conclusiva do livro interpreta as pretensões de vários europeus de apresentarem-se como os guardiões de algumas estimadas instituições, como um tipo especial de cidade, de universidade, de democracia e de valores, como o individualismo, assim como emoções, como o amor (ou o amor romântico).

Às vezes, queixas são feitas com relação à aspereza das críticas ao paradigma eurocêntrico. Eu tentei evitar esse tom e me concentrar no tratamento factual surgido em minhas discussões anteriores. Mas as vozes do outro lado são tão dominadoras e seguras de si que também nós podemos ser perdoados por erguer a voz.

PARTE I
UMA GENEALOGIA SOCIOCULTURAL

QUEM ROUBOU O QUÊ? TEMPO E ESPAÇO

Desde o início do século XIX, a construção da história do mundo tem sido controlada pela Europa ocidental, que registrou sua presença no resto do mundo como resultado da conquista colonial e da Revolução Industrial. Também os chineses, os indus e os árabes construíram suas histórias mundiais, por sinal com o mesmo caráter parcial (de certa forma todas as histórias são parciais). De fato, poucas culturas estabelecem um vínculo entre o seu próprio passado com o passado das outras civilizações. Muitos observadores, no entanto, rotulam isso como mito, em vez de história. O que caracteriza a postura europeia, assim como a de sociedades mais simples, é a tendência de impor a própria história ao mundo. Essa tendência etnocêntrica é extensão de um impulso egocêntrico na base de grande parte da percepção humana e se realiza pelo domínio *de fato* de muitas partes do mundo. Eu vejo o mundo necessariamente com meus olhos, não com os olhos dos outros. Como mencionei na introdução, estou consciente do surgimento recente de tendências contrárias na história mundial.[1] Entretanto, esse movimento não avançou o suficiente em termos teóricos, especialmente no que diz respeito às grandes fases pelas quais a história mundial é concebida.

É necessário um pensamento mais crítico para combater o inevitável caráter etnocêntrico em qualquer tentativa de descrever o passado ou o presente do mundo. Isso significa, primeiramente, ser cético quanto à pretensão ocidental de ter inventado atividades e valores como democracia ou liberdade. Em segundo lugar, significa olhar para a história a partir da base e não de cima para baixo (ou do presente). Em terceiro lugar, dar o peso adequado ao passado não europeu. Em quarto, é necessária a consciência de que até mesmo

---

[1] Ver particularmente a discussão inicial em C. A. Bayly's *The Birth of the Modern World, 1780-1914*. Oxford, 2004.

a espinha dorsal da historiografia – a localização dos fatos no tempo e espaço – é variável, objeto de construção social, por isso, sujeita a mudança. Portanto, não se trata de categorias imutáveis que emanam do mundo na forma como são apresentadas na consciência historiográfica ocidental.

As dimensões atuais de tempo e espaço foram estabelecidas pelo Ocidente. Isso porque a expansão através do mundo requereu controle temporal e mapas que emolduraram a história, tanto quanto a geografia. É claro que todas as sociedades têm alguns conceitos de espaço e tempo, em torno dos quais organizam seus cotidianos. Esses conceitos tornaram-se mais elaborados (e mais precisos) com o advento da leitura e da escrita, que proveu a capacidade para precisar ambas as dimensões. Foi a invenção da escrita na Eurásia que deu, para a maioria de suas sociedades, vantagens consideráveis, em comparação com a África oral, por exemplo, no cálculo do tempo ou na criação e desenvolvimento de mapas e não alguma verdade inerente à maneira de o mundo estar organizado em termos de espaço e tempo.

TEMPO

O tempo nas culturas orais era contado de acordo com fenômenos naturais: a progressão diária do sol, sua posição na esfera espacial, as fases da lua, o transcorrer das quatro estações. Faltava a contagem numérica da passagem dos anos. Isso requeria a noção de um ponto de partida fixo, em uma era. Essa contagem veio somente com a escrita.

O cálculo preciso do tempo, no passado e no presente, também foi apropriado pelo Ocidente. As datas das quais a história depende são medidas antes e depois do nascimento de Cristo (a.C. e d.C. ou a.e.c. e e.c. para sermos mais corretos). O reconhecimento de outras eras, relativas à Hégira, aos hebreus ou ao ano novo chinês, está relegado às margens da historiografia acadêmica e do uso internacional. Um aspecto desse roubo do tempo foi certamente as concepções de século e milênio propriamente ditas, de novo, concepções das culturas escritas. Fernández-Armesto,[2] autor de um livro que explora amplamente esse assunto, inclui em suas observações estudos sobre a história do Islã, Índia, China, África e Américas. Ele escreveu uma história mundial do nosso "milênio", cuja última metade é "nossa" no sentido de ser dominada pelo Ocidente. Ao contrário de muitos historiadores, ele não

---

[2] Fernández-Armesto, 1995.

vê essa dominação como algo enraizado na cultura ocidental; a liderança do mundo pode passar, facilmente, de novo para a Ásia já que antes passou dela para o Ocidente. Entretanto, a base para discussão é inevitavelmente colocada em termos de décadas, séculos e milênios do calendário cristão. O Oriente e o Ocidente têm concepções distintas de "milênio".

A monopolização do tempo não ocorre somente com a era que tudo inclui, definida pelo nascimento de Cristo, mas também com a contagem cotidiana de anos, meses e semanas. O ano, propriamente dito, é uma divisão parcialmente arbitrária. Nós usamos o ciclo sideral (calendário solar), outros usam uma sequência de 12 períodos lunares. É uma escolha mais ou menos convencional. Em ambos os sistemas, o início do ano, isto é, o Ano Novo, é absolutamente arbitrário. Não há, de fato, mais "lógica" no ano sideral, adotado pelos europeus, que na contagem lunar dos países islâmicos e budistas. O mesmo acontece com a divisão europeia de meses. A escolha é entre anos arbitrários ou meses arbitrários. Nossos meses têm pouco a ver com a lua, enquanto os meses lunares do Islã são definitivamente mais lógicos. Há um problema para todo sistema calendárico de integrar anos estelares ou sazonais com meses lunares. No islamismo, o ano é ajustado aos meses; no cristianismo acontece o contrário. Nas culturas orais, tanto a contagem sazonal quanto a lunar podem operar independentemente, mas a escrita impõe certo compromisso.

A semana de sete dias é a unidade mais arbitrária de todas. Na África, pode-se encontrar o equivalente à semana de três, quatro, cinco ou seis dias, com seus mercados correspondentes. Na China eram dez dias. As sociedades sentiram necessidade de uma divisão padrão menor do que o mês para marcar o cotidiano dos mercados locais, distintos das feiras anuais. A duração dessas unidades é completamente convencional. A noção de um dia e uma noite corresponde claramente à nossa experiência diária. Entretanto, a divisão suplementar em horas e minutos, em nossos relógios e em nossas mentes, é arbitrária.[3]

As diferentes formas de calcular o tempo nas sociedades com escrita tinham uma estrutura religiosa, usando como ponto de referência a vida do profeta, do redentor, ou a criação do mundo. Esses pontos de referência mantiveram-se relevantes, e os do cristianismo – resultado das conquistas, colonização e dominação do mundo não somente para o Ocidente, como também para o mundo –, a semana de sete dias, o domingo de descanso, os feriados de Natal,

---

[3] Goody, 1968.

Páscoa, Dia das Bruxas, são agora internacionais. Isso aconteceu apesar de, em muitos contextos, no Ocidente, haver se propagado um conceito secular – a desmistificação do mundo, segundo Weber, a rejeição da mágica, segundo Frazer – que agora afeta grande parte do mundo globalizado.

A continuada relevância da religião na vida cotidiana é frequentemente incompreendida tanto por observadores como por participantes. Muitos europeus enxergam suas sociedades como seculares e suas instituições como não discriminatórias de um credo ou de outro. O véu muçulmano e a quipá dos judeus podem ser permitidos ou não nas escolas; serviços religiosos livres são a regra; o estudo das religiões tenta ser comparativo. Nas ciências, nós pensamos na liberdade de questionar o mundo e tudo o que ele contém como condição de existência. Religiões como o islamismo, por outro lado, são muitas vezes criticadas por deterem as fronteiras do conhecimento, embora tenham uma tendência racionalista.[4] Até o momento, a mais avançada economia do mundo, em termos científicos e econômicos, é fortemente marcada por uma religião fundamentalista e uma profunda ligação com o seu calendário religioso.

Modelos religiosos de construção do mundo permeiam todos os aspectos do pensamento e em tal extensão que, mesmo tendo sido abandonados, seus traços continuam a determinar nossa concepção de mundo. Categorias espaciais e temporais, originadas de narrativas religiosas, são de tal forma fundamentais e disseminadas como determinantes para nossa interação com o mundo, que nós tendemos a esquecer sua natureza convencional. Entretanto, no nível societário, a ambivalência quanto à religião parece constituir-se em tendência geral nas sociedades humanas. Ceticismo e agnosticismo com relação à religião são uma linha recorrente, mesmo em sociedades pré-letradas.[5] Em sociedades letradas, tais tendências resultaram ocasionalmente em períodos de pensamento humanístico, como Zafrani descreve com relação a culturas hispano-magrebinas na Idade de Ouro do século XII e outras na Cristandade do período medieval. Mudanças mais radicais desse tipo ocorreram com a Itália Renascentista do século XV e com o reflorescimento do saber clássico (essencialmente pagão, apesar de, em muitos casos, adaptados ao cristianismo, como em Petrarca). O humanismo, clássico e secular, levou à Reforma e ao abandono da autoridade da Igreja vigente, embora não, é claro, à sua substituição. Mas ambos os desenvolvimentos encorajaram a liberação parcial dos modelos

---

[4] Makdisi, 1981:2.   [5] Goody, 1998.

de conhecimento do mundo na direção de um questionamento científico. Nesse momento, a China tinha o maior sucesso nesta área, em um contexto em que não havia somente uma religião estabelecida dominante. Isso permitiu o crescimento do conhecimento secular e a crítica às informações existentes, o que não ocorria sob o cristianismo e o islamismo. No entanto, a ambivalência quanto à religião, a coexistência do científico e do supranatural, permanece nas sociedades contemporâneas, apesar de hoje essa conjunção ser certamente diferente e de as sociedades estarem mais divididas entre "crédulos" e "não crédulos". Desde o Iluminismo, estes últimos ganharam *status* mais institucionalizado. Ambos, no entanto, estão presos a conceitos de tempo religiosos específicos, em que noções ocidentais acabaram por dominar um mundo multicultural e multirreligioso.

Voltando às medidas de tempo, os relógios, exclusivos de culturas letradas, foram obviamente uma contribuição importante. Eles existiam no mundo antigo na forma de relógios de sol e de água. Monges medievais usavam velas para registrar a passagem das horas. Dispositivos mecânicos complexos já haviam sido usados na China. Mas a invenção do relógio mecânico, que faz o tique-taque, foi uma descoberta europeia do século XIV. Outros mecanismos de escapo existiram na China a partir de 725, como também relógios mecânicos, mas estes últimos não foram bem desenvolvidos, como mais tarde os do Ocidente.[6] Relógios mecânicos, que, para alguns filósofos, se tornaram o modelo da organização do universo, foram no final incorporados em relógios portáteis, o que facilitaria a consulta individual. Isso também levou tais filósofos a desprezar povos e culturas que obedeciam ao "tempo africano" e não conseguiam se adaptar à demanda do emprego regular em fábricas e nas organizações de larga escala. Eles não estavam preparados para a "tirania", "a escravidão ao salário" do horário comercial.

Em uma carta escrita em 1554, Ghiselin Busbecq, embaixador do imperador Ferdinando no Sultanato Turco, descreveu sua jornada de Viena para Istambul. Ele comenta o aborrecimento de ser acordado pelos seus guias turcos no meio da noite porque eles não sabiam as horas (e reclama que eles também não marcavam as distâncias). Eles marcavam o tempo sim, mas pelo chamado para as orações do *muezin,* cinco vezes ao dia, o que obviamente não funcionava à noite. Havia o mesmo problema com o relógio de sol, enquanto o relógio

---

[6] Needham, 2004:14. Ele sugere que a insistência na especificidade da invenção do mecanismo de pêndulos e números é uma maneira de livrar a cara dos europeus nessa área, ao redefinir a questão das origens de sua superioridade, como no caso da agulha magnética e do leme axial (p. 73).

de água era por demais delicado e difícil de portar. O relógio mecânico, como vimos, foi em grande parte, embora não totalmente, uma invenção europeia, que se propagou vagarosamente. Foi levado para a China por padres jesuítas no processo de cristianização, disseminando-se pelo Oriente Médio somente no século XVI. Mesmo assim, não aparecia em lugares públicos porque sua presença podia ameaçar a tradicional medida de tempo do *muezin*. Segundo Busbecq, essa lenta adaptação não decorreu de uma resistência geral à inovação, como alguns têm afirmado: "nenhuma nação tem mostrado menos relutância para adotar invenções úteis; por exemplo, eles se apropriaram, para uso próprio, de grandes e pequenos canhões (que de fato se reconhece como invenção chinesa) e de muitas outras de nossas invenções. Eles não conseguiram, entretanto, imprimir livros e instalar relógios públicos. Afirmam eles que suas escrituras, isto é, seus livros sagrados, não seriam mais escrituras se fossem impressos; e se instalassem relógios públicos, a autonomia de seu *muezin* e de seus tradicionais ritos seria diminuída".[7] A primeira parte dessa citação indica estarmos bem longe do que muitos europeus consideraram uma cultura oriental estática e não inovadora (que será discutida amplamente no capítulo "Déspotas asiáticos, na Turquia ou em outros lugares?"). No entanto, a longo prazo, a rejeição à impressão foi muito significativa, tanto em termos da medida de tempo quanto da circulação de informação escrita, centrais para o desenvolvimento do que foi chamado mais tarde de Revolução Científica ou o nascimento da ciência moderna. O uso seletivo que fizeram da tecnologia da comunicação impediu o avanço depois de um certo ponto, mas isso está longe de ser uma completa inabilidade de medir o tempo ou de ignorar suas possibilidades e valor. Menos ainda, essa relutância (por si só um fenômeno relativamente tardio) pode justificar a visão de que a forma europeia de medir o tempo e a periodização europeia sejam mais "corretas" que outras.

Há outro aspecto mais geral com relação a essa apropriação do tempo: a caracterização da percepção ocidental de tempo como linear e da oriental como circular. Até mesmo o grande estudioso da China Joseph Needham, que tanto fez para reabilitar a ciência chinesa, curvou-se a essa identificação em uma importante contribuição ao assunto.[8] A meu juízo, tratou-se de uma caracterização muito genérica, que comparou equivocadamente culturas e suas potencialidades de uma maneira absoluta, categórica e mesmo essencialista. É verdade que, na China, à parte o cálculo de eras de longa duração, há um cálculo circular de anos de curta duração a partir do qual

---

[7] Lewis, 2002:130-1.   [8] Needham, 1965.

o nome do ano ("ano do macaco") circula de modo regular. Não há nada precisamente semelhante no calendário ocidental, a não ser os meses que se repetem, e na astrologia baseada no zodíaco caldeu, que mapeia o espaço celeste, na qual esses meses adquirem significado característico como nos anos chineses. No entanto, mesmo nas culturas orais, em que a contagem do tempo é inevitavelmente mais simples, acham-se os tempos lineares e circulares. A contagem linear é parte intrínseca das histórias de vida que se movem do nascimento à morte. Com o tempo "cósmico" há uma tendência maior à circularidade, uma vez que o dia segue a noite e uma lua segue outra. Qualquer ideia de cálculo exclusivo a ser feito de modo linear em vez de circular é equivocada e reflete nossa visão de que o Ocidente é avançado e voltado para o futuro e o Oriente, estático e atrasado.

ESPAÇO

As concepções de espaço também têm seguido definições europeias. Elas foram profundamente influenciadas pelo uso não tanto da escrita, mas das representações gráficas que se desenvolveram junto com a escrita. Claro que todos os povos têm algum conhecimento espacial do mundo em que vivem, do mundo ao redor e do céu, acima. No entanto, as representações gráficas significam um marcante passo à frente à medida que mapeiam de modo mais preciso, objetivo e criativo, permitindo estudar terras antes desconhecidas do leitor.

Os continentes propriamente ditos não são noções exclusivamente ocidentais. Eles se mostram instintivamente como entidades distintas, exceto pela divisão arbitrária entre Europa e Ásia. Geograficamente, Europa e Ásia formam um *continuum*, a Eurásia; os gregos fizeram distinção entre as margens do Mediterrâneo no Estreito de Bósforo. Apesar de terem fundado colônias na Ásia Menor desde o período arcaico, a Ásia nunca deixou de representar o "outro histórico" na maioria dos contextos: a terra de religiões e povos estranhos. Mais tarde, religiões "mundiais" e seus seguidores, cobiçando o domínio do espaço e do tempo, tentaram definir oficialmente a nova Europa como cristã. Isso apesar do histórico de contatos com a presença de seguidores do islamismo e judaísmo no continente[9] e apesar, também, da insistência de contemporâneos europeus (em contraste

---

[9] Goody, 2003b.

com outros povos) em adotar uma atitude leiga e secular diante do mundo. Enquanto o relógio dos anos clica para um tempo distintamente cristão, o presente e o passado da Europa são vistos como "a formação da Europa cristã" nos termos de Trevor-Roper.

Concepções de espaço, no entanto, não foram influenciadas pela religião com a mesma intensidade que as de tempo. Ainda assim, as localizações de cidades sagradas como Meca e Jerusalém determinaram não só a organização dos lugares, a direção da adoração, como as vidas de muitos povos que tinham como objetivo peregrinar para esses lugares sagrados. O papel da peregrinação islamita, um dos cinco pilares dessa religião, é bem conhecido, e afeta muitas partes do mundo. Mas no passado, os cristãos também peregrinavam para Jerusalém e a liberdade para fazer tais viagens foi uma das razões para a invasão europeia (as Cruzadas) do Oriente Médio no século XIII. Jerusalém foi também um forte polo de atração para o retorno de judeus durante a Idade Média, e ainda mais a partir do crescimento do sionismo e do violento antissemitismo desde o final do século XIX. Essa questão espacial, fortemente apoiada por algumas potências ocidentais, de Israel ser o lar destinado ao retorno massivo de judeus para a Palestina, resultou em tensão, conflito e guerras, que têm varrido o Mediterrâneo oriental nos últimos anos. Ao mesmo tempo, a concentração de bases ocidentais na península arábica é vista como sendo a razão da ascensão da militância islâmica nessa região. Desse modo, a religião "mapeia" o mundo para nós em parte de forma arbitrária, mas esse mapeamento adquire significados poderosos relativos a identidades, durante o processo. A motivação religiosa inicial pode desaparecer, mas a geografia interna que ela gerou permanece, é "naturalizada" e pode ser imposta aos outros como sendo de certo modo parte da ordem material das coisas. De modo igual ao tempo, isto é precisamente o que acontece com a escrita da história até agora na Europa, mesmo que a medida total de espaço tenha sido menos influenciada pela religião do que a do tempo.

Porém, os efeitos da colonização ocidental são evidentes. Quando a Inglaterra se tornou uma potência mundial, as coordenadas de espaço passaram a se basear no meridiano de Greenwich, em Londres; as Índias Ocidentais e grande parte das Índias Orientais foram criadas por interesses europeus, sob orientação do colonialismo e expansionismo europeus. O extremo oriente e o extremo ocidente da Eurásia não estavam na melhor posição para avaliar o espaço. Como Fernández-Armesto assinala,[10] na

---

[10] Fernández-Armesto, 1995:110.

primeira metade do presente milênio, o Islã ocupou uma posição mais central e estava mais bem situado para oferecer uma visão da geografia mundial. Exemplo é o mapa-múndi de Al-Istakhi, produzido na metade do século X e visto da Pérsia. O Islã foi posicionado no centro da expansão e da comunicação, permanecendo a meio caminho entre a China e o mundo cristão. Fernández-Armesto comenta as distorções criadas pela adoção da projeção Mercator para mapas no mundo. Países mais ao sul como a Índia aparecem menores com relação aos mais ao norte como a Suécia, cujo tamanho é grandemente exagerado.

Mercator (1512-94) de Flandres foi um dos geógrafos premiados com a chegada em Florença de uma cópia grega da *Geografia* de Ptolomeu vinda de Constantinopla e escrita em Alexandria no século II e.c. O tratado foi traduzido para o latim e publicado em Vicenza, tornando-se uma referência da geografia moderna. Fornecia uma grade de coordenadas espaciais que podiam ser estendidas em um globo, com linhas numeradas a partir do equador, para latitude, e a partir das ilhas Fortunate, para longitude. Esse trabalho chegou na época da primeira circum-navegação do globo e do advento da imprensa, fatores importantes para o desenvolvimento da cartografia. A "distorção do espaço" a qual me referi ocorreu porque o globo tem que ser aplainado para ser impresso e a projeção é uma tentativa de conciliar o esférico com o plano.[11] Só que a "distorção" adotou um viés europeu, que passou a dominar a cartografia moderna no mundo.

A latitude foi definida em relação ao equador. Mas a longitude apresentou problemas, porque não havia um ponto de partida fixo. E ele era necessário para estimar o tempo de navegação, o que se tornou mais premente com o desenvolvimento de viagens frequentes de longa distância. Pesquisas no Observatório Real de Greenwich, perto de Londres, facilitadas pelo trabalho do relojoeiro John Harrison (1693-1776), que construiu um relógio de precisão para navios em alto mar, desembocaram, no ano de 1884, no absolutamente arbitrário meridiano de Greenwich, escolhido como a base para o cálculo de longitude e de tempo no mundo inteiro.

Cartografia e navegação envolveram o cálculo do espaço do céu e da terra. Todas as culturas têm algum modo de ver o céu. Mas seu mapeamento foi desenvolvido pelos homens de letras babilônios e mais tarde pelos gregos e romanos. Esse conhecimento desapareceu da Europa durante a Idade das Trevas mas continuou a ser impulsionado no mundo árabe, na Pérsia, Índia e

---

[11] Crane, 2003.

China. O mundo árabe em particular, usando matemática complexa e muitas observações novas, produziu excelentes mapas estelares e ótimos instrumentos astronômicos, como o astrolábio de Muhammad Khan ben Hassan. Foi a partir dessa base que os avanços europeus nessa área foram possíveis.

Até séculos recentes, a Europa não ocupava uma posição central no mundo conhecido, apesar de tê-lo feito temporariamente com a emergência da Antiguidade clássica. Somente a partir da Renascença, com as atividades mercantis no mar Mediterrâneo e depois no Atlântico, é que a Europa começou a dominar o mundo. Primeiro com a expansão do comércio, depois pela conquista e colonização. Essa expansão levou a noção de espaço desenvolvida no curso da "Idade da Exploração" e a noção de tempo desenvolvida no contexto da Cristandade a serem impostas ao resto do mundo. No entanto, a questão fundamental de que trata este livro encontra-se numa perspectiva mais ampla. Refere-se à forma como a periodização exclusivamente europeia da Antiguidade rompe com a Ásia e sua revolucionária Idade do Bronze, e estabelece uma única linha de desenvolvimento que avança pelo Feudalismo, para a Renascença, a Reforma e o Absolutismo e daí para o Capitalismo, a Industrialização e a Modernização.

PERIODIZAÇÃO

O "roubo da história" não é somente de tempo e espaço, mas do monopólio dos períodos históricos. A maioria das sociedades parece fazer alguma tentativa de categorizar seu passado nos termos de largos e diferentes períodos de tempo mais ligados à criação da humanidade do que do mundo. Os esquimós pensam que o mundo sempre foi como se apresenta,[12] porém, na vasta maioria das sociedades, os homens de hoje não são vistos como sendo os primitivos habitantes do planeta. A ocupação do planeta começa por algo parecido com o "tempo do sonho" dos nativos australianos; entre os LoDagaa do norte de Gana, os primeiros homens e mulheres habitaram a "velha terra" (como *tengkuridem*). Com o advento da "linguagem visível", da escrita, aparentemente criamos uma periodização mais elaborada: a crença numa Era Dourada anterior ou Paraíso, quando o mundo era um lugar melhor, mas que os humanos tiveram de abandonar por causa de seu comportamento incorreto. É o oposto da ideia de progresso e modernização. Alguns imaginaram uma periodização baseada nas mudanças na natureza das principais ferramentas usadas pelos homens como pedra, cobre, bronze

[12] Boas, 1904:2.

ou ferro – uma progressiva periodização das Idades do Homem adotada por arqueólogos europeus do século XIX como um modelo científico.

Recentemente, a Europa se apropriou do tempo de forma mais determinada e o aplicou ao resto do mundo. Claro, a história mundial precisa ter uma estrutura cronológica única, se quiser ser unificada. Acontece que o parâmetro internacional é basicamente cristão, assim como os feriados mais importantes – Natal e Páscoa – são celebrados em órgãos internacionais como as Nações Unidas. E também é esse o caso das culturas orais do Terceiro Mundo que não foram incluídas nos parâmetros das religiões mais importantes. Alguma monopolização é necessária na construção de uma ciência universal como a astronomia. A globalização compreende uma medida de universalização. Não se pode trabalhar com conceitos puramente locais. Assim, apesar de o estudo da astronomia ter tido sua origem em outro lugar, mudanças na sociedade de informação, particularmente na tecnologia de informação na forma de livro impresso (que, como o papel, veio da Ásia), passaram a significar que o desenvolvimento da estrutura do que se chama ciência moderna é ocidental. Nesse caso, como em muitos outros, globalização significa ocidentalização. Universalização é muito mais do que um problema nas ciências sociais, no contexto da periodização. Os conceitos de história e de ciências sociais, apesar de eruditos lutarem pela "objetividade" weberiana, são mais próximos do mundo em que eles foram concebidos. Por exemplo, os termos "Antiguidade" e "Feudalismo" são definidos num puro contexto europeu, atentos ao desenvolvimento histórico particular desse continente. Os problemas surgem quando se pensa sobre a aplicação desses conceitos em outros tempos e lugares, e suas reais limitações vêm à tona.

Assim, um problema básico com a acumulação de conhecimento é que as categorias usadas são europeias, muitas delas definidas pela grande atividade intelectual que se seguiu ao retorno dos gregos à escrita. Foi então que a filosofia e as disciplinas científicas como a zoologia foram traçadas e transmitidas mais tarde para toda a Europa. A história da filosofia, enquanto conteúdo incorporado aos sistemas de ensino europeus, é essencialmente a história da filosofia ocidental desde os gregos. Recentemente, alguma atenção marginal foi dada pelos ocidentais a temas similares na China, Índia, ou nas áreas de pensamento árabe (isto é, regiões culturais com tradição de pensamento escrito).[13] Entretanto, sociedades não letradas recebem menos

---

[13] Por exemplo, E. Gilson, em *La Philosophie au Moyen Age* (1997) (*A filosofia na Idade Média*), inclui uma pequena seção sobre filosofia árabe e judaica porque esses povos afetaram diretamente a Europa (isto é, Andaluzia). O resto do mundo ou não tinha filosofia ou não tinha Idade Média.

atenção, apesar de identificarmos algumas matérias "filosóficas" substanciais em recitações formais como a do Bagre dos LoDagaa do norte de Gana.[14] A filosofia é, portanto, quase por definição, um assunto europeu. Como com a teologia e a literatura, abordagens comparativas têm mostrado sua validade para conciliar interesses globais, mas a história comparativa ainda é um sonho.

Como vimos, para J. Needham, no Ocidente o tempo é linear e no Oriente circular.[15] Mas essa é uma concepção limitada, principalmente no que diz respeito às sociedades não letradas que têm pouca noção de "progressão" das culturas. Entre os LoDagaa, machados neolíticos eram usados ao lado de enxadas de ferro. Eram tidos como "machados de Deus", ou enviados pelo deus da chuva. Não que aquele povo não tivesse ideia de mudança cultural. Eles sabiam que os djanni os haviam precedido no local e que poderiam trazer ruína para suas casas. Mas não tinham uma visão da mudança de longo prazo de uma sociedade que usa ferramentas de pedra para outra que emprega enxadas de ferro. Em seu mito cultural do Bagre,[16] o ferro surgiu com "o primeiro homem", como aconteceu com a maioria dos elementos de sua cultura. A vida, para eles, não transcorria da mesma maneira, embora o colonialismo e a chegada dos europeus os tenha certamente levado a considerar a mudança cultural e a palavra "progresso", frequentemente associada com educação, em seu uso corrente. O antigo foi rejeitado em favor do novo. A ideia linear de movimento cultural passou a dominar.

Entretanto, a linearidade, de alguma forma, já estava presente. A vida humana transcorre de um modo linear embora os meses e anos sejam vistos como um movimento cíclico, isso ocorre principalmente porque não há um esquema escrito para se contar a passagem do tempo. Mesmo na concepção ocidental, está embutida a circularidade das estações. Porém, as mudanças culturais ficam mais evidentes quando, por exemplo, uma nova geração de automóveis se apresenta como "melhor" que a anterior. Entre os LoDagaa, o pegador da enxada continuou tendo a mesma forma por gerações, mas houve mudanças, e num contexto visto como particularmente estático, "tradicional".

A linearidade é um constituinte da "avançada" ideia de "progresso". Alguns viram essa noção como peculiar ao Ocidente, e de certa forma o é, podendo ser atribuída à rapidez das mudanças ocorridas principalmente na Europa desde a Renascença, assim como à aplicação do que J. Needham e outros se referiram como "ciência moderna". Eu diria que tal noção é uma

---

[14] Goody, 1972b, Goody e Gandah, 1980, 2003.

[15] Needham, 1965.

[16] Ver Goody, 1972b, Goody e Gandah, 1980, 2003.

característica de todas as culturas escritas, sua correspondente introdução de um calendário fixo e o estabelecimento de uma linha do tempo. Mas não foi de forma alguma um progresso de mão única. A maioria das religiões escritas continha a ideia de Idade de Ouro, Paraíso, ou Éden, de onde a humanidade teve de se retirar. Essa noção envolveu um olhar para trás tanto quanto, em alguns casos, um olhar à frente para um novo começo. Mesmo em culturas orais foi encontrada a ideia de Paraíso.[17] No passado, houve uma clara divisão. Só com o advento da secularização, depois do Iluminismo, vamos encontrar um mundo regido pela ideia de progresso, não tanto de direção a uma meta particular quanto da passagem de um antigo patamar do universo em direção a algo diferente, ainda que não imaginado, como com o avião, em função do esforço científico e do engenho humano.

Uma das hipóteses básicas de uma boa parte da historiografia ocidental é que a flecha do tempo avança com um aumento equivalente em valor e proveito na organização das sociedades humanas, isto é, o progresso. A história é uma sequência de estágios, cada um proveniente de um anterior e seguindo em direção ao próximo, até, no marxismo, finalmente alcançar o estágio "superior" com o comunismo. Embora a leitura eurocêntrica da direção da história não acolha esse tipo de otimismo milenarista, para a maioria dos historiadores, o momento da escrita aproxima-se do objetivo final do desenvolvimento da espécie humana, se é que não se identifica com ele. Assim, o que nós definimos como progresso é reflexo de valores que são muito específicos da nossa própria cultura, e que são de data relativamente recente. Nós falamos dos avanços das ciências, do crescimento econômico, da civilização e do reconhecimento dos direitos humanos (democracia, por exemplo). Entretanto, há outros padrões pelos quais as mudanças podem ser medidas. De certa maneira esses padrões estão presentes como contradiscursos mesmo em nossa própria cultura. Se pegarmos um parâmetro ambiental, por exemplo, nossa sociedade é uma catástrofe. Se falarmos de progresso espiritual (o principal tipo de progresso em algumas sociedades, mesmo se questionável na nossa), poderíamos dizer que estamos regredindo. Há pouca evidência de progresso de valores num plano mundial, a despeito de suposições contrárias que dominam o Ocidente.

Aqui, eu estou especialmente preocupado com os conceitos históricos abrangentes a respeito do desenvolvimento da história humana e o modo como o Ocidente tentou impor sua própria trajetória ao curso dos eventos

---

[17] Goody, 1972.

globais, bem como à confusão a que isso deu lugar. Toda a história mundial foi concebida como uma sequência de fases constituídas por eventos ocorridos só na Europa Ocidental. Por volta de 700 a.e.c., o poeta Hesíodo imaginou as eras passadas do homem começando por uma Idade de Ouro e sendo sucedida pelas Idades de Prata e Bronze, passando por uma era de heróis, até chegar à atual Idade do Ferro. É uma sequência não muito diferente da que, mais tarde, arqueólogos desenvolveram no século XVIII, indo da pedra ao bronze e daí para o ferro, a partir dos materiais com que as ferramentas eram feitas.[18] No entanto, desde a Renascença, historiadores e eruditos têm adotado outra abordagem. Começando com a sociedade arcaica, a periodização das mudanças na história mundial em Antiguidade, Feudalismo e Capitalismo é virtualmente europeia. O restante da Eurásia ("Ásia") seguiu um curso diferente: com suas políticas despóticas, constituiu o "excepcionalismo asiático". Ou em termos contemporâneos, fracassou em alcançar a modernização. "O que deu errado?", perguntou Bernard Lewis referindo-se ao Islã, e admitindo que somente o Ocidente teria acertado. Será que foi esse o caso? E por quanto tempo?

O que aconteceu, então, para o afastamento da noção de um desenvolvimento sociocultural comum entre Europa e Ásia, e o encaminhamento em direção a ideias como "excepcionalismo asiático", "despotismo asiático", e de cursos diferentes para as civilizações Oriental e Ocidental? O que aconteceu mais tarde para distinguir Antiguidade das culturas da Idade do Bronze do Mediterrâneo oriental? Como a história do mundo passou a ser definida por sequências puramente ocidentais?

---

[18] Daniel, 1943.

A INVENÇÃO DA ANTIGUIDADE

A Antiguidade, "Antiguidade clássica", representa para alguns o começo de um novo mundo (basicamente europeu). O período se encaixa com perfeição numa corrente progressiva da história. Nesse sentido, em primeiro lugar, a Antiguidade teve de ser radicalmente apartada de seus predecessores na Idade do Bronze, que caracterizou algumas das mais importantes sociedades asiáticas. Em segundo, Grécia e Roma passam a ser vistas como fundadoras da política contemporânea, sobretudo no que concerne à democracia. Em terceiro, alguns aspectos da Antiguidade, especialmente os econômicos como comércio e mercado, que marcariam mais tarde o "capitalismo", são subestimados, para marcar uma grande distinção entre as diferentes fases que conduzem ao presente. Meu argumento neste capítulo tem um tríplice foco. Primeiro, entendo que estudar economia (ou sociedade) antiga isoladamente é um erro. A economia (ou sociedade) antiga deve ser entendida como parte de uma grande cadeia de intercâmbio econômico e político centrada no Mediterrâneo. Segundo, essa economia não constituiu um tipo puro e distinto como muitos historiados europeus pensam; fatos históricos foram adaptados para caber em um molde teleológico e eurocêntrico. Terceiro, entrarei no debate entre "primitivistas" e "modernistas", tentando apontar as limitações em ambas as perspectivas.

A Antiguidade é compreendida por alguns como a época que marca o início do sistema político, da "*polis*", da "democracia" propriamente dita, da "liberdade" e da lei. Economicamente, ela era diferente, baseada na escravidão e na redistribuição, mas não em mercado e comércio. Considerando os meios de comunicação, os gregos com sua língua indo-europeia teriam criado o alfabeto que usamos hoje. O mesmo teria se dado com relação à arte, inclusive à arquitetura. Quero discutir, por fim, se houve diferenças significativas entre os centros europeus da Antiguidade e os do Mediterrâneo oriental, incluindo a Ásia e a África, ao seu redor.

O roubo da história pela Europa Ocidental começou com as noções de sociedade arcaica e Antiguidade, prosseguindo daí em uma linha mais ou menos reta pelo feudalismo e Renascença até o capitalismo. Aquele começo é compreensível porque, mais tarde para a Europa, as experiências gregas e romanas representaram o amanhecer da "história", com a adoção do alfabeto escrito (antes da escrita tudo era pré-história, e esfera de arqueólogos, não de historiadores).[1] Evidentemente, havia alguns registros escritos na Europa antes da Antiguidade na civilização minoico-micênica de Creta e do continente. No entanto, só foram decifrados nos últimos sessenta anos, e os documentos consistiam de listas administrativas, não de "história" ou literatura. Essas áreas apareceram com alguma força na Europa somente depois do século XIII a.e.c. com a adoção e adaptação pela Grécia da escrita fenícia, a ancestral de muitos outros alfabetos, com seu sistema de consoantes BCD (sem as vogais).[2] Uma das primeiras matérias da escrita Grega foi a guerra contra a Pérsia que levou à distinção feita em termos valorativos entre Europa e Ásia, com profundas consequências para nossa história política e intelectual a partir de então.[3] Para os gregos, os persas eram "bárbaros", caracterizados pelo uso da tirania em vez da democracia. Era, claro, um julgamento puramente etnocêntrico, alimentado pela guerra greco-persa. Por exemplo, o suposto declínio do Império Persa no reino de Xerxes (485-465 a.e.c.) decorre dessa visão centrada na Grécia e em Atenas; essa interpretação não surgiu de documentos elamitas de Persépolis, nem acadianos da Babilônia, nem aramaicos do Egito, e está longe de evidências arqueológicas.[4] Na verdade, os persas eram tão "civilizados" quanto os gregos, especialmente em sua elite. Constituíram-se no principal caminho pelo qual o conhecimento, vindo das sociedades literárias do Oriente Médio antigo, foi transmitido aos gregos.[5]

Linguisticamente, a Europa tornou-se o lar dos "arianos", falantes de línguas indo-europeias advindas da Ásia. A Ásia Ocidental, por outro lado, foi o lar dos povos nativos de línguas semitas, um ramo da família afro-asiática que incluiu a língua falada pelos judeus, fenícios, árabes, coptas,

---

[1] Goody e Watt, 1963, Finley 1970:6.

[2] Eu uso as datas padrão. Alguns eruditos colocariam a transmissão bem mais cedo.

[3] Said, 1995:56-7.

[4] Briant, 2005:14.

[5] Villing, "Persia and Greece", em Curtis e Tallis, 2005:9.

berberes, e muitos outros do norte da África e Ásia. Foi essa divisão entre arianos e outros, incorporada mais tarde nas doutrinas nazistas, que, na história popular da Europa, tendeu a encorajar o subsequente menosprezo das contribuições do Oriente para o crescimento da civilização.

Nós sabemos o que Antiguidade significa em um contexto Europeu, apesar das controvérsias entre eruditos clássicos sobre seu começo e final.[6] Então por que esse conceito não foi usado no estudo de outras civilizações, no Oriente Médio, na Índia ou na China? Existem razões marcantes para essa exclusão do resto mundo e o início do "excepcionalismo europeu"? Pré-historiadores têm enfatizado a progressão muito semelhante entre as primeiras sociedades da Europa e de outros lugares, com tempos diferentes, porém com um conjunto comum de estágios paralelos. Essa progressão continuou através da Eurásia até a Idade do Bronze. Então registrou-se uma divergência. As sociedades arcaicas da Grécia estavam praticamente na Idade do Bronze, embora alcançassem a Idade do Ferro e mesmo o período histórico. Depois da Idade do Bronze, a Europa teria vivido a Antiguidade ao passo que a Ásia não. O problema central para a historiografia é que, enquanto muitos historiadores ocidentais – inclusive importantes eruditos como Gibbon – examinaram o declínio e queda do mundo clássico de Grécia e Roma e a emergência do feudalismo, poucos (se é que algum) consideraram em qualquer profundidade as implicações teóricas da emergência da Antiguidade ou da sociedade antiga como um período distinto. O antropólogo Southall, por exemplo, afirma sobre o "modo asiático" que "a primeira transformação radical foi o modo de produção antigo que se desenvolveu no Mediterrâneo sem substituir o modelo asiático na maior parte da Ásia e do Novo Mundo."[7] Mas por que não? Explicações não são fornecidas, exceto a de que o "modo antigo" era "um quase salto milagroso na questão dos direitos do homem (mas não da mulher)". Foi uma transição que ocorreu no Mediterrâneo oriental em parte pela "migração para o cenário de um colapso social", uma situação que devia ser frequente.

Muitos veem que a história mais recente da Europa emergiu de alguma vaga síntese entre romanos e a sociedade nativa tribal, uma formação social "germânica" em termos marxistas; há controvérsias entre romanistas e germanistas quanto às contribuições de suas respectivas culturas. No que diz respeito ao período anterior, a Antiguidade é frequentemente vista

---

[6] Para um valioso comentário mais atual sobre o fim da Antiguidade, ver Fowden, 2002.
[7] Southall, 1998: 17, 20.

como a fusão das condições da Idade do Bronze com as "tribos" de origem "ariana" que participaram das invasões dóricas. Assim, a Antiguidade teria se beneficiado de ambos os regimes: as centralizadas culturas urbanas "civilizadas" e as "tribos" mais rurais e pastoris.

Do ponto de vista da economia e da organização social, o conceito de tribo não é muito esclarecedor. Enquanto o termo "tribal" pode ser um modo de indicar certos aspectos da organização social, especialmente mobilidade e a ausência do Estado burocrático, pouco faz para diferenciar a natureza da economia. Existem "tribos" praticantes de caça e coleta, outras, de agricultura simples de enxada, outras ainda, de pastoreio. Em qualquer caso, o que é claro sobre a emergência do que percebemos como a civilização clássica da Antiguidade, é que esta não foi construída diretamente com base em economia "tribal" de nenhum desses tipos. Em vez disso, ela foi construída com base em sociedades como a micênica e a etrusca que foram grandemente influenciadas pelos muitos avanços na vida rural e urbana que marcaram a Idade do Bronze não somente na Europa, mas, sobretudo, no Oriente Médio – o chamado Crescente Fértil –, como também na Índia e na China. Durante a Idade do Bronze, cerca de 3000 a.e.c., a Eurásia viu o desenvolvimento de inúmeras "civilizações" novas, no sentido técnico de culturas urbanas baseadas no avanço da agricultura de arado, na roda, e às vezes, na irrigação. Elas desenvolveram uma vida urbana e uma atividade artesanal especializada, incluindo formas de escrita, começando, assim, uma revolução nos modos de comunicação e nos modos de produção. Essas sociedades muito estratificadas produziram formas culturais hierarquicamente diferenciadas e uma grande variedade de atividades artesanais, no vale do rio Vermelho na China, na cultura harappan no norte da Índia, na Mesopotâmia e no Egito, e, mais tarde, em outras partes do Crescente Fértil do Oriente Médio, assim como no Leste europeu. Houve desenvolvimento paralelo por toda parte nessa vasta região e houve alguma comunicação. De fato, a Revolução Urbana afetou não somente as civilizações mais importantes, mas também as "tribos" que moravam em sua periferia,[8] que de certa forma teriam "originado" a sociedade grega.

Childe enfatiza o papel do comércio no mundo clássico, e como ele foi importante para difundir culturas, ideias e pessoas. Os escravos, claro, eram comercializados, e não somente tinham função de trabalhadores:

---

[8] Childe, 1964:159, "Mesmo a resistência ao imperialismo gera uma 'economia da Idade do Bronze' dependente de comércio, pelo menos com relação a armamentos [...]".

"entre eles havia também doutores altamente especializados, cientistas, como também artesãos e prostitutas [...] as civilizações orientais e mediterrânicas, tendo se fundido, estavam ligadas pelo comércio e pela diplomacia a outras civilizações do leste e aos velhos bárbaros do norte e do sul".[9] Tal intercâmbio ocorria tanto internamente quanto entre sociedades.

As "tribos" da periferia, os chamados "bárbaros", ou seja, aqueles que não pertenciam às civilizações mais importantes,[10] foram afetadas pelo grande desenvolvimento nas sociedades urbanas com as quais elas intercambiavam produtos, ajudando também no transporte de bens. Tais sociedades urbanas eram vistas como possíveis alvos: por sua maior mobilidade, assaltar cidades e seu tráfico era um modo de vida para algumas "tribos". Foi essa a situação descrita por Ibn Khaldun em seu texto do século XIV sobre o conflito, no norte da África, entre beduínos nômades e árabes sedentários (ou os equivalentes entre os berberes) em que as tribos tinham maior "solidariedade" (*asabiyaa*) se comparadas aos povos mais avançados tecnologicamente,[11] um tema abordado por Émile Durkheim em *De la Division du Travail Social* (*Da divisão do trabalho social*) sob o título de "solidariedade".[12] A maioria das grandes civilizações teve contatos semelhantes com suas "tribos" vizinhas e sofreu incursões semelhantes: os chineses dos manchus, os indianos dos timurids da Ásia Central, o Oriente Médio dos povos do deserto ao redor, os dórios na Europa. Não havia nada de excepcional nos ataques dos germanos e outros no mundo clássico, a não ser o de terem sido um fator importante na destruição do Império Romano e no eclipse temporário das extraordinárias realizações da Europa Ocidental. Entretanto, as tribos não foram simplesmente "predadoras". Eram importantes também, como veremos, por si próprias e por noções de solidariedade, democracia e liberdade, aspectos quase universalmente associados aos gregos.

O que entendemos por Antiguidade tem sua origem, obviamente, na Grécia e Roma; é a narrativa mais sustentada pela maioria dos historiadores clássicos.[13] Há um consenso de que a Antiguidade foi construída sobre um

---

[9] Childe, 1964:248-50.

[10] O conceito de bárbaro contrastando com civilizado era central na visão dos gregos (e de outros povos também) não somente com relação a povos tribais, o que os levava a desvalorizar o outro. No entanto, nem todos os escritores gregos dividiram o mundo entre gregos e bárbaros. Houve alguns que consideraram todos os seres humanos similares, mas ao "outro" foi atribuída uma "caracterização fortemente negativa [...] no rastro das guerras persas" (Von Staden, 1992:580). Do mesmo modo, existem autores que reconhecem a dívida para com outras civilizações antigas, assim como há acadêmicos contemporâneos que têm feito o mesmo (a questão é discutida com sensibilidade por Von Staden [1992]). Estou comentando um ponto de vista persistente.

[11] Ibn Khaldûn, 1967 [1377].

[12] Durkheim, 1893.

[13] Osborne, 1996.

colapso anterior da civilização. Em 1200 a.e.c., "a Grécia se parecia muito com qualquer outra sociedade do Oriente Médio".[14] Assim como na Europa ocidental houve, mais tarde, uma ruptura dramática com a queda do Império Romano, também parece ter acontecido um colapso semelhante na civilização creto-micênica, na Grécia, por volta de 1100 a.e.c. Talvez esse colapso tenha sido decorrência de invasões, de qualquer maneira, resultou no desaparecimento da cultura de palácio. O mundo grego a partir de então, passou a ser marcado por "horizontes contraídos, sem grandes construções, sem grandes sepulturas, sem comunicação e contato limitado com o mundo exterior".[15]

Embora houvesse semelhança com culturas mais antigas na área, especialmente na língua, há também a questão, intrínseca na história da Europa, do que diferenciou a sociedade antiga da de seus contemporâneos ou mesmo de sociedades mais velhas que continuaram na Idade do Bronze, no Oriente Médio e em outros lugares. Certamente começaram mudanças na sociedade antiga, como temos visto. Culturas de palácio desapareceram (no Ocidente). A Idade do Ferro emergiu tanto ali como em outros lugares, ampliando o uso de metais. No entanto, o problema não é uma ausência de mudanças importantes ao longo do tempo, e sim fazer distinções categóricas entre a sociedade arcaica e a sociedade grega (isto é, Antiguidade), diferenciadas de todas as outras, quando essas diferenças nos ensinam mais se concebidas em termos de um evolucionismo ou desenvolvimentismo menos radical, especialmente se forem, antes de mais nada, de significância circunscrita. A sociedade arcaica foi amplamente uma sociedade da Idade do Bronze, como o resto de suas contemporâneas; os gregos pertenceram à Idade do Ferro. No entanto, os períodos se seguiram na mesma esfera geográfica e comercial, com um emergindo do outro. Por exemplo, Arthur Evans, o arqueólogo que descobriu o Palácio de Cnossos, proclamou que os cretenses eram "livres e independentes", a primeira civilização europeia,[16] em outras palavras, estabelecendo um precedente aos gregos. Liberdade e independência são termos comparativos e os cretenses foram mais dependentes dos outros do que ele supôs; de fato, eram ligados comercialmente ao Oriente Médio de onde vinham suprimentos de estanho e cobre (inclusive do Chipre), bem como outras mercadorias; estanho e cobre eram necessários para fazer bronze. Ligações culturais também ocorreram; há evidências de relações com o Egito (como em uma pintura numa tumba no vale dos Reis, datada

---

[14] Osborne, 1996:3.   [15] Osborne, 1996:32.   [16] Evans, 1921-35.

de aproximadamente 1500 a.e.c., que indica a existência de relações entre Europa, África, e Ásia).

MODOS DE COMUNICAÇÃO: O ALFABETO

Um dos resultados da interpretação em termos de invasão tribal da Grécia por tribos de fala ariana foi a negligência das contribuições semitas e a ênfase exagerada nas contribuições gregas para o que foram, sem dúvida, desenvolvimentos de grande importância. Por exemplo, nas formas de comunicação, os gregos adicionaram os sons das vogais ao alfabeto semita, portanto, aos olhos de alguns eruditos, "inventaram" o alfabeto. O novo alfabeto tornou-se o mais importante instrumento para comunicação e expressão. No entanto, na verdade, muito foi feito com o alfabeto consonantal, o suficiente para a produção do Antigo Testamento pelos judeus, que serviu de base tanto para o judaísmo como para o cristianismo e o islamismo. Isso já foi um enorme feito histórico, literário e religioso. Como também o foram as literaturas das línguas árabe e indiana que se desenvolveram a partir da versão aramaica dos escritos semitas, de novo sem vogais.[17] No entanto, essas conquistas foram constantemente subestimadas na comparação com os gregos, cuja posição foi sempre vista a partir da perspectiva da dominação europeia posterior do mundo, isto é, teleologicamente. É esse o problema do helenocentrismo.[18]

Um tipo de alfabeto só de consoantes estava disponível na Ásia há muito, desde cerca de 1500 a.e.c., favorecendo a literatura de povos como os semitas, fenícios, hebreus, falantes de aramaico e, mais tarde, de árabe também. De fato, o Antigo Testamento, e também o Novo, usou uma escrita desse tipo – contribuição frequentemente negligenciada por estudiosos clássicos concentrados nas línguas indo-europeias.[19] Além disso, com outros tipos de escrita, a espécie humana fez milagres em termos de acúmulo e difusão do conhecimento, por exemplo, usando a escrita logográfica do Extremo Oriente. Mesopotâmicos e egípcios também produziram obras literárias substanciais usando manuscritos semelhantes, porém, em parte por razões linguísticas, são vistos pelos europeus como "orientais", em vez de clássicos. De fato, muitas das descobertas supostamente sem paralelo da literatura

---

[17] Goody, 1987.

[18] Ver Von Staden (1992) para uma compreensão e discussão apurada desse ponto.

[19] Goody, 1987:60ss.

alfabética foram possíveis com outras formas de escrita. A promoção do alfabeto (por Lenin, por exemplo) como a "revolução do Leste" foi o contraponto de sua promoção do Estado-nação em oposição aos impérios multinacionais, posto que o primeiro supostamente produziu as melhores condições para o desenvolvimento do capitalismo e consequentemente do socialismo. Era uma visão muito eurocêntrica. Obviamente, a escrita chinesa, que comunicava acima do nível de uma língua nacional e pôde ser usada para ensinar Confúcio em todas as línguas, tinha um perfil de império multinacional e não de unidades nacionais, o que explica por que – por razões político-culturais – o ramo de Pequim do Partido Comunista Chinês, sob Mao Tse-tung, rejeitou o alfabeto e manteve os ideogramas.[20]

Um dos aspectos da transição da Grécia arcaica para a Antiguidade foi a perda da capacidade de ler e escrever e da Linear B. A ideia de que houve um período de iletramento entre o fim da Idade do Bronze e a Idade do Ferro na Grécia é contestada por Bernal,[21] que vê a difusão do alfabeto semita ocidental no Egeu antes de 1400 a.e.c. e, portanto, na época da escrita Linear B. Ele sugere que existem documentos daquele período, ainda que nenhum tenha sido descoberto até o momento; papiros são vítimas de sérios danos no clima europeu. No entanto, ele reconhece que houve uma "considerável regressão cultural" entre os séculos XII e VIII a.e.c., depois do colapso das culturas de palácio em Micenas.

Gradualmente, um renascimento tomou lugar. No entanto, no século IX a.e.c., quando as capacidades de ler e escrever foram restauradas, não o foram com escritos micênicos, mas com um alfabeto literário adaptado da Fenícia que ajudou na transmissão e, do meu ponto de vista, na composição dos épicos de Homero. Durante o período de "iletramento", foram mantidos contatos com a Jônia, e acima de tudo com a Fenícia, e em particular com Chipre, onde o trabalho com ferro foi de grande importância na nova Era do Ferro, que viu a dispersão no Mediterrâneo de gregos e fenícios com seus alfabetos particulares.

Contatos entre povos têm grande importância social, além de fornecer modelos de desenvolvimento, a contar da mudança do (puramente) oral para o escrito, da emergência de escritas logográficas, silábicas e alfabéticas, do advento do papel, da imprensa e da mídia eletrônica; essas formas se sucedem, mas não se substituem, como acontece com os meios de produção. Houve um tipo diferente de mudança. Os acadêmicos têm enfatizado a

---

[20] Lenin, 1962.   [21] Bernal, 1991:4.

passagem das sociedades pré-históricas ou orais para as sociedades letradas ou históricas como algo de grande significado. E o foi. Um modo de comunicação gera outro; o novo não transforma o velho em obsoleto, mas o modifica de várias formas.[22] O mesmo processo ocorreu com a chegada da imprensa, vista como uma importante "revolução".[23] E foi, o mesmo que com a escrita. No entanto, a palavra falada e a escrita manual continuaram a ser fundamentais para o homem. Talvez as "mentalidades" tenham mudado, pelo menos as tecnologias do intelecto mudaram, e houve muitas continuidades na história econômica tanto quanto na política.

A TRANSIÇÃO PARA A ANTIGUIDADE

Vamos voltar ao problema geral que Finley, importante intérprete das realizações gregas, apresenta a respeito da emergência da Antiguidade. Como já vimos, ele percebeu uma sequência sem paralelo tendo lugar na Europa; o mundo da Grécia clássica emerge da Idade do Bronze (comum) para o período arcaico e daí para o da Grécia clássica. O arcaico extinguiu os complexos palacianos de períodos anteriores, espalhados no Oriente Médio antigo, e desenvolveu sistemas políticos bem diferentes, notadamente em Atenas e Esparta, que introduziram a democracia e se tornaram mais individualistas no comércio.[24] A ideia de que a Mesopotâmia se constituía de regimes templo-palácio altamente centralizados tem sido rejeitada como decorrente de registros escritos.[25] Os arqueólogos "têm estado inclinados, talvez, a superestimar o grau de centralização do poder" dos Estados.[26] Na verdade, houve mais heterogeneidade do que esse modelo sugere, assim como tendências centrífugas e também centrípetas que se manifestaram de diversas formas. Por exemplo, "nas cidades propriamente ditas", o Estado deve ter controlado a produção de bens de prestígio, mas não conseguiu o monopólio da manufatura especializada dos bens básicos, tais como a cerâmica.[27]

A sociedade arcaica "criou livremente". "A estrutura política, formada por magistrados, conselheiros e assembleias populares, era uma criação livre".[28] Imitaram bastante o Oriente Médio, mas o que adotaram

[22] Goody, 1987.
[23] Eisenstein, 1979.
[24] Finley, 1970:140.

[25] Para uma avaliação mais atual da civilização de templos-palácios da civilização mesopotâmica, ver Stein, 1994:13.

[26] Stein, 1994:13.
[27] Stein, 1994:15.
[28] Finley, 1970:103-4.

> [...] absorveram prontamente e converteram em algo original [...]. Copiaram o alfabeto Fenício, mas não houve Homeros fenícios. As estátuas livres e em pé chegaram a eles provavelmente do Egito. No entanto, foram os gregos, e não os egípcios, que desenvolveram esse estilo [...] no processo, eles não só inventaram o nu como forma de arte, mas, em um sentido muito importante, "inventaram" a arte propriamente dita [...]. A autoconfiança e a autoestima humanas que permitiram e encorajaram esses procedimentos, na política, na arte e na filosofia encontravam-se na raiz do *miracle grec* [milagre grego].[29]

Eles criaram um elemento original também na poesia, assim como na crítica social e política,[30] produzindo um "individualismo" novo e "a emergência de uma moral rudimentar, assim como de conceitos políticos". Na Jônia, "expuseram problemas e propuseram respostas "impessoais" racionais e gerais, desprezando mitos em favor do *logos* ou razão,[31] estimulando o debate 'racional'".[32] São reivindicações muito fortes, mas não incomuns. No entanto, muitas delas requerem qualificação. As "criações" políticas nós as encontramos em outros lugares. Enquanto a Fenícia não tinha Homero, os semitas tinham sua Bíblia. E quanto à "autoconfiança" e "autoestima", como comparar?

A ideia de que os gregos "criaram a arte" (mesmo se procedente "em certo sentido") parece uma apropriação como quando Landes, historiador da economia, atribui a "invenção da invenção" aos europeus posteriores. Igualmente, as reivindicações de terem introduzido o elemento pessoal na poesia e na crítica social, um novo individualismo, conceitos morais e políticos, e racionalidade parecem exageradas e etnocêntricas, pressupondo a superioridade da tradição europeia sobre as outras. A escultura grega pode ser considerada um caso especial. Ela distingue a Antiguidade, porque não há nada como ela em outras culturas. No entanto, outras tradições têm seus próprios grandes feitos como as pinturas nos túmulos egípcios, em que deuses são retratados não de forma realista e antropomorfizada como na Grécia, mas de uma maneira mais fantasmagórica e "imaginativa". E há produtos magníficos na escultura assíria. A Grécia antiga foi precedida pelas culturas cíclade, micênica e arquemênida, sem falar da dos hititas e da do antigo Oriente Médio, e, claramente, tem uma dívida para com todas essas tradições artísticas substanciais.

O que é marcante na questão da herança europeia da Grécia no que concerne à arte não é tanto esta ter mostrado um caminho, mas toda a tradição artística ter sido decisivamente rejeitada, não somente pelo

---

[29] Finley, 1970:145-6.
[30] Finley, 1970:138-9.
[31] Finley, 1970:141.
[32] Finley, 1970:142.

cristianismo em seu início, mas, até há pouco, pelas três maiores religiões do Oriente Médio. Apesar da teoria de Burkhardt do casamento espiritual entre Grécia e Alemanha, por bem mais de mil anos, a Antiguidade, pelo menos em suas formas de arte, foi virtualmente descartada como feito da tradição Europeia. Não houve um movimento progressivo. O humanismo e a Renascença tiveram de reinventar o passado; em vários sentidos o islamismo, até o século XIX, e o judaísmo eram tradições não icônicas, assim como o cristianismo primitivo e o protestantismo. A representação teve de ser recuperada, na esfera secular.

Vamos examinar mais detidamente a contribuição da Grécia. O mundo clássico que emergiu, certamente obteve algum avanço com respeito a outras civilizações, não somente em termos militares e tecnológicos, mas também nos modos de comunicação – o que eu chamei de tecnologia do intelecto, referindo-me ao desenvolvimento de uma escrita alfabética simplificada. Num artigo intitulado "The consequences of literacy",[33] Watt e eu sugerimos que a invenção do alfabeto abriu o caminho para um novo mundo de atividade intelectual que havia sido obstruído por formas de escrita anteriores (que foi, claro, uma das maiores invenções da Idade do Bronze). Esse é um ponto de vista que eu venho questionando de diversas formas, mas não abandono. A adoção do alfabeto pelos gregos está ligada cronologicamente à extraordinária explosão da escrita que cobriu inúmeras esferas diferentes do mundo clássico e forneceu a base do que sabemos dessa época. Se há alguma substância nas afirmações de Finley sobre o individualismo, sobre os novos estilos poéticos, sobre o "debate racional", sobre uma maior autoconsciência, sobre a crítica do mito, isso pode ser ligado a uma maior reflexão que a capacidade de ler e escrever permite. O pensamento se aprofunda, se esclarece e se organiza melhor quando nossas palavras nos são reapresentadas na página. O pensamento do outro também pode ser mais bem examinado quando apresentado em "linguagem visível". E a questão não foi só a introdução do novo alfabeto, mas o fato de que a escrita estava sendo introduzida em uma cultura que havia abandonado a capacidade de ler e escrever e estava ansiosa para se atualizar. E atualizou-se não somente adotando um novo alfabeto e diferentes materiais (não mais os tabletes de barro), mas expandindo a escrita para muitos campos artísticos e intelectuais, fazendo um uso mais abrangente da capacidade de ler e escrever.

[33] Goody e Watt, 1963.

Houve alguns outros caminhos também nos quais as civilizações clássicas da Antiguidade alcançaram certa vantagem comparativa em áreas específicas, sobretudo em aspectos da tecnologia de construção, que produziu os grandes monumentos, ainda hoje adornando a paisagem da Europa e da Ásia Menor. Cidades magníficas foram construídas na Grécia, na Europa, na Ásia e, mais tarde, em Roma. Esse processo continuou mesmo depois do período clássico. No período helenístico, "grandes cidades gregas se espalharam [...] produzindo a mais densamente urbanizada região do mundo antigo".[34] "A proliferação das cidades gregas no leste foi acompanhada por um aprimoramento do comércio internacional e da propriedade comunal".

Tecnologia e vida urbana são áreas da atividade humana em que se pode traçar avanços específicos por um longo período de um modo que é difícil de fazer com outros aspectos da vida humana. Em outras esferas é muito mais difícil sustentar teorias sobre o processo civilizador.[35] "Outras culturas" foram igualmente "civilizadas" em um sentido bem geral. Entretanto, no que concerne à tecnologia, os gregos não foram os únicos construtores de cidades, mesmo que suas ruínas tenham impressionado tanto os habitantes posteriores da região. Eles se beneficiaram, como o restante do Oriente Médio, do uso de um metal barato, o ferro, o que facilitou muito a construção. A expansão do ferro fundido por volta de 1200 a.e.c. tornou as ferramentas de metal muito mais baratas e, ao mesmo tempo, reduziu a dependência dos pequenos produtores das importações feitas pelo Estado e por famílias poderosas. O ferro estava disponível quase que em todo lugar, participando de um aspecto do processo democrático, e não apenas na Grécia.

A suposta singularidade da Antiguidade europeia, para Finley, é intrínseca ao subsequente desenvolvimento do capitalismo, ao passo que, para outros, a singularidade é do feudalismo. Antiguidade e feudalismo tinham que ser singulares, pois o desenvolvimento posterior da Europa era único. De acordo com Finley, "a experiência da Baixa Idade Média europeia em tecnologia, em economia e nos sistemas de valor que as acompanharam foi única na história humana, só alcançada recentemente com a era do grande comércio internacional".[36] Essa abordagem teleológica é compartilhada e justificada por outros historiadores da Antiguidade. Recentemente, um especialista reconheceu problemas teleológicos:

---

[34] Anderson, 1974a:47.   [35] Elias, 1994a.   [36] Finley, 1973:147.

A razão de Grécia e Roma antigas possuírem um *status* especial no pensamento europeu é que facilmente podemos nos reconhecer nos escritos políticos de Aristóteles e na prática democrática ateniense. De forma recorrente, examinando a história de nossa própria sociedade para entender suas formas atuais, acabamos analisando mitos sobre a Grécia antiga e, por intermédio deles, a história da Grécia antiga.[37]

No entanto, esse *status* especial no pensamento europeu ao qual ele se refere não indica necessariamente singularidade ou origens primordiais. Ele meramente mostra mitos de eruditos pós-renascentistas. Isso não impede o autor de fazer firmes declarações sobre a contribuição da Grécia e do Ocidente para a história mundial, particularmente na arte.

> Não é inteiramente um mito europeu localizarmos no mundo clássico grego a origem de muitas características fundamentais de nossa herança ocidental. Modos de pensamento e expressão integrais têm sua raiz e origem na Grécia entre 500 e 300 a.e.c.: o pensamento político abstrato consciente, a filosofia moral; a retórica como disciplina; tragédia, comédia, paródia e história; a arte naturalista ocidental e o nu feminino; democracia como teoria e prática.[38]

A última sentença é uma declaração muito forte, mesmo se limitada ao Ocidente, entretanto, o autor parece sugerir que o mundo deve certos modos de pensamento à Grécia Antiga, que ela foi "a fonte". Isso parece uma afirmação ainda mais enfática e menos aceitável.

De qualquer modo, muitos desses aspectos estavam presentes de forma embrionária entre os gregos do período pré-clássico. E foram encontrados em outras sociedades também. Falar de filosofia moral como própria da Grécia, por exemplo, é negligenciar os escritos de filósofos chineses, como Mencius. Mais grave talvez é esquecer as tradições orais com seus embriões de filosofia e moral, como nas declamações LoDagaa.[39] É certo aceitar que o *estudo* de retórica e de história sejam próprios de sociedades letradas e que a base seja o uso da escrita, isso se aplica também ao "pensamento abstrato político consciente" e outros itens que Osborne lista. Mas é um erro supor que um entendimento dos poderes do discurso formal[40] e de política,[41] por exemplo, precisou ser inventado pelos gregos. Eles devem ter tratado esses aspectos com "mais autoconsciência" porque o letramento encoraja reflexão, mas isso não indica uma lacuna anterior.

Com relação ao historiador clássico Osborne, apresenta-se um problema decorrente de sua insistência em uma abordagem "teleológica" que busca no

---

[37] Osborne, 1996:1-2.
[38] Osborne, 1996:2.

[39] Goody, 1972b.
[40] Bloch, 1975.

[41] Bayly, 2004.

mundo antigo provas das "condições de nossa emergência como uma sociedade civilizada".[42] Ele sugere que "Em certo sentido, de fato, a Grécia clássica criou o mundo moderno".[43] Da mesma forma, pode-se dizer que o mundo moderno "criou a Grécia". Os dois se mesclam. O que foi bom na cultura europeia teve suas raízes na Grécia; foi parte de nossa identidade. Burkhardt inclusive escreveu sobre um "casamento místico" entre Grécia e seu próprio país, a Alemanha; a tese é que os antigos teriam de ter as coisas boas que marcaram os modernos. Essas considerações levantam certo ceticismo no leitor crítico.

A ECONOMIA

Muito da singularidade da Antiguidade, supostamente o que deveria colocá-la em um curso independente, estava associada aos avanços no letramento. Isso tornou os gregos muito explícitos quanto à importância dos próprios feitos e objetivos. Uma vantagem lhes foi atribuída nas áreas da política e da arte. No entanto, num campo os gregos foram vistos sem grandes perspectivas: a economia.

O influente historiador da Antiguidade Moses Finley apontou com firmeza as diferenças fundamentais entre a "economia antiga" e a das sociedades da Idade do Bronze.[44] Seu argumento deve muito ao trabalho de Karl Polanyi, mas retorna também à controvérsia do século XIX centrada em dois eruditos, Karl Bücher e Edward Meyer,[45] que envolveu também Marx e Weber. Bücher viu a economia europeia se desenvolvendo em três estágios: o doméstico, centrado nos *oikos*; o urbano, caracterizado pela especialização profissional e o comércio; e o territorial ou da economia nacional, fases que correspondem à Antiguidade, à Idade Média e à Idade Moderna. Meyer, por outro lado, chamou a atenção para a dimensão mercantil da economia antiga, isto é, para seus aspectos "modernos". Essa segunda abordagem foi consistente com a leitura de Weber (mais tarde modificada e aproximada à de Marx) de que a sociedade romana já era marcada pelo capitalismo, pelo menos pelo "capitalismo político".[46] Para alguns autores, um problema geral dessa tendência é o de que, segundo Garlan, teorias modernizantes "frequentemente levaram a uma apologia do sistema de exploração capitalista", pela insistência na existência de mercados na Antiguidade.[47] Finley, por sua vez, recusa ligações tanto com o Oriente Médio antigo como com o capitalismo.

[42] Osborne, 1996:3.
[43] Osborne, 1996:17.
[44] Finley, 1973.
[45] Will, 1954.
[46] Love, 1991:233.
[47] Cartledge, 1983:5.

A INVENÇÃO DA ANTIGUIDADE   51

Os gregos não "inventaram" a economia como é dito que fizeram com a democracia e o alfabeto. De fato, eles não tinham, na visão de Finley, nenhuma economia de mercado, no entanto, desenvolveram uma forma diferente daquela da Idade do Bronze que, mais tarde, configurou o caráter singular da Europa. Nessa perspectiva, o mercado apareceu somente com o capitalismo e a burguesia. Entretanto, enquanto as inclinações marxistas impediram Finley de enxergar aspectos capitalistas na economia antiga, também o obrigaram a distingui-la da de seus vizinhos e tratar essa mesma economia antiga como estágio preparatório para as fases subsequentes da história europeia.

Enfocando seu desenvolvimento capitalista, Finley interpreta "a civilização europeia como tendo uma história singular, o que legitima seu tratamento como objeto distinto".[48] Desse modo, "história e pré-história devem se manter como objetos de investigação distintos". Isso significa desconsiderar "as importantes civilizações de berço do Oriente Médio antigo", comumente vistas como pré-históricas, enquanto a Grécia era histórica. E isso apesar de essa distinção ter pouco fundamento racional em termos tanto de modos de comunicação como de modos de produção. Uma utilização bem maior foi feita da escrita (alfabética) na comunicação e expressão das sociedades clássicas e, possivelmente, um uso maior de escravos na produção, mas em nenhuma dessas esferas a Grécia foi singular. De acordo com Finley, isso não é razão para a inclusão na rede de sociedades do Oriente Médio para enfatizar os empréstimos e as ligações econômicas ou culturais entre o mundo greco-romano e o Oriente Médio. Voltando-se para outras culturas, ele afirma que o aparecimento da porcelana azul em Wedgwood não justifica a inclusão da China como parte integrante da Revolução Industrial.

Ao contrário, enfatizar essas conexões raramente é equivocado. Eu diria que a imitação das técnicas de fazer porcelana em Delft (Holanda) e no País Negro (Inglaterra), assim como o algodão indiano, deveriam ser considerados centrais no estudo da Revolução Industrial, porque foram esses processos, transferidos do Oriente, que formaram a base das transformações que ocorreram no Ocidente. Considerando a separação entre história e pré-história, não vejo razão para dicotomia tão radical em evidências do passado, especialmente se isso significar negligenciar questões importantes na transição das culturas da Idade do Bronze. Entretanto, Finley também tenta distinguir a economia antiga em termos mais concretos quando escreve:

---

[48] Finley, 1973:27.

> As economias do Oriente Médio eram dominadas por grandes complexos palacianos – ou templos – que possuíam grande parte das terras cultiváveis, e monopolizavam tudo o que pode ser chamado "produção industrial", bem como o comércio estrangeiro (que inclui comércio interurbano, não somente comércio com o estrangeiro). Esses complexos organizaram a vida econômica, militar, política, e religiosa da sociedade por meio de uma complicada operação burocrática de registro de informações, para a qual o termo "racionamento", tomado de forma ampla, é o melhor que consigo conceber. Nada disso é relevante para o mundo greco-romano até as conquistas de Alexandre, o Grande e, mais tarde, a incorporação pelos romanos de grandes territórios do Oriente Médio.

Como resultado, ele acrescenta, "não há um único tópico que eu possa discutir sem lançar mão de coisas desconexas".[49] O Oriente Médio tem, portanto, que ser excluído. O mundo greco-romano foi essencialmente da ordem de "propriedade particular", enquanto o Oriente Médio se aproxima da noção de despotismo asiático, se nos "concentramos nos tipos dominantes, nos modos característicos de comportamento". O Mediterrâneo era uma área de agricultura de chuva (vista como uma importante vantagem para a Europa por outros escritores eurocêntricos como Mann[50]), especializada no cultivo de oliveiras, enquanto os vales de rios do Egito e da Mesopotâmia necessitavam de uma complexa organização social para fazer o sistema de irrigação funcionar. No entanto, como Finley admite, os gregos sob Alexandre (a partir 323 a.e.c.) e, mais tarde, os romanos controlaram exatamente essas áreas irrigadas e, no norte do Mediterrâneo, especializaram-se bastante no controle da água e não somente para cultivo. De qualquer modo, a água era somente um elemento nessa dicotomia. As noções de despotismo asiático e posse coletiva seguem as ideias do século XIX sobre o Oriente, cuja crítica apresentaremos no capítulo "Sociedades e déspotas asiáticos: na Turquia ou noutro lugar?" e na seção sobre política mais à frente. Da mesma forma que a ideia de domínio pensada como relacionada ao controle da água. Se foi verdade que os vales de rio com seus solos férteis produziram safras excepcionais e tornaram-se de importância central, também é verdade que a Mesopotâmia possuía muita agricultura de chuva, e a produção de azeitonas foi especialmente importante no norte da África, perto de Cartago, por exemplo. Os complexos de templos mencionados por Finley não estavam presentes por todo lugar no Oriente Médio antigo e, por outro lado, apareciam também na sociedade clássica. Finley lembra "o grande complexo de templos em Delos"[51] com seus registros

---

[49] Finley, 1973:28.   [50] Mann, 1986:185.   [51] Finley, 1973:186.

financeiros detalhados. Nenhuma das economias na região correspondeu a um tipo puro, e houve muitas semelhanças entre as práticas econômicas das diferentes sociedades – o suficiente para duvidar de qualquer relato que só se refira à singularidade grega.

No entanto, na visão de Finley, e seu trabalho tem muitos seguidores hoje em dia, a emergência da Antiguidade tem que ser vista em termos de um processo histórico específico que aconteceu somente na Grécia. O colapso da civilização da Idade do Bronze (que não foi uma ocorrência singular) foi seguido pela Idade das Trevas com seus poemas homéricos (que alguns veem como micênicos), a emergência da Grécia arcaica com suas novas instituições políticas e, finalmente, o advento do mundo clássico.

De qualquer modo, não somente a natureza da economia, mas sua existência como instituição foi questionada. Em recente revisão da discussão geral, Cartledge segue Finley (e Hasbroek também) vendo a *polis* como "única na história" (o que não é único na história?) e afirmando que "'a economia' não existia de fato e, portanto, não poderia ser conceitualizada como sendo uma esfera quase autônoma e diferenciada da atividade social na Grécia arcaica e clássica" que "pertence a uma classe de formações econômicas pré-capitalistas na qual a distribuição e a troca de mercadorias tomam formas bem diferentes daquelas do mundo moderno, sendo, portanto, pré-econômica, principalmente porque não existe um sistema de mercados interconectados e regulador de preços".[52] Essa qualidade pré-econômica é uma diferença mais ampla, mais abstrata, que não distingue a Antiguidade das sociedades da Idade do Bronze. Aqui a inspiração é novamente Karl Polanyi.[53] Em seu trabalho *Trade and Markets in the Early Empires*, ele apresenta três formas gerais de integração: reciprocidade, redistribuição e simples troca. Essas diferentes padrões foram associados quase que unicamente a modelos institucionais específicos. Como vimos, o pensamento do início do século XIX sobre a economia grega no período arcaico foi dominado pela ideia de controle pelos *oikos*;[54] as transações de mercado, segundo alguns autores, apareceram somente mais tarde. Com o advento das influentes teses de Polanyi, que passaram a dominar os estudos clássicos (mas não os estudos do Oriente Médio), mudanças na economia foram expostas em uma base geral mais teórica, sendo a sociedade primitiva mais marcada pela reciprocidade e redistribuição do que pelo comércio. Polanyi admitiu haver certa mistura, mas se inclinou a favor de tipos

[52] Cartledge, 1983:5-6.   [53] Polanyi, 1957.   [54] Will, 1954.

categoricamente diferentes de "economia", com um modelo excluindo o outro. As transferências de mercado poderiam emergir somente em sociedades capitalistas. No entanto, a menos que se defina mercado de forma bastante estreita, ele certamente existiu muito mais amplamente. A África tem, há muito, mesmo com suas economias basicamente na pré-Idade do Bronze, mercados independentes para cada vila, substancialmente negócios semanais independentes que operam em princípios amplos de mercado no sentido de Polanyi. Não se trata de uma visão pessoal, mas de uma leitura apoiada pela maioria dos historiadores e antropólogos da área. Em parte essa discussão depende de uma distinção que se faz entre mercado no sentido substantivo (o lugar concreto) e o princípio abstrato de simples troca. Meu argumento é que não há um sem o outro. Polanyi insiste no que ele chama de "encaixe" das economias entre gregos e outras formações pré-capitalistas, isto é, em seu caráter indiferenciado com relação ao sistema social. No entanto, como muitos comentaristas notaram, ele faz isso ignorando os elementos de mercado nessas economias. Oppenheim, que aprovava o trabalho de Polanyi, criticou essa omissão no caso da Mesopotâmia. Muitos críticos têm feito o mesmo com relação à Grécia, embora outros, como Hopkins, reconhecendo algumas fraquezas, defendam a ideia de diferenças de categorias. Depois de examinar o caso da Mesopotâmia e compará-lo com a América Central recente, Gledhill e Larsen sugerem que, diferentemente de Polanyi e Marx, devemos adotar uma visão da economia mais dinâmica e menos estática: "pode ser mais gratificante teoricamente focar o processo que leva a ciclos de retorno à centralização, depois de episódios 'feudalizantes' aos quais os impérios antigos estavam sujeitos, do que evidenciar questões essencialmente estáticas como a institucionalização do processo econômico sob fases de continuidade política maior. Uma perspectiva de longo prazo sugere claramente que impérios antigos são mais dinâmicos e complexos em suas trajetórias evolucionárias do que se supõe com frequência".[55] Os comerciantes eram importantes tanto para o governo como para eles mesmos nas sociedades urbanas antigas, como as da Mesopotâmia e América Central. Reis acadianos intervieram em favor dos comerciantes que se aventuravam no estrangeiro, enquanto, entre os astecas, a recusa ao comércio servia como pretexto para um ataque.[56]

O problema é que essas categorias econômicas tendem a impor exclusividade com relação às outras. Usar teoria de Polanyi, que diz que

---

[55] Gledhill e Larsen, 1982:214.   [56] Adams, 1966:164.

a economia antiga era dominada pela redistribuição (e nesse sentido era não moderna), leva a uma tendência a subestimar qualquer coisa que lembre transação de mercado. É isso que acontece nos estudos de Finley da economia antiga. Seu esforço nessa direção, como em Polanyi, foi motivado por uma aversão ao mercado – decorrência de suas ideologias socialistas. A leitura alternativa de Polanyi perdeu credenciais. Cartledge, que apoia Polanyi fortemente, reconhece, entretanto, a importância do comércio, senão de cerâmica, pelo menos de metais (como tinha de ser em uma idade do bronze e, de forma menos intensa, com o ferro, mais universal). Porém, defende a necessidade de reconhecermos a distinção que Hasbroek faz entre um interesse em importação e o interesse comercial. São essas distinções exclusivas de fato? De modo geral, não temos provas, muito pelo contrário, de que as sociedades neolíticas excluíram transações de mercado e comércio. Em sociedades recentes desse tipo, as trocas de bens e serviços, não necessariamente por "dinheiro", são da maior significância.[57] Pode-se pensar em mercados substantivos (lugar físico) que não operam como os contemporâneos, mas é difícil imaginá-los livres das pressões de oferta e demanda. De fato, quando estava trabalhando nesse tipo de situação "neolítica", eu percebi uma mudança integral no valor das conchas-dinheiro (*cowries*) no início dos anos 1980, porque essa forma de moeda tornava-se cada vez mais difícil de obter; oferta e demanda certamente têm seu papel aí. Apesar de tentativas das administrações de Gana e de Alto Volta – atual Burkina Faso – de substituir suas moedas próprias, as conchas continuaram a ser importantes em transações internacionais, bem como para alguns rituais. No entanto, ao se tornarem mais escassas, seu valor como moeda "moderna" subiu mais e mais. A tentativa de separar completamente mercados físicos fechados e princípios de mercado (oferta e demanda) de outros modos transacionais está destinada ao fracasso.

A natureza da economia antiga e o papel do comércio também são temas básicos de uma importante coleção de ensaios recém-lançada sobre comércio na Antiguidade, que retorna ao trabalho de Finley.[58] Um dos autores dessa coleção, Snodgrass, mostra o uso de grandes carregamentos de minério de ferro e mármore[59] na Grécia arcaica, mas adota uma limitada definição de "comércio" como "compra e movimentação de bens sem conhecimento ou identificação de futuros compradores".[60] Assim, a maioria

---

[57] Ver, por exemplo, Coquéry-Vidrovich, 1978, em "The African mode of production".

[58] Garnsey, Hopkins e Whittaker, 1983.

[59] Snodgrass, 1983:16ss.

[60] Snodgrass, 1983:26.

dos carregamentos desse período não pode ser classificada como comércio porque se conhecia o cliente final. Ele sugere que uma situação semelhante pode ter existido mesmo para os fenícios, que eram reconhecidos como os grandes comerciantes do Mediterrâneo.[61] Mas mesmo que tenha sido esse o caso, sua definição de comércio está longe de ser a única ou mesmo a dominante e parece ter sido inspirada por um desejo de fazer a Grécia diferente e mais "primitiva" seguindo a tipologia de Polanyi.

A alternativa para a essa hipótese não é a ideia de que tais transações comerciais sejam idênticas às do mundo moderno. Como Hopkins, seguindo Snodgrass, insiste apropriadamente, bens podem ser permutados de diferentes formas.[62] Mas um aspecto comercial está sempre presente, como se vê pelos negócios comerciais gregos em que, no estágio final do processo de criação de uma estátua arcaica, o "cliente paga a manutenção do artista e de seu assistente durante o período de trabalho", como também os custos do mármore e seu transporte.[63] O pagamento é feito de diversas formas. Novamente não insistimos que essas transações sejam idênticas às modernas (apesar, de nesse caso, estarem próximas das de Michelangelo nas pedreiras de Carrara, na Renascença), mas são pelo menos comparáveis e devem ser tratadas como pertencentes ao mesmo padrão econômico. Embora alguns vejam que o comércio grego apresenta uma distinção fundamental entre interesse em importação e "interesse comercial", outros percebem essas categorias como não excludentes. Embora Hopkins considere o modelo de Finley sobre a economia antiga como sendo "de longe o melhor", ele propõe "uma elaboração" em sete cláusulas "para acomodar crescimento econômico modesto e declínio". Essas sugestões parecem modificar radicalmente qualquer leitura tipo-Polanyi da economia antiga tal como a sustentada por Finley. Hopkins afirma que o modelo de Finley é "suficientemente flexível para incorporar essa modesta dinâmica".[64] Essa afirmação, segundo outros, parece se dever à presença física de Finley, esse acadêmico "carismático e influente", no debate e que de fato Hopkins estaria apontando os problemas de uma posição "primitivista" sem, ao mesmo tempo, adotar uma posição "moderna".

A tese de Finley não foi aceita por todos os estudiosos clássicos. Tandy viu a nova atividade de comércio e o crescimento populacional no século VIII a.e.c. como sendo críticos para o desenvolvimento da Grécia,

---

[61] Ele declara (de forma duvidosa) que eles podiam facilmente transferir-se para a agricultura.

[62] Hopkins, 1983:x.

[63] Snodgrass, 1983:20.

[64] Hopkins, 1983:xxi.

A INVENÇÃO DA ANTIGUIDADE   57

especialmente o estabelecimento de colônias além-mar, com os comerciantes sendo em sua maioria *aristoi* (os melhores homens). O comércio levou ao desenvolvimento da *polis*, ao "colapso de formações redistributivas"[65] e ao crescimento do "sistema de mercado limitado, que provou ser a máquina que gerou as eventuais consequências da mudança econômica e social: o início da propriedade privada, alienação de terra, débito e a *polis*".[66] Em Tandy, isso representa o começo do mundo capitalista – uma conclusão que o coloca firmemente no campo "modernista", em vez de "primitivista"; mais tarde, a economia mercantil se estabelece com firmeza. Nessa discussão, entretanto, Tandy simplesmente empurra o "primitivismo" do *oikos* para trás, para tempos pré-arcaicos, quando a ausência de mercados permanece questionável; com a implicação de que essa economia capaz de levar ao capitalismo permanece prerrogativa europeia.

Apesar da disputa entre historiadores da Antiguidade, de "modernistas" e "primitivistas", apesar do uso das categorias de Polanyi de transações de permuta e das pretensões de substantivistas, as ideias deles de economias "primitivas" (e sociedades primitivas) foram mal informadas. Essas ideias fazem uma distinção categórica ou entre a economia antiga e as que a precederam (como nos trabalhos de Tandy) ou, como em Finley, entre o mundo antigo e as economias subsequentes (em particular as "capitalistas"). Há dois problemas aqui. Primeiro: sociedades primitivas se diferenciam muito entre si, como as comunidades urbanas da Idade do Bronze e as sociedades de caça e coleta dos K'ung bosquímanos do deserto de Kalahari. Ver tudo isso como "primitivo" de forma indiscriminada é muito simplista. Um exemplo da junção de todas as culturas pré-letradas sob a mesma rubrica é a tentativa de Tandy de comparar essas sociedades "simples" com a Idade das Trevas da Grécia. Tandy usa termos como "pequena escala" e "pré-industrial" como eufemismos para "primitivo" afim de evitar irritar aqueles eruditos que acham as comparações entre Grécia arcaica e os K'ung San do Kalahari ofensivas. Desconsiderando a terminologia, o fato é que ele faz analogias bastante próximas entre a sociedade grega do século VIII e as comunidades "primitivas" não ocidentais; até a organização da *polis*, os antigos gregos eram, segundo ele, "primitivos" nesse sentido e ainda não o que denominamos "ocidentais".[67] A comparação não é tão ofensiva quanto inadequada; talvez haja sociedades não ocidentais que possam ser comparadas com a Grécia arcaica, mas essa última é certamente muito mais aproximada

[65] Tandy, 1997:4.   [66] Tandy, 1997:230.   [67] Tandy, 1997:8.

da sociedade "moderna" do que daquelas dos bosquímanos do Kalahari, que nunca experimentaram a revolução urbana da Idade do Bronze. Agrupar tais sociedades tão heterogêneas como a dos bosquímanos, e a Grécia arcaica pode ter sentido na sua relação com projetos ideológicos como o de Finley, mas tem pouco suporte de dados disponíveis aos antropólogos.

Segundo, enquanto a ênfase nos tipos diferentes de permuta varia em contextos particulares, é um erro fundamental não reconhecer a possibilidade de que reciprocidade (como em famílias contemporâneas) pode existir lado a lado com transações de mercado. O estudo destas na África, por exemplo,[68] não quer dizer que a economia política seja "capitalista" em qualquer sentido do século XIX, quer dizer somente que mercados substantivos são muito comuns tanto para comércio de pequena distância como para o de longa. O mercado se desenvolveu desde muito antes da Grécia até o advento do capitalismo industrial. Weber atribuiu ao crescimento dos *latifundia*, com sua produção excedente, o nascimento do "capitalismo agrário".[69] Nisso ele seguiu Mommsen, em uma posição diferente da de Marx que se opõe à ideia de capitalismo em relação à sociedade antiga.[70] Marx usa o termo para um modo específico de produção, para o qual a noção do sistema fabril era intrínseca. É claro que esse sistema somente emergiu como um fenômeno importante mais tarde; entretanto, características "capitalistas" fundamentais já ocorriam muito mais cedo.

É importante acrescentar que tanto Finley (em artigo revolucionário sobre casamento na Grécia de Homero) quanto Tandy fazem uso de comparações antropológicas, mas tendem a fazê-lo, particularmente Tandy, como temos visto, de modo não histórico, não sociológico, comparando a Antiguidade com uma sociedade "primitiva" indiferenciada. Essa abordagem é estimulada: 1) pela controvérsia modernista-primitivista; 2) pelo trabalho de Marx, que prestou pouca atenção a formações pré-capitalistas, exceto nas *Formen* (1964); 3) pelo trabalho de Weber, que viu sociedades tradicionais como caso residual ou o que restou da análise de sistemas mais complexos (1968); e 4) pelo trabalho de Polanyi, que as tratou como o inverso das sociedades de mercado. Como vemos pelo título do ensaio de Polanyi sobre "nossa obsoleta mentalidade de mercado",[71] essas posições são com frequência altamente ideológicas, introduzindo uma atitude particular com respeito à sociedade moderna e a ubiquidade das suas atividades de

---

[68] Bohannan e Dalton, 1962.

[69] Love, 1991:18ss.

[70] Marx, *Capital*, 1976, vol. I, 271.

[71] Polanyi, 1947.

mercado. No entanto, essas atividades não devem ser associadas apenas com o mundo moderno. Não pretendemos assumir a posição de historiadores "modernizantes" do mundo clássico. A economia contemporânea ocidental é certamente muito diferente. Isso não significa, no entanto, que não haja elementos em comum, como comércio e mercados, mesmo em dimensões muito diferentes. Não reconhecer a presença de atividades de mercado no mundo antigo é cegueira.[72]

Como vimos, não há dúvida de que a posição de muitos acadêmicos nessa área se origina em uma leitura ideológica dos mercados e numa oposição ao controle nocivo deles sobre várias áreas da vida humana, como o fizeram constantemente, sem dúvida com efeitos danosos. No entanto, a caracterização de sociedades, tanto na Antiguidade Ocidental[73] quanto no Oriente Médio antigo,[74] como sem mercado é tão utópica e irreal quanto a caracterização de "comunismo primitivo" e ausência de "propriedade privada" do neolítico ou nas sociedades de caça e coleta. Essas sociedades, em certos aspectos, eram mais coletivas do que algumas que as sucederam. Porém, eram também bem mais individualizadas em outros.[75]

A questão dos mercados está obviamente associada à posição dos mercadores e dos portos (*emporia*), discutida largamente por muitos autores. Mossé, por exemplo, conclui que os primeiros eram homens de "origem modesta", com poucas ligações com a vida da cidade. O "mundo do *emporium*" era marginal para Atenas. O "comércio pertencia ao domínio privado".[76] Entretanto, os comerciantes interagiam com o resto da comunidade, por exemplo, quando eles precisavam de dinheiro emprestado de outros cidadãos para conduzir suas atividades comerciais. Para esse propósito existia a instituição do crédito marítimo, "o mecanismo básico" que "sobreviveu através dos tempos helenístico, romano, medieval, e moderno, avançando pelo século XIX",[77] atestando a continuidade do comércio, das práticas portuárias e de navegação por mais de 2000 anos. Essas instituições existiram ainda mais cedo em outras civilizações, em que havia comércio elaborado e cidades, o que lança ainda mais dúvidas sobre as teorias de Polanyi, Finley e outros. Não que não houvesse diferenças em sistemas de comércio, mas havia também semelhanças que são muito significativas para a compreensão da história cultural. Assim, as declarações de Polanyi

---

[72] Eles são constantemente enfatizados pelo historiador marxista da pré-história Gordon Childe (1964:190, onde ele vê "um corpo internacional de comerciantes" responsável pela difusão do alfabeto).

[73] Finley, 1973.

[74] Polanyi, 1957.
[75] Goody, 1996a.
[76] Mossé, 1983:56.
[77] Millett, 1983:37.

de que "nunca existiram comerciantes na Mesopotâmia, simplesmente não resiste a uma investigação detalhada", de acordo com Gledhill e Larsen.[78] Igualmente, a afirmação de que a Grécia antiga não tinha uma economia[79] não procede e deveria ser tratada do mesmo modo, de acordo com a perspectiva do trabalho de Tandy,[80] sobre o poder do mercado na Grécia nos primeiros tempos, do de Millett,[81] sobre o empréstimo em Atenas, e do de Cohen,[82] sobre o sistema bancário ateniense.

Polanyi, no entanto, levantou explicitamente a importante questão a que nos referimos sobre diferenças entre Grécia e Mesopotâmia, entre as sociedades da Antiguidade e da Idade do Bronze do Oriente Médio.[83] A Grécia não pertence à Idade do Bronze, mas à Idade do Ferro, com suprimentos abundantes desse metal mais barato, tornando mais acessíveis ferramentas e armas. No entanto, Polanyi estava mais preocupado com suas categorias de permuta-reciprocidade etc. Apesar de notar o que chamou de largas bases distributivas dessas sociedades antigas, também viu outros caminhos transacionais de grande significância econômica. Atividades comerciais emergiram, mas na Mesopotâmia elas foram interpretadas como comércio administrado, executado por meios de equivalências (preços fixos), dinheiro específico e portos de comércio – mas não mercados, um ponto compartilhado por Finley, que, como vimos, fala do monopólio exercido por grandes complexos palacianos ou templários. Como Gledhill e Larsen (este último um pesquisador importante da economia da Mesopotâmia) apontam, há um erro nessa tese;[84] mesmo onde mercados físicos não existiram, existiram mercados certamente. Apesar de Polanyi declarar que não havia um termo para essa instituição, pelo menos três são encontrados. Além do mais, a permuta não era limitada ao "comércio administrado"; os comerciantes frequentemente agiam por conta própria e usavam seus lucros para comprar casas. Os dois autores mencionam os arquivos privados de Kanesh na Anatólia consistindo de "cartas, contratos, contas, extratos de despachantes, textos legais, veredictos emitidos por várias autoridades, notas e memorandos".[85] Fornecem comprovação de contratos em sociedade (*commenda*) tanto do tipo familiar como não familiar, de riscos de comércio (que os contratos pretendiam partilhar) e de lucros e perdas. Argumentar desse modo não é, como eles insistem citando Marx, "jogar fumaça sobre

---

[78] Gledhill e Larsen, 1952:203.
[79] Finley, 1973.
[80] Tandy, 1997.

[81] Millet, 1991.
[82] E. E. Cohen, 1992.
[83] Polanyi, 1957:59

[84] Gledhill e Larsen, 1982:203
[85] Gledhill e Larsen, 1982:209.

todas as diferenças históricas e ver as relações burguesas em todas as formas da sociedade",[86] mas reconhecer continuidade bem como descontinuidade.

Uma dessas continuidades, sugeri, repousa na esfera do comércio, cuja importância e diversidade tinha sido enfatizada para as sociedades da Idade do Bronze pelo pré-historiador Gordon Childe. Quando a civilização urbana se desenvolveu na Mesopotâmia, as férteis planícies alagadas produziram abundantemente para os agricultores, mas não forneceram muitos materiais básicos, inclusive madeira, pedra e metais. Todos esses materiais tinham de ser importados através dos grandes rios. O transporte tinha sido revolucionado pois a "metalurgia, a roda, o burro de carga e barcos de navegação fundaram uma nova economia".[87] O comércio tornou-se cada vez mais importante, levando ao estabelecimento de colônias de comerciantes como em Kanesh no segundo milênio. Ainda, se transformou "numa agência mais potente na difusão da cultura do que é hoje. Artesãos livres viajavam com as caravanas em busca de mercados, enquanto escravos faziam parte da mercadoria. Esses, juntos com a caravana inteira ou companhia de navegação, deviam ser acomodados na cidade natal. Estrangeiros em terras estranhas requereriam os confortos de suas próprias religiões [...] e se cultos eram transmitidos [um exemplo é um culto induísta sendo celebrado em Akkad], o artesanato também podia ser difundido facilmente. O comércio promoveu a comunhão da experiência humana".[88]

O problema com relação a Polanyi e muitos de seus seguidores é que adotam uma abordagem categórica, holística, em vez de histórica das atividades econômicas, interpretando-as como redistributivas ou como mercadológicas, enquanto na prática não existia tal oposição. Práticas diferentes estão presentes ao mesmo tempo em contextos sociais diferentes, por exemplo, reciprocidade na família e, fora dela, mercado, e redistribuição pelo Estado. Claro que há ênfases variadas nessas formas de permuta que se referem em parte a diferenças nos modos de produção; pelo menos no nível dos meios de produção podem-se apontar diferenças substanciais no decorrer do tempo, por exemplo, entre o cultivo com enxada e com arado. No entanto, essa mudança não introduz nem elimina mercados. Nós precisamos de um tratamento muito mais nuançado da continuidade e da descontinuidade, do "modernismo" e do "primitivismo". O que precisamos de fato é considerar o problema de transações de troca em termos de uma

[86] Marx, 1973:105; Gledhill e Larsen, 1982:24.

[87] Childe, 1964:97.

[88] Childe, 1964:105-6.

grade, explícita ou implícita, e só então poderemos acessar a cadeia das possibilidades (em colunas) em relação com as sociedades específicas ou modos de produção (em fila). Essa abordagem seria mais sutil do que as categorias históricas exclusivas habituais. Desse modo, poderemos testar a hipótese da singularidade grega de um modo mais satisfatório.

POLÍTICA

Há também em política uma definição igualmente estreita. O resultado é que certas características gerais foram apropriadas pela Grécia antiga. Nesse contexto, a política é vista como "o programa ou programas buscados pelos Estados, em vez de os processos sobre os quais repousa a adoção desses programas"[89] – uma visão restrita que exclui sociedades sem Estado bem como um número enorme de atividades que muitos reconhecem como políticas. A "democracia primitiva", sempre uma característica de sociedades de pequena escala, não é levada em consideração.

Como consequência, o estudo de política levanta uma série problemas paralelos aos da economia. Por exemplo, Finley rejeita o uso marxista de classes na Antiguidade (uma vez que não há mercado) e vê ambos, classes e mercado, emergindo somente muito mais tarde (com o "capitalismo"). O que ele encontra, por outro lado, são grupos de *status* do tipo weberiano (caracterizados pelo "estilo de vida", em vez das classes econômicas vistas por Marx). Mas ele não é coerente porque a certa altura escreve sobre a emergência de uma "classe média relativamente próspera, mas não aristocrática – fazendeiros, comerciantes, navegadores e artesãos"[90] –, por volta de 650 a.e.c., quando apareceram como tema de poesia lírica. Esse grupo constituiu "a mais importante inovação militar em toda a história grega", organizado numa falange de pesada infantaria armada, os hoplitas, que providenciava suas próprias armas e armaduras. A "falange deu, pela primeira vez, às comunidades os meios mais substanciais para adquirirem uma importante função militar". A ela também se atribui a origem ("pela primeira vez") de outros aspectos duradouros da vida política moderna na Grécia antiga, especialmente democracia e liberdade. Alguns autores concordam. Um estudioso do classicismo recentemente deu um nome atrevido a seu livro: *The Greek Discovery of Politics*.[91] E em recente artigo, Zizek afirma

---

[89] Cartledge, 1983:14.   [90] Finley, 1970:101.   [91] Meier, 1990.

que o que ele e outros chamam "política propriamente dita" apareceu pela primeira vez na Grécia antiga quando "os membros do *demos* (aqueles com lugar determinado no edifício social hierárquico) se apresentaram como representantes, de toda a sociedade, numa precisa universalidade".[92] A política aqui aparece para se referir à democracia somente, mas é também usada para qualquer atividade em nível governamental bem como para a manipulação de autoridade em níveis menos inclusivos (*"parish-pump politics"*) e de sistemas que não têm autoridade constituída (*"acephalous"*).

Nesse campo, como em outros, as contribuições gregas para o desenvolvimento socioeconômico subsequente foram altamente importantes para Europa e para o mundo. No entanto, confinar as atividades políticas em termos gerais (ou sua descoberta) à Grécia ou excluir ações econômicas significa usar tais conceitos de forma altamente duvidosa. Uma restrição possível da esfera política é reivindicar que ela não existe como tal a menos que esteja separada institucionalmente e não incorporada na sociedade, como Polanyi faz com a economia. No entanto, o fato de que há um processo de evolução social cujo resultado é o crescimento da complexidade conduzindo ao "desligamento físico" parcial de atividades e a incorporação delas em instituições concretas não significa que não se possa utilizar, para o período anterior a esse desligamento, as categorias de economia, política, religião ou parentesco. Antropólogos entendem que é possível. É o caso da noção de sistema social no trabalho de Talcott Parsons e de muitos outros sociólogos. A abordagem dessa questão por parte de alguns historiadores da Antiguidade criou uma lacuna conceitual desnecessária entre especialistas que pesquisam períodos históricos e tipos de sociedade diferentes.

Há três aspectos da política da tradição clássica vistos como diferentes de outras sociedades contemporâneas e como tendo sido transmitidos para a Europa Ocidental: democracia, liberdade e a prática da lei. A democracia é admitida como característica dos gregos e oposta ao "despotismo" ou "tirania" de seus vizinhos asiáticos. Essa suposição é invocada pelos nossos políticos contemporâneos como característica duradoura firmada no Ocidente em contraste aos "regimes bárbaros" de outras partes do mundo. Examino o aspecto moderno da questão de forma mais integral no capítulo "A apropriação dos valores: humanismo, democracia e individualismo" – aqui me concentrarei no mundo antigo. Em sua discussão sobre democracia,

---

[92] Žižek, 2001.

Finley reconhece a possibilidade de que "houve prévios exemplos de democracia, assim chamadas democracias tribais, por exemplo, ou as democracias na antiga Mesopotâmia que alguns assiriologistas acreditam poder rastrear".[93] No entanto, independentemente dos fatos, ele observa que seu impacto na história, em sociedades subsequentes, foi pequeno. "Os gregos e somente os gregos descobriram a democracia nesse sentido, precisamente como Cristóvão Colombo descobriu a América, e não os *vikings*". "Foi a escrita grega, estimulada pela experiência ateniense, que se leu nos séculos XVIII e XIX". Foi esse obviamente o caso, mas ele representa uma completa apropriação europeia e literária da história, da "descoberta" da democracia. Se acreditarmos com Ibn Khaldun, por exemplo, que democracias tribais existiram em outros lugares, imaginamos que, embora elas não tenham fornecido um modelo para os europeus do século XIX, certamente o fizeram para outros povos. Os gregos, claro, inventaram a palavra "democracia" e possivelmente foram os primeiros a dar ao termo uma forma escrita para outros lerem, mas não inventaram a prática da democracia. Representação, de um jeito ou de outro, é um atributo da política e da luta de muitos povos.

Um dos povos "tribais" com que trabalhei, os LoDagaa, constituíam um grupo não centralizado e acéfalo do tipo tão bem descrito por Fortes e Evans-Pritchard em *African Political Systems* (*Sistemas políticos africanos*).[94] Eram sociedades nas quais havia um mínimo de delegação (ou imposição) de autoridade e sem instituição de chefia do tipo que marcou seus vizinhos ao norte de Gana (os gonjas). Esses grupos apreciavam a ausência de dominação política, sua liberdade, mesmo sem ter palavra específica para descrever isso. Eles se consideravam livres, da mesma forma que Robin Hood e seu bando.

A presença de tais políticas foi particularmente marcada em regiões da África em que se praticava agricultura simples de enxada com alternância de cultivo. Há, porém, relatos de grupos "republicanos" desse tipo mesmo no contexto de sistemas agrícolas mais complexos (Idade do Bronze), frequentemente em áreas de encosta mais difíceis para qualquer governo central controlar. Oppenheim,[95] por exemplo, reporta-os na Mesopotâmia,

---

[93] Finley, 1985:14.   [94] Fortes e Evans-Pritchard, 1940.   [95] Oppenheim, 1964.

e Thapar,[96] na Índia. Na China, um regime semelhante, mais próximo do tipo Robin Hood de rebeldes primitivos ou bandidos,[97] existiu nas "margens da água". Com relação ao norte da África, menciono o trabalho do grande historiador Ibn Khaldun sobre as tribos do deserto. Na Europa encontramos grupos desse tipo em algumas áreas de encosta que escaparam do controle de Estados, como os clãs escoceses e albaneses. Nas margens, no entanto, eles eram mais frequentes na organização de navios piratas que muitas vezes se apoiou em princípios "democráticos", pois, tendo escapado da autoridade dos Estados, tais comunidades escolheram operar um sistema mais cooperativo de tipo semelhante ao adotado em algumas colônias norte-americanas. Então, palavras à parte, não há sentido na tese de que os gregos são os "descobridores da liberdade individual" ou da democracia. Mais ainda, o contraste com o Oriente Médio antigo choca-se fortemente com criticáveis ideias de despotismo asiático ou outro, que durante muito tempo o pensamento europeu atribuiu a culturas orientais.

Mesmo governos centrais fortes raramente conseguem exercer dominação sem levar em conta "o povo". Algumas vezes, isso produziu interrupções violentas. Protesto, resistência, movimentos por "liberdade" em várias partes do mundo aconteceram independentemente de qualquer estímulo da Grécia antiga. Não se supõe que as revoltas populares que marcaram o estado de espírito no Iraque pós-guerra em 2004, pelo menos entre os sunitas, tenha algo a ver com essa herança. O mesmo ocorreu com movimentos anteriores na Índia ou China. Seu ímpeto e suas origens não vieram da Grécia ou da Europa, apesar de algumas de suas manifestações modernas terem talvez vindo. Eles estão ligados ao problema permanente da delegação ou imposição de poder em regimes centralizados e à decorrente "fraqueza da autoridade" que os caracterizam com frequência.

O efeito do mundo clássico na história europeia posterior ou na história global não é direto. O Ocidente pode olhar a democracia ateniense como

---

[96] Thapar, 1966. Em livro mais recente (2000), Thapar apresenta uma visão geral da Índia antiga e discute brevemente a sociedade "tribal" com base em uma estrutura de desenvolvimento já tratada por ela em um ensaio intitulado "From lineage to state", em que há a evolução de um [linhagem] para o outro [Estado]. Ainda que seja um sistema perfeitamente válido, ele põe de lado o problema que não somente linhagens persistem nos Estados, mas também sociedades tribais continuam a existir lado a lado com os Estados. Ela, portanto, negligencia a questão da "articulação" de sistemas políticos diferentes, uma situação que oferece modelos alternativos para os habitantes (como na situação do norte de Gana). Não pretendo insinuar que se pode transferir os procedimentos de socie-dades "tribais" para sistemas mais complexos, mas quero lembrar que não somente tais alternativas coexistem, mas também que elas podem estimular o que entendo como o desejo universal humano de representação.

[97] Hobsbawm, 1959, 1972.

modelo, mas esse não foi o único tipo de regime que existiu na Grécia. A "tirania" também existiu. Nenhum dos dois tinham o mesmo valor que lhes é dado no presente. Segundo Finley, a tirania foi introduzida, muitas vezes, pela demanda popular, quebrando o monopólio aristocrático do *demos*. "O paradoxo é que, passando por cima da lei e da constituição, os tiranos acabaram fortalecendo a *polis* e suas instituições e ajudaram a promover o *demos*, o povo como um todo, a um nível de consciência política que depois produziu, em alguns Estados, o governo do *demos*, a democracia".[98] Assim, a tirania preparou o caminho da democracia (como escravidão fez com a liberdade), e isso é certamente uma visão otimista do mundo. De qualquer modo, houve uma oscilação entre as duas, não um desenvolvimento linear, uma vez que muitos na Antiguidade encaravam a democracia como algo ruim. Na Europa também, definitivamente, a democracia não se firmou com valor positivo claro até o século XIX[99] e o aparecimento de governos centralizados, cujas complexas burocracias e aparatos militares requeriam contribuições financeiras contínuas das massas. Mesmo então, alguns pensadores políticos defendiam o governo nas mãos dos "melhores", dos "poucos", da "elite".

Quão diferente era, de fato, a Grécia de seus vizinhos? Diferença certamente existiu, mas há sempre a questão da sua extensão. A maioria dos classicistas reivindica a especificidade da contribuição grega. Davis disserta sobre nossa herança democrática, da "revolução ateniense", de como os gregos "pensavam de forma correta e comparados com outros eram notavelmente civilizados".[100] Porém outras sociedades são desconsideradas. Castoriadis também vê a Grécia como a "criadora da democracia". Ele chega a afirmar que "o interesse pelo outro começa com os gregos. Esse interesse não é senão o outro lado do exame crítico e questionamento das suas instituições".[101] Não se pode duvidar que os gregos tenham pensado muito sobre suas instituições; esse foi um aspecto de seu uso extenso do letramento provendo crescente reflexão.[102] No entanto, apontá-los como precursores do interesse pelo outro é perder o fio da natureza da sociedade humana propriamente dita. Interesse pelo outro é uma constante no comportamento humano apesar das suas muitas diferentes formas. Observar essa característica como um aspecto da "modernidade" de Atenas é uma vez mais interpretar mal a natureza da sociedade humana bem como o conceito de moderno.

A ideia da invenção ateniense da democracia é igualmente suspeita. O pensamento europeu expressou diversas vezes que sociedades muito mais

---

[98] Finley, 1970:107.
[99] Finley, 1985:19.
[100] Davies, 1978:23,64.
[101] Castoriadas, 1991:268.
[102] Goody e Watt, 1963.

simples já haviam apresentado características democráticas. Houve, é claro, a visão hobbesiana das sociedades primitivas engajadas em uma guerra de todos contra todos. Uma situação controlada somente pela introdução de um líder autoritário, uma forma primitiva de organização do Estado. No entanto, houve também a visão de filósofos como Kropotkin e sociólogos como Durkheim, que viram sociedades primitivas caracterizadas pela "ajuda mútua" ou pela solidariedade mecânica de sistemas segmentares. Ambos influenciaram o pensamento do antropólogo Radcliffe Brown (conhecido por seus colegas do Trinity College, em Cambridge, como "anarquista Brown"). Ele desenvolveu a tese da política segmentar de sociedades de linhagem sem Estado que dominou a discussão sobre os sistemas políticos africanos a que me referi. Sistemas segmentares praticaram uma mistura de democracia representativa e direta, bem como reciprocidade de um tipo positivo e negativo juntamente com "justiça distributiva".[103]

O meio mais importante para a escolha representativa do povo ateniense era a eleição (por escrito). No entanto, esse procedimento não se limitou à Grécia. Na dissertação de Davis sobre o início da democracia, Cartago é mencionada somente ligada a guerras, nunca por seu sistema político. A Fenícia é tratada de modo ainda mais resumido em sua pesquisa. No entanto, a colônia fenícia de Cartago votava anualmente para magistrados, ou *sufes*, que pareciam ter a suprema autoridade no tempo de Aníbal. Alguns concebem o termo como sinônimo de *basileus* ou *rex*, outros consideram a instituição advinda de Roma, mas especialistas semitas indicaram dois *suffetes* (magistrados de Cartago) juntos exercendo a autoridade em Tiro no século v.[104] "Alguns têm proposto relacionar a instituição regular do colégio anual de magistrados em Cartago com a 'revolução democrática' supostamente ocorrida na cidade púnica como resultado da Primeira Guerra Púnica, uma hipótese inspirada por Políbio, historiador grego (205-123 a.e.c.) que se tornou escravo em Roma e acompanhou Cipião na destruição de Cartago em 146 a.e.c. Ele escreveu: "Em Cartago, a voz do povo tornou-se predominante em deliberações, enquanto em Roma o senado chegou ao máximo de seu poder. Para os cartagineses era a opinião da maioria que prevalecia, para os romanos, prevalecia a elite dos seus cidadãos."[105] Em outras palavras, um tipo de democracia representativa foi por vezes praticada na Assembleia do Povo, não somente em Cartago, mas também na Ásia, na cidade-mãe dos fenícios, Tiro.

---

[103] Ver uma sociedade até mais simples em Barnard, 2004.
[104] Lancel, 1997:118.

[105] Polybius, vi, 51; Lancel, 1997: 118. Infelizmente, a maior parte da história de Políbio foi perdida.

De fato, é correto comparar os arranjos políticos na Grécia com os dos semitas ocidentais da Fenícia, em parte como resultado de condições geográficas semelhantes. Ambos eram "territórios enfraquecidos, geograficamente desmembrados sem um eixo central de organização".[106] Na Fenícia, as montanhas do Líbano com suas florestas desciam ao mar; na Grécia, a costa era montanhosa com vales estreitos. Em ambos os casos, os habitantes vislumbravam o mar em vez da terra. Essas condições eram consistentes com "o mundo livre de numerosas pequenas cidades-Estado" que frequentemente contrastavam com os "despotismos burocráticos militares orientais do Egito e Mesopotâmia". No entanto, o contraste não é de todo correto, como assinala Astour, porque a Mesopotâmia foi formada por pequenas cidades-Estado e "fortes traços da autonomia municipal sobreviveram em cidades maiores e mesmo sob o despotismo do império neoassírio. Mas mesmo a Assíria começou como uma quase cidade-Estado republicana".[107] Em alguns casos, magistrados eram eleitos para um período anual, escolhidos entre os residentes mais afortunados.[108] Childe refere-se a essas antigas cidades-Estado mesopotâmicas como "democracias primitivas". Como consequência, não há uma distinção precisa entre despotismo oriental e a democracia da *polis*, tanto grega quanto fenícia. Com respeito à Mesopotâmia, onde as cidades-Estado abundaram, Adams escreve: "Mesmo quarenta anos depois de ascender ao poder, o rei de Uruk era coagido a dividir com uma assembleia seu poder de decisão com respeito à guerra".[109] É essa afinidade que Astour vê como a base das relações entre as antigas colônias semíticas na Grécia e mais tarde a conquista grega da costa Fenícia.

Eu sugeriria que o desejo de alguma forma de representação, para se ter a voz ouvida, é intrínseco à condição humana apesar de haver sempre vozes autoritárias entre a elite contra essa prática, vozes essas que podem prevalecer por longos períodos. De fato Finley[110] sugere que, mesmo nos tempos modernos, muitas democracias representativas tornaram-se instituições de elite como resultado da profissionalização da política, coisa que as eleições anuais no modelo cartaginês de alguma forma combatiam;[111] havia mais rotatividade, mais reunião, mais participação de cidadãos.

---

[106] Astour, 1967:358.
[107] Astour, 1967:359, n.i.
[108] Oppenheim, 1964.
[109] Adams, 1966:140.
[110] Finley, 1970.
[111] Ao contrário das sociedades clássicas da Europa daquele tempo, o entendimento de Cartago se viu limitado pela falta de provas documentais. Isso pode ser o resultado da destruição ou disposição das bibliotecas (Lancel, 1997:358-9). Aristóteles, também, "elogia os princípios democráticos de Cartago" (Fantar, 1995:52), com um senado eleito que tinha muitas responsabilidades, inclusive na declaração de guerras, uma assembleia popular que elegia magistrados (*sufes* ou *shophat*) por um ano. Fantar fala de Cartago como "profundamente democrática, dando preferência a estruturas colegiadas" (p. 57). O poder pessoal era abominável, a tirania, condenada; havia respeito à prática da lei e direitos individuais eram reconhecidos, para os quais liberdade é uma palavra apropriada.

O segundo dos três aspectos da política supostamente herdados da Grécia é "liberdade", uma característica novamente associada com sua ideologia explícita e de autopromoção, apesar da prática extensiva da escravidão. Essa forma de trabalho continuou mais tarde na Europa, apesar do apelo frequente ao compromisso com a liberdade. No período carolíngio, os escravos eram parte importante das exportações do continente. Várias formas de trabalho servil persistiram até a Revolução Industrial, que alguns caracterizaram como escravidão assalariada, uma vez que os indivíduos não tinham acesso direto aos meios de produção e estavam presos ao patrão. Liberdade é, portanto, uma questão mais complexa do que se pensa. E, como Isaiah Berlin mostra, há uma distinção entre os conceitos negativos e positivos de liberdade, entre liberdade sem interferência e coerção, que é vista como uma coisa boa, e liberdade para alcançar a realização pessoal, que pode facilmente se tornar uma justificativa para coagir os outros.[112]

Apesar desses lapsos evidentes, o conceito de liberdade como um atributo europeu herdado dos gregos retorna periodicamente. Discutindo a incapacidade das sociedades muçulmanas "para modernizarem-se", Lewis tenta mostrar "o que deu errado", referindo-se à presença do fundamentalismo e ausência de democracia. E enfatiza "a falta de liberdade. Liberdade da mente de se achar sem coação e doutrinação, liberdade para questionar, inquirir e falar; liberdade econômica que afasta a corrupção e a administração incompetente, liberdade para as mulheres da opressão machista, liberdade dos cidadãos sob o jugo de tiranias".[113] Apesar de ser muitas vezes considerada virtualmente um monopólio ocidental, liberdade usada nesses contextos amplos tem pouco significado. Liberdade da mente parece implicar secularização, que é ao certo um fator para se desenvolver novas soluções e novos conhecimentos. Se você rejeita ou qualifica respostas religiosas, inevitavelmente surgem outras. No entanto, para muitos, essa solução apresenta seus próprios problemas e as pessoas podem simplesmente preferir limitar o escopo da religião sem adotar a secularização integral. Entretanto, considerando a questão de Lewis, o Oriente Médio também ficou para trás na "revolução do conhecimento" que afetou as operações mentais, das quais ele fala, e isso por razões mais concretas. Em parte, como sugeri, foi por causa da ausência da imprensa como uma chave para a circulação de informação bem como da Revolução Industrial e do crescimento das redes de comércio (Atlântico e Pacífico) que a precederam e a acompanharam. Com a abertura dos grandes portos

---

[112] Berlin,1958; Finley, 1985:6.   [113] Lewis, 2002:177.

marítimos do Atlântico, essas redes de permuta entre a Europa Ocidental e o restante do mundo ultrapassaram largamente o Oriente Médio. Esses são fatores mais concretos e específicos do que as liberdades altamente genéricas das quais ele fala.

Além do mais, liberdade não é um conceito absoluto. Liberdade para os xiitas no Irã não é liberdade para os sunitas, curdos ou outras minorias; ela é determinada somente pela maioria de um eleitorado mais ou menos arbitrário, mesmo a "democracia", em qualquer forma, é um aspecto da liberdade para a maioria. Procedimentos eleitorais podem funcionar quando o povo participa da vida política; quando o grupo de referência é dominante em termos de caráter, etnia ou religião, eles não podem ser considerados representativos. Liberdade para um grupo é subordinação para outro. Não pode haver liberdade para os aborígines da Austrália ou dos Estados Unidos. Liberdade para eles seria vista como a derrota da maioria, que consiste de conquistadores, e algo que os defensores da liberdade universal dificilmente poderiam aceitar.

Liberdade, Finley insiste, é o avesso da escravidão. A escravidão, argumenta ele, era ligada à liberdade. Há, portanto, um tipo de paradoxo.

> Os gregos, é sabido, descobriram tanto a ideia de liberdade individual quanto a estrutura institucional na qual ela pode ser realizada. O mundo pré-grego – o mundo dos sumérios, babilônios, egípcios e assírios; e não posso deixar de citar os micênicos – era, num sentido muito profundo, um mundo sem homens livres, no sentido que o Ocidente veio a entender o conceito [...]. Em resumo, um aspecto da história grega é o avanço, de mãos dadas, de liberdade *e* escravidão.[114]

Alguns historiadores também tentaram relacionar os feitos e peculiaridades do mundo clássico à sua prática de escravidão, ao modo de produção escravista em termos marxistas. Certamente o controle total da força de trabalho foi inestimável para a construção das imensas construções que marcaram aquele mundo. No entanto, outras formas de organização de trabalho alcançaram fins análogos. De qualquer forma, a extensão do trabalho escravo, sempre estimulado por conquistas militares, é nebulosa. Muitas atividades no mundo clássico foram realizadas por outras formas de trabalho, algumas das quais constituíram modalidades de trabalho servil não tão diferentes da escravidão. De qualquer modo, não temos clareza sobre níveis do uso do trabalho escravo nas várias civilizações da Idade do Bronze. Discute-se, às vezes, que, enquanto a escravidão existiu nelas todas,

---

[114] Finley, 1960:164.

A INVENÇÃO DA ANTIGUIDADE   71

somente no mundo clássico foi "dominante". Dominância é um conceito difícil de usar, segundo Love.[115] Certamente a escravidão se alastrou. Principalmente, como resultado da agressiva política militar dos Estados bem como de seu sucesso comercial. De qualquer modo, porém, outras formas de trabalho também foram significativas, especialmente nos setores urbanos e artesanais. O problema da escravidão no Oriente Médio antigo foi discutido por Adams.[116] A respeito de Finley, ele afirma: "Vista sob esse aspecto, a controvérsia entre historiadores soviéticos de economia, caracterizando a sociedade estatal antiga como sociedade 'escrava' e especialistas ocidentais insistindo no número relativamente pequeno de escravos, em alguns aspectos, se torna mais uma questão de nomenclatura do que de substância". A caracterização de "sociedades escravas" depende de a escravidão ser uma instituição "dominante" dos tempos clássicos, ao passo que na Mesopotâmia ela era marginal.[117] A extensão da escravidão é claramente importante, mas no Mediterrâneo clássico a escravidão não era única como uma instituição, a sua prevalência pode ser exagerada. O conceito de "liberdade" não era ao certo uma questão de números.

Ao mesmo tempo em que Finley enxerga a centralidade da escravidão na vida social da Grécia (segundo ele um "elemento básico na civilização grega"[118]), também reconhece o grande leque de outros tipos de mãos de obra na força de trabalho. No campo, pequenos agricultores aceitavam trabalho pago temporário, especialmente na colheita; acontecia "uma simbiose entre mão de obra livre e escrava".[119] Nas cidades, havia uma concentração mais evidente de trabalho não escravo. No entanto, "quanto mais avançadas as cidades-Estado gregas", maior a tendência para a "escravidão real". Embora central para a Grécia, a escravidão não era a única, nem mesmo a maior, fonte de mão de obra, tanto na agricultura quanto em outra atividade.[120] Na verdade, nem se pode afirmar com certeza que, em alguma medida, tivesse havido liberdade em sociedades em qualquer outro lugar, embora haja registros de trabalho não escravo na Mesopotâmia.

O ponto crucial da visão de Finley sobre a Antiguidade é a distinção que ele faz dessa com relação às grandes sociedades da Idade do Bronze do Oriente Médio Antigo, em parte por causa da ausência de agricultura irrigada, mas

---

[115] Love, 1991.
[116] Adams, 1966:103-4.
[117] Adams, 1966:96-7.
[118] Finley, 1960:69.
[119] Finley, 1960:155.

[120] Segundo Bernal, a "sociedade escrava" foi introduzida no tempo das invasões dos povos do mar na costa do Levante, levando à substituição das cidades monárquicas e comerciais da Idade do Bronze para as dominadas por um templo (1991:8).

também porque eles (os gregos) "descobriram a liberdade individual" e ao mesmo tempo praticavam a escravidão. Childe também vê a filosofia grega da Idade do Ferro preocupada com a questão do indivíduo e da sociedade (como a filosofia indiana), o que, em termos mais concretos, considera a especulação pessoal de indivíduos emancipados da completa dependência do grupo, pelo advento das ferramentas de ferro e do dinheiro em moeda.[121] Entretanto, mais cauteloso, afirma que essas preocupações já apareciam na Idade da Pedra, de forma que concepções de liberdade e indivíduo, não foram exclusividades da Grécia. O que parece totalmente correto.

Finley está, com razão, "preocupado com a língua usada para descrever essas condições" e é nesse contexto que ele e outros (isso é bem conhecido) podem falar da "descoberta" de liberdade. Ele justifica seu ponto pela declaração de que em nenhuma língua do Oriente Médio ou do Extremo Oriente (incluindo o hebraico) existe um equivalente para a palavra liberdade, *eleutheria* em grego, *libertas* em latim. Uma vez que existia uma instituição próxima à escravidão nas outras sociedades que ele menciona, considerada ou não uma instituição "básica" ou "dominante", parece inconcebível que não houvesse reconhecimento da diferença entre escravidão e sua ausência, ainda que não existisse um termo para designar isso. A escravidão estava presente entre os grupos com que trabalhei no norte de Gana e não havia palavra específica para descrever "ser livre"; o povo, no entanto, não tinha dificuldade para fazer distinção entre "escravo" (ou "peão") e outras pessoas. De fato, se você não fosse um escravo (*gbangbaa*), era entendido que você era livre, não havendo necessidade para uma marca específica.

A terceira contribuição da Antiguidade para a política foi a provisão da lei como regra, uma característica predominantemente associada à tradição romana. Certamente, os romanos desenvolveram um código elaborado de leis escritas, como o fizeram outras sociedades letradas. No entanto, é equivocado supor que as culturas orais não tenham sido governadas pela lei num sentido mais amplo, como Malinowsky[122] e inúmeros antropólogos afirmaram, sobretudo, Gluckman, em seu estudo detalhado do direito entre os barotse (lozi) de Zâmbia.[123] De fato, a noção de "domínio da lei" é interpretada pelos membros de culturas letradas de modo estreito. Manuais foram escritos sobre o direito dos nuer, dos tswana e outros. A lei oral acabou sendo incorporada aos códigos escritos das novas nações das quais passaram a fazer parte. É verdade que fatos recentes na África subsaariana podem dar

---

[121] Childe, 1964:224.   [122] Malinowski, 1947.   [123] Gluckman, 1955; 1965.

A INVENÇÃO DA ANTIGUIDADE   73

a impressão de que "o domínio da lei" não existe no continente. O mesmo, porém, pode ocorrer com relação aos recentes eventos no Iraque, Bálcãs ou na Europa Oriental, e por vezes mesmo na Europa Ocidental. O uso de força militar onde quer que ocorra é o oposto ao domínio da lei, mesmo que essa surja como resultado das ações militares.

Se nos movermos para algo mais específico, a ideia disseminada de que o direito da propriedade privada é uma invenção do Direito romano – ou do Ocidente – desconsidera a análise antropológica da ordem jurídica nas culturas orais. Como a sociedade agrícola poderia funcionar sem que os indivíduos obtivessem direitos excludentes (mas não necessariamente exclusivos ou permanentes) ao terreno a ser cultivado? Os LoDagaa do norte de Gana, cultura oral que não carecia de terra cultivável, marcavam as suas fronteiras com pedras, usando frequentemente cruzes negras pintadas alertando para transtorno (grandemente místico) da intrusão. Disputas por fronteiras, se não frequentes, certamente ocorreram ali, como em todas as sociedades vizinhas. E eram frequentemente resolvidas por procedimentos legais reconhecidos, por debates públicos, uso de intermediários ou ameaça de violência. Culturas letradas mais complexas tinham seus próprios métodos, incluindo a escritura pública, o que era encontrado em todas as sociedades pós-Idade do Bronze. Desde o período Tang, "contratos" escritos eram usados na China como "documentos de declaração", incluindo a transferência de terra. Um exemplo de Taiwan no século XIX começa assim: "O executor desse contrato para a venda irrevogável de um lote de terra não irrigada [...]".[124] O vendedor prossegue dizendo que ele consultou parentes próximos para lhes dar o direito de compra e, como a resposta foi negativa, procedeu com a venda "porque minha mãe precisa de dinheiro". A transação foi colocada por escrito "porque tememos que o acordo oral não seja confiável". Isso indica que era também possível transferir direitos de terra oralmente, sem recurso a procedimentos escritos o que seria menos seguro.

A ideia de que direitos não existiam na Europa até o advento da lei romana foi defendida por muitos historiadores. Por exemplo, Weber primeiro admitia, seguindo seu professor Mommsen, que a condição original do homem era "essencialmente comunal";[125] isso é o que também faz Marx. No entanto, uma coisa é historiadores do século XIX assumirem essa tese, outra é profissionais fazerem o mesmo no século XX. Eruditos antigos tinham carência de documentação e noções fantasiosas sobre o passado. Autores

[124] Cohen, 2004:41.   [125] Love, 1991:15.

mais atuais têm acesso a uma riqueza de estudos de sociedades recentes com sistemas políticos e econômicos vagamente similares, o que demonstra a validade da noção de Maine de uma hierarquia de direitos da terra, alguns localizados no indivíduo, outros em grupos particulares. Sua grade dispensa velhas dicotomias, como "individual" e "comunal", categorias que falham na caracterização adequada do sistema de posse em sociedades do passado e do presente. Sociedades pré-letradas também têm hierarquia de direitos, incluindo o que pode, *grosso modo*, ser chamado de direito individual e coletivo.[126] É certo que há óbvios riscos metodológicos na comparação entre questões jurídicas da Antiguidade, mesmo em estudos sofisticados de um sistema judicial pré-letrado de uma sociedade quase contemporânea, como o levado a efeito por Gluckman em Zâmbia, em que a força das evidências é poderosa. No entanto, esse procedimento é preferível a uma pressuposição generalizada sobre uma fase comunal que pertença mais ao domínio do mito que da história. A negligência para com as "fontes" alternativas é, em parte, uma questão de ignorância, de isolamento das disciplinas, e isso produz uma história deficiente.

RELIGIÃO E A "ATENAS NEGRA"

Parte da solução para o problema geral da cultura grega é fornecida por estudiosos que partiram não da singularidade da sociedade clássica, mas do estabelecimento de conexões e continuidades com o Egeu e com o Oriente Médio. Isso foi feito particularmente no caso do Egito e do sul do Levante no trabalho de Bernal ou para a Mesopotâmia e o norte do Levante em outras pesquisas. Aumentar o papel da Grécia, subestimando sua atividade mercantil e sua economia de mercado, significa negligenciar os contextos mais amplos dos feitos gregos, seus contatos com a Fenícia e o Egito, juntamente com sua importância como comerciantes nos mares que os rodeavam, no Mediterrâneo oriental e no mar Negro. Essas são as mais importantes afirmações de Bernal em *Black Athena*.

Bernal refere-se à interpretação dominante da história cultural da Grécia Antiga como "modelo ariano".[127] Essa interpretação se apoia na invasão de falantes de língua indo-europeia, ou numa variante mais inclusiva, de

---

[126] Sobre esse problema geral de coletivo e individual e o modo como essa dicotomia grosseira embota a análise histórica e sociológica, ver Goody, 1996a:17.

[127] Bernal, 1987, 1991.

A INVENÇÃO DA ANTIGUIDADE   75

língua indo-hitita. Essa leitura teve profundas consequências na história europeia, afastando-a da de seus vizinhos, e ocasionou a rejeição da influência das línguas semitas (e das afro-asiáticas, família maior a que essas línguas pertencem) das praias orientais do Mediterrâneo. Esse modelo é orientado pelo desejo de subestimar as conexões não só com a Fenícia mas com o Egito, que, segundo ele, fez a maior contribuição para a civilização grega, como indicado em seu trabalho mais importante.[128] Segundo Bernal, o modelo ariano produziu uma "história da Grécia e suas relações com o Egito e o Levante conformadas pela visão do século xix e, especificamente, por seu racismo sistemático".[129] Bernal rejeita essa abordagem em favor do que ele chama de "um modelo antigo revisado", que aceita histórias antigas de colonização egípcia e fenícia da Grécia. Aceita, em outras palavras, que a Grécia foi influenciada pelos contatos com o Mediterrâneo oriental, o que afetou sua língua, sua escrita, e sua cultura de modo geral, como Heródoto havia originalmente sugerido (daí o "modelo antigo").

Um dos problemas com a concepção de Bernal é seu argumento de que a mudança de ênfase do modelo antigo para o ariano acontece somente no século xix com o crescimento do racismo e do antissemitismo. Certamente esses sentimentos se fortaleceram naquele tempo, com a dominação europeia do mundo após a Revolução Industrial. No entanto, Bernal vê o aparecimento dessas atitudes como um novo desenvolvimento ligado à emergência da filologia indo-europeia nos anos 1840, o que produziu uma "relutância extraordinária" em ver qualquer conexão entre grego e as línguas não indo-europeias.

Entretanto, a meu ver, a tendência para rejeitar conexões orientais remonta a problemas mais gerais de "raízes" e etnocentrismo, agravados pela expansão do Islã a partir do século vii,[130] às derrotas nas Cruzadas e à perda cristã de Bizâncio. Naquele tempo, a oposição entre Europa e Ásia tomou a forma de uma oposição entre Europa cristã e Ásia islâmica, que herdara os estereótipos mais antigos de "Europa democrática" e "Ásia despótica". O Islã era tido como uma ameaça para a Europa, não somente militar, o que cedo ficou claro no Mediterrâneo, mas também moral e ética. Maomé é colocado por Dante no oitavo círculo do inferno. Num nível mais amplo, o etnocentrismo nos separa dos outros e ajuda a definir nossa identidade. Mas é um mal guia para história, especialmente para a história mundial.

Uma outra razão por que Bernal me parece equivocado localizando tardiamente o desenvolvimento de atitudes etnocêntricas é porque ele

---

[128] Bernal, 1987:72.   [129] Bernal, 1987:442.   [130] Goody, 2003b.

reconhece que a "fonte" da Renascença e do humanismo foi a "literatura clássica". Naquele tempo, o pensamento grego e romano foi privilegiado sobre todos os outros e proveu o humanismo "com muito da sua estrutura básica e método". As possíveis ligações com o Oriente Médio, com as culturas semitas e afro-asiáticas, incluindo Cartago, foram colocadas de lado, como a influência do Islã, que, no tempo da Renascença, já estava presente na Europa, de um modo ou de outro, há muitos séculos. A Antiguidade provou ser um contraste refrescante para a cristandade medieval, e Antiguidade era Grécia e Roma, cujos escritos se podia ler.

Bernal, por outro lado, pensa que há paralelos suficientes entre, por exemplo, religião e filosofia para afirmar que a religião grega é basicamente egípcia e foi o resultado da colonização. Algumas das evidências vêm das comparações linguísticas; no entanto, minha pouca experiência em filologia das línguas africanas sugere que essas comparações são frequentemente tênues demais e perigosas para formar a base de conclusões culturais profundas. De qualquer modo, as religiões experimentaram constante invenção e declínio, obsolescência e criação, que as tornam menos úteis para serem aproveitadas como no caso dos cultos ao boi a que Bernal atribui tanta importância. Qualquer grupo de criadores de gado é potencialmente candidato a esse tipo de culto; porém, esses cultos falham de tempos em tempos e podem então ser substituídos por novos. Eu daria, portanto, mais espaço para o que os antropólogos chamaram de invenção independente nessa esfera do que, penso, sua hipótese parece permitir. Isso não acontece em todas as áreas; a influência dos hieróglifos egípcios na escrita micênica é em geral aceita, assim como a influência da coluna egípcia na arquitetura grega. Mas, com cultos religiosos, a invenção é frequentemente independente.

É claro que as influências são mútuas. O Egito foi influenciado por sua constante comunicação com o Levante e com o recrutamento de soldados e marinheiros da região. Durante o período dos hicsos, os governantes eram estrangeiros que se estabeleceram em Avaris (Tell al-Dab'a) no Delta e exerciam uma vigorosa política de comércio com a Ásia, com acesso às minas turcas em Serabit-el-Khadim e ao comércio por meio de caravanas de burros. O Egito não tinha esquadra de mar nessa época e deve ter apreciado a proteção cretense.[131] Muita cerâmica era importada; fragmentos de pintura de parede cretense foram encontrados em Avaris mostrando a relação com a pintura de parede thera em Akrotini.[132] Durante aquele

---

[131] Bietak, 2000:40.   [132] Davies e Schofield, 1995; Sherratt, 2000.

período, os "contatos entre Knossos e o Delta foram mais constantes [...] do que antes".[133]

O tema de possíveis contribuições egípcias para a religião eurasiana foi abordado por Freud em sua monografia *Moses and Monotheism* (1939) (*Moisés e o monoteísmo*). Freud afirma que Moisés era um egípcio que absorveu seu monoteísmo do faraó "herético" Akenaton. Não posso julgar a plausibilidade dessa influência. Acrescentaria, no entanto, que a probabilidade de uma troca para o monoteísmo, e depois, um retorno, como alguns protestantes alegam ter acontecido na cristandade, é uma possibilidade sempre presente em muitas sociedades humanas como o resultado de um mito da criação que enfatiza a singularidade do processo. Uma razão é que a criação é vista como um ato único (frequentemente de um deus criador) enquanto divindades menores tendem a se proliferar como intermediárias.

O argumento de Freud é que "o estatuto do império do faraó foi a razão externa para o aparecimento da ideia do monoteísmo".[134] A centralização política levou à centralização religiosa. No entanto, muitos missionários e antropólogos registraram senão monoteísmo, pelo menos a existência de uma divindade suprema, em culturas mais simples. Uma divindade que é um Deus Criador e que criou divindades menores. Na África, ele se torna o *deus otiosus*, que é raramente adorado, embora o fato de que tenha criado o universo aumenta a possibilidade de retornar a uma existência mais ativa. Nesse contexto, o aparecimento do monoteísmo não é difícil de entender.

Apesar de algumas reservas, não duvido da exatidão das afirmações mais importante de Bernal, que são:

(a) Nessa negligência, fatores "raciais" tiveram um peso significativo. No entanto, a origem dessa negligência é muito mais antiga do que Bernal sugere e está ligada a noções de superioridade tanto cultural como racial;

(b) Conexões entre a Grécia antiga e o Oriente Médio têm sido fortemente negligenciadas; a marginalização do papel da Fenícia e de Cartago é um exemplo claro desse processo. A religião de Cartago foi influenciada tanto pela Grécia como pelo Egito.

---

[133] P. Warren, "Minoan Crete and Pharaonic Egypt", em Davies e Schofield, 1995:8.

[134] Freud, 1964 [1939]:108.

O ROUBO DA HISTÓRIA

Bernal não está sozinho ao tentar estabelecer um grau mais alto do que normalmente se reconhece de aspectos comuns entre as sociedades mediterrâneas. A insistência em estabelecer uma conexão entre os povos de língua semita da costa asiática e os gregos está no centro do trabalho de um certo número de eruditos judeus semitas, notadamente Cyrus Gordon.[135] Ele fez um estudo pioneiro de gramática ugarítica, analisando essa recém-descoberta língua semita a partir de tábuas encontradas no norte da Síria, que fornecem evidência dos primeiros escritos alfabéticos. Gordon tentou conectar o assentamento fenício de Ugarite com Creta e, em 1955, publicou uma monografia intitulada *Homer and the Bible,* concluindo que "as civilizações grega e hebraica eram estruturas paralelas construídas sobre as mesmas fundações do Mediterrâneo ocidental".[136] Ao tempo de Gordon, essa afirmação foi considerada herética por muitos. Desde a Segunda Guerra Mundial, entretanto, a rejeição anterior da influência fenícia na Grécia foi modificada. A ideia de assentamentos fenícios não simplesmente na ilhas, mas também em Tebas, no continente, tornou-se mais aceitável;[137] e admite-se que a influência sobre a Grécia da Idade do Ferro tenha começado no século x a.e.c.

Os fenícios viajavam pelo Mediterrâneo. Eram uma comunidade costeira que teve de buscar oportunidades de comércio, especialmente de metal, e desenvolveu a escrita como uma forma de registro de transações. É possível entender muito bem como os fenícios se tornaram comerciantes, tanto de madeira como de metais. As montanhas do Líbano virtualmente descem ao mar até Sidon. Mesmo Tiro tem uma faixa limitada de costa. Então, o cedro do Líbano era trocado com o Egito para a construção de barcos (o Egito não tinha madeira) e com Israel para a construção de templos, em troca de grãos. Eles viajavam pelo Mediterrâneo para Cartago, Cadiz e mesmo para Cornuália, em busca de metal, e particularmente para os dois últimos lugares à procura de estanho para produzir o bronze. Um resultado de suas viagens foi a importantíssima colônia de Cartago, na Tunísia de hoje. Foram mesmo tidos como guias de uma expedição egípcia que teria circum-navegado a África por volta de 600 a.e.c. De qualquer modo, eram grandes navegadores e ricos comerciantes, não somente no Egeu, mas em todo o Mediterrâneo. Enquanto alguns acadêmicos do século xix, como Beloch, negam veementemente a presença de fenícios no Egeu antes do

---

[135] Ver também o trabalho do seu colega Astour, 1967, bem como Ward, 1971.

[136] Bernal, 1987:416.

[137] Bernal, 1991:6.

século VII a.e.c., evidências arqueológicas indicam "relações comerciais bemsucedidas entre o mundo egeu e a costa oriental do Mediterrâneo durante o segundo milênio" e durante os períodos cretense e micênico.[138] De fato, o autor Jidejian afirma que a história de Cadmo "reflete uma antiga penetração ocidental de semitas na Grécia continental".[139] De acordo com Heródoto, Cadmo, filho do rei de Tiro, foi mandado à procura de sua irmã, Europa, e acabou fundando a cidade grega de Tebas. Foi o fenício Cadmo que levou o alfabeto para a Beócia na Grécia. Há histórias de assentamentos fenícios em Rodes e outros lugares. A tradição de que Cadmo fundou a dinastia de Édipo persistiu no mundo antigo. Portanto, os fenícios certamente tinham muitos contatos exercendo influência não somente sobre o Oriente Médio antigo, mas também sobre o que nós chamamos de mundo clássico do qual eles eram parte essencial.

No trabalho da maioria dos classicistas, a centralização na Grécia e Roma subestimou não só a contribuição da Fenícia para a emergência do alfabeto (750 anos antes da Grécia no sentido consonantal) como também a das produções literárias em línguas semitas. Além disso, empurrou Cartago, inicialmente uma comunidade comercial fenícia e mais tarde um império considerável no Mediterrâneo Ocidental, para as margens da história. E não simplesmente para as margens da história, mas sim para o *status* de "bárbaros", em parte por causa da insistência romana sobre suas práticas de sacrifício de crianças, questão que levanta muitas dúvidas. Em qualquer caso, não é claro por que isso seria mais bárbaro do que certos eventos no Antigo Testamento, como o sacrifício de Isaac, ou ainda a exposição de filhos ilegítimos em Roma, ou certas práticas espartanas que acabavam justificadas como disciplinares. O que é claro é que uma civilização altamente completa, rival e antecessora de Roma, foi excluída da categoria Antiguidade, do mesmo modo que as sociedades do Oriente Médio. E isso mesmo sendo contemporânea e contraparte primeiro da Grécia e, a partir do século V a.e.c., de Roma, quando a difundida *emporia* foi reunida.

Um problema do nosso conhecimento sobre a contribuição de Cartago e da Fenícia à cultura do Mediterrâneo é que temos muito pouco documentos escritos deles. Os fenícios evidentemente guardaram

---

[138] Jidejian, 1996:66.
[139] Para uma avaliação cuidadosa das conexões entre Egito e o Egeu entre 2200 e 1900 a.e.c., ver Ward, 1971, especialmente 119ss.

documentos de várias formas, desde que inventaram o alfabeto. Além do mais, Flávio Josefo mais tarde escreveu que "das nações em contato com a Grécia, os fenícios foram a que fez o maior uso da escrita, tanto para registrar a vida cotidiana como para a comemoração de eventos públicos". Ele comenta ainda que, "por muitos anos, o povo de Tiro guardou seus registros públicos, compilados e preservados cuidadosamente pelo Estado, de eventos memoráveis de sua história e de suas relações com nações estrangeiras".[140] Nenhum desses documentos sobreviveu. Eles devem ter sido escritos em papiros perecíveis importados do Egito e não em tabletes, mais duráveis. Inscrições fenícias, curtas na maioria, foram encontradas em todas as cidades costeiras, mas pouco ou nada resta, a menos que estendamos nossos horizontes ao judaísmo.

É por isso que, apesar de terem sido parte importante do mundo antigo, os fenícios não deixaram a herança literária ou artística transmitida pelos gregos e romanos. Até onde a herança literária vai, as bibliotecas de Cartago foram destruídas ou desapareceram com a destruição da cidade pelos romanos em 146 a.e.c. Há evidências de seus conhecimentos agrícolas, não somente no avançado cultivo que praticavam, mas também na tradução para o latim de um livro sobre o assunto.

A rejeição do papel dos semitas no Mediterrâneo oriental, portanto, contradiz as evidências da presença na região de homens do mar fenicianos. Os fenícios habitaram um número de "cidades-Estado" famosas (como são descritas) ao longo da costa do Levante principalmente na região do atual Líbano, desde o porto de Acre em Israel/Palestina até Ugarite, na Síria.

CONCLUSÃO:
A ANTIGUIDADE E A DICOTOMIA EUROPA-ÁSIA

Os gregos foram definidos como diferentes não somente por eles mesmos, mas também pelos europeus de épocas posteriores. O que classicistas como Finley viram como o impulso por trás da presumida diferença dos gregos com relação ao Oriente Médio com quem eles tinham trocado ideias e mercadorias? As supostas diferenças políticas dificilmente seriam suficientes. Seja qual for a característica especial do mundo da Antiguidade o que falta nas explicações dos eruditos é como e por que a Europa e o Mediterâneo divergiram das

[140] Bernal, 1991:6.

A INVENÇÃO DA ANTIGUIDADE   81

características gerais das sociedades posteriores à Idade do Bronze de forma a serem consideradas como modo de produção e tipo societário distinto. Suas realizações em termos de sistema de conhecimento, de escultura, de teatro, de poesia são imensas, mas com relação a um tipo societário distinto já expressamos nossas dúvidas. O predomínio da escravidão já foi apontado por muitos comentadores como a diferença crucial das sociedades clássicas. Esse predomínio teve vantagens e desvantagens para o crescimento da cultura e da economia, como já mostrei. De qualquer modo isso não constitui uma distinção tão grande entre as formas de vida do Ocidente e do Oriente como sugere a dicotomia entre os modos antigo e asiático de produção. O uso do trabalho escravo era extensivo, mas havia pouca diferença nos meios técnicos de produção. Na Antiguidade, a difusão do uso do ferro, um metal mais barato e disponível do que cobre ou estanho, teve importantes consequências, mas isso foi assim para todas as sociedades da região.[141] Aperfeiçoamentos contínuos, por exemplo em hidráulica e colheita, também não servem para sustentar o contraste que historiadores do classicismo querem produzir.

A ideia de que o que ocorria no Oriente era "excepcionalismo asiático" e o que ocorria no Ocidente era "normalidade" incorpora um pressuposto europeu injustificável e parte de uma perspectiva do século XIX, que presume ter sido o caminho europeu o único a levar ao "capitalismo". Esse raciocínio é resultado da fusão entre capitalismo, no sentido amplo empregado com frequência por Braudel, e desenvolvimento da produção industrial, um evento econômico muito mais específico, frequentemente associado a "investimento produtivo" (embora esse seja um fator geral mesmo em sociedades agrícolas). Se a Europa Ocidental tornou-se "excepcional" no século XIX, não parece ter sido esse o caso em épocas anteriores e em comparação com outras grandes civilizações, exceto com relação às vantagens na época das Grandes Navegações decorrentes dos aperfeiçoamentos técnicos em armas e navios, e da adoção da imprensão, que há muito existia na China, só que, no caso europeu, adaptada a uma escrita alfabética usando tipos móveis. Esse aperfeiçoamento permitiu uma circulação (e acumulação) mais rápida da informação, uma vantagem que as civilizações chinesa e árabe antes tinham experimentado devido ao uso de papel e, para a primeira, da imprensão.

A consequência de diferenciar o aprimoramento da Antiguidade do aperfeiçoamento asiático da civilização pós-Idade do Bronze cria um

[141] Childe, 1964, capítulo 9.

82 O ROUBO DA HISTÓRIA

problema de explicação para essa suposta divergência. E ao mesmo tempo empurra para trás a questão da origem do capitalismo, para as supostas raízes da cultura ocidental. Já na Antiguidade, segundo alguns classicistas, a Europa teria tomado o caminho certo nessa direção, enquanto a Ásia teria se desviado. Até recentemente, era essa a perspectiva dominante entre a maior parte dos "humanistas" que enxergavam a cultura europeia brotando unicamente das conquistas das sociedades grega e romana. Essas conquistas foram atribuídas ao "gênio grego", por exemplo, por Burckhardt, de uma forma difícil de defender de um ponto de vista histórico e sociológico. Às vezes essas conquistas têm sido relacionadas com a invenção do alfabeto de uma forma que negligencia as origens asiáticas (semitas) da transcrição fonética sistemática, assim como de outros sistemas de escrita.[142] Às vezes à ciência (e a lógica) gregas se concede um *status* único com respeito a desenvolvimentos posteriores, uma ideia que parece ter sido rebatida pela obra enciclopédica de Needham *Science and Civilization in China*.[143, 144] Cada uma dessas explicações apela em alguma medida para os meios de comunicação e fazem contribuições para desenvolvimentos posteriores no tempo da Renascença, mas é difícil aceitar a distinção de categorias nos níveis de conquistas do Ocidente e do Oriente, da Europa e da Ásia antes desse período. Na verdade, a maior parte aceitaria a tese de que, até então, essas realizações não foram muito diferentes e que o "capitalismo" mercantil, a cultura urbana e a atividade literária estavam presentes em outros lugares pelo menos no mesmo grau.

---

[142] Goody, 1977.

[143] Needham, *Science and Civilization in China*, 1954. Essa não é sempre a conclusão de Needham, pois ele tende a ver a "ciência moderna" emergindo só no Ocidente por razões que remontam aos gregos. Eu comento essa tese mais a frente.

[144] Esse tema foi tratado com sensibilidade por G. E. R. Lloyd (1979) a partir de uma outra perspectiva.

FEUDALISMO:
TRANSIÇÃO PARA O CAPITALISMO OU COLAPSO DA EUROPA E A DOMINAÇÃO DA ÁSIA?

A palavra "feudalismo" é usada de várias formas. Em geral refere-se coloquialmente a qualquer hierarquia não constituída por eleição, inalcançável por pessoas comuns, como a Casa dos Lordes. Em linguagem mais técnica, podemos seguir as distinções de Strayer: "Um grupo de eruditos usa essa palavra para descrever os arranjos técnicos pelos quais vassalos se tornam dependentes de senhores, e propriedades de terra (com seus benefícios econômicos) tornam-se organizadas com títulos de feudos. Outro grupo de eruditos usa feudalismo como palavra que designa genericamente as formas dominantes da organização social e política durante certos séculos da Idade Média".[1] Em sua introdução ao estudo de Marc Bloch, *Feudal Society* (*A sociedade feudal*), Postan faz uma distinção similar entre falantes de língua inglesa que restringem seu uso da palavra a feudos militares e eruditos soviéticos que discutem a dominação de classe e a exploração de camponeses pelos senhores de terra. Como Bloch, Postan prefere a última abordagem.[2] Aqui usamos o termo para nos referir a um período que seguiu a Antiguidade Clássica na Europa.

A MUDANÇA DA ANTIGUIDADE PARA O FEUDALISMO

Aos olhos do Ocidente, o feudalismo é frequentemente visto como a transição para o capitalismo e como uma fase "progressiva" no desenvolvimento

---

[1] Strayer, 1956:15. [2] M. Postan, prefácio em Bloch, 1961.

do Ocidente, uma fase que outras sociedades não conseguiram alcançar do mesmo modo. Sua ausência, como a Antiguidade, excluiu outros do caminho para a modernidade. No entanto, há poucos indícios de que o posterior desenvolvimento do capitalismo mercantil e comercial tenha dependido dele a não ser na medida em que a uma fase regressiva, algumas vezes, segue-se uma ação inovadora e vigorosa – como a que se seguiu à Idade das Trevas grega. Em outras palavras, aquilo que se chama a vantagem do atraso. Em parte, o reflorescimento veio do contato com o Oriente, não foi endógeno. Não foram os merovíngios e carolíngeos que herdaram o Império Romano, mas Constantinopla. "Visto como parte da história do mundo, o Ocidente foi reduzido a uma esquina esquecida cujo centro estava no vale do Mediterrâneo oriental, o Império Bizantino, e mais tarde, também os territórios árabes".[3] O centro provavelmente ficou ainda mais a leste.

Apesar dessa visão exclusivista do Feudalismo, formas de grande propriedade rural, com obrigações associadas, existiram em quase todo lugar nas culturas posteriores à Idade do Bronze. Além do mais, culturas urbanas continuaram a se desenvolver no Oriente com alguns intervalos, mas nada como as do Ocidente, que, nesse sentido, era marcado pela "singularidade ocidental". O colapso do Ocidente não se espalhou para o Mediterrâneo oriental, em que, em muitos aspectos, cidades como Constantinopla ou Alexandria, com culturas urbanas, continuaram a se desenvolver, especialmente em termos econômicos, como centros de arte, referência para a educação e entrepostos para o comércio, especialmente com o Oriente.

DECLÍNIO NO OCIDENTE, CONTINUIDADE NO ORIENTE

Se o ritmo da transição da Antiguidade para o Feudalismo pode ser questionado, os eventos não podem. Pelo menos no Ocidente, um dramático colapso ocorreu. Assim, o traço crítico do Ocidente não foi o progressivo desenvolvimento da cultura do período romano, mas o declínio desastroso das culturas urbanas com o colapso do império. A economia política da Europa Ocidental sempre foi mais frágil do que a do Oriente; ela era menos profundamente baseada na Revolução Urbana da Idade do Bronze. Consequentemente, essa situação ficou mais sujeita a um colapso quando o império se enfraqueceu. Tanto o colapso quanto o posterior

---

[3] Slicher van Bath, 1963:31.

reflorescimento foram muito importantes no feudalismo europeu, e Southall vê isso como central em todos os feudalismos, processo que ele considerou recorrente.[4]

O colapso na Europa Ocidental foi, em parte, resultado das invasões bárbaras bem como do avanço do cristianismo e do poder cristão, mas muitos autores também o veem como decorrente de fatores internos como a fraqueza (contradições) do modo de produção escravista, e possivelmente devido a um longo declínio econômico a partir de 200 e.c. ou mesmo à diminuição de população. O processo de produção também pode ser responsabilizado, uma vez que houve grande expansão de extensas propriedades (*latifundia*), que se tornaram gradativamente autossuficientes, um processo que foi considerado o início da feudalização. Alguns veem o problema da falta de expansão no tipo de comércio e não na produção.[5] Comprometida com a exportação de metais preciosos em troca de bens, a economia romana quebrou.

Muito se escreveu sobre o declínio da vida social com o fim do Império Romano.[6] O norte sofreu mais severamente, em especial a Grã-Bretanha "onde cidades, unidas pelo cristianismo, parecem ter praticamente desaparecido";[7] o mesmo aconteceu nos Bálcãs. Outras áreas se saíram bem melhor, especialmente o sul da Espanha. Mesmo no norte da Itália, três quartos dos cem municípios sobreviveram até 1000 e.c. Entretanto, o colapso do Ocidente foi visto como paradigmático para a história do mundo; a queda da Antiguidade e seus centros urbanos teria levado ao feudalismo, cujos últimos estágios viram a emergência do capitalismo. Reconhecer a diferença que houve entre a história do Mediterrâneo ocidental e a do Mediterrâneo oriental e do sul coloca o curso geral dos eventos sob uma luz muito diversa.

É importante perguntar até onde o colapso de Roma afetou o Império do Oriente, como afetou o do Ocidente. Historiadores europeus voltaram-se para esses eventos de um ponto de vista da Europa ocidental, excluindo a Europa oriental e o Oriente. Mesmo durante os tempos romanos, havia diferenças significativas entre o Império do Oriente e do Ocidente. O Oriente estava mais estreitamente conectado ao comércio da Ásia, com imensas cidades

---

[4] Southhall, 1998.

[5] Childe, 1964:283.

[6] O conceito "declínio" é usado em referência a critérios específicos (p.ex. taxa de alfabetização) e tem de ser tomado no contexto de nossa discussão anterior (cap. 1) de "progressão" e distinto de "progresso". O último envolve um julgamento de valor sobre superioridade em todas as áreas. O conceito de "progressão" dispensa a noção de completa relatividade em todas as esferas e reconhece que um movimento ocorreu em determinados campos, por exemplo, em modos de produção e modos de comunicação.

[7] A seção seguinte foi originalmente uma palestra proferida em Tillion (Aix-en-Provence) em março de 2004.

romanas como Palmira e Apamea sendo construídas no Levante e na Ásia ocidental. A diferença é claramente esboçada em *Passages from Antiquity* (*Passagens da Antiguidade ao Feudalismo*) de Anderson. O Ocidente foi povoado com menos diversidade, foi menos urbanizado e sua economia política não se baseou nas complexas civilizações do Oriente Médio que existiram no Egito e no Levante. Foi marcado por agricultura de estação em vez de agricultura irrigada, com menos cidades e menos comércio. O Ocidente estava em declínio: as áreas rurais suplantaram as urbanas, onde a atividade diminuíra gradativamente.[8] As grandes propriedades (*latifundia*) tinham se expandido, incorporando camponeses e artesãos em suas economias fechadas. Os romanos mudaram a base econômica, introduzindo cultivo mais complexo, frequentemente organizado ao redor das vilas, e em algumas partes também ao redor dos *latifundia*, que se baseavam em trabalho escravo extensivo. Havia, portanto, alguma sofisticação no mundo rural do Ocidente. A mecanização avançou e rodas d'água se espalharam no final da Antiguidade.[9] O Oriente, no entanto, foi menos afetado pelas invasões; sua vida urbana era mais ativa e a classe camponesa resistiu ao sistema de assentamento implicado nos *latifundia*. Em cidades como Cartago, Atenas, Constantinopla, Antioquia e Alexandria, a educação superior se manteve.

No Mediterrâneo oriental, de acordo com Childe, a vida na cidade, com todas as suas implicações, continuou:

> A maioria dos ofícios era ainda executada com toda a habilidade técnica e equipamentos desenvolvidos nos tempos clássicos e helenísticos. As fazendas eram ainda trabalhadas cientificamente para produzir para o mercado. O escambo não excluía inteiramente a moeda, nem a autossuficiência interrompeu o comércio completamente. A escrita não foi esquecida. Em Alexandria e Bizâncio, textos científicos e literários foram persistentemente copiados e preservados. A medicina grega era praticada em hospitais públicos com a bênção da Igreja.[10]

O Ocidente sofreu mais, mas cidades catedrais foram erguidas, o comércio se manteve, assim como a manufatura de vidro; o uso de rodas de água se expandiu.

Houve discussão se a prosperidade romana dependia da interdependência entre uma região ou outra. Ward-Perkins se contrapõe à ênfase de Finley em economias locais, mas reconhece que nem todas as partes do império não estavam ligadas fortemente. Quando Roma caiu como regime político, a

---

[8] Petit, 1997:336.   [9] McCormick, 2001:10.   [10] Childe, 1964:290.

economia, que dependia dela, também caiu, mas com resultados diferentes no Ocidente e no Oriente. Especialmente o "quinto século foi um período de crescente prosperidade no Oriente e de marcante declínio econômico no Ocidente".[11] O mundo mediterrâneo em 600 e.c. tinha grandes semelhanças com o período pré-romano de cerca de 300 a.e.c. – uma economia comercial desenvolvida no Oriente extensiva a Cartago, Sicília, e sul da Itália, e "barbarismo" no Ocidente. A diferença é explicada pela integração do leste e sul à economia de trocas comerciais da Ásia. Na altura do século VII, a Itália e mesmo Bizâncio "pareciam muito diferentes do contemporâneo (e, nessa ocasião, árabe) Oriente Médio, onde havia muito mais evidência de uma continuada, complexa e próspera atividade econômica".[12]

Como eram as cidades e mercados no Oriente? É de certa forma um consenso que as cidades e mercados islâmicos formam uma categoria distinta das do Ocidente e mesmo das do Extremo Oriente.[13] Pode realmente ter havido algumas características gerais que os diferenciaram, mas essas variáveis foram anuladas pela existência de problemas, características e organização comuns às grandes concentrações de pessoas. Aos olhos dos estrangeiros, as diferenças (que são frequentemente "culturais", de superfície) costumam ser exageradas, assim como desprezadas as semelhanças (que, com frequência, são "estruturais", profundas). Tomemos a situação urbana. No Extremo Oriente ocorria uma economia que tem sido descrita como de mascate;[14] no Oriente Médio, uma economia de bazar, e sempre em oposição à economia ocidental.[15] Na verdade, esses métodos rudimentares de venda de mercadorias pequenas e portáteis têm estruturas paralelas nos mercados, lojas e mascates do Ocidente. De qualquer maneira, são somente um aspecto das economias totais dessas diferentes sociedades, em que as formas de comércio, o sistema bancário e o investimento são muito parecidos. O mesmo ocorre com a cidade, seja ela murada ou não, tenha ruas ocupadas por um único artesanato, vivam ricos e pobres lado a lado – essas são características importantes, mas não determinantes para o crescimento da economia; a cidade encaminha seus negócios numa variedade de circunstâncias.

O Ocidente perdeu contato com esses processos; a partir do quarto século, o gradual desconhecimento da língua grega separou o Ocidente de Constantinopla até a época da Renascença. Ao colapso do Império Romano seguiu-se o crescimento do cristianismo com profunda ressonância na vida artística e intelectual. Como em outras religiões monoteístas, a Igreja

---

[11] Ward-Perkins, 2000:382.

[12] Ward-Perkins, 2000:360.

[13] Goitein, 1999.

[14] Van Leur, 1955.

[15] Geertz, 1979, Weiss e Westerman, 1998.

O ROUBO DA HISTÓRIA

foi, a princípio, contra muitas das artes, especialmente teatro, escultura e pintura secular. O predomínio da crença dogmática restringiu o âmbito da investigação intelectual. Vimos que, no Ocidente, o imperador Justiniano não encorajou o ensino de filosofia, que voltava suas baterias contra o cristianismo, levantando questões como as de o mundo ter sido ou não fruto da criação, ou examinando a relação entre o humano e o divino, temas sobre os quais a religião já tinha se pronunciado autoritariamente. Em muitos casos, houve mesmo algum retrocesso do conhecimento. Isso aconteceu principalmente no âmbito da medicina, pois a dissecação do corpo humano ("feito à semelhança de Deus") tornara-se proibida.

Durante os primeiros séculos da era cristã, doutores ilustres foram para Roma, inclusive Galeno. Era herdeiro da grande e tradicional escola médica helenística de Alexandria, em que Herófilo praticava dissecação anatômica. Mas como a dissecação do corpo humano era então ilegal, Galeno se viu forçado a examinar animais. Depois da queda de Roma, a aprendizagem deixou de ser valorizada, os experimentos foram desencorajados, e originalidade tornou-se uma qualidade perigosa. Segundo o historiador da ciência Charles Singer, o cristianismo tinha uma atitude anticientífica com relação à medicina, que experimentou um período de "desintegração progressiva".[16] "Durante o início da Idade Média, a medicina passou por diferentes controles – da Igreja cristã e dos eruditos árabes [...]. A doença era entendida como punição pelo pecado, requerendo somente oração e arrependimento".[17] De certa forma, ele reconhece que o cristianismo pode ter ajudado: com a ajuda das freiras, desenvolveu-se uma assistência mais humana, trazendo grandes benefícios aos doentes. No entanto, os hospitais não foram uma invenção cristã. A enfermagem era praticada nos grandes hospitais de Bagdá e em outros lugares. A única contribuição que o Ocidente fez para a preservação do conhecimento médico, se não para seu crescimento, foi a tradução para o latim de textos médicos gregos, que foram guardados em alguns monastérios.[18] Um quadro mais dinâmico é, de alguma forma, apresentado pelo cristianismo oriental. Os cristãos persas da igreja nestoriana traduziram textos de conhecimentos médicos clássicos para o árabe. Também da Pérsia veio o médico Rhazis (al-Razi, segunda metade do século IX), bem como Avicenna (980-1037) cujo principal trabalho, *O cânone da medicina*, foi usado na escola de medicina em Montpelier até 1650. No entanto,

---

[16] Singer, 1950:215.
[17] Guthrie e Hartley, 1977:890.
[18] Ver Reynolds e Wilson, 1974:122ss.

os árabes pouco acrescentaram em anatomia ou fisiologia; eles tinham restrições similares ao cristianismo quanto à dissecação do corpo humano. No Ocidente, a dissecação recomeçou somente com a fundação das escolas médicas no século XII. Nessa época, um renascimento e mesmo uma extensão do conhecimento desse tipo viu a construção de magnificentes teatros de anatomia nas cidades italianas do norte, Milão, Florença e Bolonha. Nas duas primeiras, Leonardo da Vinci realizou cerca de trinta investigações. A história da medicina investigativa resume o declínio e queda do conhecimento no Ocidente medieval.

No leste e no sul, no entanto, a situação era diferente, pelo menos comercialmente. O Mediterrâneo oriental era menos dependente para sua prosperidade do comércio com os ex-romanos do norte e oeste. Na Síria, nos primeiros séculos da era comum, o entreposto no deserto de Palmira importava em grande escala bens do Extremo Oriente, da China bem como da Índia, registrados em uma famosa tabela datada de 187. Essa tabela especifica muitos itens de comércio, incluindo escravos, tinta púrpura, óleos aromáticos, salgados, gado, bem como prostitutas. Os sírios são conhecidos como os intermediários da Antiguidade. Seus barcos viajavam para todo lado e os banqueiros sírio-fenícios estavam presentes em todos os mercados. Comunidades de comerciantes de Palmira moravam em Doura-Europus no rio Eufrates, no Oriente, e em Roma, no Ocidente. Em escavações, foram encontrados fios de seda e jade da China, bem como musselina, temperos, ébano, mirra, pérolas e pedras preciosas. O vidro vinha da Síria, a argila vitrificada da Mesopotâmia, algumas ferramentas do Mediterrâneo através de Antioquia, além de muitos outros itens de comércio de luxo.[19]

Em Cartago e no Magrebe, no norte da África, o domínio dos vândalos não é mais visto como um declínio na economia, porque o comércio de além-mar continuou como antes e sob a subsequente conquista bizantina até a invasão árabe. As exportações africanas de produtos de argila vermelha persistiram até o século VII. Com a invasão bizantina, em 533, a situação não mudou muito. Mais investimentos aparentemente foram feitos em cidades como Cartago, e o comércio passou da Europa para Constantinopla e para o Oriente, quando os árabes chegaram em meados do século VII. A província era rica ainda em óleo e trigo e bens valiosos estavam sendo importados do Oriente, embora mais tarde isso diminuísse.[20]

A vida na cidade e particularmente as atividades comerciais sofreram mais sob o cristianismo no norte do que sob o islamismo no sul. No

---

[19] Browning, 1979:16-18.   [20] Cameron, 2000.

Oriente, já mostrei, os centros comerciais eram particularmente ligados ao comércio de longa distância, enquanto no Ocidente esse intercâmbio cessa com a queda de Roma. Em seu lugar vemos a emergência de "cidades de oração", de cidades em que o elemento dominante se tornou o eclesiástico em parte por causa do colapso do comércio que havia florescido com o Estado romano, em parte por causa do crescimento da Igreja. Esse crescimento significou a transferência de fundos da municipalidade para a Igreja. "É característica dessa época que a balança da liberalidade passe dos velhos projetos civis de termas e teatro para os templos religiosos."[21] No Islã, havia também o problema de financiamentos dos estabelecimentos religiosos, mas em menor escala. Havia magníficas mesquitas, e, mais tarde *madrasah* (institutos de ensino superior ou escolas muçulmanas anexadas a uma mesquita), frequentemente apoiadas pelos mercados ligados a elas, mas eram um estabelecimento sem bispos e sem clero de tempo integral, sem cultura monástica, significavam uma menor demanda da economia.

Goitein, historiador que passou a vida trabalhando com manuscritos judeus medievais, descobriu, em um cemitério do Cairo, no final do século XIX, bem como em outras fontes, que essa cidade se manteve um centro de comércio com o Extremo Oriente como tinha sido no período romano.[22] Comerciantes judeus e muçulmanos visitavam constantemente a costa de Malabar da Índia ocidental, do mesmo modo que os indianos iam para o Egito.[23] O mesmo acontecia com Constantinopla. Needham refere-se a um sábio chinês que foi para Bagdá; e os europeus continuaram, esporadicamente, a viajar pela rota do continente para a China. O que não significava que o declínio do comércio com o Ocidente não tivesse importância. Embora o Oriente Médio sofresse, inevitavelmente, a retração econômica europeia, o principal centro de seu comércio estava em outro lugar. A Europa ocidental estava no fim da fila. Quando sua necessidade por joias, temperos, têxteis, perfumes, cerâmicas diminuiu, havia outros mercados. As trocas com o norte da África continuaram, como se viu pelo comércio entre Índia e Túnis, que primeiro atraíram a atenção do historiador Goitein. O Oriente Médio tinha seus próprios mercados ativos que precisavam ser abastecidos. Assim, o comércio continuou em direção ao Oriente mesmo quando a rota ocidental se tornou de importância marginal. A Índia se manteve como objetivo para comerciantes do Oriente Médio como toda a história do

[21] McCormick, 2001. Ver também Speiser, 1985.

[22] Miller, 1969.

[23] Ghosh, 1992.

assentamento das comunidades dos judeus, cristãos, e muçulmanos na costa de Malabar comprova, com registros marcantes nos documentos de Geniza. Há muitas referências ao comércio de pimenta com o sudoeste da Índia no conhecido manual dos comerciantes, *Periplus Maris Erythraei*, elaborado aproximadamente em 50 e.c. por um navegador grego, bem como em outras fontes romanas. O comércio com a Índia manteve sua importância desde os tempos romanos. O entreposto de Muziris – situada perto da atual Cochin e tida como o lugar de chegada do missionário São Tomás e dos cristãos sírios (nestorianos)[24] – foi um centro importante para os navegadores de Alexandria. Isso está documentado num papiro que registra um contrato –, por volta de 150 e.c. –, referente ao transporte de bens de um porto no mar Vermelho para um entreposto aduaneiro em Alexandria. Embora se pense que houve um declínio nesse comércio entre o segundo e quarto séculos, navios mercantes indianos continuaram transportando pimenta para o Egito para abastecer o mercado romano no século VI. De fato, um grande centro de comércio continuou ligando a Índia ocidental e as comunidades cristãs, judias, e muçulmanas até o século XII, e mesmo depois.

Enquanto isso, a Turquia e a Síria forneciam mercados alternativos para bens da China e do Cáucaso. Seus negócios foram orientados principalmente numa direção não europeia. Foi nesse comércio oriental que Veneza, seguida pelas cidades da Itália ocidental (Parma, Gênova, Amalfi), conquistou um espaço, quando a economia europeia ganhava forças no novo milênio com as Cruzadas e a entrada da Europa ocidental no Mediterrâneo.

Veneza não era o único centro no Mediterrâneo com poder para reabrir o comércio entre Europa, Ásia e África. Uma das cidades italianas que foi fundada com o renascimento do comércio no Mediterrâneo ocidental não era da Toscana – lar das famílias de mercadores em Florença (os Médici) e Prato (os Datini) – e sim da Campânia, especificamente Amalfi (e de Ravello), perto de Salerno, ao sul e também Nápoles (sob governo angevino), a leste. Essas cidades eram muito ativas na atividade mercantil (*mercatantia*) já num período anterior. Já em 836, os príncipes lombardos haviam dado aos habitantes de Amalfi uma "incomum liberdade para viajar".[25] Foram rápidos em obter vantagens com essa liberdade e passaram a trocar grãos, óleos e cargas por sedas e temperos com Bizâncio, Síria e Egito, uma parte dos quais vendiam em Aglábida no norte da África, e na Sicília, obtendo em troca ouro, muito raro no Ocidente naquele tempo. Os comerciantes de Amalfi

---

[24] Gurukkal e Whittaker, 2001.   [25] Caskey, 2004:9.

negociavam com Constantinopla, Cairo, Antioquia e mesmo Córdova desde o século X, e com uma considerável comunidade em Jerusalém no século XI. Moedas bizantinas e fatímidas eram usadas largamente nas transações locais naquele período, dando uma boa ideia do impacto do comércio de longa distância na região. As cidades italianas renovaram parte de uma rede de comércio voltada para o leste com Bizâncio e o Oriente, estimuladas pelo regime lombardo. Esse renascimento deveu pouco à Antiguidade ou ao feudalismo, mas representou uma retomada mais geral da cultura mercantil.

Essas atividades trouxeram prosperidade à cidade de Amalfi. Isso não foi, entretanto, um feito puramente cristão ou ocidental, já que a diversificação da população do sul incluía as comunidades judaica, muçulmana e cristã, todas participantes da atividade comercial. Era uma sociedade multicultural, fato que se refletiu nas artes promovidas pela *mercatantia* ao redor de Amalfi. As portas de bronze das catedrais, por exemplo, foram feitas em Constantinopla por volta de 1061. Essa atividade comercial é descrita por Caskey como "capitalismo nascente",[26] e entrou em conflito não só com valores cristãos, mas também com outros valores promulgados pelas religiões de Abraão, sobretudo os que se referem à usura. A atividade mercantil foi contestada pela religião aqui e em outros lugares, mas, claramente, ganhou no final; a contribuição de comerciantes para aqueles regimes foi parte desse processo.

Grande parte da arte de Amalfi foi financiada por comerciantes, especialmente da casa dos Rufolos de Ravello, celebrada por Boccacio em uma de suas primeiras *novella* sobre a vida no comércio em que ilustra tanto os perigos como os feitos da vida mercantil. Essa família foi acusada de corrupção e o pai executado em 1283 pelo angevino Carlos de Salerno, mais tarde rei Carlos II da Sicília, onde reinou a partir de 1265, sob o comando do papa.[27]

O sul da Espanha, como partes da Itália, permaneceu integrado à rede de comércio mediterrâneo, devido a suas ligações islâmicas. Obviamente, os muçulmanos, que devem ter presenciado o colapso do comércio europeu no Mediterrâneo,[28] mantiveram contato depois de 711 e.c. com suas conquistas na Espanha. O comércio entre Andaluzia e o continente africano continuou e se desenvolveu;[29] o mesmo ocorreu com as relações entre a Sicília e a

---

[26] Caskey, 2004:8.
[27] Hodges e Whitehouse, 1983.

[28] Como foi discutido pelo belga Henri Pirenne (1939), bem como por Hodges e Whitehouse (1983).

[29] Ver Constable, 1994.

"Ifriqua" (Tunísia). Observar o Mediterrâneo pela perspectiva da Europa ocidental contemporânea pode distorcer seriamente o quadro de sua história e cultura. Precisamos nos reorientar, como Frank exige,[30] uma vez que o Oriente não sofreu da mesma forma que o Ocidente. A continuidade da cultura econômica, científica e urbana no Oriente e no Sul no período pós-romano foi crítico mais tarde, para a recuperação da Europa ocidental, após o colapso de Roma e do período inicial do "feudalismo", associado à decadência do comércio e da vida urbana e a consequente ênfase na agricultura e no campo.

O papel do exército também diferiu no Oriente e no Ocidente. Era uma importante instituição para manter a lei e a ordem internamente e para a defesa e conquista no exterior, bem como para prover um mercado de bens e serviços. Ao contrário do Ocidente, "o Oriente conseguiu sobreviver com suas instituições militares relativamente intactas".[31] O exército "permaneceu como uma instituição sob a autoridade imperial, não como uma força independente capaz de dar ordens até a seus chefes nominais".[32] O Ocidente, por outro lado, era dominado tanto por uma força militar quanto por bandos tribais. Inevitavelmente, nobres locais acabaram assumindo deveres militares com relação a seus territórios e habitantes, condições que propiciaram uma base para a descentralização feudal e obrigações militares. Uma vez mais essa forma de organização social aparece como uma reação ocidental ao declínio em vez de um estágio progressivo na marcha da civilização.

A discussão de Wickham sobre a passagem do mundo antigo ao feudalismo, por exemplo, não faz referência à democracia, pelo contrário. O antigo é caracterizado pelo forte governo central de Roma com seus grandes exércitos sustentados por crescentes e pesados tributos, maiores do que o arrendamento que as pessoas pagavam. A resistência ao pagamento dos impostos encorajou os agricultores a viverem sob a proteção de grandes proprietários de terras, que se responsabilizavam pelos impostos como parte do aluguel. Os proprietários de terra, por sua vez, estabeleciam alianças com os reinos germânicos pela mesma razão. A organização militar passou a ter base local e não mais nacional e então, a longo prazo, os odiados impostos desapareceram, enquanto aluguéis e serviços locais prevaleceram. Os proprietários foram os primeiros a fazer esse movimento, após 568.[33]

---

[30] Frank, 1998.
[31] Whitby, 2000:300.
[32] Whitby, 2000:305.
[33] Wickham, 1984:20.

A MUDANÇA PARA O FEUDALISMO

Não houve transição generalizada da Antiguidade para o feudalismo, exceto no Ocidente e nas cabeças de seus estudiosos. De qualquer modo, mesmo no Ocidente, o feudalismo não apareceu imediatamente após a queda da Antiguidade. Em seu estudo sobre a transição da Antiguidade para o feudalismo, Anderson reconheceu eventos "catastróficos" mais do que "cumulativos" no final do mundo antigo. A regressão na Europa, no entanto, é vista abrindo o caminho "para o avanço dinâmico subsequente do novo modo de produção originado na sua demolição [da Antiguidade]".[34] Esse novo modo nasceu "da concatenação entre Antiguidade e feudalismo". Segundo ele, faltava o elemento da Antiguidade no mais próximo equivalente do feudalismo fora da Europa, o japonês, que era similar ao europeu em muitos outros aspectos.[35] Ao mesmo tempo, Anderson reprova a agricultura romana e estende seus comentários para toda a economia, observando a distância entre os feitos intelectuais e políticos do mundo greco-romano e "a economia paralisada debaixo deles".[36] De fato, sua "herança superestrutural" sobreviveu, de uma forma conciliatória, por meio da Igreja, que tinha ajudado a destruir a política. A "civilização superestrutural da Antiguidade permaneceu superior ao feudalismo por um milênio – precisamente até a época que passou a se chamar conscientemente de Renascença, para marcar a interveniente regressão".[37] Ele vê a permanência da Igreja como uma ponte nesse vácuo, por ter assumido a custódia do letramento. Entretanto, foi um letramento altamente restrito, que deliberadamente excluía muito do saber clássico.

Para Anderson, não foi a "superestrutura" mas a "infraestrutura", a economia, que foi vista como progressiva no período medieval. Ele menciona o contraste no mundo clássico entre a economia estática (comparada com a base dinâmica do feudalismo) e a "vitalidade cultural e superestrutural" daquele mundo. Childe também tendeu a descartar a contribuição romana argumentando que "não liberou nenhuma nova força produtiva".[38] Essa visão sustenta que a escravidão largamente usada na agricultura romana inibiu avanços em tecnologia, uma vez que esse tipo de mão de obra era mais barato do que máquinas. Para Childe, a escravidão impediu "a expansão da indústria".[39] O "feudalismo", apesar de emergir de um colapso na Europa

---

[34] Anderson, 1974b:418.
[35] Anderson, 1974b:420.
[36] Anderson, 1974a:136.
[37] Anderson, 1974a:137.
[38] Childe, 1964:280.
[39] Childe, 1964:209, 268.

ocidental, é visto como progressivo em parte por causa da ideia, fortemente expressa pelos historiadores marxistas tradicionais, de que "o modo escravista de produção levou à estagnação técnica; nele não teria havido estímulo para o crescimento da mecanização".[40] Esses autores preferiram ignorar o fato de que o período viu muitos "aprimoramentos", razão pela qual certas afirmações sobre sociedades escravocratas requerem modificação.[41] Além do mais, o modo de produção escravista não leva automaticamente à estagnação econômica. Apesar do, ou possivelmente por causa do uso de escravos, a agricultura nas *villas* romanas produziu um excedente, suficiente não só para propiciar uma vida de elevado padrão para a classe alta, mas também vinho, cerâmica, têxteis e móveis para exportar para outros territórios.

Os aprimoramentos não foram necessariamente direcionados para "diminuir o trabalho", pois, como observou Boserup,[42] avanços em tecnologia podem significar mais trabalho e não menos. Se melhoria significa que se pode produzir a mesma quantidade de produtos com um escravo em vez de dois, então havia incentivo para sua adoção. Na Sicília e em domínios cartagineses, grandes propriedades trabalhadas por escravo ou servos eram geridas em "linhas capitalistas científicas".[43] De fato, em toda a Europa, os romanos estabeleceram "formas capitalistas".[44] Isso não é contraditório. Em uma análise da produção escravista de açúcar no Caribe, Mintz e Wolf descrevem o uso inovador de máquinas como "capitalismo antes de capitalismo".[45] Livrar-se da produção escravista foi visto como um dos efeitos positivos da queda do Império Romano no Ocidente, embora a escravidão não tenha desaparecido por completo. "A noção de Antiguidade é usada somente para Grécia e Roma, como também o 'modo de produção escravista'",[46] mas alguns autores consideram que a escravidão persistiu na Europa durante um período muito mais longo, pelo menos até o "feudalismo" estar estabelecido.[47] Mesmo mais tarde, a Europa esteve profundamente envolvida na captura e venda de escravos para o mundo muçulmano, sendo esse um dos itens mais importantes de exportação.[48] Para outros autores, o modo de produção escravista desapareceu com a Antiguidade e, a partir dessa perspectiva, o feudalismo, como antes a Antiguidade, é visto como um avanço em direção ao capitalismo. Entretanto, essa não é a única interpretação da economia medieval. "Em termos econômicos", escreve o

---

[40] Anderson, 1974a:132-3.
[41] White, 1970.
[42] Boserup, 1970.

[43] Childe, 1964:244.
[44] Childe, 1964:276.
[45] Mintz e Wolf, 1950.

[46] Anderson, 1974a:47.
[47] Bonnassie, 1991.
[48] McCormick, 2001.

historiador da agricultura europeia Slicher van Bath,[49] "o sistema senhorial não era muito satisfatório. As pessoas produziam pouco mais que o necessário para seu consumo, o capital não era acumulado e quase não havia divisão de trabalho". Inicialmente pelo menos, houve um declínio na produção, como houve sem dúvida um declínio no saber e na "superestrutura" em geral. A recuperação foi lenta.

Há outras visões positivas da agricultura romana além da de Anderson, mas elas modificam a ideia de um salto progressivo para o feudalismo. Hopkins,[50] que apoia a interpretação de Finley sobre a economia antiga, afirma que a produção total da agricultura aumentou com a expansão da área cultivada. Nas terras mais densas ao norte, uma aração mais forte, que empregava um grupo de bois, foi utilizada com aiveca e sega de ferro, para afofar o solo em vez de somente arranhar a superfície como os arados do Mediterrâneo. A população também cresceu, assim como o número de habitantes das cidades onde vivia a maioria dos artesãos e pequenos comerciantes. Esse crescimento demandou um aumento na produção de alimentos, bem como na divisão do trabalho e na produtividade *per capita*. O aumento da produtividade *per capita* foi alcançado no primeiro século da era comum, como resultado da difusão de padrões de produtividade estabelecidos antes em várias partes do Mediterrâneo oriental. Isso ocorreu por causa dos avanços "na ampliação do uso de ferramentas de ferro, dos aprimoramentos de instrumentos agrícolas (por exemplo, prensa de rosca) e da mera existência de manuais de agricultura – indícios da tentativa de racionalizar o uso do trabalho, particularmente o trabalho escravo".[51]

Além da agricultura, outros setores ganharam aumento de produtividade, uma vez que o poder muscular passou a ser "suplementado por alavancas, polias e catracas, fogo, água (moinhos e lavagem mineral), vento (moinhos de vento) e competência técnica". Houve "avanços técnicos" na construção (com o uso do concreto, por exemplo), em moinhos rotatórios, e o aprimoramento do uso das correntes de vento em fundição de ferro e no transporte – com unidades de produção mais amplas e navios maiores. O uso do ferro, um metal barato porque disponível, ajudou muito no desenvolvimento de algumas formas de mecanização.

O que os romanos apresentavam não era simplesmente "superioridade cultural", no sentido limitado de "alta cultura" e de "superestrutura", uma vez que mudaram a face da Europa com seus edifícios urbanos, viadutos,

[49] Slicher van Bath, 1963:37.   [50] Hopkins, 1983:70-1.   [51] Hopkins, 1983:xvi.

sistemas de aquecimento, teatros e termas. Também criaram códigos legais, literatura, estruturas de ensino, entre outros. Nada disso teria sido possível sem uma economia florescente. Empregaram trabalho escravo largamente, tanto na esfera rural como construindo os vastos conglomerados urbanos – Roma, centros provinciais menores na Bretanha, bem como cidades magníficas como Palmira e Apamea na Síria. Tudo isso foi muito mais do que um sopro em uma infraestrutura estática. Faz realmente o período feudal parecer menos dinâmico (como alguns declaram) e mais fraco e marginal.

Entretanto, o início da Idade Média mostrou algum desenvolvimento na agricultura. Houve mudanças no uso do arado,[52] embora fossem principalmente meras extensões do que já existia. Além do mais, houve um certo número de invenções "que foram um grande avanço na era romana. Algumas invenções foram trazidas de outras partes do mundo, mas já havia indícios do sentido técnico que mais tarde seria tão característico da civilização ocidental europeia".[53] Ninguém duvida das posteriores realizações técnicas da Europa. No entanto, é difícil conceber como invenções vindas do exterior possam ser vistas como indícios de um sentido técnico da Europa ocidental; essa perspectiva é tipicamente eurocêntrica, expressa aqui na questão tecnológica. "Nós o tivemos mais tarde, portanto o tivemos antes", e o "o" tem uma conotação técnica hipotética, seria um aspecto de nossa herança mental, de nosso modo de ser. De fato, o avanço dessas tecnologias importadas era certamente a prova da inovação de outros povos, especialmente dos chineses.[54] As maiores invenções adotadas naquele tempo, de acordo com Lynn White (1962), foram a espora, a ferradura e o moinho d'água. A espora, de valor militar no início, chegou à Europa vinda dos países árabes, como muitos outros melhoramentos no manejo de cavalos. A ferradura chegou ao mesmo tempo dos novos arreios no século IX, possivelmente provenientes do Império Bizantino. Os arreios melhoraram a tração do cavalo, como as esporas melhoraram a mobilidade. O moinho d'água, usado em fornos chineses desde 31e.c., apareceram na Europa no final dos tempos romanos, levando água dos aquedutos para as moendas; o moinho difundiu-se muito lentamente para a Arábia no século IV, e depois também para a Europa ocidental, alcançando a Bretanha no século VIII. Na Europa, essas máquinas foram usadas primeiro para triturar milho e somente mais tarde para a extração de óleo, em curtumes, na laminação de metal, no corte de madeira, na pulverização de corantes e, depois do século XIII,

---

[52] Slicher van Bath, 1963:69. [53] Slicher van Bath, 1963:70. [54] Hobson, 2004:50ss.

na produção de papel. Em inglês, a palavra "moinho" tornou-se um termo geral para qualquer fábrica, como na famosa citação de Blake, "moinhos escuros e satânicos", em que são ícones da Revolução Industrial.

Apesar desses ganhos, a civilização como um todo estava em declínio, como Anderson reconhece. Quanto tempo levou para os teatros e banhos públicos retornarem à Europa ocidental? Quanto tempo para o sistema de educação ter reconhecimento de novo? Quanto tempo levou para o retorno da cozinha sofisticada? Quanto tempo até a arte secular e a literatura fazerem aparições significativas? Quando tudo isso finalmente aconteceu, falamos de Renascença, o renascimento da cultura clássica. Mas foi uma longa espera, pontuada por ressurgimentos periódicos, como nas chamadas "renascenças" do período carolíngio e do século XII.

O REFLORESCIMENTO CAROLÍNGIO E O NASCIMENTO DO FEUDALISMO

O colapso do Império Romano não levou necessariamente ao nascimento do "feudalismo", embora alguns vejam esse sistema já prenunciado nas propriedades agrícolas autônomas da Roma de um período tardio.[55] O feudalismo característico da Idade Média na Europa ocidental, entendido por muitos como único, foi precedido por uma Idade das Trevas. Muitos consideram seu início somente com Estado carolíngio nos séculos VIII e IX, o que Anderson caracteriza como "um real renascimento administrativo e cultural" por todo o Ocidente. No entanto, o maior feito dessa época foi a "emergência gradual das instituições fundamentais do feudalismo sob o aparato do governo imperial".[56]

As grandes propriedades da economia rural feudal carolíngia foram um fenômeno distinto "que expressou e exigiu dinamismo econômico", em que o direito ao cultivo era pago com arrendamento e trabalho.[57] Foi nessas grandes propriedades que "o início da economia europeia" se fez.[58] Algumas dessas propriedades eram muito grandes, mas quase nunca completamente autossuficientes. De forma que entre os séculos VIII e X, houve uma tendência geral "para monetarizar as dívidas das famílias rurais"[59] e participar em operações de mercado. Ao mesmo tempo, algumas propriedades investiram pesadamente em moinhos d'água, embora eles já estivessem mais difundidos

---

[55] Coulbourn, 1956; Goody 1971.
[56] Anderson, 1974a:139.
[57] McCormick, 2001:7.
[58] McCormick, 2001.
[59] McCormick, 2001:9.

no final da Antiguidade do que se costuma pensar.[60] Depois de incontáveis escavações, uma variedade de arte urbana foi revelada nas propriedades rurais. Algumas delas tinham mesmo seus comerciantes dependentes, por isso o comércio começou a se expandir vagarosamente, sobretudo no norte, assim como a população.

Tanto as "causas" do feudalismo quanto seu ritmo e difusão são objetos de muita discussão relacionada ao período carolíngio. As causas, evidentemente, dependem muito da difusão, se foi "um fenômeno apenas europeu e quando surgiu (ou desapareceu)". Em um importante comentário crítico ao último volume (XIV) da *Cambridge Ancient History*, Fowden questiona a conveniência da periodização que localiza em 600 e.c. o fim da Antiguidade no Ocidente, ou pior ainda, na época de Constantino, em 310, como aparece em edição anterior.[61] Essa última data esquece que a Nova Roma no Oriente "tinha um imperador como também um bispo e continuaria com essa feliz condição por mais oito séculos e meio".[62] De fato, o imperador Justiniano (482-565) "tinha uma visão de um império romano reunificado". Assim, seus sucessores voltaram-se para o Oriente, especialmente depois das invasões muçulmanas que cortaram comunicações com o Ocidente. Fowden insiste que a difusão do Islã tem de ser vista no contexto do judaísmo e do cristianismo como uma "fresca, e mais clara visão do divino" que estabeleceu um contínuo do Afeganistão até o Marrocos, juntando o sul, leste e oeste do Mediterrâneo. Adotar a data de 600 e.c. seria excluir de qualquer consideração o Islã que então era visto como pertencente a um mundo asiático bem diferente. Seria negligenciar as continuidades em todos os níveis. Então ele conclui que uma data melhor para marcar a mudança seria 1000 e.c.

Uma tradição no mundo acadêmico francês seguiu na mesma direção, concentrando-se nas mudanças políticas posteriores vistas como radicais (isto é, como uma revolução) ou como graduais (como uma mutação). Essa tradição situa o "feudalismo" mais tarde mesmo do que o período carolíngio, cerca de 1000 e.c. O feudalismo é descrito por alguns historiadores franceses como uma "ruptura brutal", "uma tempestade social".[63] Outro grupo, porém, critica a noção integral de mudança radical, reivindicando um modelo mais sensível e gradual. Rejeita a existência de um período particularmente violento entre os relativamente estáveis regimes anteriores a 1000 e posteriores a 1200,

---

[60] McCormick, 2001:10.
[61] Fowden, 2002.
[62] Fowden, 2002:684.
[63] Barthélemy, 1996:197.

em especial um que conduza a uma mudança dramática na economia, e afirma não haver razão para aceitar a tese de que a violência senhorial tenha sido um instrumento pelo qual a classe governante estabeleceu uma nova forma de servidão.[64] No entanto, para ambos os grupos, o feudalismo é ainda percebido como um prelúdio essencial para a modernidade europeia. "A feudalização do século XI é vista como uma precondição necessária para o nascimento do Estado moderno".[65]

Um precursor, porque a modernidade não é vista como característica do período anterior. No emergente "modo de produção feudal", "nem o trabalho nem os produtos do trabalho eram considerados mercadoria"; o modo de produção era dominado pela terra e pela economia natural.[66] Outro autor escreveu que "a queda do Império Romano e a transição da Antiguidade para a Idade Média podem ser vistas, de um ponto de vista econômico, como uma recaída de uma economia monetária para uma economia natural".[67] Entretanto, diz ele, a economia natural acabou desenvolvendo um aspecto urbano.

O que constitui uma "economia natural" está longe de ser óbvio, mas é claro que essa explicação é direcionada exclusivamente para a Europa ocidental, dependente do colapso e retorno de cidades (em outros lugares, como vimos, havia maior continuidade). Nessa visão, o Oriente, cuja história foi considerada tão diferente, não teria tido Idade Média (o que teriam eles tido nesse período?) e nem "feudalismo", porque as cidades continuaram a florescer como também a manufatura e o comércio, embora com ênfases diferentes do Ocidente. Isso valeu para o Mediterrâneo oriental também. As cidades e mesmo as cidades-Estado continuaram a existir, na Síria, por exemplo, até o tempo das Cruzadas.[68] Mesmo na Itália, "a civilização urbana do fim da Antiguidade nunca soçobrou completamente, e a organização política municipal – fundindo-se com o poder eclesiástico [...] floresceu a partir do século X".[69]

Um dos problemas em definir mudanças na vida social em termos tão gerais como modo de produção é que eles não só são categóricos em suas definições, como tendem a ser interpretados de forma restritiva, baseada em uma distinção radical entre infraestrutura e superestrutura. No entanto, a infraestrutura é muito afetada pelo que acontece em outro nível, e avanços nos sistemas de conhecimento são frequentemente de profunda importância

---

[64] White, 1996:218.
[65] Barthélemy, 1996:196.
[66] Anderson, 1974a:147.
[67] Slicher van Bath, 1963:30.
[68] Maalouf, 1984.
[69] Anderson, 1974a:155.

para a economia. Nesse sentido, esses avanços têm um papel significativo na infraestrutura. De qualquer modo, mesmo a produção agrícola depende não somente de tecnologia *strictu sensu*, mas também de transporte (por exemplo, a construção das estradas romanas), de técnicas de cultivo e propagação de plantas, bem como de organização e pessoal.

Apesar desses justificados questionamentos sobre a natureza dos acontecimentos feudais, o amplo curso da história humana tem sido traçado pelos eruditos ocidentais a partir do que aconteceu na parte que lhes cabe da Europa. Antiguidade e feudalismo são partes de uma única cadeia de acontecimentos que conduz ao capitalismo ocidental. Qualquer coisa além disso, diz Marx, foi "excepcionalismo asiático". Observando a situação a partir de uma perspectiva mundial mais ampla, é óbvio que o "excepcional" nesse período foi o Ocidente. Ele sofreu o que nós todos concordamos ter sido um "colapso catastrófico" que só lentamente foi superado em muitas esferas. Assim como Lynn White e outros autores, o historiador Anderson enfatiza os avanços técnicos do período medieval, que ele contrasta (questionavelmente) com a economia "estática" não somente da Ásia mas dos tempos romanos. Por exemplo, ele comenta o fato que, embora os romanos tenham se apossado do moinho d'água da Palestina, e consequentemente da Ásia, não fizeram nenhum uso dele (apesar de haver novas evidências de um uso mais amplo). A água é um elemento que foi gradualmente usado ao longo do tempo, tanto no Oriente como no Ocidente. Os romanos certamente fizeram movimentos significativos nessa área, com aquedutos, saunas e complexos sistemas de suprimento de água em Apamea, na Síria ou no Pont du Gard, na Provença. Parece uma visão restrita da economia política se concentrar somente na tecnologia agrícola em um sentido limitado. De qualquer maneira, Roma não era estática se considerarmos a introdução e extensão das colheitas, o uso dos moinhos e o total sucesso de seu sistema produtivo.

Quanto à natureza progressiva da sociedade europeia durante o período feudal, a produtividade da agricultura ocidental sem dúvida se aprimorou ao longo do tempo, mas partindo de um patamar baixo. No entanto, nunca foi nem de longe, tão produtiva quanto a agricultura irrigada do Oriente Médio, ou do norte da África e sul da Espanha, muito menos do Extremo Oriente,[70] em que "por volta do século XIII a China tinha se tornado a agricultura talvez

---

[70] Para a contribuição dos islâmicos na agricultura, ver Watson, 1983, e Glick, 1996.

mais sofisticada do mundo, e a Índia sua única rival concebível".[71] Alguns falam mesmo de "uma revolução verde" no Império do Meio no século VI e.c., outros acreditam que aconteceu mais tarde.[72] Na Europa, a agricultura cresceu entre os séculos VIII e XII. Mas quanto? Há uma diferença radical de opinião entre aqueles que, como Anderson e Hilton, interpretam esse período como de desenvolvimento altamente "progressivo" e outros que são menos impressionados com seus feitos.

COMBATE DE CAVALARIA

Com respeito aos modos de destruição, em vez de produção ou comunicação, o desenvolvimento do feudalismo na Europa foi também ligado ao advento do combate de cavalaria.[73] Lutas a cavalo aconteciam muito antes do que a maioria dos historiadores reconhece como período feudal, pois eles estão mais interessados num conjunto diferente de mudanças políticas e econômicas. Essa forma de combate e seus cavaleiros eram resultado de eventos internacionais. A Europa enfrentou muitos desafios nas fronteiras orientais de estepe entre 370 e 1000 e.c., com grandes ondas de migração asiática como resultado de distúrbios na longínqua China.[74] A invasão dos ávaros no continente deslocou certo número de povos germânicos para a Itália, Espanha e Inglaterra, enquanto os eslavos ocupavam grande parte dos Bálcãs. Uma das respostas dos governantes foi a militar: a emergência de cavalaria de choque fazendo uso do estribo o que permitia ao cavaleiro lutar na sela com lança e espada. Historiadores ocidentais costumam atribuir a criação da cavalaria a Carlos Martel, na batalha de Poitiers em 733, levando a uma vitória que, eles, sensibilizados pela épica e pela lenda, acreditam ter salvo a Europa dos bárbaros muçulmanos. Na verdade, para os muçulmanos, essa expedição foi um pouco mais que uma pequena incursão.[75] Eles estavam muito mais preocupados com seus conflitos em Constantinopla. De qualquer modo, o essencial da nova tecnologia militar que supostamente salvou a Europa também veio do Oriente.

O estribo já era conhecido na China do século III e.c., onde era feito de bronze e ferro fundido. Era usado pela cavalaria montada de choque persa, bizantina e islâmica, enquanto "soldados montados com flechas de

---

[71] Elvin, 1973:129.

[72] Hobson, 2004:56

[73] White, 1962; Goody, 1971.

[74] Hobson, 2004:105.

[75] Goody, 2003b:23-4.

fogo" apareceram no Oriente Médio vários séculos antes. Todas as formas de guerra montada especializadas requerem um considerável gasto com equipamento[76] e acredita-se que o alto custo de prover cavalaria de choque esteja na base do sistema feudal. Cabia aos guerreiros pagar suas despesas tanto por meio de saques como pela exploração dos camponeses locais que diziam defender. Essa expectativa também existia entre os cavaleiros de Gonja na África ocidental, mas sua dominação era mais limitada, uma vez que a recompensa vinha dos saques de guerra em vez de débitos dos camponeses; eu fui contra identificar isso com o "feudalismo" europeu porque a produção com a enxada, distinta da que utiliza arado puxado por boi ou cavalo, produz pouco ou nenhum "excedente", tanto para os camponeses como para seus governantes. No entanto, alguma comparação pode ser feita em termos de técnicas, apoio e atitudes.

Em síntese, não é necessário aceitar o período medieval na Europa como um estágio "progressivo" na avaliação do desenvolvimento da sociedade, apesar de grande parte do pensamento europeu defender essa postura.[77] Isso inclui aqueles que concordam com a teoria dos cinco estágios do desenvolvimento da sociedade humana – o "comunal" ou "tribal", o asiático, o antigo, o feudal e o burguês (capitalismo) – [78] sucedendo-se nessa ordem. O "estágio antigo" é "uma história de cidades fundadas na [...] agricultura" na qual uma economia escrava predomina, apesar de ter uns poucos comerciantes. O feudalismo foi o subsequente resultado dessa situação, apesar de ele dificilmente representar uma vantagem da Europa sobre a Ásia.

Durante o período medieval, houve certamente aprimoramentos na qualidade de vida, mas parece exagero ver o feudalismo como progresso com relação à produção irrigada, as cidades permanentes e o desenvolvimento de culturas no Oriente Médio e Extremo Oriente. A vantagem ocidental só se manifestou mesmo depois da Renascença, apoiada na manufatura e nos feitos comerciais das cidades italianas, principalmente nos têxteis. Foram essas cidades que apontaram o caminho na Europa para o capitalismo industrial e financeiro, bem como sinalizaram avanços na educação e na estética. Essa melhoria se baseou em mudanças não somente do modo de produção, mas também do de comunicação, com a posterior chegada da prensa e do papel, ambos vindos da China, mas agora, usados para o alfabeto escrito.

---

[76] Goody, 1971:47.

[77] Com o termo "progressivo", nesse contexto, refiro-me essencialmente ao progresso tecnológico, que, sugeri, é passível de ser medido.

[78] Hobsbawm, 1964:38.

O APRIMORAMENTO DO COMÉRCIO E DA MANUFATURA

Os historiadores da medicina desvendaram o primeiro estágio na apropriação da ciência árabe pelos médicos carolíngios da Europa, uma aquisição que refletiu o restabelecimento do comércio de longa distância no Mediterrâneo e que afetou mais do que a economia. Isso foi parte de um renascimento mais amplo, chamado de Renascença Carolíngia, que envolveu não somente um incremento do sistema educacional e na construção de escolas, como ainda no desenvolvimento do comércio e de manufaturas: "um olhar sobre a importação de seda nos permite uma quantificação ainda que esporádica".[79] O comércio começou realmente a crescer na Europa com empreendimentos recíprocos com o Levante no final do século VIII, mas somente alcançou um nível significativo por volta dos séculos X e XI "pela aceleração do comércio entre Veneza e o sul da Itália de um lado e os povos do Oriente Médio do outro".[80] O comércio mediterrâneo com o Ocidente então foi reaberto (ele havia continuado entre os portos do leste e do norte da África), um reflorescimento que alguns viram como as reais "origens" do capitalismo. E o foi, em grande parte, para o Ocidente medieval, pois a expansão do comércio significou o restabelecimento de contatos com os grandes entrepostos do Mediterrâneo oriental, como Constantinopla e Alexandria, bem como com muitos centros menores. Nenhum deles – onde uma economia mercantil há muito se estabelecera tinha sofrido o mesmo tipo de colapso que as cidades do Ocidente. Esses contatos pavimentaram o caminho para a lenta recuperação da Europa, trazendo o benefício de produtos de luxo, maior variedade de produtos para o dia a dia, melhoramentos tecnológicos, conhecimentos clássicos e influências acadêmicas e literárias.

Comerciantes dependentes trabalhavam para as grandes casas religiosas e grandes Estados no período carolíngio; comerciantes independentes atuavam na economia urbana. Assim, o comércio possibilitou o restabelecimento de muitas cidades na Itália, que deram um foco diferente ao coração da chamada "economia natural" na Europa carolíngia em que o feudalismo se desenvolvia. As cidades na Europa ocidental tinham sofrido um colapso significativo, o que não acontecera no Oriente, e agora, estimuladas pelo comércio oriental, essas cidades renasciam. O comércio na Europa então retomou seu crescimento no final do século VIII, não somente na rota norte do Báltico, através da Rússia

---

[79] McCormick, 2001:23.   [80] Slicher van Bath, 1963:34.

e para o Irã, mas também no Mediterrâneo, em que especiarias (e remédios), incenso e sedas começaram a ser trocados por peles, lã, estanho, espadas francas e, especialmente, escravos. Os escravos tornaram-se um dos mais importantes itens de exportação da Europa, continuando até o período turco. Desse modo, "os pequenos mundos europeus tornaram-se ligados aos mundos maiores das economias muçulmanas".[81] O "crescimento e a consolidação econômica do Islã mudaram a natureza de uma economia europeia emergente".[82]

Na Inglaterra medieval, o comércio de além-mar dependia muito da produção de lã e tecidos e de sua exportação para a Europa, e a maior parte do lucro não vinha da manufatura, mas das atividades associadas ao comércio de longa distância e à usura. A indústria têxtil tornou-se de importância central para o crescimento da economia europeia e, principalmente na Renascença, para a recuperação e expansão das atividades culturais. A primeira indústria têxtil estabelecida foi a de lã local. A seda veio em seguida, inicialmente importada e, mais tarde, manufaturada localmente. Por último, veio o algodão, começando por ser importado, em seguida tecido na Europa, constituindo a verdadeira base da Revolução Industrial na Inglaterra. Numa forma primitiva de produção industrial, a seda se espalhara da China para o mundo islâmico se enraizando em Bursa na Turquia. Lá também, como no Ocidente, o algodão da Índia era muito mais apreciado e sua importação em massa deu margem a reclamações, semelhantes às causadas pela seda, sobre o montante de moedas requeridas para sua compra.[83] Isso porque o comércio oriental não era uma atividade de "vendedores ambulantes"[84] como alguns sustentam, mas de importação e exportação em larga escala, um empreendimento comercial importante. A importação massiva eventualmente conduziu à produção local de algodão tanto em Bursa quanto Alepo, que imitaram desenhos indianos, como aconteceu com os famosos azulejos turcos de Iznik, copiados dos chineses.[85]

A lã foi primeiramente exportada ao natural, mais tarde como tecido, tornando-se finalmente parte importante no comércio com o Oriente Médio. Tecidos de lã foram o setor que mais cresceu nas manufaturas do Ocidente. Aí a produtividade "provavelmente mais que triplicou com [...] o tear horizontal de pedal".[86] A produção de tecido cresceu grandemente com este novo tear, cuja forma mais antiga apareceu na Europa no século x, sendo há muito conhecida no Oriente: desde o período Shang na China.

---

[81] McCormick, 2001: 797.
[82] McCormick, 2001:718.
[83] Inalcik, 1994:354-5
[84] Steensgaard, 1973.
[85] Inalcik, 1994:354-5.
[86] Anderson, 1974a:191.

Esse aparelho tinha um complexo sistema de torcer o fio e aparentemente deu a base, mais tarde, em Lucca e depois em Bolonha, para as máquinas de tecer seda movidas à água.[87]

A produção de seda passou por considerável desenvolvimento na China, bem antes dos processos mecânicos se desenvolverem na Itália, e mais tarde, com outros tecidos, na Bretanha. Elvin descreve uma grande máquina movida à água, de fiação de cânhamo, que foi baseada numa máquina para tecer seda usada no norte da China durante o período Sung. Era operada por um pedal, puxando um número de fios de um tubo de água fervendo em que os casulos de bichos-da-seda eram imersos.[88] No século XIII, a máquina foi adaptada para o fio de cânhamo e passou a ser movida por tração animal ou água. Elvin a compara com as máquinas de linho e seda do final do século XVII e início do XVIII encontradas em ilustrações na *Enciclopédia* de Diderot e comenta que as semelhanças são tão impressionantes que "suspeitas de uma modernização da tecelagem de seda de origem chinesa, possivelmente via *filatorium* italiano, são quase irresistíveis".[89] Em outras palavras, não somente a produção de seda, mas também sua mecanização, começaram na China e abasteceram a manufatura de têxteis na Europa, que era caracterizada por um processo de "substituição de importação" tanto para seda como para algodão.

O crescimento na indústria têxtil foi central para o renascimento do comércio na Europa, tanto na exportação de tecidos de lã como na importação de seda, feitas frequentemente com o Oriente Médio. Os produtos de ambas acompanhavam o movimento em direção à mecanização e mesmo industrialização. Na Europa, o uso de maquinário hidráulico na indústria têxtil começou na Itália, em Abruzzi, distrito de lã, no século X, em que a água era usada para operar os grandes martelos que socavam o feltro da lã,[90] processo que também deve ter vindo da China.[91] A cidade de Prato, adjacente a Florença (sua produção nem sempre foi marcante no exterior), dependia dos canais romanos e moinhos movidos a água para a lavagem e processamento da lã, bem como para o funcionamento das máquinas hidráulicas.

A indústria têxtil em Prato surgiu no século XII, baseada nas fartas águas do rio Bisenzio. O lugar era adequado para processar a lã por causa da disponibilidade de argila de pisoeiro na área. No início daquele século,

---

[87] Elvin, 1973:196; Poni, 2001 a e b.
[88] Elvin, 1973:195.
[89] Elvi, n. 1973:198.
[90] Ver Duhamel de Monceau, *Il Lanaioli*, 1776.
[91] Needham, 2004:223, refere-se ao monjolo.

encontramos registros de roupas de lã sendo secas ao longo dos canais em volta dos muros. No século XII, o desenvolvimento da manufatura, que ocorrera por toda parte na Eurásia, levou à troca da produção doméstica pelo que é descrito como produção industrial. O ativo comércio de roupas significava a proliferação de cambistas na cidade, embora a atividade bancária integral tenha ocorrido somente no final do século. Por volta de 1248, os comerciantes de lã e *pannaioli* organizaram suas próprias corporações, que incluíam alguns imigrantes de Lucca e de algumas regiões produtoras de lã da Lombardia.[92] Em 1281, um comerciante de Prato já estava comercializando seda e arminho em Pera, o bairro franco de Constantinopla organizado pelos genoveses, pois o comércio de lã e seda era central para as transações entre Europa e Oriente Médio. Pelo fim do século XII, os comerciantes visitavam as Feiras de Champanhe e, no século XIII, a corte papal de Avinhão. No final desse século, havia outro comerciante de Prato trabalhando como arrecadador de impostos para o rei francês, o que inspirou Bocaccio a escrever o episódio que abre o *Decameron* (1358).[93] Bancos e manufaturas de têxteis eram, com frequência, associados, tanto aqui como em outros lugares, na Índia, por exemplo.

Por volta do século XIII, havia 67 moinhos em Prato usados para processar grãos e têxteis. A grande expansão da manufatura de lã naquela cidade é creditada a Francesco di Marco Datini (1335-1410) cuja estátua se encontra na praça em frente à prefeitura. Datini deixou grande quantidade de cartas e livros contábeis que foram descobertos dentro das paredes de sua casa e forneceram um índice da extensão dos registros mercantis. Como não tinha filhos, deixou sua fortuna para uma instituição de assistência aos pobres. Em suas viagens, foi para Avinhão quando a corte papal (um grande mercado de têxteis) se transferiu para lá. Retornou para construir uma fábrica operando todas as fases de produção incluindo tingimento. A indústria têxtil e o comércio associado desenvolveram-se ao mesmo tempo que a contabilidade na Itália – um precisava do outro. Assim, Prato viu-se povoada por contadores, advogados e comerciantes, bem como por mercadores bem-sucedidos como Datini.

Os mercadores de lã não somente manufaturavam têxteis, mas também tingiam e finalizavam a lã e o tecido de outros locais, por exemplo, da Lombardia e da Inglaterra, em que a melhor lã era produzida. Essas atividades

---

[92] Cardini, 2000: 38.
[93] Ver também I. Origo, 1984 [1957], *The Merchant of Prato:* *daily life in a medieval Italian city,* Harmondsworth: Penguin.

de comerciantes e banqueiros, trabalhando especialmente com o comércio da lã, receberam uma homenagem com o nome de Lombard dado a uma rua na City de Londres. Esses foram os primeiros banqueiros internacionais naquela cidade. A lã inglesa alimentou o comércio continental e levou à considerável prosperidade de East Anglia, com suas fabulosas "igrejas de lã" e o lar do assento de lã onde o chanceler de Exchequer (o ministro do erário inglês) senta-se tradicionalmente. A lã era exportada para Flandres, principalmente para Bruges, onde era usada por tecelões flamengos que enriqueceram a cidade com a atividade artística, fazendo avançar a Renascença flamenga no século XIV. Na Toscana, foi o comércio de têxteis que criou as bases para os sucessos artísticos da Renascença. Essas atividades começaram com os pintores (*i primi lumi*) do final do século XII e XIII, precisamente no período em que o comércio da lã em Prato evoluía e a contabilidade europeia se desenvolvia. Os próprios Médici eram comerciantes têxteis, bem como banqueiros com residência no distrito de lã de Abruzzi perto de Áquila e tinham fortes conexões com Prato, onde construíram a Igreja de Santa Maria delle Carceri perto do castelo.

O ponto crítico no renascimento da economia medieval foi o comércio, incluindo o de longa distância, especialmente no Mediterrâneo, que por sua vez estimulou a produção. "A economia urbana na Idade Média era, em qualquer lugar, associada ao transporte marítimo e ao comércio."[94] Os árabes haviam dominado o mar interior nos primeiros tempos de sua expansão. Mas este estava, em parte, desocupado das frotas islâmicas no século XI, época da Primeira Cruzada e da abertura da rota do Atlântico através do canal de Gibraltar pela frota italiana. O advento dos turcos alterou essa situação e sua marinha veio a ser um importante fator, pelo menos até a Batalha de Lepanto (1571). O comércio, no entanto, permaneceu como fundamental para a renovação não só da economia mas também do conhecimento e das ideias.

OUTROS FEUDALISMOS?

Preocupados com a noção de feudalismo, alguns eruditos europeus têm buscado detectar sua presença ou mesmo sua ausência no resto do mundo. Coulbourn o pesquisou na Ásia, especialmente Japão;[95] outros o encontraram no coração da África.[96] Para esses estudiosos, qualquer regime

---

[94] Slicher van Bath, 1963:193.   [95] Coulbourn, 1956.   [96] Rattray, 1923.

vagamente descentralizado era considerado (e a maioria dos regimes mostra uma medida de autonomia local como entre o centro e a periferia). Mais especificamente, eles procuraram obrigações militares ligadas à propriedade de terra. Isso também não foi difícil de achar. Assim, em alguns casos, a noção de feudalismo foi imposta a regimes não europeus, como na África.[97] No entanto, a busca pelo feudalismo universal é um equívoco, pois ainda que as condições políticas normalmente classificadas como feudais estivessem difundidas, as sociedades europeias e asiáticas eram baseadas na agricultura de arado, o que originou um sistema de posse de terra muito diferente do da África.

Um problema de uma interpretação mais livre de feudalismo é igual a explicar o dinamismo aparentemente único do teatro europeu. "Nenhum historiador alegou até agora que o capitalismo industrial se desenvolveu espontaneamente em qualquer lugar exceto na Europa e sua extensão americana".[98] Essa visão sustenta que é por causa da formação social feudal anterior que a Europa ganhou sua "primazia econômica", que levou exclusivamente à Revolução Industrial e à subsequente transformação de sociedades em todo lugar. O comprometimento com o "excepcionalismo ocidental" – a singularidade significativa da linha direta de progressão entre Antiguidade e capitalismo, passando pelo feudalismo – faz a história inclinar-se numa direção particular. Precisamos considerar que a primazia do século XIX (ou antes) não remonta necessariamente ao período medieval, a um único tipo de feudalismo. De fato, como pode a tese da singularidade conciliar-se com noções de eruditos chineses sobre "choques de capitalismo", sob o que Elvin chamou de sistemas senhoriais (e Needham de "feudalismo burocrático") ou com as ideias de Nehru e outros sobre a rota da Índia para o capitalismo sendo inibida pela conquista colonial? Como harmonizar essa interpretação com a visão de estudiosos como Pomeranz e Bray que veem partes da China e "Europa" igualadas econômica e culturalmente até o fim do século XVIII?

Embora tenhamos descartado a ideia de um feudalismo africano por causa da grande disparidade nos sistemas produtivos, a situação na Ásia, em que havia sociedades com tipos complexos de produção, era diferente. A noção de "explosões do capitalismo" na Ásia foi proposta por alguns e negada vigorosamente por eurocêntricos mais ortodoxos. Um correspondente de Marx, o jovem historiador russo Kovalevsky, afirmou que um tipo de feudalismo havia surgido na Índia, uma proposição que tanto Marx quanto

---

[97] Goody, 1971.   [98] Anderson, 1974a:402.

Anderson recusaram, sugerindo que Kovalevsky negligenciava a situação política e legal diferente na Europa. Há reparos aos dois pontos de vista. O feudalismo europeu foi único, é claro, como o são todas as formações sociais, ainda que as relações de propriedade nos diferentes regimes tenham algo em comum. É uma situação em que seria útil uma grade sociológica que mostrasse quais elementos do "feudalismo" estiveram presentes ou ausentes nas diferentes regiões. A questão é se algum aspecto exclusivo da Europa contribuiu de modo significativo para a emergência do capitalismo industrial. Isso é um pressuposto de muitos argumentos "evolucionistas" dos que endossam o "excepcionalismo ocidental", mas a pergunta é se esses argumentos estão baseados em qualquer coisa além de prioridade temporal.

A maioria dos eruditos vê o feudalismo como um estágio intrínseco ao desenvolvimento do capitalismo e, portanto, confinado à Europa. Anderson, por exemplo, considera que em nenhum lugar fora desse continente (exceto talvez o Japão) houve um estágio feudal que pudesse desembocar no capitalismo. O feudalismo na Europa o fez como vimos na discussão sobre Antiguidade, por ser, em parte baseado no "sistema germânico", caracterizado por uma agregação de propriedades rurais separadas. Isso implicava uma tendência maior à "individualização" diferente do sistema antigo em que indivíduos eram representantes de uma comunidade, como em uma corporação. A situação era semelhante em sociedades com agricultura intensiva, vivendo em assentamentos apertados e participando de trabalho coletivo. Muitos pensadores veem esse vago atributo, o individualismo, como um aspecto essencial no capitalismo empresarial oposto a um "coletivismo" anterior e como uma das cruciais contribuições feitas pelo feudalismo para o desenvolvimento do capitalismo na Europa. Essa é uma interpretação que discutiremos mais tarde. No caso de Anderson, o modo de produção feudal é considerado o resultado de uma junção das heranças da escravidão antiga e dos modos tribais – "a combinação da propriedade de larga-escala agrária controlada por uma classe exploradora, com a produção em pequena escala de um campesinato atrelado".[99] Esse esquema aparentemente permitiu o crescimento de cidades autônomas "no espaço intersticial", bem como uma igreja própria e um sistema de propriedades rurais[100] proporcionando a "parcelização da soberania".

Assim, esse resultado feudal só podia ocorrer na Europa ocidental. A África e a Ásia, e mesmo toda a Europa oriental, tinham regimes diferentes.

---

[99] Anderson, 1974b:408.   [100] Anderson, 1974b:410.

A situação era menos nítida em Bizâncio, marcada pelo contraste anterior entre as partes oriental e ocidental do Império Romano, cujo subsequente desenvolvimento foi visto por Anderson nos seguintes termos: "as formas feudais bizantinas tardias eram o resultado final de uma *decomposição* secular de uma política imperial unida", ao passo que o feudalismo ocidental era uma "*recomposição* dinâmica, de dois modos anteriores dissolvidos de produção (tribal e escravista) em uma nova síntese capaz de desencadear o desenvolvimento de forças produtivas em uma escala sem precedentes".[101] No melhor dos casos, afirma ele, o processo em Bizâncio "liberou uma certa efervescência intelectual", mas o comércio na capital foi mais "capturado" pelos comerciantes italianos do que pelos habitantes locais. Na verdade, no entanto, o comércio em Constantinopla envolveu tanto locais como estrangeiros (como em Veneza e Londres), e isso foi ainda mais marcante em Bursa e outras cidades no Oriente Médio.

Sobretudo, considera-se Bizâncio economicamente estagnada na agricultura e na manufatura (exceto pela introdução de algumas novas culturas e o largo uso de moinho d'água). Entretanto, um grande avanço tomou lugar em Constantinopla em que "fábricas estatais [...] usufruíam de uma lei de monopólio no mercado de exportação europeu até a ascensão das cidades comerciais italianas",[102] que mais tarde se apropriaram de grande parte da produção daquela região. Mesmo a técnica de processamento da seda na Turquia é tida como "roubada do Oriente e não uma descoberta nativa". Mas, afinal, o que seria uma descoberta "nativa"? Muitas invenções básicas reconhecidas como críticas para a ascensão do Ocidente vieram do Oriente. O mesmo pode ser aplicado para a produção de seda na Europa, o maior fator econômico da Renascença italiana. Diz-se que bichos-da-seda foram contrabandeados do Oriente para Bizâncio em bartões carregados por monges nestorianos. Rogério II da Sicília, por sua vez, sequestrou bichos-da-seda das cidades bizantinas de Tebas e Corinto, em 1147. De lá, a produção de seda se espalhou para Lucca, no norte da Itália, e essa cidade de novo tentou manter o monopólio da tecnologia. Entretanto, as práticas eram levadas por trabalhadores imigrantes para Bolonha, onde técnicas mecânicas ainda mais complexas para bobinar a seda foram desenvolvidas antes de se mudarem para mais longe ao norte. Dali, uma importante parte do processo de mecanização foi pirateada por um comerciante inglês de seda no início da Revolução Industrial na Inglaterra. Quando consideramos a Turquia um

---

[101] Anderson, 1974a:282-3.   [102] Anderson, 1974a:275.

poder asiático atrasado, temos de lembrar as semelhanças (não identidades) do sistema de arrendamento de terra, chamado ou não de feudal, e os ativos setores de manufatura e comércio em suas cidades especialmente na Europa e no Mediterrâneo.

Parece haver um consenso no sentido de que o caso do Japão é uma exceção parcial à tese de que o feudalismo não teria existido em outras partes do mundo;[103] suspeitamos que a percepção desse modelo particular é uma projeção para trás das antigas conquistas do Japão no capitalismo industrial (frequentemente vistas contrastando com a experiência chinesa, um julgamento que se mostrou prematuro). O Japão, segundo Anderson, desenvolveu um sistema similar ao da Europa entre os séculos XIV e XV, apesar de suas propriedades agrícolas diferirem por nunca terem tido um *dominium* ou uma propriedade senhorial. No entanto, ele afirma que o Japão não produziu o capitalismo por si só, pois o teria copiado da Europa. Mais ainda: seu "feudalismo" não oferecia a "dinâmica econômica do modo de produção feudal da Europa, que liberou os elementos para acumulação primitiva de capital em uma escala continental",[104] preparando o caminho para a ascensão da burguesia. Como Braudel, Anderson vê o modo de produção capitalista integral constituir-se somente com a chegada da Revolução Industrial, que foi construída sobre "propriedades centradas no mercado" e uma burguesia. O Japão pode ter tido feudalismo, mas nunca absolutismo, que, em uma contribuição original para o debate, Anderson considera um precursor essencial para o capitalismo. Consequentemente, ele critica os estudiosos que seguem a tendência de alguns autores e olham as sucessivas fases do desenvolvimento socioeconômico como universais e veem então o feudalismo como um fenômeno mundial.[105] Essa interpretação, segundo ele, é uma reação contra as hipóteses da superioridade europeia. Insiste, no entanto, em uma definição mais estrita do modo de produção feudal como a combinação de grandes senhores de terra, com "sistemas judiciais e constitucionais, tornando-se [...] elaborações externas; a soberania parcelizada, a hierarquia vassala, e o sistema de feudos são irrelevantes".

Onde estão as supostas características específicas do Japão feudal? Como na Europa Ocidental, diz-se, a agricultura feudal gerou "níveis marcantes de produtividade".[106] A produtividade agrícola, entretanto, não foi seguramente

---

[103] Sobre feudalismo japonês, ver também Bloch, 1961: 446. Para ele, feudalismo é um tipo de sociedade não confinada à Europa – o Japão teria passado por essa fase.

[104] Anderson, 1974b:414-15.
[105] Anderson, 1974b:401.
[106] Anderson, 1974b:418.

maior do que a de outras áreas da Ásia de monções, como Indonésia, sul da China e sul da Índia. Essas regiões eram altamente urbanizadas e possuíam "propriedades centradas no mercado bastante difundidas". Elas comerciavam intensamente com o Ocidente, sobretudo especiarias, e constituíam-se, há tempos, no centro de um complexo sistema de trocas que incluía tecidos da Índia, bem como inúmeras importações "culturais", como o sânscrito e templos budistas, hinduístas, além de itens seculares. Apesar dos níveis de produtividade atribuídos (unicamente) ao Japão, o ímpeto para o capitalismo é tido como "vindo de fora", uma opinião que ignora ter havido desenvolvimentos nativos aqui e em qualquer lugar da Ásia, pelo menos no se refere a um capitalismo mercantil.

Anderson afirma que o Japão é a exceção na Ásia, no sentido de ter facilmente "adotado" o capitalismo. O argumento é altamente eurocêntrico, pois não concede ao Oriente, nem mesmo o Japão, a possibilidade de desenvolver o capitalismo a não ser pedindo emprestado do Ocidente. A razão, segundo ele, para essa incapacidade é a ausência da Antiguidade. O feudalismo japonês, afirma Anderson em sua contribuição original, foi o resultado da lenta desintegração de "um sistema imperial de influência chinesa".[107] O que distinguiu a Europa não foi simplesmente a desintegração do Império Romano, mas "a perdurável herança da Antiguidade clássica",[108] isto é, "a concatenação de Antiguidade com feudalismo". Na Europa, persistiu uma "reminiscência" do modo anterior; a antecedência clássica preparou o caminho. O reflorescimento da Antiguidade consequentemente produziu a Renascença, "o ponto central da história europeia"; no Japão, "nada remotamente comparável à Renascença tocou sua costa".[109] Não havia, é evidente, necessidade para um renascimento se não tinha havido morte (ou declínio). Como nem "feudalismo" nem "Antiguidade" eram encontrados em outros locais, não podiam ter sido ligados (concatenados) fora da Europa.

Essa afirmação esbarra em um problema óbvio: enquanto os historiadores fazem tentativas, ainda que insatisfatórias, de definir as características do feudalismo, "Antiguidade" é basicamente um período histórico em que Grécia e Roma dominavam, um período economicamente muito indefinido e geograficamente tão localizado que se excluem importantes parceiros de comércio (e rivais): Cartago, Oriente Médio, Índia e Ásia Central.

No entanto, com frequência, o Japão fornece um paralelo para a Europa, visão esta baseada não somente nas semelhanças formais entre os

---

[107] Anderson, 1974b:417.   [108] Anderson, 1974b:420.   [109] Anderson, 1974b:416.

dois, mas, o que é mais significativo, nos resultados. "Hoje, na segunda metade do século xx, somente uma grande região fora da Europa, ou de suas colônias além-mar, alcançou um capitalismo industrial avançado: o Japão. As precondições socioeconômicas do capitalismo japonês, como a pesquisa histórica moderna mostra de modo amplo, encontram-se profundamente no feudalismo nipônico que tanto impressionou Marx e europeus no final do século xix".[110] De novo, eis uma perspectiva bastante teleológica. Se era possível sustentar essa opinião em 1974, logo depois isso deixou de ser adequado. Com o crescimento dos Quatro Pequenos Tigres, especialmente Hong Kong, e agora China, deve-se separar o crescimento do capitalismo da preexistência do feudalismo na Ásia (a menos que se recorra ao feudalismo universal, algo ainda menos satisfatório). Economicamente, o Japão não é mais singular. Com Braudel, eu diria que um anteparo entre capitalismo e feudalismo sempre foi necessário, como também entre capitalismo e industrialização, pois essa tem caracterizado tanto regimes socialistas quanto capitalistas. Ambos existem num amplo leque de sociedades há muito tempo.

Na Europa, a passagem do feudalismo ao capitalismo começou com o que é visto como um processo bastante diferenciado de evolução das cidades sob o que Anderson denomina de parcelização; elas tinham "o legado municipal". No campo, foi a herança da lei romana que tornou possível o avanço decisivo da propriedade condicional para a propriedade privada absoluta;[111] o advento do capitalismo é relacionado a essa "ordem legal", por meio de "uma ordem civil escrita". A retomada da lei romana em Bolonha foi acompanhada pela "reapropriação de virtualmente toda a herança cultural do mundo clássico".[112] Incluídos nesse processo estariam a institucionalização do intercâmbio diplomático (que parece uma declaração particularmente eurocêntrica se considerarmos a China e o mundo muçulmano) e a emergência de uma forma de Estado, o absolutismo, que extinguiu a parcelização do feudalismo e preparou o caminho para o capitalismo. O absolutismo ocorreu no tempo em que a produção de mercadorias e o câmbio se desenvolveram, dissolvendo "relações feudais primárias no campo".[113] No entanto, com a centralização na Europa, supostamente ausente naquela forma em outras partes do mundo, encontra-se também a consolidação da propriedade privada absoluta, outro aspecto visto como precondição do capitalismo.

---

[110] Anderson, 1974b:415.
[111] Anderson, 1974b:424.
[112] Anderson, 1974b:426.
[113] Anderson, 1974b:429.

Há vários problemas nessa descrição. O primeiro é a interpretação legalista que confina a natureza da lei à lei escrita. É evidente que todos os grupos humanos têm "leis", num sentido mais amplo, que inclui "lei" consuetudinária; e todos também desenvolvem relações "diplomáticas" com vizinhos e possuem algum tipo de "propriedade privada". O segundo: tribos germânicas eram mais propensas a participar de grupos corporativos do que os cidadãos romanos, mas, paradoxalmente, a pertinência ao grupo seria base para o "trabalho livre" do capitalismo. O terceiro é o tratamento etnocêntrico do "individualismo" dado por diversos estudiosos europeus. Muitos povos "tribais" têm sido vistos enfatizando sua existência como indivíduos, como mostra o estudo clássico de Evans-Pritchard a respeito dos nuer do Sudão. De qualquer modo, como já observei, a organização capitalista do trabalho, em uma fábrica, por exemplo, demanda maior supressão de tendências individualistas do que a caça ou a pesca.[114] A vida de um indivíduo solitário como Robson Crusoé ou a de um colono de fronteira não é a experiência da maioria das pessoas, e está mais próxima de formas de vida das sociedades de caça e coleta do que de modos de produção posteriores. Finalmente, essa discussão da contribuição do feudalismo para o capitalismo parece negligenciar a função das cidades (que Marx reconhece como o núcleo de desenvolvimentos posteriores). As cidades cresceram no feudalismo e gradualmente dominaram as relações de base rural, mas suas histórias remontam à Idade do Bronze. Elas floresceram na pós-Antiguidade quase em todo lugar fora da Europa ocidental. Marx considera a possibilidade de que o capitalismo tenha se desenvolvido em Roma ou Bizâncio, mas afirma que a riqueza do comércio e da usura ainda não era "capital". Na verdade, houve investimento no comércio e na manufatura, na produção de tecidos de seda, bem como na produção de papel e na agricultura. Comércio e usura também foram essenciais, claro, para desenvolvimentos posteriores, assim como o campesinato "livre" e os artesãos urbanos. Os dois últimos acabaram constituindo a força de trabalho industrial.

O feudalismo é, portanto, visto como um sistema de governo descentralizado, que permitiu desenvolvimentos "nos interstícios" e estimulou certa dose de liberdade. O Oriente, começando pelo Oriente Médio, caracterizava-se pela agricultura irrigada e pelo despotismo, que juntos constituiriam o chamado "modo de produção Asiático", que será examinado no próximo

---

[114] Goody, 1996a.

capítulo. Acreditava-se que sistemas "despóticos" seriam incapazes de prover a experiência necessária para o crescimento do capitalismo (embora o "absolutismo" aparentemente o tenha feito). No entanto, eles eram obviamente bem compatíveis com a existência de cidades, com manufatura em grande escala (de tecidos de seda na Turquia, por exemplo, ou de algodão na Índia) e mesmo com alguma medida de produção mecânica. Também conduziram complexas trocas entre a Europa e a Ásia. Como outras sociedades puderam participar dessa importante permuta de bens e técnicas tendo bases socioeconômicas tão diferentes? Será que os elementos do capitalismo não estariam muito mais amplamente distribuídos do que muitos estudiosos admitem? Veremos isso ao discutir o trabalho de Braudel.

SOCIEDADES E DÉSPOTAS ASIÁTICOS: NA TURQUIA OU NOUTRO LUGAR?

No final da Idade Média, a mais importante e próxima potência asiática para a Europa era a Turquia. Desde o século XIV, seus exércitos atacavam o território europeu e cristão, incluindo Bizâncio e os Bálcãs. Bem antes, a Europa fora invadida pelo Islã (os "mouros") do norte da África. A invasão começara na Espanha e avançara para a Sicília e o Mediterrâneo. Os mouros e os turcos tinham se tornado o epítome das forças não europeias unidas contra o continente; eles eram tipicamente vistos como despóticos, despidos de virtudes cristãs e marcados pela crueldade e pelo barbarismo: eram muçulmanos.

Aos olhos europeus, a Turquia era geralmente vista, mesmo por intelectuais, como despótica, especialmente depois do século XVII. Em *The prince* (*O príncipe*), Maquiavel descreve o povo de Porte sendo governado por um senhor e consistindo de escravos ou servos. Alguns anos mais tarde, o autor francês Bodin[1] contrastou as monarquias europeias com o despotismo asiático irrestrito em seus domínios, uma situação que não deveria ser tolerada na Europa.[2] Outros explicaram a diferença crítica entre o Oriente e o Ocidente pela ausência de uma nobreza hereditária[3] ou como resultado da falta de propriedade privada na Turquia,[4] ambas vistas, naquele tempo, como instrumentos para proteção do homem e seus bens terrenos. O filósofo francês Montesquieu acreditava que, em sistemas orientais, os bens estavam sempre sujeitos a confisco;[5] que a insegurança era o epítome

---

[1] Bodin, 1576.
[2] Anderson, 1974b:398.
[3] Bacon, 1632.
[4] Bernier, 1658.
[5] Montesquieu, 1748.

do despotismo oriental, oposto em princípio ao feudalismo europeu, em que a propriedade do homem estava a salvo.

A noção de "despotismo" turco mudou ao longo do tempo, é claro. No início do século XVI, instituições otomanas, comparadas com as do Ocidente, foram vistas favoravelmente por embaixadores venezianos. Depois de 1575, a relação é revertida.[6] "Ainda que os princípios nos quais seu poder se apoiava estivessem em desacordo com os da república veneziana, o império tinha uma beleza que se impunha e uma ordem admirável".[7] O que reverteu a situação? Questões tinham mudado em Istambul; havia mais "tirania". As potências do Atlântico haviam trazido um excesso de prata e ouro que afetou a economia. Lepanto foi uma grande derrota militar. Aos olhos de Valensi, houve, sobretudo, uma reinvenção de Aristóteles, ou invenção do conceito de despotismo, "a separação da Ásia (ou Oriente) da Europa: o conceito de despotismo oriental".[8] O espectro do poder puro começou a assombrar a Europa.

Assim, a Turquia tornou-se o caso típico de despotismo oriental no início do período moderno, como antes, na Antiguidade, a Pérsia o foi para a Grécia. Como vimos no capítulo "A invenção da Antiguidade", atitudes etnocêntricas gregas se integraram à historiografia ocidental e à análise cultural. A dicotomia que eles estabeleceram entre seu próprio sistema democrático e o que perceberam como o "outro", o despotismo persa, ressurgiu na visão europeia mais tarde sobre os turcos para produzir, no pensamento europeu, um paradigma caracterizado pelo que Marx chamou de "o excepcionalismo asiático". Entretanto, todos eram herdeiros das civilizações da Idade do Bronze que se estendiam desde o Crescente Fértil no Oriente Médio, através da Ásia até a China, e que também foram as fundações dos desenvolvimentos europeus que começaram na Antiguidade. Assim, a oposição implícita entre as sociedades europeias e asiáticas tem pouco valor analítico, no que diz respeito à história antiga. Durante os primeiros anos dessa era, por exemplo, havia dois grandes impérios na Eurásia: Roma no Ocidente e China no Oriente. Em termos de desenvolvimento, havia pouco a dividi-los. Ambos foram construídos a partir de economias da Idade do Bronze e se organizaram usando sistemas de conhecimento e comunicação letrados, no primeiro caso, usando uma forma do alfabeto fenício, e, no outro, elaborados manuscritos de "caracteres" logográficos. Em termos de sistemas de conhecimento, eram em muitos casos comparáveis,

[6] Valensi, 1993:71.   [7] Valensi, 1993:98.   [8] Valensi, 1993:98

SOCIEDADES E DÉSPOTAS ASIÁTICOS   119

como Needham mostrou com a botânica.[9] Tanto no caso de Roma quanto no da China, as conquistas econômicas e culturais foram possibilitadas por desenvolvimentos análogos que começaram na Idade do Bronze. No entanto, enquanto ambas, Roma e China, praticavam agricultura de arado – uma prática que se espalhara nas culturas que emergiram das sociedades urbanas da Idade do Bronze –, na China, as condições geográficas favoreceram a irrigação em larga escala nos vales dos rios. Isso alimentou a ideia de despotismo asiático, uma vez que era necessário um controle central para organizar esse empreendimento. Esses desenvolvimentos compreenderam muitos ofícios envolvidos na construção urbana, manufatura e trocas, inclusive a escrita.

A Revolução Urbana da Idade do Bronze também produziu uma estratificação econômica mais pronunciada, uma vez que, com a ajuda da tração animal, essencial para essa mudança, um homem podia cultivar uma área muito maior do que com a enxada. Isso tornou a posse da terra importante, pois com mais terra um indivíduo podia empregar outras pessoas e utilizar a energia animal para produzir um excedente para os mercados urbanos que serviam à população não rural. A terra ganhou um valor bem diferente do tempo da enxada. Pela Eurásia afora, a economia das maiores sociedades era baseada não somente em técnicas similares de produção, mas também em práticas semelhantes de trabalho de um modo geral, mais servil no Ocidente, por causa da escravidão, e menos servil no Oriente. Mais tarde, ao bronze foi acrescentado o ferro, um metal mais "democrático" que era usado tanto na paz, no arado, como em tempos de guerra, nas armas. Também envolvida na diferenciação social decorrente de práticas agrícolas estava a troca de produtos naturais e manufaturados, de itens de luxo que percorriam longas distâncias, de itens de uso cotidiano vindos de distâncias menores, facilitada pelo uso de veículos de roda e pelo transporte aquático. A escrita foi somente uma das atividades especializadas que se expandiram sob a "Revolução Urbana" que introduziu o que muitos têm entendido por "civilização" em imensos conglomerados se comparados a assentamentos anteriores. Essa situação levou à estratificação tanto "cultural" como político-econômica das principais sociedades da Eurásia. Os vários caminhos específicos que cada sociedade trilhou para lidar com essas divisões sociais emergentes produziram uma variedade de sistemas políticos – e não

---

[9]   Needham, 2004.

tenho o propósito obliterar as diferenças de governo e organização entre as várias culturas. Entretanto, essas variações aconteceram na ampla estrutura que Eric Wolf chamou "o Estado tributário", que estava mais centralizado no Oriente, e menos no Ocidente,[10] mas sem as violentas dicotomias que a noção de um despotismo asiático típico pressupõe.

Uma recente história mundial do último milênio escrita por Fernández-Armesto tenta fazer um balanço geral das interpretações europeias; nele, a "supremacia ocidental" é vista como "imperfeita, precária e efêmera". A liderança passou do Atlântico para o Pacífico, onde esteve até o início do milênio e perdurou por muito mais tempo do que os europeus normalmente supõem:

> Durante o século XVIII, não obstante o grande avanço de alguns impérios europeus, o da China era ainda, em quase todos os aspectos, o império que mais rapidamente se desenvolvia no mundo. Também parecia o berço de uma sociedade mais "moderna" [...] uma sociedade mais bem-educada, com mais de um milhão de graduados; uma sociedade mais empreendedora, com maiores negócios e maiores aglomerados de capital mercantil e industrial do que qualquer outro lugar; uma sociedade mais industrial, com níveis mais altos de produção em concentrações mais mecanizadas e especializadas; uma sociedade mais urbanizada, com densa distribuição de população na maioria das áreas; mesmo para papéis adultos – uma sociedade mais igualitária, em que uma nobreza hereditária compartilhava os privilégios de seus congêneres ocidentais, mas tinha de se curvar ante aos burocratas acadêmicos de todos os níveis da sociedade.[11]

Levar em conta esses aspectos, mesmo uma seleção de alguns, faz com que não somente se reavalie a posição da China na história mundial até o século XVIII, como descarta a ideia de despotismo oriental estático.

De fato, toda a ideia de despotismo asiático é grosseiramente inadequada. *The Great Learning* (*O grande ensinamento*), de Confúcio, lança uma luz interessante na natureza ideal da estrutura política chinesa. Longe de oferecer um quadro típico de despotismo asiático, o texto afirma que "qualquer um que perder o apoio do povo perde o Estado".[12] O apoio do povo depende diretamente da virtude do governante. O pré-requisito para se conseguir o apoio do povo implica um tipo de processo consultivo e não um governo autocrático. O governante deve ajudar seu povo a ter "vida próspera e feliz", eis o que envolve o mandato do céu.

Uma oposição binária entre Europa e a Ásia despótica é apressada e fundamentada na ignorância ou preconceito. No restante deste capítulo exploraremos os assuntos que distinguem o Oriente anormal e tirânico do

---

[10] Wolf, 1982.   [11] Fernández-Armesto, 1995:245.   [12] Confúcio, 1996:46.

Ocidente saudável e democrático. Vamos analisar a validade dessa discriminação olhando mais atentamente para o recente paradigma do excepcionalismo asiático, a Turquia.

Quero discutir três aspectos da sociedade otomana para questionar certas características das percepções eurocêntricas da Turquia e refletir sobre as noções europeias de periodização da história e da historiografia. São as adaptações de armas de fogo, como estudo de caso, que nos permitem questionar a noção de "tradicionalismo islâmico", a organização da agricultura (e a ideia de "camponês como escravo"), e o nível de comércio, normalmente visto como regulado pelo Estado (com isso, defenderei a tese de que a Turquia apresentava certo grau de capitalismo mercantil).

A discussão nos permitirá concluir que, nesses como em assuntos de governo ou de "cultura", a Turquia era mais semelhante à Europa no sistema político, na economia e em assuntos "culturais" do que se aceita normalmente. As forças armadas turcas prontamente se adaptaram às armas de fogo e à pólvora, da mesma forma que os militares logo construíram uma força naval turca no Mediterrâneo. Os camponeses ganharam um *status* militar igual aos de outros lugares e não eram todos escravos do imperador. E mais importante, o suposto governo despótico estimulou o comércio, incluindo negócios privados, e encorajou o desenvolvimento de uma economia mercantil em torno das trocas de seda e papel (e sua manufatura), e também das especiarias. Houve um vigoroso desenvolvimento em todas essas esferas, que foram no final derrotadas, não tanto por obstáculos internos, mas pela mudança das manufaturas têxteis para a Europa e pela abertura das novas rotas marítimas pelas potências do Atlântico, tanto para o Oriente (em busca de especiarias e tecidos) quanto para as Américas (em busca de metais preciosos e produtos agrícolas), assim marginalizando os feitos anteriores do Oriente Médio. Enquanto a maior parte deste capítulo é reservado para a análise da Turquia, como um dos valores mais negativos na tradicional escala europeia, na seção de conclusão, a discussão se voltará para o Extremo Oriente – outro modelo "antônimo" do dinâmico e democrático Ocidente. Aqui, olharemos mais profundamente para as semelhanças, já bastante mencionadas, entre os dois lados opostos da Eurásia.

O EXÉRCITO DO SULTÃO

A opinião de que Turquia é despótica caminha com a ideia de "conservadorismo islâmico", por exemplo, com relação à suposta inferioridade tecnológica otomana,[13] associada a abordagens eurocêntricas de autores como K. M. Setton,[14] E. L. Jones,[15] e P. Kennedy.[16] Isso explica sua resistência em adotar inovações tecnológicas feitas por outros. É a tendência a subordinar todos os assuntos de avanços em conhecimento, vida social e econômica, não a considerações práticas, mas a ideológicas. A avaliação é a de que a Turquia é orientada por uma ordem autocrática imposta por autoridades religiosas ou seculares e não deixa espaço para a iniciativa pessoal, a "livre-iniciativa", que supostamente caracterizaria a situação diferenciada da Europa.

Se coube, provavelmente, à Europa adaptar primeiro o uso e o desenvolvimento de armas de fogo, os otomanos, assim que se confrontaram com inimigos empunhando essas armas, logo a seguiram. Fizeram-no rápida, pragmática e efetivamente. Coletaram os materiais para armas e pólvora, manufaturaram suas próprias armas, organizaram o esforço produtivo, desenvolveram técnicas associadas e mudaram a estrutura do seu exército.

"A 'descoberta' da pólvora, o surgimento de armas de fogo, especialmente seu uso em guerras"[17] foram uma característica do final da Idade Média. A pólvora era feita na China entre os séculos VII e VIII e.c. e, de acordo com Needham, "a arma de fogo propriamente dita, a pistola ou o canhão [...] apareceu por volta de 1280".[18] No prazo de décadas, essas armas tinham alcançado tanto o mundo islâmico como a Europa cristã. Não se sabe precisamente como a pólvora e as armas de fogo alcançaram a Turquia. Inventos com pólvora remetem aos mongóis dos anos de 1230.[19] Na metade do século, eles os levaram para o Irã, Iraque e Síria. Armas de fogo foram introduzidas no final do século XIV. A Europa parece ter reconhecido muito rapidamente o valor das novas armas e as desenvolveu na forma de canhões (os chineses usaram o primeiro tipo de canhão no século XIII, de acordo com Needham[20]). Eles eram usados em cercos nos anos 1320 e 1330, bem como em navios. Na metade do século, eles já eram empregados na Hungria e nos Bálcãs, e, por volta de 1380, os otomanos conheceram as armas. Na conquista otomana de Constantinopla, nos anos de 1450, canhões foram usados. No início do século XV, eles foram instalados nos navios europeus no Mediterrâneo, tornando-os aptos a dominar o mar.

A manufatura de canhões era tarefa complicada. Os otomanos usavam bronze, pois tinham acesso a suprimentos de cobre: os outros europeus

---

[13] Ágoston, 2005:6.
[14] Setton, 1991.
[15] Jones, 1987.
[16] Kennedy, 1989.
[17] Ágoston, 2005:1.
[18] Needham, 1986b:10.
[19] Ágoston, 2005:15.
[20] Needham, 1986b:4.

usavam sobretudo ferro, que era mais barato, mas também mais pesado e mais perigoso. Ambos requeriam fundição com uma complexa divisão de trabalho e organização. Isso acontecia em todo o Mediterrâneo. Sobre o grande arsenal de Veneza, Zan menciona uma fábrica industrial que empregava uma enorme força de trabalho que desestruturou o sistema de guildas. Os otomanos desenvolveram muitas fundições (*tophane*) por todo o reino, na Avlonya, Edirne e outras cidades, inclusive a Fundição Otomana Imperial (Tophane-i Amire) em Istambul. Como na Europa Ocidental, navios com canhões eram construídos no arsenal de Istambul.

"No final dos séculos xv e início do xvi, a Fábrica Imperial de Canhões, a Fábrica de Armas de Fogo (Cebehaneni Anire), a Fábrica de Pólvora (Boruthane-i Amire) e o Arsenal Naval (Tersane-i Amire) deram a Istambul o que foi provavelmente o maior complexo militar-industrial do início da Europa moderna, tendo como único rival o Arsenal Veneziano."[21] A fundição de Istambul produzia mais de 1.000 armas por ano e empregou um variado número de trabalhadores (62 fundidores de canhões entre 1695-96), além de outros técnicos, e entre 40 e 200 trabalhadores diários.[22] Enquanto os otomanos faziam canhões enormes, que utilizavam nos cercos, produziam também outras armas. Como mostra Ágoston, a ideia comum europeia de que eles eram incapazes de produzir armas menores com técnicas de produção em massa está equivocada. A produção em massa, caracterizando os novos arsenais e fundições para a construção de navios e armas, era talvez uma técnica nova na Turquia, como era também no Ocidente (embora tivesse havido precursores nessa área). Porém, a Turquia não foi lenta ao adotar tanto a produção em massa como as técnicas industriais definidas, posteriormente, como "capitalistas".

Então não foi uma questão de conservadorismo tecnológico islâmico. "Quando a receptividade tecnológica otomana aliou-se ao potencial da famosa produção em massa e logística superior otomana, pela metade do século xv, os exércitos do sultão ganharam clara superioridade sobre seus oponentes imediatos europeus."[23] Eles foram capazes de manter sua superioridade logística e de poder de fogo contra os Habsburgo austríacos e venezianos até o final do século xvii.

Eles também não podem ser acusados de "conservadorismo organizacional". Os otomanos tinham um exército preparado, os janízaros, muito antes das potências europeias. Com Murad i (1362-89), reconheceu-se a necessidade

---

[21] Ágoston, 2005:178.   [22] Ágoston, 2005:181.   [23] Ágoston, 2005:9.

de um exército independente, "uma força que pairaria sobre as várias religiões, culturas e grupos étnicos".[24] Os janízaros eram recrutados pelo sistema *devsirme* (coleção) segundo o qual homens cristãos entre 15 e 20 anos eram periodicamente capturados e otomanizados. Depois do treinamento, eram pagos pelo tesouro e serviam sob o comando direto do sultão. Entre seus vizinhos, o primeiro exército pronto parece ter sido o dos Habsburgo austríacos que só possuíram tropas permanentes durante a Guerra dos Trinta Anos (1618-48), isto é, cerca de 250 anos mais tarde.

Ao lado da produção dos grandes canhões, esse tipo de força bélica demonstra que os otomanos eram inovadores em questões militares. A facilidade com que os turcos se adaptaram às necessidades de sua situação militar, tanto tecnológica como organizacional, sugere uma dinâmica diferente na sociedade turca pouco percebida por estudiosos comprometidos com a noção do excepcionalismo asiático e singularidade europeia. Isso fica patente pelo menos em temas como conservadorismo e inferioridade tecnológica que supostamente coibiriam a mudança. Aqueles historiadores que reconhecem os feitos da Turquia na área militar insistem que a tecnologia foi emprestada e que parte da força de trabalho era estrangeira. Chamou a atenção o número de trabalhadores estrangeiros empregados na indústria de armamentos e nas forças armadas. Na visão europeia, os feitos otomanos foram interpretados em termos de "teoria da dependência", que julga os otomanos incapazes de estabelecer uma indústria própria de produção em massa: só conseguiriam copiar. Entretanto, isso não constitui prova da incapacidade turca, já que era uma prática comum outras potências também recrutarem trabalhadores de países diferentes (especialmente metalúrgicos alemães, como fazia a Espanha). Quanto a membros estrangeiro nas forças armadas, basta lembrar de Otelo, o Mouro de Veneza, comandando o exército em Chipre, ou o almirante Slade, inglês da marinha turca.[25] Portanto, "empréstimos" não eram privilégio turco e os europeus eram "emprestadores" de força de trabalho do mesmo modo. O uso de força de trabalho de outros locais também não pode ser visto como algo conservador ou inferior. O reconhecimento da vantagem de um novo instrumento ou método e a adaptação a ele mostram o equívoco de julgamentos europeus sobre a inflexibilidade asiática. Eles não eram simplesmente importadores de armamentos (quem não era?), mas "participantes importantes na dinâmica da violência organizada no teatro de guerra euro-asiático".[26]

---

[24] Ágoston, 2005:22. [25] Yalman, 2001:271. [26] Ágoston, 2005:12.

SOCIEDADES E DÉSPOTAS ASIÁTICOS   125

Esse é o jeito interativo correto de pensar a transferência de tecnologia e desenvolvimento, em vez de ficar discutindo quem foi o primeiro numa inovação no processo industrial, por exemplo. Assim, questões de superioridade e inferioridade ganham uma perspectiva diferente.

CAMPONESES COMO ESCRAVOS?

Um argumento europeu é que a força de trabalho na Turquia era bem diferente do Ocidente, em que a escravidão evoluiu para a servidão feudal, porque o campesinato sempre permaneceu em um estado mais servil. Mas será que era realmente assim? Os camponeses podiam ser comprados e vendidos como bens móveis? Não tinham direitos de parentesco? Em Porte, houve períodos de governos fortes e centralizados, mas ver os camponeses turcos como "escravos" do sultão é tomar retórica por realidade. De fato, a agricultura otomana era fundada em arrendamento de terras sob o que ficou conhecido como sistema *çift-hane*. Esse sistema de trabalho para famílias camponesas é analisado pelo historiador turco Inalcik em comparação ao trabalho de Chayanov sobre a Rússia.[27] Inalcik afirma que o mesmo modelo geral serve para toda a Europa. Esse tipo de arrendamento familiar era tão importante quanto as guildas o eram para as cidades turcas.[28] Ambas eram ativamente mantidas pela burocracia de Estado, com inspeções sistemáticas. Em outras palavras, demográfica, econômica e socialmente, os sistemas eram comparáveis. A unidade da propriedade familiar consistia de um casal, uma certa área de terra (5 a 15 hectares), e um par de bois. A insistência ideológica da posse da terra pelo Estado era um artifício para manter esse sistema e para proteger o camponês da divisão, invasão ou excesso de exploração. A proteção do Estado era também importante uma vez que essa propriedade constituía a unidade fiscal básica.

O Estado protegia seus agricultores e pastores por razões fiscais, garantindo a sua sobrevivência. Camponeses e nômades podiam ser assentados em novas terras conquistadas em troca de várias obrigações. Como o Estado era incapaz de usufruir todos os serviços do trabalho "feudal", ele convertia alguns em dinheiro. Os impostos eram baseados na propriedade familiar ("uma unidade legalmente autônoma"),[29] sistema presente no último período de Roma e que persistiu depois de sua queda. A função do Estado

---

[27] Chayanov, 1966.   [28] Inalcik, 1994:143.   [29] Inalcik, 1994:174.

era de fato pouco diferente do eminente poder do qual estavam investidos os governantes nas sociedades europeias que os habilitava a taxar, recrutar e julgar. Os camponeses eram tanto "dependentes como livres", como a maioria dos arrendatários em qualquer lugar, e protegidos pelo governo central contra exageros dos nobres ou dos coletores de impostos.[30]

Assim, a questão da posse da terra otomana é muito mais complexa do que julgam os que caracterizam a Turquia como Estado despótico num modelo asiático, visão subscrita, não apenas por autores marxistas, mas presente de forma geral numa visão europeia em que o Oriente é o "outro". Como era essencialmente um Estado conquistador, foi a conquista que estabeleceu os direitos totais da propriedade da terra (*miri*), mas persiste uma controvérsia: se esses direitos estariam legalmente garantidos pela *umma* (do árabe, *nação*), comunidade dos fiéis, ou pelo sultão como seu representante. De fato, como vimos, os conquistadores deixavam as comunidades de camponeses nativos no local, simplesmente atuando como coletores de tributos.[31] O Estado assumiu "o domínio eminente" e, como seu programa de contínuas conquistas requeria um exército, precisou dos impostos advindos da terra.

"A terra e o camponês devem pertencer ao sultão", lembra um provérbio persa. No entanto, os direitos implicados na palavra "pertencer" têm de ser entendidos com cuidado. De fato, o código de leis civil turco era intimamente ligado às práticas romano-bizantinas.[32] Como na lei romana, direitos sobre a terra consistiam "de domínio eminente" ("posse"), possessão e usufruto, sendo os dois últimos confiados aos camponeses de várias formas. Apesar de não ser uma transação fácil, sob certas circunstâncias, as terras do Estado podiam ser vendidas pelos camponeses; nesse caso, tinham de estabelecer "posse absoluta" sob a lei islâmica.[33] Como na Europa, domínio eminente significava somente o direito de controle legal básico, a "posse pura" (*mulk mahz*) podia ser estabelecida e o camponês usava essa possibilidade para transferir terras para fundações religiosas; nesse contexto, Inalcik emprega o termo propriedade alodial, embora, como em todo lugar, essa propriedade fosse sujeita a maiores controles.

O camponês também podia usar seus direitos para propósitos comerciais. Em alguns casos, particularmente de *waaf*, isto é, terras doadas e alodiais, "os camponeses armazenavam grande quantidade de trigo extra que vendiam

---

[30] Inalcik, 1994:145.

[31] Inalcik, 1994:104.

[32] Inalcik, 1994:105.

[33] Inalcik, 1994:117.

para exportação para mercados distantes em centros urbanos do império e na Europa.[34] Em outras palavras, eles estavam conectados ao mercado e à lavoura comercial – algodão, gergelim, linhaça e arroz. Direitos privados de posse dessa espécie eram sancionados pelas leis islâmicas, um fato que um Estado islâmico não podia ignorar; "o regime da lei" protegia direitos sobre a propriedade além de muitos outros. Tensões entre a autoridade secular e a religiosa significavam que os direitos dos camponeses – e artesãos – eram defendidos das pesadas imposições impostas por qualquer um deles. De fato, no Império Otomano como em outros lugares, sempre havia uma tensão entre o Estado e a Igreja, entre a autoridade do sultão e a do *quadi*, constituindo um tipo de "soberania compartilhada" que tem sido vista como uma característica exclusiva do feudalismo europeu, como vimos no capítulo anterior.[35] Os interesses do Estado e da Igreja não eram sempre absolutamente idênticos, permitindo um espaço de manobra na cidade e no campo, assim como ocorria na Europa.

Apesar de suas abordagens materialistas, muitos escritores marxistas se concentraram em direitos altamente abstratos (em vez de práticos), usando as categorias amplas e exclusivas de propriedade do Estado, posse comunal ou individual. No entanto, como Henry Maine enfatiza, em todas as sociedades encontramos uma hierarquia de "propriedades" de terra, com cultivadores individuais (ou suas famílias) investidos de alguns direitos legais, outros direitos reservados para grupos maiores de parentes e amigos, outros para um senhorio local e outros ainda para níveis políticos mais inclusivos. Há muitas variações dos direitos legais em diferentes níveis e é um erro ver todos os direitos loçados em um só nível em qualquer sociedade. Na esfera da agricultura, em que a maioria dos indivíduos vivia, havia considerável diferenciação de direitos ligados aos instrumentos e métodos de cultivo, especialmente se o cultivo praticado era seco ou molhado (irrigado), se com arado ou enxada, ou se tinha caráter temporário ou permanente; e havia outras diferenças mais nuançadas. Havia diferenciação com respeito aos direitos sobre a terra. A complexidade dos direitos otomanos e a superficialidade da visão europeia anterior são bem abordadas num recente estudo sobre a posse da terra (no caso o feudo militar) em uma jurisprudência islâmica (Hanafite) no Egito dos mamelucos aos otomanos.[36] A "hierarquia dos direitos", ainda que de distribuição diversa da da Europa, é igualmente complicada, tanto na prática quanto no curso do debate conduzido por juízes, embora haja pouca teorização sobre essas

---

[34] Inalcik, 1994:126.   [35] Inalcik, 1994:128.   [36] Mundy, 2004.

matérias na ideologia política ou especulações sobre sua origem nebulosa.[37] Os debates desenvolveram-se em torno da natureza desses direitos e foram encaminhados por profissionais da lei altamente sofisticados. Suas conclusões influíram em questões públicas, especialmente quando as questões foram a julgamento, mas parte do debate é uma tentativa de formular por escrito as complexidades da vida social com relação à propriedade. Deve ser acrescido que, diferentemente do que aconteceu com grande parte do pensamento legal europeu, o advento do islamismo e a mudança de regime não anularam direitos existentes, apesar de terem imprimido certa reorganização, como sem dúvida aconteceu em muitas outras situações de "conquista".

Além dos territórios camponeses, deu-se garantias de terra para os militares e administradores como pagamento por serviços específicos. Argumentou-se, "de forma convincente", que, já que era revogável, o termo arábico *iqta* deveria ser traduzido como "concessão administrativa" em vez de feudo.[38] No entanto, os conceitos são muitos próximos e, assim como sistema chinês, que foi descrito como senhorial[39] (e como "feudalismo burocrático" por Needham), precisam ser examinados à luz de uma "grade" sociológica em vez de basear-se exclusivamente na experiência europeia. Quando isso é feito, mesmo hipoteticamente, a situação pode ser vista como bem mais próxima da Europa do que muitas teorias admitem. De fato, as condições existentes no Oriente Médio islâmico ao tempo do avanço turco têm sido recentemente comparadas às da Europa antiga. Na época da morte de Saladino, em 1193, o regime lembrava uma "monarquia ligada por laços de suserania e clientelismo, dependentes de lealdades, ameaçados quando o suserano de senhores subordinados era fraco".[40]

A agricultura não podia jamais ter permanecido em um nível de pura subsistência; ela tinha de produzir excedente. Istambul era uma cidade enorme, maior do que qualquer uma do resto da Europa, e suas provisões eram de grande preocupação para os dirigentes otomanos, como havia sido para seus predecessores cristãos e romanos. A maior parte dos grãos vinha do norte da Crimeia em que a agricultura comercial havia se desenvolvido em imensa escala, a ponto de também prover cereais para Veneza. No entanto, setores da região produziam cereais para a cidade enquanto a maior parte da área ao redor da capital era destinada à criação de gado e ao cultivo de frutas e vegetais. Os camponeses nunca ficavam restritos à produção de

---

[37] Mundy, 2004:143.
[38] C. Cahen, 1992; Mundy, 2004:147.
[39] Elvin, 1973:235.
[40] Fernández-Armesto, 1995:90.

subsistência; comércio e mercado eram sempre relevantes. Istambul estava em uma posição similar a muitas cidades na costa norte do Mediterrâneo sob o regime romano, supridas pelo sistema conhecido como "annona" (uma forma de "esmola"). De muitas formas, as cidades eram comparáveis com as do Ocidente e do Oriente; a Turquia era parte do mundo mediterrâneo, no entanto, todos os grandes centros urbanos tinham problemas com abastecimento, com frequência feito pelos camponeses.

COMÉRCIO

Se a agricultura se encontrava basicamente numa posição semelhante à do resto da Europa, o mesmo ocorria com o *status* do comércio e o das cidades. O comércio era tanto público quanto privado, requerendo uma burguesia que não estava totalmente sob o controle despótico, e isso lança dúvidas sobre a noção de "despotismo". Os impérios Romano e Bizantino haviam colocado o comércio, a circulação e a venda de mercadorias amplamente sob controle estatal;[41] os otomanos seguiram o exemplo. Entretanto, o comércio também envolvia comerciantes parcialmente independentes e uma burguesia, assim como funcionários do governo. A Casa de Mendes, dirigida por judeus marroquinos expulsos da Espanha cristã, tinha uma rede de agentes nas principais cidades da Europa "e controlava larga fatia do comércio internacional".[42] "Todo país europeu que aspirasse expansão mercantilista, como um pré-requisito para o desenvolvimento econômico, requeria esses privilégios econômicos do sultão", isto é, os privilégios de comerciar na capital que, seguindo Veneza, as cidades italianas tinham usufruído anteriormente.[43] "O Ocidente dependia, pelo menos no começo, para suas prósperas indústrias de seda e algodão, de suprimentos provenientes do Império Otomano ou que o atravessavam".[44] A Batalha de Lepanto, em 1571, e o advento das potências marítimas do Atlântico (ingleses e holandeses) com suas armas, em 1580-90, marcaram um momento decisivo para o Mediterrâneo; a região se abriu para as novas companhias orientais dessas nações. As primeiras empresas de fretamento bem-sucedidas no Ocidente foram as do Levante, lidando mais com o Oriente Médio do que

---

[41] Inalcik, 1994:198.

[42] Inalcik, 1994:213.

[43] Braudel, 1949. Na Europa, a história da Turquia foi sempre tratada de um ponto de vista distintamente unilateral. Entretanto, o trabalho de Braudel sobre Felipe II viu o Império Islâmico como parte intrínseca do mundo Mediterrâneo.

[44] Inalcik, 1994:3.

com a Índia e além, e foram estabelecidas bem antes da Companhia das Índias Orientais.

Durante o século XVI, "o Império Otomano desempenhou um papel determinante no mundo do comércio".[45] Istambul era o ponto de encontro da rota norte-sul do mar Negro e portos do Danúbio, e da rota leste-oeste para a Índia e o Oriente. Não havia somente a ligação ocidental para Veneza e Gênova, mas sim, desde 1400, existia uma rota de comércio vertical norte-sul, atravessando Damasco, Bursa, Akkerman, Lvov, pela qual produtos orientais alcançavam a Polônia, Moscou e os países bálticos; essa trilha seguiu uma anterior do Báltico para o Oriente Médio que marcou a abertura do comércio europeu no período carolíngio.[46] Importações do Ocidente eram basicamente tecidos de lã (e metais preciosos, como sempre) trocados por "bens orientais" incluindo produtos locais, seda e tapetes. Eram basicamente, mas não só, produtos de luxo. Alguns moralistas romanos mostraram-se preocupados com a perda para o Oriente de metais preciosos em troca desses produtos. Eles viam o Oriente como o lar não tanto do despotismo, mas da luxúria, um desregramento que afetaria muito as virtudes militares romanas. No entanto, o comércio continuou sendo de grande importância.

As operações de comércio abrangiam a Europa e a Ásia. A dominação econômica e política bizantina do mar Negro entrou em colapso em 1204, quando Veneza conquistou a supremacia no mar Egeu ocidental e em Istambul, enquanto Gênova conquistava o Egeu oriental, estabelecendo colônias por todo o Mediterrâneo. A Turquia, mais tarde, destruiria as colônias latinas na região e restauraria a velha tradição imperial bizantina, passando a controlar a origem dos suprimentos. Mehmed, o Conquistador, inspirou-se na ideia de reviver o Império Romano Oriental e Porte precisava assumir o controle do mar Negro para garantir a provisão de trigo, carne e sal em Istambul. A troca de seda, algodão e cânhamo do norte da Turquia por produtos agrícolas do norte do mar Negro significava que a Ásia Menor havia se "industrializado" nesses setores, mesmo antes que as manufaturas do Ocidente e da Rússia tivessem condições de competir, no final do século XVIII.[47] Havia também uma presença muito ativa da Turquia e do Egito (nominalmente pelo menos sob a soberania turca por longos períodos) no oceano Índico. A Turquia tentou socorrer o reino muçulmano de Achém, na Indonésia, seu parceiro comercial, com homens e armas para resistir às esquadras europeias então ativas na região. Apesar de ter começado como um poder em terra, a Turquia, ao alcançar o Mediterrâneo, mostrou grande

---

[45] Inalcik, 1994:4.   [46] McCormick, 2001.   [47] Inalcik, 1994:275.

SOCIEDADES E DÉSPOTAS ASIÁTICOS   131

adaptabilidade para criar uma esquadra que dominou o mar por longo tempo. Depois disso, a abertura do continente americano, trazendo prata mais barata, algodão e açúcar (este até então só disponível pelo comércio com o Islã) mudou todo o quadro de oportunidades.

A INDÚSTRIA DA SEDA

O comércio estimulou uma esfera particular de manufatura, na prática uma indústria, com a qual a Turquia se tornou uma jogadora de ponta e que afetou enormemente a ascensão do Ocidente, especialmente da Itália: a seda.

A seda em estado natural primeiramente alcançou Bizâncio vinda da China por intermédio dos persas, tanto por rota terrestre como pelo Índico. O imperador Justiniano tentou quebrar o monopólio persa, buscando alternativas, especialmente depois de os mongóis terem interceptado a rota direta. Tentou ao sul, com mercadores etíopes de Aksum, e ao norte, com os povos da Crimeia e o reino caucasiano de Lazica, bem como com os turcos das estepes. A seda tornou-se "mercadoria de primordial interesse". Pouco antes de 561, agentes de Justiniano contrabandearam bichos da seda para Constantinopla, o que levou ao estabelecimento de uma indústria completa de seda que pretendia libertar o país da dependência do Oriente, tornando-se "uma das operações econômicas mais importantes da Bizâncio medieval".

Já no século VI a.e.c., tecidos de seda chinesa chegavam à Europa. Com a abertura da rota da seda no século II a.e.c., o material passou a chegar em quantidades maiores. Depois de 114 a.e.c., "uma dúzia de caravanas por ano, carregadas de seda, atravessava os desertos da Ásia central vindas da China".[48] Síria, Palestina e Egito importavam tanto seda crua como tecidos e uma indústria de tecelagem de seda começou a florescer. Pelo século IV e.c., sua manufatura tinha se espalhado pela Pérsia e, depois, Bizâncio – uma indústria que acabou sendo herdada e desenvolvida pelos turcos. A seda foi introduzida na parte islâmica da Espanha durante o governo de Abd al-Rahman II (755-788), de Córdova, na época em que ele adotou o título de Ummyad Khalif. Ele assumiu o monopólio da cunhagem de moedas e, seguindo os exemplos abássida e bizantino, organizou a manufatura real de tecidos de luxo. Pés de amora, bichos-da-seda, tecelões sírios e oficinas de

[48] Childe, 1964:249.

seda foram estabelecidos próximos ao palácio em Córdova bem como em Sevilha e em Almeria. Assim como as técnicas, muitos dos motivos vieram do Oriente Médio, alguns de origem persa (sassânida).[49]

A seda "era a base estrutural para o desenvolvimento das economias iraniana e otomana".[50] Nesse processo, Bursa tornou-se "um mercado do mundo", por volta do século XIV, com muitos comerciantes ocidentais usando os portos do Éfeso e Antalia. No entanto, os genoveses em Pera Constantinopla comercializavam diretamente com Bursa, que estava sob controle otomano. Os comerciantes genoveses chegavam a viajar pelo interior para comprar diretamente nas cidades de Tabriz e Azov. A seda estreitou os laços entre fabricantes e comerciantes da Europa e Oriente Médio, especialmente da Turquia. Primeiro, as roupas de seda vinham do Oriente como produto de luxo, depois, a Europa passou a importar a seda crua e fazer suas próprias roupas, e, finalmente, assumiu todo o processo de produção, incluindo o cultivo de bichos-da-seda e pés de amora. Esse processo mostra o modo como as regiões se entrosam e o processo pelo qual as ideias e técnicas são transferidas de uma área para a outra. Precisamos olhar para a Eurásia não tanto em termos de dicotomias e barreiras entre os sistemas europeu e asiático, seja no nível político (a questão do despotismo) ou qualquer outro, mas mais em termos do fluxo gradual de bens e informações que atravessavam suas terras. Longe de iniciar as primeiras fases da mecanização, produção em larga escala e mercado de têxteis – que começaram no Oriente, inclusive na Turquia – a seda na Europa foi desenvolvida somente mais tarde; de qualquer forma, sua produção foi uma questão de substituição de importação. "Com as indústrias altamente desenvolvidas de lã nativa, a seda se tornou a principal fonte de intercâmbio internacional e riqueza para os países ocidentais dos séculos XIII ao XVIII".[51] A moda, afirmou-se,[52] foi a mola propulsora da expansão da economia e o uso da seda entre as elites; crescendo após as Cruzadas, fomentou uma florescente indústria de luxo.

Além de na Espanha, a seda foi sendo gradualmente produzida na Europa. Na Itália, a seda natural era usada em Salerno, no século IX, e no vale do Pó, por volta do século X, com técnicas adquiridas da Grécia e do Oriente Médio. Isso foi bem antes de Rogério II da Sicília trazer trabalhadores de seda da Grécia. Entretanto, o grande passo foi dado pelas cidades do norte, uma

---

[49] Reynal, 1995.
[50] Inalcik, 1994:219.
[51] Inalcik, 1994:218.

[52] Reflexão da tese do economista alemão Sombart.

expansão que pode ter sido encorajada pelas dificuldades com o suprimento de tecidos de seda do Oriente Médio como resultado das invasões mongóis e outros conflitos. A tecelagem da seda se estabeleceu na cidade de Lucca, a partir do século XIII, com a chegada de muitos tecelões fugidos da Sicília, depois da conquista francesa em 1266.[53] Começaram usando a seda crua importada através de Gênova vinda da área do Cáspio, da Pérsia, da Síria e da "România", uma transação certamente estimulada pelo explosivo comércio com o Oriente.[54] Os tecidos de seda eram, claro, destinados ao mercado de luxo, cortes de príncipes, ricos mosteiros e grandes catedrais e, por fim, comerciantes bem-sucedidos. Houve uma tentativa, por meio de uma legislação suntuária, de limitar o consumo desse material para a corte e certas categorias da elite, mas essas restrições caíram. O comércio se expandiu inevitavelmente. Os comerciantes vendiam seus tecidos nas feiras de Champanhe e, a partir do final do século XII, em Paris, Bruges e Londres.[55] A oferta e o consumo aumentaram. O sucesso da manufatura era repicado em Bolonha e Veneza. Florença continuou especializada em roupas de lã inglesa, tornando-se provavelmente a mais importante cidade industrial na Europa do século XIV.[56]

Há, portanto, uma progressão interessante na manufatura de têxteis no Oriente e Ocidente. No início, a mecanização foi um processo lento, em que a eficiência dos teares cresceu gradualmente, não ao mesmo tempo e em todo lugar, mas sempre estimulada por mudanças ocorridas em vários lugares resultantes da comunicação. Esse processo avançou na China com o uso da água para acionar as máquinas de trançar os fios, um método que, mais tarde, foi absorvido pela Europa. O mesmo ocorreu com a própria produção da seda crua. Naquele tempo, os turcos, outrora os maiores na manufatura e comércio de seda, haviam repassado a primazia para a Europa, que refletiu inteiramente a organização do empreendimento comercial turco, tanto que insistir em contrastes entre as duas é um equívoco.

O COMÉRCIO DE ESPECIARIAS

Não foi somente na manufatura de seda e seu comércio (principalmente por metais preciosos) que a Turquia e os outros países islâmicos ao redor

---

[53] Algumas fontes consideram a tecelagem de seda em Lucca já no século XI.

[54] Arizzoli-Clémental, 1996.

[55] E. de Roover fez algumas de suas pesquisas para *La Sete*

Lucchesi (1993) na Catedral de St. Paul, Londres.

[56] Tognetti, 2002:12.

do Mediterrâneo demonstraram atividade comercial própria do capitalismo mercantil, que envolvia ousadia e iniciativa, uma resposta às exigências de mercado e a combinação de manufatura e comércio. Além da seda, o comércio foi afetado por outra mudança ocorrida nos negócios com as especiarias que também esimulou a colonização de portugueses, holandeses e ingleses no Oriente. A Turquia dos primeiros tempos, assim como o Oriente Médio de forma geral, foi novamente um personagem importante. Kellenbenz afirma que: "o espírito capitalista encontrou no comércio de pimenta um dos seus mais importantes campos de atividades".[57] Esse comércio estava principalmente nas mãos de comerciantes individuais, que frequentavam os grandes *khans* e *caravanserai* (hospedarias) espalhados pela região, e envolvia empreendimento capitalista do mesmo modo que o comércio praticado pelos europeus.

As especiarias já haviam alcançado a Europa pelo Oriente no período clássico. Constituíram-se em fator determinante das trocas no Oriente Médio, na Índia e China por um longo período. A pimenta local era condimento importante na dieta da África negra, mas na região do Mediterrâneo tinha de ser importada do Oriente, envolvendo comerciantes locais, intensamente e por muito tempo, nessa transação. Como com o comércio da seda, os turcos assumiram as bem estabelecidas tradições comerciais bizantinas depois que conquistaram Constantinopla. Antes disso, o Islã havia se espalhado para o sudeste da Ásia, Malásia e Indonésia, e os comerciantes dessas regiões continuaram ativos mesmo depois que os portugueses abriram a rota marítima para a Europa ocidental. Os primeiros carregamentos de tempero chegaram a Lisboa em 1501. Entretanto, navios da Índia e Achém, a maioria pertencente a muçulmanos, continuaram a suprir o mar Vermelho, apesar da oposição portuguesa. Os navios muçulmanos levavam suas cargas através do golfo Pérsico, onde, em 1546, os otomanos se estabeleceram em Basra. Assim, nunca houve um desvio completo do comércio de especiarias; os otomanos continuaram a ter ligações diretas com o reino islâmico de Achém, que tentaram apoiar política e militarmente; Veneza continuou receptora de especiarias orientais.

Com a chegada dos ingleses e holandeses no oceano Índico e a perda, pelos portugueses, em 1622, do porto de Hormuz, que controlava o golfo, houve enorme expansão do comércio com as potências do Atlântico.

---

[57] H. Kellenbenz, "Le commerce du poivre des Fugger et le marché international du poivre". *Annales: Economies, Sociétés, Civilisations*, XI (1), 1956:27, citado em Inalcik, 1994:344.

O resultado é que ocorreu uma mudança geopolítica fundamental para o Atlântico com o desenvolvimento do comércio com as Américas: a substituição pela produção colonial – açúcar, tabaco, café e algodão, todos trazidos das Américas.[58] Veneza e os otomanos sofreram com esse desvio do Mediterrâneo oriental quando a economia do Atlântico decolou.

O açúcar foi o epítome dessa mudança na produção e comércio. Uma das mais importantes "especiarias", sua produção havia sido trazida do sul da Ásia para a Pérsia e, depois, pelos árabes, para a costa oriental do Mediterrâneo. Os turcos estiveram profundamente envolvidos, como também os reinos cristãos sob as Cruzadas. A organização do trabalho teve reflexos em toda parte. "As propriedades rurais que cultivavam a cana-de-açúcar, muito similares às plantações posteriores nas Américas, emergiram nos reinos palestinos das Cruzadas do século XII e XIII. Pelo século XIV, Chipre tinha se tornado o maior produtor."[59] Essas propriedades rurais foram criadas pelos hospitalares e por famílias catalãs e venezianas que empregavam escravos sírios e árabes, bem como camponeses nativos. A força de trabalho era mista. O açúcar se espalhou na direção oeste para Creta, norte da África e Sicília, onde floresceu mesmo depois da invasão normanda do século XII. Desde a conquista moura, muitos séculos antes, o cultivo também era desenvolvido na península Ibérica, com o emprego de escravos cristãos e muçulmanos, sendo o açúcar negociado por toda a Europa, frequentemente por comerciantes italianos (genoveses). No século XV, escravos eram importados da África negra, na época explorada ativamente pelos portugueses. Do Algarve, a produção de açúcar e sua estrutura se transferiram para a Madeira e outras ilhas atlânticas e, mais tarde, para a América colonial.

A produção no Mediterrâneo havia se aprimorado com o uso de moinhos para esmagar a cana. A indústria tornou-se gradualmente mais mecanizada. Em alguns lugares naquela região ou nas ilhas do Atlântico, foi desenvolvido um novo sistema, que consistia de dois cilindros juntos; a cana não precisava mais ser cortada e extraía-se mais suco. Nas ilhas Canárias, foi desenvolvido um complexo industrial de açúcar descrito como "capitalista" (de novo sob a direção genovesa),[60] e certamente foi necessário um substancial capital para os *engenhos*, as máquinas usadas para esmagar a cana. Os comerciantes passaram a ser produtores, investindo capital e usando maquinário de modo cada vez mais complexo. Desde o início, o empreendimento todo estava voltado para o mercado e, agora, o produto era exportado para o norte da Europa. Na

---

[58] Inalcik, 1994:353. [59] Schwartz, 1985:3. [60] Schwartz, 1985.

ilha de São Tomé, na África ocidental, as condições foram particularmente favoráveis para a aquisição, em larga escala, de escravos africanos e, portanto, para o crescimento de um empreendimento que, por fim, serviu de modelo para a indústria no Brasil. Essa teve início em 1516, mesmo antes que um governo organizado se estabelecesse em 1533, um terço de século depois de Cabral ter descoberto a região. Na América do Sul, esses empreendimentos empregavam considerável número de artesãos europeus, bem como indígenas, e mais tarde escravos negros. Consequentemente, a estrutura da sociedade, baseada desde o início no comércio agrícola, foi misturada tanto étnica como profissionalmente, fornecendo um modelo de empreendimento capitalista mecanizado para outras áreas.

Com o passar do tempo, a Turquia não pôde mais competir com o Ocidente em seu leque de produtos baratos: algodão, lãs, aço, mineração. Seu monopólio na preparação de açúcar foi quebrado pela migração da cana para as Canárias e o Brasil, tanto que as refinarias de Chipre e Egito foram obrigadas a fechar. A tecnologia agora era desenvolvida no Atlântico e produzia o que Mintz e Wolf chamaram de "capitalismo antes do capitalismo".

UMA SOCIEDADE ESTÁTICA?

Essas atividades de comércio e manufatura dão a entender que a Turquia não tinha uma "economia estática" que, supostamente, caracteriza Estados despóticos. O mesmo se aplica à sociedade como um todo. A alegada inflexibilidade foi atribuída não só por seu caráter despótico mas também pelo islamismo; e o exemplo disso, sempre mencionado, foi a rejeição à prensa, usada na China há muitos séculos. Venho afirmando que a sociedade turca era aberta a muitas influências. A restrição com respeito à prensa (e talvez a outras inovações, como o relógio) não está relacionada com resistência à mudança. Tem especificamente relação com crenças religiosas. Devido à generalização equivocada sobre soluções específicas para problemas específicos, a questão a ser levantada é: por que o mundo islâmico quis manter essas crenças por mais tempo do que o cristianismo e o judaísmo. O estabelecimento de um poder secular independente era mais lento. Em contraste com outras religiões, particularmente o islamismo, o cristianismo permitiu a secularização, uma tese sustentada por Bernard Lewis: "Secularização, no sentido político moderno – a ideia de que religião e autoridade política, Igreja e Estado, são diferentes e podem e devem ser separados –, é, num sentido profundo, cristã".[61] Essa avaliação me parece insustentável. É certo que Cristo orientava seus seguidores para "darem a César" o que era dele, enfatizando a distinção entre Igreja e Estado. No entanto, essa distinção tornou-se menos nítida com o estabelecimento, mais tarde na Europa, do Sacro Império Romano, com governantes se apresentando como defensores da fé. A religião dominou a maioria das áreas da vida na Europa medieval. O ceticismo e até mesmo o agnosticismo faziam o contraponto, como em outras religiões. No geral, porém, o pensamento secular é um fenômeno pós-Renascença, e mesmo pós-Iluminismo, quando alcançou um *status* mais permanente. Isso foi um desenvolvimento importante. Mesmo mais tarde, aspectos das velhas formas de vida persistiram em certos lugares, como o sul dos Estados Unidos, apesar de sua moderna economia, sem falar das comunidades judias ortodoxas em várias partes do mundo. O Islã difere somente em tempo e grau. Além do mais, ele também experimentou períodos de humanismo quando o aprendizado secular floresceu. Houve diferenças gerais pequenas nessas religiões até a Renascença.

O que um breve exame da situação turca – focando governo, campesinato e comércio – enfatiza é que é um erro concentrar a análise em um aspecto particular do regime, especialmente quando se trata de encontrar diferenças. A pesquisa das diferenças é importante quando o tema é "modernização". A Europa, de fato, desenvolveu um sistema de conhecimento muito avançado depois do advento da prensa e uma economia igualmente forte depois da Revolução Industrial, tendo alcançado certa superioridade em armas e viagens marítimas um pouco antes (apesar da extensão dessa superioridade ser questionada).[62] Relacionar, porém, esses feitos ao sistema político (democracia europeia *versus* despotismo asiático), a diferenças na posse de terra ("ausência de feudalismo") ou ao sistema legal (supostamente sem a tradição da lei romana, no caso da Turquia) é projetar o presente no passado de uma forma inaceitável.

De qualquer modo, no que diz respeito à produção do conhecimento, o mundo islâmico tinha uma superioridade distinta até a chegada da prensa. A economia de manufatura e troca estava igualmente desenvolvida. O Oriente Médio era o centro para os tecidos de seda e outros produtos de luxo. Esses desenvolvimentos não se viram muito inibidos pelos supostos regimes "despóticos" ou características como a chamada ausência de lei, de

---

[61] Lewis, 2002:107. [62] Hobson, 2004:189.

cidades independentes ou de liberdade! As cidades foram herdadas do mundo antigo e desenvolveram guildas, mercados e instituições de caridade (*waqf*), como no Ocidente. A lei islâmica baseava-se na jurisprudência romana e nos códigos pós-judaicos do Oriente Médio. As discussões legais alcançaram complexidade similar às da Europa.[63] As atividades tanto de camponeses como de comerciantes receberam proteção legal das cortes em que as mulheres podiam ser querelantes. A noção de despotismo asiático aparece como um recurso para negar legitimidade a alguns Estados. Esse recurso foi usado primeiro na Grécia antiga e depois no mundo acadêmico dos tempos pós-renascentistas. É um conceito que precisa ser abandonado.

O Império Otomano, que se encontra no centro desses desenvolvimentos, não pode ser classificado, do ponto de vista econômico, como despotismo estático oriental. "Em qualquer área [ele] permaneceu altamente dinâmico até quase todo o século XVII".[64] O mesmo autor observa que "o Estado otomano dos séculos XV ao XVII podia superar em eficiência e igualar em adaptabilidade seus competidores ocidentais, com os quais dividia muitas das tradições".[65] As tradições compartilhadas eram importantes; a Turquia não era simplesmente um "outro" oriental, nem em economia nem em política. "No século XVI, o pensamento político turco emparelhou o desenvolvimento do mundo cristão ocidental. O grande Ebu us-Sud produziu uma justificação do absolutismo que revelava um domínio completo do direito romano".[66] A Turquia é descrita como "um Estado de extraordinária elasticidade"; somente "a enganosa falta de visão" dos historiadores "prognosticou cedo seu declínio". A adaptabilidade também estava presente. Os turcos, que primeiro dependiam da cavalaria, tornaram-se uma importante potência naval do Mediterrâneo; seus engenheiros adquiriram "um rápido domínio da artilharia". O autor continua, elogiando "a grande visão de Istambul com relação ao mapa do mundo"; mostrou grande interesse nas descobertas mundiais, de Colombo e outros, as quais acabaram afetando fortemente sua situação.[67]

SEMELHANÇAS CULTURAIS ENTRE ORIENTE E OCIDENTE

Apesar de a Turquia ser o Estado não europeu (asiático) mais próximo, o alvo principal da crítica pós-iluminista foi a China. Aos olhos de muitos

---

[63] Mundy, 2004.
[64] Fernández-Armesto, 1995:220.
[65] Fernández-Armesto, 1995:222.
[66] Fernández-Armesto, 1995:223.
[67] Fernández-Armesto, 1995:219.

europeus, esse imenso país permaneceu "tradicional", "estático", "despótico", atrasado. Em publicações anteriores, tentei mostrar o contrário: de muitas formas, a cultura da China seguiu seu curso em paralelo com a Europa.[68] Comecei com a família e o casamento, afirmando que, em primeiro lugar, as estatísticas demográficas não evidenciaram um padrão de família não europeu em termos de tamanho, e isso estaria ligado a um certo grau de "individualização" do par conjugal.[69] Isso ocorria nos sistemas de dote em que a propriedade familiar era transmitida para as filhas bem como para os filhos por ocasião de seus casamentos, ou, mais tarde, por herança, fazendo surgir aspectos de um "complexo da propriedade feminina" (endogamia no casamento, estratégias particulares de administração e de herança, como a adoção e as uniões centradas na mulher etc.). Tal sistema parecia caracterizar a maioria das sociedades da pós-Idade do Bronze na Eurásia. Suas agriculturas avançadas requeriam um tipo de estratificação econômica ("classes") sob a qual as transferências variavam e os pais tentavam manter ou melhorar a posição de seus filhos e filhas depois do casamento. Todos os irmãos herdavam a propriedade da família, embora não de forma igual. O ponto da convergência entre Europa e Ásia aparece quando contrastamos essa situação com a que prevalecia na África subsaariana, região de cultivo de enxada, em que as diferenças sociais e econômicas desse tipo eram mínimas e não importava com quem alguém se casava (ou os custos matrimoniais) exceto talvez no caso de alguns comerciantes.[70]

Havia paralelos semelhantes em outros assuntos "culturais" que sugerem mais convergência do que divergência. Semelhanças entre Oriente e Ocidente sugerem que a divergência que os historiadores têm apontado tanto com relação à ideia de Antiguidade quanto com a subsequente *isnad*, ou genealogia, com o capitalismo ocidental – taxando de marginal uma Ásia "despótica" e mesmo atrasada – é inadequada para dar conta de toda complexidade. Afirmei que, na Europa, práticas culinárias elaboradas, conhecidas como "*haute cuisine*", podiam ser diferenciadas de formas estratificadas mais simples de cozinhar e também de formas de cozinhar não estratificadas como as da África, em que entre outras coisas, a economia agrícola não podia sustentar tais diferenças.[71] A cozinha estratificada simples acompanhou a maioria das principais sociedades posteriores à Idade do Bronze na Eurásia, mas, em algumas delas, encontramos o desenvolvimento

---

[68] Goody, 1982,1993,1996a.
[69] Goody, 1976.
[70] Goody e Tambiah, 1973.
[71] Goody, 1982.

de uma *haute cuisine* em que o refinamento contava grandemente na corte e nos círculos de elite, incluindo comerciantes e a alta burguesia. *Hautes cuisines* desse tipo eram encontradas na China,[72] na Índia, no Oriente Médio,[73] bem como na Europa clássica e moderna.[74] Mesmo que isso possa parecer superficial, a questão da culinária muito nos ensina sobre estratificação social (classe) e sobre a própria comida que consumimos.

O mesmo acontece com a cultura das flores e o modo como diferentes sociedades as cultivavam e usavam como elementos estéticos, rituais e outros propósitos tais como presentes e oferendas.[75] Uma vez mais, o que parece marginal está mesmo no coração das culturas. Os países pré-coloniais da África subsaariana não só não cultivavam variedades florais domesticadas como também não usavam flores selvagens em seus rituais ou quaisquer outros contextos sociais. Isso era bastante diferente da China, Índia, Europa e Oriente Médio. Em suas economias, as culturas africanas faziam maior uso da fruta do que da flor, usavam mais o comestível do que o decorativo. Na Eurásia, o cultivo de flores era uma ocupação de especialistas. As variedades florais foram desenvolvidas para os jardins da corte e de outras elites e também para o mercado; o mercado fornecia para oferendas (porém não no Oriente Médio), para comunicação (presentes, apresentações) e para decoração. Em regiões da China, árvores frutíferas em época de floração eram cortadas e colocadas em vasos em casas mercantis durante o Ano Novo como oferendas em um gesto de consumo conspícuo: não se esperou que frutificassem. E daí surgiu a especialidade do cultivo de flores por razões estéticas do mesmo modo que com a culinária, uma especialidade que marcou todas as culturas posteriores à Idade do Bronze. E não só a elite política, como também a mercantil, participou dessas atividades, por isso não foi surpresa vê-las associadas ao comércio e mesmo à indústria. Na verdade, contrariando muitas ideias europeias, o prazer da comida fina e das flores foi bem mais desenvolvido no Oriente do que no Ocidente.

As semelhanças culturais se espalhavam por um leque de atividades artísticas. O teatro *kabuki* apareceu no Japão mais ou menos na mesma época (início do XVII) que o drama secular na Europa da Renascença, atraindo o mesmo tipo de plateia burguesa e mercantil. Os romances apareceram na China no século XVI e, ainda mais cedo, no Japão se contarmos *Histórias de Genji* (século XI). Na Europa, seu aparecimento se deu no século XVIII.

---

[72] Chang, 1977.
[73] Rodinson, 1949.
[74] Goody, 1982.
[75] Goody, 1993.

Alguns desenvolvimentos paralelos nessas áreas foram produzidos pelo sistema mundial de trocas existentes entre grupos de mercadores. Esses grupos estavam voltados para a troca de bens, mas intercâmbios ocorriam também no nível das ideias e de *know-how*. Foi assim que as manufaturas de papel e de seda foram transferidas do Oriente para o Ocidente, em um processo que levou séculos. Outras especialidades, como a manufatura do vidro[76] e a adoção da perspectiva na pintura, caminharam na direção inversa. Alguns motivos gráficos, como o acanto e o lótus, viajaram em uma direção e o dragão, em outra.[77] Porém, para além dessas formas de comunicação intercultural, havia um outro processo em andamento: a elaboração interna (ou evolução social). A partir da Idade do Bronze, as sociedades urbanas passaram a produzir atividades artesanais e intelectuais cada vez mais complexas, em que uma inovação levava a outra. Ocorreu mesmo em muitas transformações tecnológicas.[78] Assim, houve uma dinâmica interna nessas sociedades, apenas em parte instigada pelo "mercado", que produziu desenvolvimentos socioculturais paralelos em diferentes parte do mundo. A tese do surgimento de um padrão totalmente divergente na Idade do Bronze na Eurásia é altamente questionável, sobretudo se adotarmos um enfoque "antropoarqueológico" do mundo moderno.

O que estou sugerindo aqui é uma alternativa à explicação "cultural" das diferenças entre uma sociedade e outra. Esse tipo de explicação tende a ser estática e situa os grupos humanos em uma moldura quase biológica, embora envolva mais unidades culturais (chamadas *memes*) do que unidades físicas. Essa alternativa tem de ser mais dinâmica, levando em conta a troca externa de informações e o desenvolvimento e a comunicação internos de formas comportamentais mais complexas a longo prazo. Desenvolvimentos sociais e culturais desse tipo são processos bastante diferentes da evolução cultural, embora em alguns casos eles operem por meio de linhas "selecionistas". Entretanto, uma possível, mas não inevitável, consequência da análise das culturas em termos de "estruturas profundas" – buscando analogias (tijolos semelhantes) entre os vários componentes – é a genética, que levou a ramos da "antropologia cognitiva" na tentativa de encontrar estruturas embutidas na mente. Essas estruturas sem dúvida existem, mas só combinadas com processos mais dinâmicos que decorrem da "evolução social", isto é, de comunicação "externa" e desenvolvimento "interno". É essa dinâmica que precisa ser considerada no desenvolvimento a longo prazo, em parte

---

[76] MacFarlane e Martin, 2002.   [77] Rawson, 1984.   [78] Singer, 1979-84.

interacionista, das sociedades euroasiáticas, que excluiria a separação radical de qualquer componente importante como "despótico". Nesse sentido, qualquer superioridade encontrada é estritamente temporária.

Uma explicação mais dinâmica da história cultural enxerga tanto convergências como divergências a partir de uma base comum. Ela não se interessa pela distinção categórica entre potências "despóticas" e "democráticas". Uma posição como essa é defendida pela classificação de Estados "tributários" por Eric Wolf. A categoria engloba Oriente e Ocidente; o oriental sendo algumas vezes mais "centralizado" que o "ocidental", mas ambos pertencentes a uma categoria geral. Por "tributário", entendo um Estado que requer suporte monetário dos habitantes de seu território, criando assim a possibilidade do retorno ao "governo do povo" que fornece esses fundos. Um paralelismo similar é indicado pela classificação de "feudalismo militar" para o Ocidente e "feudalismo burocrático" para o Oriente de Needham. Os dois evitam a tese do "despotismo asiático".[79]

Na minha opinião, a tese de Wolf resolve o problema que encontrei em várias abordagens – marxistas e outras – do "excepcionalismo asiático" e do "orientalismo", ou seja, a questão decorrente do paralelismo das sociedades da Idade do Bronze e da suposta diversidade da Antiguidade em diante. Para tanto, é necessário uma mudança conceitual radical: abandonar a tese de uma sequência (de modos de produção, comunicação e destruição) europeia distinta. Em vez disso, temos de enxergar o crescimento euroasiático do "Estado tributário", o desenvolvimento de civilizações urbanas paralelas, a crescente troca de bens e ideias no tempo e o aparecimento de um capitalismo mercantil euroasiático, com mercados, atividade financeira e manufaturas. Não há espaço para déspotas asiáticos, excepcionalismo asiático ou modos asiáticos de tipos dramaticamente distintos.

---

[79] Wolf, 1982; Needham, 2004.

PARTE II
TRÊS PERSPECTIVAS ACADÊMICAS

CIÊNCIA E CIVILIZAÇÃO
NA EUROPA RENASCENTISTA

Nos próximos três capítulos discutirei três grandes historiadores. Eles não são necessariamente os mais recentes, se bem que as conclusões de Needham foram publicadas em 2004, mas são os historiadores acadêmicos mais citados e influentes, quando a questão é a compreensão contemporânea da história mundial. O primeiro é Joseph Needham. Originalmente um biólogo, ele passou o último período da vida estudando a história da ciência na China. Escreveu e editou uma série magistral chamada *Science and Civilization in China* (1954), na qual ele mostra que a ciência chinesa tinha sido igual, se não superior à do Ocidente pelo menos até o século XVI. Para o período subsequente, ele tentou explicar o que tem sido chamado de "o problema de Needham", ou seja, por que o Ocidente "venceu". No capítulo seguinte, discutirei o trabalho do influente sociólogo alemão Norbert Elias. Interessado no *Civilizing Process* (O *processo civilizador*), ele viu o zênite da Europa na pós-Renascença. Por fim, examinarei os escritos do grande historiador francês Fernand Braudel. Em seu livro *Civilization and capitalism, 15th-18th Century* (*Civilização material e capitalismo, séculos XV-XVIII*), Braudel discute várias formas de capitalismo em diferentes partes do mundo, mas conclui que o "verdadeiro capitalismo" é um desenvolvimento puramente europeu.

Esses autores abordam, de formas diferentes, a questão da superioridade da Europa após a Revolução Industrial do fim do século XVIII ou após a Renascença do século XVI. Essa superioridade tem de ser explicada. Mas considero que suas explicações têm falhas: ou eles recorrem a um passado exclusivo europeu distante, ou privilegiam a Europa de forma questionável. Distorcem a história mundial em vez de iluminá-la.[1] Autores mais recentes

---

[1] Claro, só de um certo ponto de vista; estou completamente de acordo com a maior parte de seus escritos.

146 O ROUBO DA HISTÓRIA

fizeram pouco melhor, apresentando hipóteses semelhantes sobre a singularidade europeia, a burguesia, o capitalismo e até mesmo a civilização. Essas abordagens parecem ter outra perspectiva da história mundial ou lançar mão de um relativismo cultural, mas, de fato, padecem do mesmo eurocentrismo.

Nos próximos três capítulos, examino aspectos gerais que atraíram os historiadores. Primeiramente, a Europa é tida como responsável pela invenção de algumas instituições características precursoras do capitalismo. Havia as universidades do século XII e as cidades comerciais, ambas supostamente diferindo radicalmente de suas correspondentes orientais. Além disso, havia a ideia de que, no curso de sua história, por volta da Antiguidade, a Europa era detentora exclusiva de certas virtudes e práticas como democracia, liberdade, individualismo, família. No capítulo "Amor roubado: a reivindicação europeia das emoções", discuto a ideia defendida por muitos historiadores altamente respeitados que emprestam essa mesma exclusividade à emoção do amor europeu (ou pelo menos de amor romântico). Essas teses são etnocêntricas e teleológicas. Surgem de tentativas de justificar um posterior domínio do mundo, projetando para trás uma superioridade de forma insustentável.

Após o feudalismo, período considerado exclusivo do Ocidente, segue-se algo altamente significativo para sua modernização, a "Renascença". Suas conquistas são com frequência vistas por acadêmicos europeus das ciências humanas como algo centrado nas artes. Mas a arte estava muito ligada à política e à economia. Recentemente, um estudioso escreveu sobre essa situação da seguinte forma:

> A arte renascentista do início do século XV emergiu, por um lado, como resultado do poder acentuado de uma elite predominantemente urbana e comercial, ansiosa em expor sua riqueza esbanjando em objetos de arte, e, por outro, da avidez da Igreja em manter e ampliar uma posição teológica coerente para os fiéis [...] [Os objetos de arte] se voltavam mais para o passado clássico que para precedentes bíblicos, fornecendo novas ideologias políticas com credibilidade intelectual e autoridade.[2]

Houve, certamente, um renascimento das artes, sobretudo teatro e escultura (sem mencionar pintura secular e música), que de início tinham sido suprimidos ou controlados pela Igreja.

Um pouco mais tarde, uma Renascença (ou o seu início) chegou a Flandres. Jan van Eyck (*c.* 1395-1441), trabalhando para Felipe, o Bondoso

---

[2] Brotton, 2002:138-9.

CIÊNCIA E CIVILIZAÇÃO NA EUROPA RENASCENTISTA   147

(1419-67), duque da Borgonha, foi aclamado por ter desenvolvido, se não inventado, a arte da pintura a óleo e produziu a "Adoração das Ovelhas" (1432) em Ghent; Rogier van der Weyden (1399/1400-64), de Tournai, foi influenciado por Van Eyck, visitou Roma, onde foi bem recebido pelos humanistas, deu aulas e tornou-se o pintor dos Médici, assim como do rei. Hans Memling (c. 1430/5-1494) trabalhou para representantes dos Médici florentinos e para a nova Liga Hanseática em Lubeque.[3] Naquela época, Bruges era a maior cidade mercantil da Europa,[4] comercializando especiarias e outros bens do Oriente e, principalmente, a lã inglesa, que constituía a base de sua economia, fornecendo o material bruto para os famosos teceloes flamengos. Essa atividade a colocou em contato direto com Lubeque no Báltico, sede central da grande Liga, e também com as feiras de Champagne, com Florença, Espanha e países do sul. A economia florescente e a Renascença andaram de mãos dadas. Foram os ricos mercadores e o clero, junto com o governo por eles mantido, que sustentaram a riqueza das obras decorativas e artísticas que adornavam a cidade.

No que se refere à Renascença italiana, Brotton pergunta se o termo de fato não teria sido "inventado para estabelecer um mito convincente da superioridade cultural europeia".[5] Certamente foi assim que a Renascença, com frequência, foi percebida. No último volume do seu livro *Histoire de la France* (1855), o historiador Michelet escreveu que seu objetivo era "a descoberta do mundo e a descoberta do homem [...]. O homem se achou", um acontecimento que a seu ver era mais francês que europeu. De forma similar, Burkhardt, na Suíça, e Pater, em Oxford, desenvolveram ideias quase nacionalistas sobre o "espírito" da Renascença, que celebraria "a democracia limitada, o ceticismo com relação à Igreja, o poder da arte e da literatura e o triunfo da civilização europeia sobre todas as outras".[6] Em outras palavras, o "humanismo" e a Renascença foram apropriados pelo Ocidente e essa apropriação "serviu de base para o imperialismo europeu do século XIX", justificando o domínio europeu sobre todo o resto do globo.

Não se considerava o Oriente capaz de atividades desse tipo. No entanto, houve mudança nas visões predominantes no Ocidente com relação à China. Inicialmente, houve comentários críticos (como, por exemplo, de Vico, Hume, Rousseau e Dr. Johnson), mas os jesuítas enviados à China produziram relatos

---

[3] Os trabalhos iniciais de Van Eyck (início do século XV) foram influenciados pelas iluminuras da Borgonha.

[4] No século XIV, Letts, 1926:23. Eram, provavelmente, 40 a 50 mil habitantes, mas aos olhos dos cronistas, 100 a 150 mil.

[5] Brotton, 2002:20.
[6] Brotton, 2002:25.

favoráveis sobre muitas de suas instituições, ideologias e atitudes. Os elementos positivos se dissiparam em grande parte após a Revolução Industrial, quando a visão geral com relação à China era a de um país atrasado, tirânico e engessado. No século XVII, a Europa tinha sido bastante influenciada pela arte e decoração chinesas, mas, segundo o historiador alemão Winckelmann, somente a tradição artística grega seria relevante para o "ideal de beleza", estando a arte chinesa estagnada e em um patamar bem inferior. O linguista Humboldt achava o chinês uma língua inferior. O poeta Shelley considerava as instituições chinesas "estagnadas e miseráveis". Herder desdenhava do caráter nacional chinês. De Quincey via os chineses como antediluvianos. Hegel acreditava que a China representava o mais baixo nível de desenvolvimento histórico-mundial (para ele, a China era um exemplo de "despotismo teocrático"). Comte, Tocqueville e Mill viam esse país como inferior, bárbaro ou estacionário.[7] A sinofobia até tomou tons de racismo no trabalho de Gobineau e de outros europeus, enquanto o filósofo Lucien Lévy-Bruhl via "a mentalidade chinesa" como "ossificada".[8]

Com algum ceticismo em relação à Renascença, os próximos capítulos irão acompanhar a visão eurocêntrica da sua singularidade e sua contribuição para o desenvolvimento do capitalismo e para a criação da base econômica, social e epistemológica dos avanços intelectuais e ideológicos europeus posteriores – em outras palavras, da modernidade. Não havia termo chinês para "modernidade" ou para "capitalismo", que, mesmo em inglês, foram criados no século XIX. No entanto, no caso da China, essa ausência foi vista como um problema fundamental que sinaliza a incapacidade chinesa de atingir o sucesso europeu dos séculos anteriores.

Para a maioria dos autores europeus, não haveria progresso em direção ao mundo moderno sem a Renascença – portanto, o mundo moderno é puramente um fenômeno europeu, assim como todos os avanços advindos dele: capitalismo, secularismo, um sistema de arte dinâmico, ciência moderna. Como temos observado, a versão mais radical dessa visão leva a origem da preeminência europeia pelo menos ao feudalismo, ou mesmo a períodos anteriores à Antiguidade e ao cristianismo. Mas, mesmo em formulações mais prudentes, a Europa é vista como tendo se distanciado bastante dos seus competidores em potencial, no mínimo desde a transformação iniciada com a Renascença. Nesse contexto, a "modernidade" foi vista como separável do capitalismo. Para analisar a exatidão dessas alegações, tomo como ponto de partida o trabalho magistral de Joseph Needham sobre a ciência chinesa, que

[7] Brook e Blue, 1999:91-2.   [8] Brook e Blue, 1999:82.

CIÊNCIA E CIVILIZAÇÃO NA EUROPA RENASCENTISTA   149

ele reintegrou à história mundial. No entanto, quando ele discute os avanços da ciência ocidental em séculos recentes, acaba se curvando a ideias aceitas sobre a singularidade da Renascença, da ascensão burguesa, da modernidade, do capitalismo e da "ciência moderna".

Todavia, mesmo que todas as renascenças sejam únicas, todas as sociedades letradas as tiveram em algum ponto. Se traçarmos uma linha comum desde a Revolução Urbana até a "modernidade", descobriremos que todas as sociedades letradas tiveram uma burguesia e pelo menos um capitalismo mercantil. A Renascença italiana, de fato, liderou cronologicamente a modernidade e a "ciência moderna" no Ocidente, porém o problemático é aceitar a singularidade das condições gerais do passado europeu. A "modernidade" é concebida como uma fase puramente ocidental, mas mesmo os critérios para seu surgimento, apesar de citados em termos categóricos, estão longe de serem claros.

O conceito ocidental de "modernidade" é analisado de forma interessante por Brook em relação a sua adoção por acadêmicos chineses, e suas palavras são relevantes para a abordagem do problema da "ciência moderna":

> Como a ruptura com o passado era o momento-chave no discurso sobre história do moderno, o pré-moderno tinha de ser concebido de uma essência diferente da do mundo moderno, incompatível com ele, mas ainda assim provendo a base na qual o moderno pudesse crescer e o superar. Como separava o moderno do pré-moderno, a história moderna desacreditou o pré-moderno como uma fonte de valor ou significado contemporâneo.[9]

As realizações da Renascença às quais Needham se refere não estavam, é claro, confinadas à arte. Naquela época, ocorreram mudanças na educação, respondendo às necessidades das atividades mercantil e administrativa, de forma que tanto o conteúdo como o alcance dos sistemas educacionais se estenderam amplamente à medida que mais se voltavam para atividades seculares. As universidades tinham se desenvolvido mais cedo, avançando ideias já produzidas por instituições de ensino superior, como as *madrasah,* e seus currículos. Mesmo dominadas pela religião, elas incluíam uma gama de outros assuntos. Desde o século xv, na Inglaterra, escolas de gramática e suas equivalentes proliferaram em nível municipal (as escolas de igreja haviam reaparecido bem mais cedo, no século x). Então, em meados do século xv, a Europa desenvolveu a prensa, a mecanização e industrialização da escrita

---

[9] Brook e Blue, 1999:115.

150 O ROUBO DA HISTÓRIA

(que já estava presente no Extremo Oriente desde 868).[10] A invenção europeia usava formas alfabéticas limitadas e não milhares de símbolos. Esse processo, que tornou possível a reprodução rápida e precisa de inúmeras cópias, foi fundamental para o crescimento de escolas e universidades assim como para o desenvolvimento e a transmissão da informação em outros meios.[11]

Brotton enfatiza a importância da contribuição do Oriente (principalmente da Turquia) para a Renascença europeia, tanto em termos comerciais como em termos de conhecimento.[12] O destaque dado à Europa é curioso, se lembrarmos que a Renascença não foi determinada só por razões internas. Precisamos também levar em consideração "renascenças" que aconteceram na Europa em outros tempos e em outras culturas. O renascimento em si não é um fenômeno singular, como afirmamos antes no contexto do humanismo. De fato, em qualquer cultura que tenha escrita, a possibilidade de voltar para fases anteriores da história e de ter um renascimento (como o da Antiguidade) está sempre presente. A palavra escrita nos permite fazer precisamente isso. Nossa própria imersão na cultura da Europa ocidental desde a Renascença, somada à leitura dos historiadores da arte europeus, inevitavelmente significa que damos preeminência a essa tradição. Apesar dessas inevitáveis predisposições advindas da cultura, a Renascença europeia não foi tão única quanto se supõe com frequência. Paralelos existiram. Em todas as sociedades descendentes da cultura da Revolução Urbana houve um crescimento de formas artísticas e "culturais". Do mesmo modo, em outras comunidades mercantis e burguesas e nas sociedades em que tais comunidades estavam inseridas ocorreu elevação de padrões de vida. O desenvolvimento tipo-Renascença ocorreu em diferentes épocas, mas no curso geral de sociedades urbanas tornou-se mais complexo. O período chamado de Renascença é conhecido por muitos historiadores como o primeiro período moderno, uma fórmula que olha para frente, para um nascimento, e não para trás, para uma morte e posterior "renascimento".

---

[10] Bloom, 2001:36.

[11] Chineses foram frequentemente criticados por europeus por não terem um alfabeto. Não está claro que diferença isso faria para as ciências naturais.

[12] Vejo um problema na afirmativa de Brotton de que "não havia barreiras geográficas ou políticas claras entre Oriente e Ocidente no século XV". Somente no XIX, segundo ele, é que encontramos a "crença na separação cultural e política absouta entre o Oriente islâmico e o Ocidente cristão que tem obscurecido o intercâmbio tranquilo no comércio, nas artes e nas ideias entre essas duas culturas". Essa datação me parece muito tardia, como no caso de Bernal, que relaciona a separação ao imperialismo. Houve intercâmbio muito mais cedo, mas houve também um outro lado que revelou uma oposição no campo religioso, como podemos constatar com a expulsão dos mouros, os pogrons contra os judeus e os ataques a comunidades cristãs.

CIÊNCIA E CIVILIZAÇÃO NA EUROPA RENASCENTISTA   151

O que fez o processo ser mais espetacular na Europa foi o grau do limite sofrido pelo conhecimento e as artes (e a própria vida em família) por conta da adesão a uma religião mundial específica, ou seja, o cristianismo. A Reforma dessa religião, que, novamente, foi um retorno a antigos textos escritos, representou a rejeição de algumas crenças estabelecidas e abriu a possibilidade de o mesmo acontecer com o conhecimento secular. De qualquer forma, apontava para uma esfera mais restrita para o sagrado e para uma vida em família não mais dominada pelas regras da Igreja Católica.

A visão de Needham não somente sobre a Renascença, mas também sobre o desenvolvimento do capitalismo, não é apenas eurocêntrica, mas segue a de Weber, outro protestante, e atribui "progresso" significativo à ética econômica daquela seita religiosa. "O sucesso da Reforma envolveu uma quebra decisiva com a tradição, e os europeus não demoraram em chegar à conclusão de que poderia de fato ocorrer uma mudança real na história, e que o Senhor tornaria tudo novo. O protestantismo, com o seu acesso direto a Deus, significava letramento",[13] criando, pela primeira vez, "uma verdadeira força trabalho letrada" e desfazendo barreiras de classe. Após a Renascença, "uma 'revolução industrial seguramente estaria por vir", assim como a "ciência moderna". Na verdade, se houve um aumento nos índices de alfabetização nos países protestantes, ele foi pequeno e logo seguido por regiões católicas. De qualquer forma, foi nessas últimas regiões, especialmente na Itália, que ocorreram a revolução comercial na Europa, o desenvolvimento precoce da produção mecânica de seda e papel e os avanços bancários, de crédito e contabilidade – a maioria dessas atividades foi influenciada, de uma forma ou de outra, por ideias vindas do Oriente. Needham está, novamente, lendo teleologicamente para trás, partindo de desenvolvimentos posteriores ou talvez de sua própria posição ideológica. Além do mais, os primeiros europeus que transferiram parte da ciência ocidental para a China não eram protestantes, mas sim missionários jesuítas como Ricci.

O peculiar sobre o Ocidente foi que, por muitos séculos, a existência de sistemas de comunicação e ensino tinha sido restringida não somente pelos ditames da Igreja (como aconteceu com o islamismo e o judaísmo, que também tiveram seus períodos humanistas), mas também por ausência de papel (que era essencial para o mundo muçulmano e que se originou na China). Uma Renascença ocorreu no Ocidente quando este se abriu para o Oriente, em parte porque o declínio anterior do Ocidente tinha tido

---

[13] Needham, 2004:63.

consequências tão entorpecedoras que deu origem à expressão a "Idade das Trevas". Para superar essa situação, uma Renascença se fazia certamente necessária. Quando ocorreu, o Ocidente experimentou uma explosão de conhecimento e de atividade artística, em parte secular, estimulada pela riqueza que advinha do comércio crescente com o Levante. Esse aspecto da Renascença foi específico do Ocidente, já que o Oriente nunca havia sofrido colapso tão extenso, um colapso que foi acompanhado por uma mudança ideológica dramática na forma do cristianismo que estava se instalando.

No entanto, o Oriente experimentou períodos de maior ou menor atividade na esfera do conhecimento e nas artes que estavam em parte relacionados ao nível de atividade comercial, do mesmo modo como ocorreu no Ocidente. Zafrani refere-se a períodos "humanistas" nas tradições islâmicas e judaicas, quando o aprendizado secular floresceu acima do religioso. Houve tensões frequentes no Islã entre o aprendizado helenístico ("ciência antiga") e os textos religiosos, que, para os ortodoxos, seriam a fonte de toda compreensão. Portanto, enquanto alguns governantes e ricos comerciantes colecionaram o conhecimento que podiam em suas bibliotecas, outros descartaram esse conhecimento por questões religiosas. Na Europa, o movimento era mais unilinear e no Islã mais flutuante – rejeição e retomada de conhecimento secular, particularmente o advindo dos gregos, revezavam-se dependendo da época e do local. No Islã, encontramos flutuação similar no que diz respeito ao uso de arte figurativa, que, apesar de interdições religiosas, floresceu na Pérsia, assim como no Egito e na Índia, na corte Mugal. As cortes frequentemente escapavam das restrições associadas a crenças religiosas. Ao mesmo tempo, ocorreu uma agitação comercial e manufatureira geral que levou a uma mudança vetorial por toda a Eurásia. Em toda parte, a burguesia, essencial para a condução dessas atividades, fortaleceu sua participação na sociedade e sua contribuição ao desenvolvimento do conhecimento, da educação e das artes.

Foi por isso que, como mencionei no capítulo anterior, encontramos ocorrências da *haut cuisine* e da cultura das flores em contextos urbanos das maiores sociedades da Eurásia. Encontramos paralelos semelhantes no teatro do Ocidente do século XVI com o do Japão de um pouco depois, e também na pintura e no surgimento do romance realista tanto na China como no Ocidente. Autores que escreveram recentemente sobre a Renascença europeia, como Burke e Brotton, demonstram a importância da cultura do Oriente Médio nesses processos, mas suas análises não avançam muito. Precisamos levar em consideração a renovação dos desenvolvimentos culturais ao longo do tempo em todas as principais "civilizações". No entanto, esse processo foi mais marcado na Europa ocidental por conta do colapso de Roma e do advento do cristianismo e, também, por conta do impacto de mudanças abruptas nos modos de comunicação resultantes da adoção da prensa e do papel, usando escrita alfabética. A China vinha tendo há tempos uma vantagem competitiva em termos de prensa e papel, mas a Europa superou o atraso e promoveu uma ruptura em direção à modernidade.

Na Europa, prensão e papel desencadearam expressiva atividade, que incluiu o desenvolvimento da "ciência moderna". A Renascença italiana está geralmente associada a desenvolvimentos nas artes, embora não tenham sido essas as únicas realizações significativas desse período. Não se pode esquecer a chamada "Revolução Científica", ou nascimento da "ciência moderna". Ela constitui o pano de fundo para um dos maiores livros de história da espécie humana: *Science and Civilization in China*, de Joseph Needham, uma obra comparada a *Decline and Fall of the Roman Empire* (*Declínio e queda do Império Romano*), de Gibbon. Como Elvin observou em uma introdução do "último" volume (VII, parte 2), "A concepção de mundo foi transformada"[14] pela "revelação de um universo cultural chinês cujos triunfos na matemática, ciências e tecnologias eram frequentemente superiores aos da Europa ocidental até aproximadamente 1600". Todavia, embora sua contribuição tenha sido essencial para Ocidente e Oriente, tal contribuição foi assimilada apenas de forma limitada "pela corrente da história da ciência em geral".

Needham passou uns cinquenta anos documentando o crescimento da ciência chinesa em um estudo de proporções épicas. Porém, não é o seu trabalho sobre ciência na China que eu gostaria de comentar, mas a sua tentativa de explicar por que, apesar das vantagens anteriores do Oriente, foi o Ocidente que realizou o que ele denomina ruptura para a "ciência moderna". O paradoxo tem sido chamado de "o problema de Needham". Seguindo uma linha dominante entre os historiadores sociais do Ocidente, sua explicação admite uma conexão estreita entre o desenvolvimento da ciência e a ascensão da burguesia, o crescimento do capitalismo.

No início desse vasto projeto, Needham escreve: "Nossa pergunta original era: por que a ciência moderna originou-se somente na Europa Ocidental logo após a Renascença?"[15] Mas, ele acrescenta, "um trem pode esconder outro. Logo percebemos que havia uma pergunta ainda mais intrigante por trás dessa: por que a China havia sido mais bem-sucedida

---

[14] Needham, 2004:xxiv.   [15] Needham, 2004:68.

que a Europa [...] durante 14 séculos anteriores?". A primeira pergunta foi retomada por Needham em seus comentários "finais", que abordam várias décadas. Esses comentários basearam-se no pressuposto de um salto para frente da Europa após 1600 em direção à "ciência moderna", ou seja, uma ciência envolvendo a combinação do método experimental e matemática aplicada. O problema que ele levantou foi como teria acontecido de a China, apesar da superioridade na ciência e na economia, não ter sido a autora do salto em direção à "ciência moderna" e ao capitalismo, mas sim a atrasada Europa. Para dar uma resposta, ele se volta para as esferas da política, da economia e das características internas dos sistemas de conhecimento.

Para Needham, a ciência chinesa esteve à frente da ciência ocidental até a Renascença. É bastante revelador o gráfico que ele produziu, no volume sobre botânica, que mostra que a Europa e a China estavam em patamares mais ou menos iguais no que se refere à identificação das espécies botânicas por volta de 400 a.e.c., na época do pupilo de Aristóteles, Teofrasto. Depois disso, no entanto, o conhecimento europeu decaiu, ao passo que na China ocorreu um avanço estável até o século XVI, quando então a Europa deu um salto repentino e a ultrapassou.[16] Ele sugere que isso foi devido ao nascimento da "ciência moderna", definida como "a matematização de hipóteses sobre a Natureza e a vigorosa prova dessas hipóteses por meio de experimentos persistentes".[17] Os gregos fizeram poucos experimentos e os chineses os usaram primariamente para fins práticos em de vez de teóricos. A "ciência moderna" é vista, em geral, como tendo surgido "ao mesmo tempo que a Renascença, a Reforma e a ascensão do capitalismo".[18]

No entanto, Needham considera que alguns elementos da vantagem ocidental que ajudaram no advento da ciência moderna estavam presentes mesmo antes da Renascença. O Ocidente tinha o benefício de Euclides, enquanto o Oriente não tinha desenvolvido a ideia de "prova geométrica"[19] (nem da trigonometria). Ele vê isso como sendo derivado e conectado à "natureza pública da vida urbana da Grécia", uma vez que a circulação pública de ideias requer sua justificação mais detalhada e explícita (assim como a ausência da divisão babilônica do círculo em 360 graus). Seguindo a opinião de Weber e outros, ele vê a singularidade da cidade na Europa e sua contribuição para o desenvolvimento da ciência por promover a burguesia e seus valores. Ademais, o Oriente não tinha o benefício da tradição da

---

[16] Needham, 1954:xxx.
[17] Needham, 2004:211.
[18] Needham, 2004:210.
[19] Needham, 2004:210.

cidade-Estado grega; "Quando a Renascença chegou, Atenas deu 'origem' a Veneza e Gênova, a Pisa e Florença, e estas, por sua vez, deram 'origem' a Roterdã e Amsterdã [...] e finalmente Londres [...]. Nessas cidades [...] os mercadores podiam se abrigar das interferências da nobreza feudal [...] até o dia de 'sair do esconderijo' [...]".[20] Assim, aqui ele também vê um tipo de vida urbana – e sua burguesia (e capitalismo) – como exclusivo do Ocidente, herdado em linha direta da Antiguidade. Ele também observa a diferença entre "feudalismo militar" no Ocidente e "feudalismo burocrático" no Oriente, que teria influenciado o processo e limitado o crescimento no Oriente.[21] De certa forma, essa tentativa de interpretar a história europeia, atribuindo certa vantagem de longo prazo a esse continente, entrou em contradição com a ênfase do autor nas realizações da ciência chinesa.

É óbvio que haviam ocorrido importantes desenvolvimentos na Europa em todas as esferas, na economia, no sistema de classes e na "filosofia natural". No entanto, o argumento de Needham dá a entender que "a ascensão da burguesia" não aconteceu em nenhuma outra civilização do mundo (Índia, sudeste da Ásia ou China). No Ocidente, o feudalismo militar-aristocrático (que difere do "feudalismo burocrático" da China) "foi substituído" pela burguesia, que estava mais disposta a fazer experiências, uma vez que "conhecimentos adequados significam maiores rendimentos". É nesse contraste entre as duas estruturas feudais que ele encontra muitas das respostas a suas perguntas. No entanto, mesmo na Europa, parte da aristocracia se engajava em assuntos comerciais e financeiros assim como os mandarins chineses podiam participar do comércio – e frequentemente o faziam – quando "aposentados" ou mesmo ainda em "atividade". Eles podiam exercer as duas atividades, não somente a de funcionário do governo/ nobre local e senhor da pequena nobreza, mas também de funcionário da corte e investidor comercial. Valiam-se de seu passado no governo e de suas conexões para obter o apoio institucional não disponível no código legal.[22]

Houve, porém, outras e mais precoces burguesias, outros mercadores e outros artesãos interessados em lucro e em "conhecimentos adequados" mesmo que não tivessem tido sempre sucesso em suas buscas. Ademais, não é totalmente preciso afirmar que, na Europa, a aristocracia tenha sido substituída pela burguesia. Esta alcançou gradualmente um poder e uma

---

[20] Needham, 2004:211.
[21] A expressão "feudalismo buro-crático" foi usada pelo histo-riador marxista japonês Moritani Katsumi (Brook e Blue, 1999:138).
[22] Estou grato, por estas observações, ao Dr. J. McDermott.

influência maior, mas já existia na Europa muito antes da Renascença, na companhia de Chaucer viajando para Canterbury, em Lucca, Veneza e Palermo, como também em cidades do Oriente Médio como Istambul, Cairo e Alepo, assim como no Oriente mais distante. De fato, existia desde a Revolução Urbana da Idade do Bronze, tornando-se incrivelmente importante com o crescimento da economia de mercado. Essa economia não poderia ficar restrita a um país ou continente, estendendo-se por toda a Eurásia. A noção de exclusividade depende muito do sentido de "moderno" na qualificação de capitalismo e ciência. Nas partes seguintes, dedicadas a governo e economia, vou considerar mais extensivamente os fatores que Needham vê como responsáveis pelas diferenças entre a China e o Ocidente, tentando explicar o desequilíbrio posterior (temporário?) em realizações científicas após a Renascença italiana.

O GOVERNO E A BURGUESIA

O sistema burocrático do mandarinato é enaltecido por Needham pela introdução precoce de uma administração baseada em "realizações" (a partir do século II e.c.) em vez do recrutamento por indicação praticado por outros tipos de "feudalismo". Needham considera que o Estado chinês antigo e a burocracia, apesar de basicamente "não intervencionista", fizeram muito para desenvolver a ciência, com a construção de observatórios astronômicos (o que aconteceu em outros locais também), mantendo registros milenares e organizando enciclopédias e expedições científicas.

Em contraste, a ciência no Ocidente era geralmente "um empreendimento privado" e, portanto, com idas e voltas. Em suas palavras "o sistema econômico e social da China medieval era muito mais racional que o da Europa medieval".[23] No início, isso estimulou a ciência, mas depois agiu como freio quando, de acordo com Needham, a iniciativa privada passou a oferecer condições melhores progresso científico: "além disso, na China, a ciência de caráter estatal e a medicina não foram capazes de dar, no devido momento, aquele salto qualitativo" que levou o Ocidente para a ciência moderna.[24] Essa falha, segundo ele, deveu-se em parte à burocracia que não estimulava a concorrência. No entanto, o que promoveu a ciência nos primeiros tempos seria certamente capaz de promovê-la mais tarde, a menos

---

[23] Needham, 2004:9.   [24] Needham 2004:18.

que se exclua essa possibilidade automaticamente pela maneira de caracterizar o "salto qualitativo" do "antigo" para o "moderno", o que, em parte, é um problema nominalista. O pressuposto na análise de Needham é a inexistência de uma burguesia chinesa que, assim como as guildas, teria sido inibida pelo mandarinato. Sua ausência (assim como a de um sistema monetário) é vista como explicação para a incapacidade de desenvolver tanto o capitalismo moderno (ou qualquer capitalismo) quanto a "ciência moderna" na China.

Enquanto pode-se argumentar que a China, no passado, não chegou a ser moderna pela falta de burguesia, presença do mandarinato e, sobretudo, ausência de capitalismo, no século xx o país adotou não somente o socialismo (que Needham considera compatível com sua burocracia preexistente), como também o "capitalismo". Pode-se ver o capitalismo como pura importação ocidental, contudo é mais razoável acreditar que os procedimentos ocidentais tenham tido precursores orientais. A ideia de ser pura importação é fruto de uma análise tosca, que negligencia a história do Oriente. A noção de um salto qualitativo na ciência europeia precisa deixar aberta a possibilidade de a China rapidamente alcançar o Ocidente de uma forma que seria muito mais difícil para África. A sociedade e a economia da China eram de uma ordem diferente e bem mais próxima da economia da Europa do que as leituras de Marx, Weber ou até mesmo Needham permitiriam enxergar.[25] A possibilidade de uma ruptura na China era bem maior do que a considerada na interpretação desses autores, que enxergam o passado a partir das vantagens do presente.

As maiores culturas da Eurásia difeririam entre si, é óbvio, em termos de grau de conhecimento em um ou outro momento da história, porém elas fizeram parte de um sistema interconectado de trocas em que os mais "atrasados" acabavam alcançando os mais "avançados" dentro de certo tempo. Embora essa percepção de Needham não esteja totalmente errônea, está formulada de uma forma vagamente marxista e eurocêntrica. Ele reconhece ter se sentido atraído, de início, pela ideia de Wittfogel de um "despotismo oriental". Essa hipótese, porém, tentou ligar economia (irrigação) e política (despotismo) de modo muito fechado; o controle da água difere em termos de demanda e organização, mas, de qualquer forma, controle "burocrático" é uma descrição melhor do que controle "despótico". Isso é certamente um avanço. A alegada ausência da "burguesia" na China deriva do euro-marxismo que, nos moldes do século xix, vê o capitalismo

---

[25] A linhagem chinesa de 1500-1950 não teve equivalente na Europa, mas o trabalho de Faure (1989) sugere que isso não inibiu desenvolvimentos comerciais do modo como Weber sugeriu.

como um fenômeno exclusivamente europeu. Essa era a noção que Needham aceitava ao chamar a atenção para a singularidade da tradição grega, bem como em suas referências às comunidades medievais.

Considera-se que o "Estado burocrático" chinês quis preservar a estabilidade social em vez de alcançar maior ganho econômico; era por isso que "mantinha sua estrutura agrária básica e não estimulava ou mesmo permitia qualquer forma de desenvolvimento comercial ou industrial".[26] Essa afirmação tem por base a concepção de um esquema desenvolvimentista de categorias que considera as sociedades agrícolas sendo sucedidas por sociedades comerciais. Porém, esse esquema é muito simplista. Até mesmo sociedades neolíticas já dependiam da troca e do comércio para algumas finalidades, como afirmamos em relação a mercados; todas tinham esquemas artesanais que envolviam intercâmbio de bens e serviços. Esse cenário viu-se ampliado pela Revolução Urbana da Idade do Bronze, que afetou a China tanto quanto qualquer outra das grandes civilizações. É claro que a atividade agrícola dessas sociedades era de importância fundamental para a maioria da população, mas esferas inovadoras eram encontradas em cidades que tinham um grande movimento comercial. Essas cidades possuíam setores rurais e urbanos e eram ideologicamente complexas.

Ainda que elementos de liderança do setor rural "dominante" pudessem desprezar o comércio, a burguesia desenvolveu seus próprios valores. Embora só mais tarde viessem a "predominar", esses valores forneceram um foco alternativo, promovendo o letramento e as artes fora das cortes, do clero e da administração. O Terceiro Estado existia, até mesmo quando não era formalmente representado no governo. E como Needham observa, na China, ricos mercadores podiam ter um papel importante na corte, além de uma participação central na vida urbana, especialmente nas cidades costeiras.[27] Ademais, um país que produzia vasta quantidade de bens em condições industriais e comerciais bem mais avançadas que a Europa (parcialmente para exportação, parcialmente para o imenso mercado interno) dificilmente poderia ser classificado como país que rejeita o comércio – ainda que alguns elementos da sociedade fossem ambivalentes em relação a essa atividade. No entanto, tal ambivalência não é motivo para se afirmar a ausência de burguesia "genuína".[28] Segundo Braudel, "uma cidade é sempre uma cidade"; assim, entre seus habitantes, sempre existe uma burguesia incipiente. O mandarinato pode ter inibido o desenvolvimento da burguesia e de suas

---

[26] Needham, 2004:61.   [27] Needham, 2004:50.   [28] Needham, 2004:8, n. 22.

associações (assim como ocorreu em outras civilizações), mas não pôde suprimi-la. Do ponto de vista da história social, Needham falhou em não considerar suficientemente a mescla de comércio e agricultura, e o papel crescente que o primeiro teve na vida política e social. A negação da existência de uma situação desse tipo parece decorrer da história teleológica de tipo paleomarxista. Se não houve burguesia (e sistema monetário), essa ausência é vista como explicação para a falha no desenvolvimento do capitalismo moderno (se é que houve algum) e da "ciência moderna" na China.

Esse argumento sobre a inibição posterior no desenvolvimento do capitalismo na China é mais nuançado do que a interpretação de Weber de que seria o "funcionalismo", ou seja, os eruditos-funcionários da burocracia os responsáveis por essa inibição. Needham entende que essa burocracia teria inicialmente sido um estímulo ao desenvolvimento, ao passo que para Weber ela foi universalmente prejudicial. Os mercadores, segundo Weber, foram oprimidos de todas as maneiras após a dinastia Sung. Esse argumento de Weber foi retomado pelo conhecido historiador francês especializado em China, Etienne Balazs, que escreveu sobre "o poder despótico dos funcionários letrados" (que eram, no entanto, recrutados por exame) que inibiu o crescimento da burguesia e, portanto, a natureza das cidades chinesas.[29]

A trajetória intelectual de Balazs é um interessante estudo de caso sobre como a ideologia pode ter impacto sobre resultados de pesquisa. Ele trabalhou próximo ao historiador Braudel na École des Hautes Études em Paris e influenciou seu pensamento com relação à China (como veremos no capítulo "O roubo do 'capitalismo': Braudel e a comparação global"). Um comentarista mais recente sugere que Balazs tenha sido afetado por sua própria história pessoal e pelas vicissitudes que experimentou.[30] No início, teve uma posição descompromissada acerca da "falha" da China em construir a partir de realizações da economia Sung. Zurndorfer menciona sua "busca em infindáveis estatísticas, incontáveis registros de fortunas pessoais, ou volumosos relatórios governamentais, na esperança de encontrar alguma evidência que sustentasse sua suposição de que os mercadores sofriam constantemente sob o regime do funcionalismo e os camponeses eram vítimas frequentes de um Estado repressor e cruel".[31] Balazs foi levado a mudar essas "concepções estereotipadas da China imperial" para explorar

[29] Ver Zurndorfer, 2004:195.
[30] Zurndorfer, 2004:193.
[31] Zurndorfer, 2004:234-5. A palavra pessoal não pode ser tomada literalmente. Como o Dr. MacDermott sugere, o que temos são alguns livros comerciais de guildas, livros de contabilidade e não textos verdadeiramente pessoais. Ele também sugere ser um erro ver mercadores na China como uma classe de "comerciantes", da qual os letrados também faziam parte.

"as complexidades do relacionamento entre Estado e sociedade" ao ler um volume de *Ensaios sobre o debate acerca do florescimento do capitalismo na China*, lançado pela República Popular, em 1957. Ele então ficou especialmente interessado nos incrementos na mineração durante a era Ming-Qing, quando o Estado rivalizava com a iniciativa privada. Investigando a organização da produção, conflitos trabalhistas e lucros com aço, prata e minas de cobre, ele concluiu que o Estado não coibiu empresas privadas quando isso não era do seu interesse. Diferentemente de seus estudos iniciais, que se inclinavam de modo inevitável para os letrados e os burocratas, agora usou informações sobre trabalhadores e mercadores locais.[32] Reconheceu então que havia "um tipo de burguesia" fora do Estado burocrático e que a China realmente desenvolveu "um certo tipo de capitalismo". No entanto, nesse tipo de capitalismo, segundo ele, os mercadores eram forçados a recorrer a subornos e assim não chegaram a atingir uma consciência de sua autonomia.[33] Ao contrário, estimulavam os filhos a tornarem-se funcionários do Estado e investirem os lucros em terras. Embora Balazs tenha sido influenciado pelo debate sobre o "florescimento do capitalismo" e pelo material que foi levado a estudar, ele rejeitou o conceito de feudalismo dado por marxistas chineses para um longo período da história chinesa (como Elvin rejeitou o uso que Needham fez do mesmo conceito), mas, ao mesmo tempo, tentou explicar teleologicamente o "fracasso" posterior da China em desenvolver um capitalismo moderno concentrando-se nos aspectos legais da posição dos mercadores. Estes, no entanto, parecem ter se comportado de forma não muito diferente dos mercadores em outras partes do mundo em que engajar-se em comércio era visto como menos prestigioso do que possuir terra, posição modificada com o tempo, por toda parte.[34] Needham, também, reproduz a velha queixa de que os mercadores e sua profissão não compunham "o estilo de vida mais admirado, classicamente, na China",[35] de forma que os mercadores valiam-se de suas riquezas para tornarem-se "pequena nobreza educada". Isso também aconteceu na Europa.

Não somente Needham, Weber e Balazs sustentaram visões conflitantes sobre o desenvolvimento do capitalismo e da ciência na China. Toda a tradição marxista tem se dividido sobre a posição da China na história mundial. Marx via a China e a Ásia como um todo excluídas da progressão

---

[32] Zurndorfer, 2004:214.

[33] Dr. MacDermott mostra que os mercadores não poderiam ver com bons olhos essa autonomia que poderia tê-los conduzido à bancarrota.

[34] Smith (1991:9) argumenta que grande parte do que era tocado pelo Estado no início do período Sung continha as sementes do "capitalismo".

[35] Needham, 2004:59.

principal das sociedades humanas desde a Antiguidade. Ele descrevia a China como a "apodrecida semicivilização do Estado mais velho do mundo".[36] Há duas visões bem diferentes desenvolvidas entre os escritores marxistas. Após a Revolução de Outubro, alguns deles estiveram mais preocupados com os esforços para promover as lutas anti-imperialistas e camponesas na China. Especialmente os comunistas locais não queriam que a China ficasse permanentemente excluída dos desenvolvimentos modernos.[37] Para eles, uma história mais dinâmica parecia estar disponível. Um grupo via a China antiga como feudal (*fengjian*), o que deixaria espaço para um movimento progressivo, seguindo a teoria marxista dos cinco estágios; a China, portanto, não era excluída da história. Outros viam o país como tendo sido dominado pelo capital comercial em séculos recentes. Outros, comoWittfogel,[38] acreditavam que ela ainda estava marcada por uma das variantes do modo de produção asiático. Em 1931, a liderança soviética decidiu-se contrária à estática noção de um modo de produção asiático, uma ideia resgatada pela historiografia europeia nos anos 1960.[39]

O desenvolvimento do comércio em uma sociedade "feudal" foi visto por alguns chineses marxistas como "florescimento do capitalismo", tanto no Oriente como no Ocidente.[40] Essa posição, contrária a dos euromarxistas, parece ser razoável. Significa a rejeição do modo de produção asiático e a aceitação de um "feudalismo" universal, um conceito diluído até se referir a qualquer sociedade agrícola altamente estratificada de tipo geral ligada ao surgimento da estratificação da produção agrícola que se seguiu à Idade do Bronze e à introdução do arado puxado por animais. Assim como o Ocidente, a China parece ter experimentado a emergência do que Gates (1989) chama de "insignificante modo de produção capitalista", que evoluiu à custa do "modo tributário", mesmo com o governo tentado resistir à sua intrusão. No entanto, com o tempo, o dinheiro ganhou a disputa. Por exemplo, as reformas "New Whip" do sistema de impostos em 1581 determinaram o pagamento de imposto em dinheiro e não em espécie.

Como essa situação afetou a história intelectual, especialmente a história da ciência? Lembremos que, no Ocidente, a noção de salto está ligada não somente ao "crescimento meteórico da ciência moderna", mas também ao advento do "capitalismo" e da Renascença. O salto, porém,

---

[36] Blue, 1999:94.
[37] Brook, 1999:130ss.
[38] Wittfogel, 1931:57.
[39] Godelier, 2004; Hobsbawn, 1968.
[40] Brook e Blue, 1999:153.

não ficou confinado ao Ocidente. Para a China, Needham refere-se a uma "fusão" das astronomias oriental e ocidental em meados do século XVII.[41] Um gráfico em seu livro *Clerks and Craftsmen*[42] mostra os pontos no tempo em que o Ocidente alcança o Oriente em realizações científicas ("os pontos transcorrentes") assim como os pontos de fusão.

Em relação à astronomia, matemática e física, o Ocidente alcançou o Oriente em 1600 e fez a fusão uns trinta anos mais tarde. Isso não sugere a necessidade de se procurar por traços causais profundos do chamado fracasso em desenvolver ciência moderna, mas sim traços mais contingentes. Por contingente, refiro-me a características do modelo de ciência chamado de "internalista", mas não necessariamente restrito a esses desenvolvimentos; não deve haver oposição geral entre explicações "internalizadas" e "sociais".[43]

Figura 5.1 Gráfico mostrando pontos de transcorrência e de fusão da ciência chinesa e da ciência ocidental. Needham (1970), *Clerks and Craftsmen*, Fig. 99.

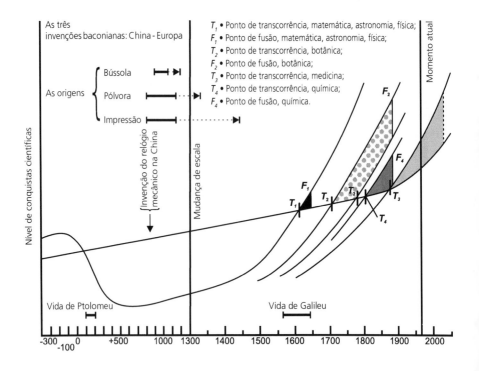

[41] Needham, 2004:28.   [42] Needham, 1970.   [43] Needham, 2004:22.

A ECONOMIA E A LEI

Um dos fatores que, segundo Needham, inibiam o comércio interno era a ausência de "lei e ordem". As estradas, diz ele, ficavam à mercê de bandidos, as vilas tinham grandes quantidades de indivíduos semiempregados, a força policial era muito pequena. Como essa situação difere da Grã-Bretanha do século XVIII, com seus ladrões de estradas, pobres urbanos, condestáveis e as rixas dos seus "clãs Highland"? No entanto, a Grã-Bretanha achou um jeito de comercializar internamente e de desenvolver um sistema fabril. Como vimos em capítulos anteriores, "lei e ordem" certamente não eram prerrogativas do Ocidente como alguns analistas presumem. Todas as sociedades produziram sanções contra a violência, todas deram um jeito de comercializar, todas encontraram problemas ao fazê-lo.

Needham também nota que os compromissos de negócio na China eram honrados em princípios éticos, "não impostos pela lei".[44] No entanto, "acordos de cavaleiros", que são reciprocidades sancionadas, ainda são comuns em círculos de negócios, e o recurso à lei, que é ao que Needham aparentemente se refere, não é o único meio de conduzir negócios, sobretudo no comércio de longa distância entre jurisdições diferentes. Isso era igualmente verdadeiro no auge da Inglaterra vitoriana, quando se tinha um capitalismo triunfante; em alguns círculos também se podia encontrar "um anticomercialismo embutido", de tal maneira que sua ausência mal explica por que a Europa "deslanchou" e a China não. Mais uma vez, o autor está pensando teleologicamente e procurando por diferenças "sociais" profundas e de longo prazo que não parecem ser, em geral, relevantes.

Outro problema que Needham vê com o comércio na China é sua incapacidade em criar um sistema de crédito,[45] impedindo o comércio de se expandir, assim como os mercadores, o capitalismo e, portanto, a ciência "moderna". Ele escreve sobre o "subdesenvolvimento da economia monetária na China", que contrasta com um "sistema monetário moderno",[46] de forma que um indivíduo não podia "estender suas operações comerciais para além de sua presença pessoal".[47] Essa conclusão parece um tanto irrealista. Mesmo em culturas puramente orais, pode-se encontrar uma medida de crédito.[48] Em culturas letradas, como a China, esse processo é muito ampliado; de fato, a extensão de crédito foi um dos primeiros usos das sociedades letradas,

---

[44] Needham, 2004:60.
[45] Needham, 2004:55.
[46] Needham, 2004:55.
[47] Needham, 2004:58.
[48] Goody, 1986:82ss.

na Mesopotâmia, na China e em outros lugares. A proposição de Needham, recusada por Elvin com o apoio de historiadores da economia em geral, cai em divergência com as imensas exportações de barras de ouro e prata entre a Europa e a América; nenhum historiador da economia sério veria agora os Sung como sendo "seriamente descapitalizados". Needham admite que tenha havido, mais tarde, uma revolução no dinheiro e no crédito, mas ela não foi seguida, afirma ele, por qualquer mudança institucional. Ele também menciona mercadores com contadores como assistentes, indicando um nível considerável de atividade corporativa e mercantil. Entretanto, permanece crítico em relação aos estudiosos, em sua maioria chineses, que veem os "industrialistas do período Han" como *entrepreneurs manqués* capitalistas.[49] Esses estudiosos referem-se a um "capitalismo florescente" sob os Ming e a um "renascimento" e uma "revolução comercial" sob os Sung. Para Needham, todos esses movimentos têm um caráter "abortivo" porque havia "uma incompatibilidade fundamental entre a administração central burocrática de uma sociedade agrária e o desenvolvimento de uma economia monetária".[50] Porém, eles eram abortivos somente de um ponto de vista teleológico, que faz parte de uma linha de pensamento paleomarxista (ainda que cristã), que vê a China como carente de uma burguesia e incapaz de percorrer o caminho do capitalismo.[51]

Essa percepção da economia chinesa como incapaz de atingir o grau suficiente de independência da atividade mercantil é curiosa, até ser entendida sua procedência ideológica. Ela é veementemente criticada por Elvin em seus comentários introdutórios, quando ele escreve que: "Deixando de lado a questão do domínio estatal hierárquico eminente, que foi importante até e durante o primeiro milênio, mas raramente depois dele", vemos muitas variações dentro da China. Ele critica a concepção de Needham de "feudalismo burocrático",[52] porque as mudanças ao longo de dois mil anos foram muito grandes para permitir que um rótulo "funcionasse igualmente para todos os períodos".[53] O uso de tais rótulos faz parte da propensão de Needham a "biologizar" a história chinesa, dando ênfase à "continuidade" e ao "holismo" quase como características hereditárias ("instintivas" é a palavra que ele usa) da "mente chinesa", que ele compara, em geral favoravelmente,

---

[49] Needham, 2004:57. No original em francês.

[50] Needham, 2004:57-8.

[51] Needham, 2004:52.

[52] Para os primeiros usos de "feudalismo burocrático" para o contexto chinês, ver Brook e Blue, 1999: 138. O resultado geral da Controvérsia da História Social (1928-37) foi que o poder imperial da China era "feudal", embora alguns preferissem "despótico".

[53] Needham, 2004:xxx.

à herança das "religiões do Livro", uma vez que o país não era dominado por uma só ideologia religiosa. "Havia muita mineração particular desde os tempos dos Sung e dos Ching. Instrumentos de crédito privado eram extensivamente usados durante os Sung, assim como nos Ching, que também viram o crescimento de instituições financeiras privadas como as "lojas de dinheiro". Sob o regime dos Ching, a transferência de longa distância de recursos era feita sobretudo pelos bancos Shansi, que eram tecnicamente privados, porém, em uma espécie de relação simbiótica com o governo".[54] A abordagem de Elvin apresenta um cenário bem diferente do crédito e comércio do que o mostrado por Needham, um cenário bem mais alinhado com o resto da Ásia[55] e mais próximo da Europa, mais uma vez cortando na raiz a suposição de uma vantagem europeia inicial. A chave para a aparente contradição entre o que Needham dizia sobre a ciência chinesa antiga e seu ponto de vista sobre a economia está contida na observação de Elvin: "parece provável que Needham se sentisse desconfortável com a perspectiva de explicar uma lógica do desenvolvimento histórico chinês que poderia afrontar a receita imóvel e eurocêntrica do marxismo soviético e chinês da época". Isto é, não poderia haver burguesia antes do capitalismo europeu.

A concepção que confinava esses desenvolvimentos à Europa foi firmemente adotada por Needham.[56] Ele segue Wallerstein[57] e, é claro, Marx e muitos outros escritores do século XIX, ao conceber o surgimento e crescimento do capitalismo como exclusivos da sociedade europeia, como também a burguesia, que se origina do colapso da sociedade europeia anterior (senhores feudais, Igreja etc.). E "com a burguesia, desenvolve-se o capitalismo moderno e, como mão e luva, a ciência moderna". Entretanto, essas questões envolvem problemas nominalistas, tais como as supostas distinções entre habitantes de cidade e burguesia.

Wallerstein vê essas "estruturas" como sendo características do sistema histórico "capitalista-moderno": propriedade privada, economia de mercado e Estado "moderno" soberano. O direito de propriedade não é de forma alguma algo exclusivo do moderno mundo ocidental. Temos contratos de vendas de terras tão antigos quanto a escrita, apesar de sujeitos ao "domínio eminente" que ele reconhece estar disseminado. Nas sociedades antigas, havia certamente mais direitos de propriedade, compartilhados entre familiares e às vezes vizinhos; ainda assim, eram direitos individuais de propriedade,

---

[54] Needham, 204:xxix.
[55] Goody, 1996a:82ss.
[56] Needham, 2004:209.
[57] Wallerstein, 1992.

defendidos ferozmente, mesmo na ausência de um Estado e de lei escrita. Nas sociedades agrícolas mais simples, existiam formas de mercantilização, ainda que a terra tivesse, com frequência, um caráter extracomercial.[58] A comercialização das terras era também rara nessas sociedades, embora perfeitamente compreensível. Institucionalmente, o Ocidente "moderno" estava longe de ser único, razão pela qual a Ásia tem feito avanços tão espetaculares no "capitalismo" em tempos recentes.

Wallerstein descarta as explicações "civilizacionais" (distintas das conjunturais) para o surgimento do capitalismo – associadas aos nomes de Marx, Weber e outros –, optando por uma explicação mais contingente. Ele vê como a essência do capitalismo "a contínua busca pelo lucro", que ocorreu somente na Europa ocidental, efetivamente no século XVI. Isso se deu quando a crise do feudalismo empurrou a classe senhorial na direção de empreendimentos capitalistas. A contínua busca pelo lucro é difícil de medir. O lucro já era uma característica da atividade mercantil anterior; a busca contínua, da qual ele fala, parece estar associada a invenções tecnológicas, sobretudo ao desenvolvimento da industrialização e da mecanização. Certamente o ritmo aumentou, mas a burguesia já estava engajada na busca por lucro, e parece que essa busca e o seu domínio crescente sobre a economia são menosprezados na discussão de Wallerstein sobre a mudança do papel desempenhado pelos donos de terra. Embora analise com tanta clareza as mudanças na Europa ocidental, e subsequentemente em outras partes, não precisaria escrever essa história em termos tão categóricos.

No meu entender, a burguesia era internacional. Claro que, tinha mais poder em algumas partes do que em outras. No entanto, a troca extensiva de bens e ideias que ocorreu ao longo da Rota da Seda, por mar e por terra, não poderia ter acontecido sem ela e sem instrumentos financeiros. Mercadores se faziam necessários assim como artesãos e, em alguns casos, manufatureiros; assim como advogados, banqueiros, contadores, para não falar em escolas, hospitais. E foi ao longo dessas rotas comerciais que várias religiões – que também desempenhavam um papel na economia organizando feiras e peregrinações – espalharam-se para o Oriente. Essa expansão não foi conduzida principalmente por aristocratas, conquistadores ou burocratas, mas por mercadores. É testemunha desse processo a presença de judeus, cristãos e muçulmanos na costa oeste da Índia, assim como na China. Eles estavam envolvidos em atividades mercantis que normalmente são baseadas

---

[58] Goody, 1962:335.

em reciprocidade e levaram à criação de comunidades mercantis na Índia (os banias, por exemplo, e os jainistas) bem como na China (Cheng Ho e seus companheiros muçulmanos em Pequim, por exemplo). Essas comunidades mercantis desenvolveram suas próprias subculturas que revelavam notáveis semelhanças, encorajando a produção de formas literárias como o romance realista, artes performáticas como o teatro, pintura e escultura secular, rompendo com limites religiosos, desenvolvendo a culinária e o cultivo de flores, que, como outras artes, originalmente tinham sido assumidas pela aristocracia. Nessa e em outras atividades, os mercadores foram cruciais para a difusão e troca de conhecimento entre o Oriente e o Ocidente.

Quanto à economia rural, Needham entende que a tecnologia chinesa foi tão bem-sucedida que acabou inibindo a produção ao induzir o crescimento numérico da força de trabalho fazendo com que houvesse pouco incentivo para avanços na mecanização, o que não teria acontecido em uma situação de escassez de mão de obra. Como vimos no capítulo "Feudalismo: transição para o capitalismo ou colapso da Europa e domínio da Ásia?", esse argumento assemelha-se ao aplicado ao trabalho escravo. Avançar era necessário. E para levar a agricultura chinesa "para o mundo moderno", seriam necessários avanços em tecnologia "impensáveis sem o aparecimento da ciência moderna".[59] Mas a ciência moderna não era possível sem o capitalismo, na agricultura e nas cidades. Chegamos então a um círculo completo. No entanto, a agricultura chinesa não só conseguia, com sucesso, alimentar a massa de população, como era bastante diversificada; no sul, o cultivo do arroz requeria técnicas muito intensivas, diferentes das extensivas utilizadas nas grandes propriedades do norte da Europa. Haveria, portanto, realmente, a necessidade de avanços em "tecnologia", além da germinação de novas variedades que representavam uma continuação dos velhos modos? Com uso mínimo de trabalho não humano, a agricultura chinesa pode ser considerada mais avançada ecologicamente do que o cultivo misto de tipo europeu.

A força hídrica foi aplicada não somente na lavoura, mas muito amplamente na indústria têxtil nos séculos XIII e XIV, "desafiando comparações com o que ocorreu na Europa do século XVIII".[60] E foram "essas mesmas tecnologias de giro, duplicação e torções que devem ter inspirado a indústria da seda italiana um pouco mais tarde". Por que a produção em fábricas não "veio logo em seguida?" – pergunta Needham. Ele atribui essa "falha" a uma variedade de fatores gerais, incluindo a "inibição de uma economia

---

[59] Needham, 2004:62.   [60] Needham, 2004:60.

monetária" e a existência de um Estado burocrático. Essa explicação não parece adequada; a economia não parece ter sido tão "atrasada" e o Estado, no início, estimulou desenvolvimentos nessa área. Precisamos analisar mais de perto a concepção de "ciência moderna" de Needham, onde está a chave de algumas dessas contradições.

"CIÊNCIA MODERNA" E AS CARACTERÍSTICAS INTERNAS DOS SISTEMAS DE CONHECIMENTO

Ao apontar o Ocidente como a única região na qual a "ciência moderna" espontaneamente se desenvolveu, Needham é levado a adotar uma posição eurocêntrica implícita. O Ocidente desenvolveu "espontaneamente" a ciência moderna, portanto, os chineses que recentemente ganharam o Nobel teriam alcançado suas metas por imitação. Consideremos duas das principais características que ele destaca como pedras fundamentais da "ciência moderna": matemática e experimento; será que a chamada "ciência moderna" deveria ser vista como um desenvolvimento puramente ocidental quando a base numérica para seus cálculos veio de sistemas asiáticos em que a ideia de experimentação deve ter sido aplicada de forma bem mais abrangente como prova seu sucesso técnico?

Além do contexto econômico e político, Needham também se refere a influências internas aos sistemas de conhecimento e suas interações mútuas. Mudanças graduais em uma área são percebidas como tendo dado ensejo, em uma área diferente de pensamento, à revisão geral de práticas e modelos correntes. Needham discute o cristianismo (que estimulou uma atitude voltada para a natureza diferente de qualquer outra religião), a educação (que se expandia rapidamente, ajudando na vasta difusão do conhecimento) e o advento da imprensa e o surgimento de manuais de orientação, tornando a informação e o pensamento bem mais disponíveis.

A religião é um dos fatores que, segundo ele, explica o aparente paradoxo do salto qualitativo na ciência moderna, quando comparada com a sua contrapartida chinesa. Needham segue Roszak e outros autores ao sugerir que a capacidade do Ocidente em adotar um ponto de vista "cientificista" estava conectada com a "intolerância agressiva" do monoteísmo hebreu e seus desdobramentos, cristão e islâmico, gerando a "dessacralização da natureza" incorporada na "importância exagerada concedida à ideologia". Essas atitudes perante a natureza são vistas por outros, de acordo com Needham,

CIÊNCIA E CIVILIZAÇÃO NA EUROPA RENASCENTISTA   169

como resultado da luta cristã contra o "paganismo"[61] e eram reforçadas pelo atomismo da Grécia antiga, uma espécie de "materialismo mecânico". Essa reificação da natureza teria dado origem à abordagem mais baseada no conceito de objeto, característica da "ciência moderna", contraposta a uma perspectiva mais holística e prática das culturas não europeias. No entanto, mais uma vez o Ocidente não estava só. A Índia não só possuía "especulações atômicas avançadas" como uma tradição de pensamento materialista e ateu (o *Lokāyāta*).[62] Confúcio também revelava uma considerável medida de cepticismo em relação ao sobrenatural.

Todas as religiões escritas enfrentaram inicialmente o mesmo problema em confrontar os "animistas" locais, como o cristianismo com relação ao paganismo, confronto esse que ainda não terminou completamente. O argumento é obscuro, mas simplesmente não é o caso de considerar que a objeção a ídolos como explicação de eventos da natureza, que supostamente clareou os ares intelectuais, seja uma atitude confinada às religiões do Oriente Médio. Essa rejeição era também característica do budismo antigo, como também do platonismo e de muitos outros sistemas de pensamento. Eu acredito que seja uma tendência universal em animais que falam.[63] Novamente, para explicar a "ciência moderna", Needham coloca o foco no Ocidente; mas existem outras possibilidades a serem exploradas.

Toda a existência de uma divisão conceitual binária entre as ciências "moderna" e antiga é posta em dúvida por Elvin. Ele escreve: "desde 1600, a China possuía, em graus variáveis, *todos* os modos de pensamento identificados por Crombie (historiador da ciência) como sendo componentes da ciência [...] com a aparente exceção da probabilística, que dificilmente teria existido nesse tempo, mesmo na Europa".[64] "A revolução na Europa após 1600, *na medida em que houve mesmo alguma* [meus itálicos], recaía mais na *aceleração* com a qual esses modos se desenvolveram e se interligaram do que em qualquer inovação qualitativa fundamental – com exceção da probabilidade". Essa é uma posição radicalmente diferente da de Needham e, obviamente, questiona não somente a ideia de um "salto qualitativo" (de alguma forma, em termos de pensamento científico) no Ocidente, como também as explicações dadas em termos de burguesia, religião, Renascença e capitalismo. A singularidade da ciência moderna ou da tecnologia também vem sendo questionada por certo número de autores mais recentes.[65] Argumenta-se que, nesse aspecto, no início, a Europa estava atrasada, portanto, uma mudança significativa não

---

[61] Needham, 2004:93, citando Pallis e Lynn White.
[62] Goody, 1998:211.
[63] Goody, 1997.
[64] Needham, 2004:xxviii.
[65] Wallerstein, 1999:20.

poderia ser explicada em termos de uma afinidade ocidental com uma tradição de conhecimento científico. Certamente, explicações racistas ou culturalistas como essa devem ser rejeitadas.

Elvin tentou determinar uma distinção entre ciência e tecnologia, de um lado, e entre ciência moderna e antiga, de outro, modificando a terminologia empregada por muitos historiadores da ciência. Ele critica o "suave desdém brahmânico" de acadêmicos das ciências avançadas para com tentativas de dar sentido a fenômenos rudes e complexos, como a água em movimento. Ele também duvida da validade da distinção entre ciência e tecnologia adotada por muitos historiadores da ciência. Essa divisão parece ser intrínseca à concepção de ciência moderna de Needham na qual tanto depende a argumentação referente ao "problema de Needham".

O "PROBLEMA DE NEEDHAM"

Needham, entretanto, insistiu em tentar responder à questão de por que a faísca do conhecimento científico pegou fogo na Europa, o que ficou conhecido como "problema de Needham". Alguns sugerem que – seguindo práticas de certos círculos islâmicos – professores europeus, como Roger Bacon, começaram a examinar sistematicamente as qualidades do mundo natural (com o pano de fundo que delineamos no capítulo anterior), embora, como Elvin observou, um movimento semelhante tenha sido identificado entre alquimistas chineses. Também foi sugerido, como vimos, que o advento da prensa e a produção de livretos de "como fazer" encorajaram essas investigações, mas a prensa também já tinha sido estabelecida na China muito antes.

Que diferenças podemos ver na situação europeia? O continente havia decaído muito e ficado bastante para trás em termos de conhecimento, como vemos no notável diagrama-resumo de Needham, em seu livro *Science and Civilization in China*[66] (veja quadro 5.1).

Quando a Europa ficou apartada de seus vizinhos orientais, no início da Idade Média, voltou-se para si mesma e para sua cultura dominantemente religiosa. Com a expansão do comércio e contatos com o resto do mundo, especialmente com a Europa islâmica e o Oriente Médio islâmico, ficou claro o atraso europeu em termos de comércio, conhecimento e invenções.

[66] Needham, 2004:xx, veja a figura 2.

Quadro 5.1 Transmissão de técnicas mecânicas e outras técnicas da China para o Ocidente.

	Defasagem aproximada em séculos
a) Bomba de corrente de palhetas quadradas	15
b) Moinho de borda corrediça	13
Moinho de borda corrediça com aplicação da força da água	9
c) Fole metalúrgico à força da água	11
d) Hélice circular e máquina de peneirar circular	14
e) Pistão de fole	c. 14
f) Tear	4
g) Maquinário para manuseio da seda	3-13
(tipo de artifício para bobinar fios de forma uniforme no carretel)	
h) Carrinho de mão	9-12
i) Embarcação náutica	12
j) Moinho de tração animal	12
k) Arreios eficientes para animais de tração	8
Colar para peitoral	6
l) Arco (de um braço só)	13
m) Pipa	c. 12
n) Parte de cima do helicóptero (que gira por corda)	14
Zeotrope	c. 12
o) Perfuração profunda	11
p) Ferro fundido	10-12
q) Suspensão "Cardan"	8-9
r) Ponte de arcos segmentada	7
s) Ponte pensil com corrente de ferro	10-13
t) Canal com comporta	7-17
u) Princípios de construção náutica	10
v) Leme de popa	c. 4
w) Pólvora	5-6
Pólvora usada como uma técnica de guerra	4
x) Bússola magnética	11
Bússola magnética com agulha	4
Bússola magnética para navegação	2
y) Papel	10
Prensa (bloco)	6
Prensa (tipo móvel)	4
Prensa (tipo móvel de metal)	1
z) Porcelana	11-13

Fonte: Needham, 2004:214.

O comércio foi se recuperando, o conhecimento veio de fora, assim como a informação e as invenções do Oriente, incluindo da Índia e da China, usualmente trazidas por comerciantes que faziam contato ao longo da grande faixa de sociedades muçulmanas estendida por toda Ásia. A recuperação dos conhecimentos, dependendo da área, foi extraordinariamente rápida. A velocidade teve, com certeza, a ver com a "vantagem do atraso". Em um espaço de tempo relativamente curto, a inferioridade perante o Oriente foi superada.

Outra característica responsável pela repentina recuperação europeia após a Renascença foi a expansão da educação nas universidades e nas escolas, parcialmente promovida pelo advento da prensa, trazendo consigo a habilidade de disseminar rapidamente tanto textos como diagramas em larga escala.[67] No entanto, isso tampouco era uma característica unicamente europeia, como veremos no capítulo "O roubo das instituições, cidades e universidades". Elvin escreve sobre os erros que alguns historiadores têm cometido em considerar a presença da "universidade" na Europa do século XII como sendo a variável mágica no que se refere às origens da "ciência moderna". Ele aponta "analogias com as universidades na China",[68] sendo a mais conhecida a "Grande Escola", dirigida pelo governo durante a dinastia Sung. Nela, estudava-se matemática, medicina e havia exames. Fora isso, as "academias", muito mais difundidas, ofereciam instrução, discussão e treinamento.

Elvin também analisa a proposta que aponta dois fatores envolvidos. Primeiro, a concepção da natureza como depósito de segredos a serem decifrados, possivelmente derivada, como já vimos, de alguma corrente da tradição islâmica, que de forma mais notável teria estimulado Roger Bacon no século XIII. Segundo, a vulgarização do conhecimento levando a uma "chuva de manuais de 'como fazer'", decorrente do advento da impressão. Elvin, porém, rejeitou essa sugestão porque vê a alquimia chinesa como sendo, de um modo geral, equivalente ao primeiro (a tradição de pesquisa) e a longa séries de manuais de "como fazer" em agricultura e artesanato (apesar de pouco acessível aos medianamente letrados) como parcialmente equivalente ao segundo (vulgarização). Por exemplo, Khubla Khan autorizou a compilação do livro *Os elementos básicos de agricultura e a cultura do bicho-da-seda,* que na sua edição de 1315 imprimiu 10 mil cópias.[69] Precisamos, portanto, olhar mais profundamente o contexto.

O que essa situação enfatiza é que a lacuna entre a Europa e a China é menos profunda do que muitas teorias supõem. Ao que tudo indica, foi

---

[67] Ong, 1974.   [68] Elvin, 2004:xxvii.   [69] Needham, 2004:50.

CIÊNCIA E CIVILIZAÇÃO NA EUROPA RENASCENTISTA   173

preciso apenas uma fagulha para colocar o trem dos eventos intelectuais em movimento, uma fagulha que pode ter sido provida por Galileu (como infere Elvin). O grande avanço pode ter sido, em parte, resultado do despertar do adormecido; o próprio atraso da ciência ocidental – que permite liberdade de desenvolvimento – de modo geral inibido pelo domínio da Igreja Católica e suas visões de mundo, foi libertado, pelo menos em parte, pelas contracorrentes da Renascença e pela reversão aos modelos de conhecimento de Roma e Grécia que não estavam dominados da mesma forma por uma religião mundial. A secularização de grandes áreas do conhecimento, auxiliada pelo advento da prensa na Europa, pelo questionamento da Reforma e pelo crescimento do número de escolas, universidades e do humanismo contribuíram para essas mudanças, assim como o crescimento do comércio, das aventuras além-mar e das séries de acontecimentos que estimularam a pesquisa e promoveram o capitalismo.

No entanto, mesmo que tenham provocado uma mudança radical no clima intelectual europeu, esses eventos não podem ser considerados nada mais que um despertar europeu, um despertar que deu vantagem temporária sobre suas contrapartes do Extremo Oriente. Certamente, a ciência não fez sua primeira aparição na história na Europa renascentista, pelo simples fato de ela já existir há muito tempo, em outras partes. As distinções que Needham faz entre ciência antiga e moderna, ciência e tecnologia (atacadas, como vimos, por Elvin, entre outros), vêm de um hábito de considerar o desenvolvimento na Europa pós-renascentista como sendo o auge das realizações e procurar justificar uma preferência que, de outra forma, poderia parecer arbitrária. O "problema de Needham", assim posto, não existe. A questão a ser levantada é se a superioridade europeia em termos de ciência moderna deve ser vista como um fato indiscutível. Needham nos ensinou que a ciência europeia não apareceu em um deserto científico, mas que existiram sólidos sistemas de conhecimentos, em outras partes do mundo, que foram, como ele estima, assimilados pela Europa – mas só após prolongada passividade. Se a liderança da Europa é incontestável, continua uma questão em aberto.

O fato de a Europa ter feito bom uso da ciência após a Renascença é indiscutível, mas precisa de explicações menos categóricas do que as que foram revistas neste capítulo. Na visão de Elvin, o "problema de Needham" ainda está longe de ser resolvido. Ele conclui suas considerações sugerindo olharmos para variáveis mais específicas do que as que Needham selecionou. Elvin insiste na "desagregação" de variáveis de forma um tanto diferente da abordagem que Needham faz dos fatores sociais. Por exemplo, com relação às universidades, ele sugere que o que é necessário para apoiar o argumento da superioridade europeia é uma analise mais específica das instituições. O que realmente havia nas instituições europeias, ele pergunta, que levou a um rápido avanço científico? Ele alega que é necessário a mesma abordagem para a noção de probabilidade que ele vê como sendo uma das ideias científicas que a China não havia formalmente desenvolvido por volta de 1600. No entanto, embora não houvesse relatos de princípios gerais desse assunto, havia um significativo conhecimento prático em probabilidades incorporado em jogos de tabuleiros, alguns dos quais vieram do Ocidente, como o gamão, e outros do Oriente, como o dominó. Esse conhecimento prático pode não ter sido concebido como teoria geral porque consistia em segredo profissional dos apostadores. Não se divulgam segredos dos quais depende o próprio sustento. No entanto, os apostadores possuíam elementos para produzir "um cálculo básico de probabilidades". Como os números nunca foram publicados, "as codificações, generalizações e progressos, usualmente associados à disponibilidade pública, nunca ocorreram".[70] Essa situação proporcionou um excelente exemplo da maneira como a expressão letrada parece tornar explícitos e, portanto, mais "teóricos" os princípios da ciência, cujo desenvolvimento depende, em última instância, dos desenvolvimentos dos modos de comunicação.

Mais uma vez, a concepção de uma grade seria mais apropriada do que distinções categóricas que tendem a identificar cada tradição com um polo. O que encontramos então é uma concentração de várias características em uma tradição, variando ao longo dos anos, com as atividades mais "desinteressadas" ligadas à "ciência", as de utilidade mais imediata à "tecnologia", e nenhuma sendo totalmente distinta da outra. Nem podendo ser associadas unilateralmente a um continente ou outro.

Existem outros problemas com relação a categorias binárias que não permitem pluralidade e contradição. Em uma passagem especulativa, Needham vê na China a possibilidade de solução para alguns dos dilemas éticos que a "ciência moderna" levanta, porque a China tem tido por dois mil anos "um poderoso sistema ético que nunca se apoiou em sanções sobrenaturais".[71] Ele aqui se refere ao confucionismo. O sistema de crença chinês, no entanto, também englobava o budismo, adoração de ancestrais, e

---

[70] Elvin, 2004:xxxiv.   [71] Needham, 2004:84.

deidades locais.[72] O que faltou (e isso foi importante para o conhecimento, como vimos) foi uma ideologia religiosa englobadora única, como o cristianismo, islamismo ou judaísmo. Essa pluralidade certamente abriu o caminho para investigações mais abrangentes com relação à "natureza". No entanto, havia de fato muitas "agências sobrenaturais" e "sanções sobrenaturais". Needham destaca o confucionismo, mas isso é um exemplo de uma tendência de apontar para apenas um elemento (o mais letrado) dentro da totalidade dos sistemas de crença de uma sociedade e de ligar isso com outros aspectos da cultura que se está tentando explicar, como certo número de historiadores e sociólogos faz de formas diversas. Mas é um erro fechar os olhos, em qualquer tempo, para as diversidades e contradições em sistemas de crença, um erro que produz uma história insatisfatória.

O problema que já mencionei relativo ao uso de uma distinção categórica é a tendência (e não mais que isso) em considerar essa distinção mais permanente do que seria justificável. Como biólogo, Needham evitou o recurso ao "racismo" como ele é normalmente entendido, mas sua história é frequentemente afetada pelas referências à disposição hereditária de tendências culturais. Assim, ele menciona os "*instintos* éticos mais nobres" dos judeus.[73] Em um outro momento, ele se refere ao "gênio" chinês.[74] Esses comentários podem ser metafóricos, mas parecem revelar uma crença quase que biológica em continuidades culturais, uma ideia que requer cautela e modificação. Meu comentário aqui se afina com o ponto de vista de Elvin de que Needham vê a cultura e a sociedade chinesas como imutáveis ao longo do tempo, uma visão totalmente a-histórica; ele trata do espaço da mesma maneira, tomando o império como sendo tão homogêneo como um Estado-nação. Ele sempre pende para a continuidade. Mais uma vez insisto: uma grade pode ser uma referência melhor para as flutuações, mudanças e reversões de modelos que podem ser observados no processo histórico.[75]

Os problemas com a história social de Needham podem ser vistos mais claramente em seus prognósticos sobre o futuro da China. Em vez de copiar o Ocidente, o desenvolvimento de uma "forma de sociedade socialista pareceria ser mais congruente com o passado da China do que com o de qualquer outra sociedade capitalista".[76] Como ele interpretaria as disposições atuais na China não está claro, mas muitos não as veriam mais como sendo

---

[72] Em um determinado momento, Needham atribuiu ao taoismo um papel central na história da ciência chinesa, mas a ideia não se sustenta mais.

[73] Needham, 2004:85, itálicos meus.

[74] Needham, 2004:69.

[75] Ver a recusa de Needham para "reemergência", Needham, 2004:51.

[76] Needham, 2004:65.

"socialistas".[77] De qualquer forma, os exemplos de Hong Kong, Singapura e Taiwan não parecem ser testemunhas de quaisquer incongruências do tipo que ele defende. As categorias de Needham são muito exclusivas, tanto para o presente como para o passado.

Deixando de lado as ênfases exageradas sobre continuidade cultural ou histórica, existem outras dificuldades na tentativa de Needham em explicar o que ele vê como o desenvolvimento "exclusivo" da ciência moderna no Ocidente, assim como a Renascença, a burguesia e o capitalismo. Quero insistir que minha crítica não diminui de forma alguma os avanços enormes que ele fez na compreensão das realizações chinesas. No entanto, deparamo-nos aqui com o mesmo problema que encontramos na concepção que Braudel tem de "capitalismo" e na discussão de Weber sobre a natureza da cidade medieval, para não falar da sua visão da contribuição da ética do protestantismo. Todas essas explicações têm uma concentração injustificada na Europa pós-Renascentista, que obteve desenvolvimentos extraordinários na ciência e na tecnologia, assim como nas outras áreas. No entanto, quando estas são destacadas como "modernas" em contraste com todas as outras formas, o "problema de Needham" é proposto de forma categórica e essencialista, que impede de se reconhecer os subsequentes desenvolvimentos na economia, na política e nas realizações científicas do Oriente. Esses desenvolvimentos requerem uma avaliação histórico-cultural de longo prazo. Se você começa com a Europa contemporânea ou com a ciência europeia recente como pontos de referência, tudo mais vai certamente parecer desviante, como que faltando algo. Esse é um problema geral para os historiadores europeus contemporâneos, que olham para trás ou para outro lugar. As diferenças tornam-se, de certa forma, avaliações negativas, uma vez que a ciência europeia recente torna-se a norma e tudo mais é visto como carente, uma falha que precisa ser contabilizada.

---

[77] Os efeitos da revolução socioeconômica na história chinesa são discutidos por Brook e Blue, 1999:155ss.

O ROUBO DA "CIVILIZAÇÃO":
ELIAS E A EUROPA ABSOLUTISTA

Muito da história do mundo tem sido escrita em termos de civilização e civilizações, das unidades mais amplas da sociedade pós-Idade do Bronze, frequentemente percebidas como culturas colidindo entre si, na forma discutida por Samuel Huntington.[1] A partir de uma posição etnocêntrica, a luta é sempre ganha pelo Ocidente. Alguns estudiosos prescientes reconhecem essa vitória, se é que pode ser vista assim em um mundo interativo, como algo temporário, enquanto outros tentam reinterpretar os acontecimentos. As reivindicações extravagantes mais etnocêntricas envolvem não apenas apresentar vantagens contemporâneas ou recentes como virtualmente permanentes, mas interpretar essas vantagens como um desenvolvimento exclusivo da sociedade europeia, pelo menos desde o século XVI e muitas vezes desde muito antes. Um exemplo influente dessa abordagem é o estudo do sociólogo Norbert Elias chamado *The Civilizing Process* (*O processo civilizador*),[2] no qual as intenções do autor em elucidar esse processo são determinadas pelas limitações de sua abordagem das culturas humanas.

Civilização é uma palavra usada de várias formas. É vastamente empregada em contraste com barbárie; ambos os conceitos tomam sua forma particular no mundo grego e sua maneira de enxergar os vizinhos do norte, sul e leste. No início, o termo *barbárie* tinha uma conotação altamente etnocêntrica de rejeição ao "outro", mas tinha também uma base lógica, pois os habitantes de cidades (*civis*, como cidadão) usavam o termo "bárbaro" para se referirem àqueles que estavam fora dos muros da cidade e tinham

---

[1] Huntington, 1996. [2] Elias, 1994a.

práticas mais rurais. Por fim, os dois termos foram tomados por antropólogos e arqueólogos ocidentais para, sem qualquer elemento de avaliação moral, se referirem à "cultura das cidades", **civilização**, relacionada a sociedades complexas – baseadas em agricultura de arado, produção artesanal e uso da escrita – que emergiram na Idade do Bronze por volta de 3000 a.e.c.,[3] e à **barbárie**, relacionada àqueles que praticavam uma agricultura de enxada, mais simples.

No entanto, no discurso comum, a conotação avaliativa etnocêntrica continuou presente. Em situações coloniais, podia-se constantemente ouvir a palavra "bárbaro" proferida por europeus para se referirem aos membros e aos "costumes" das culturas com as quais entravam em contato. Hoje em dia, pode-se ouvi-la sendo aplicada com igual frequência, sempre pejorativamente, a imigrantes ou pessoas que resistem em se pautar por regras normais. A contraparte, "civilizado" retornou em um contexto basicamente europeu no mundialmente aclamado livro de Elias.

Meu objetivo neste capítulo é usar o tipo de material disponível para Japão, China e outras culturas orientais para questionar a postura de Elias de confinar o conceito de civilização ao contexto europeu, o que entendo como um "roubo de civilização" por parte da Europa. Em segundo lugar, quero justapor o projeto de Elias no seu livro *The Civilizing Process* (*O processo civilizador*)[4] com suas experiências em Gana, onde lecionou até o final da vida e, assim, elucidar sua atitude com relação àquilo que os antropólogos referem-se como "outras culturas" (especialmente as "não civilizadas", "bárbaras"), mostrando a natureza autocongratulatória da sua abordagem.[5] Em terceiro, algumas considerações metodológicas parecem apropriadas para explicar a distância entre os dados disponíveis para Elias e suas conclusões interpretativas. Alguns considerarão a tese de Elias antiquada, mas ela ainda encontra seguidores na França – como no trabalho do distinto historiador Roger Chartier –, na Holanda, na Alemanha e entre sociólogos na Inglaterra (onde um círculo de seguidores publicou o periódico *Figurations*). Novas edições de seus trabalhos continuam a aparecer e levantam questões importantes sobre o estudo comparativo da civilização.

---

[3] Childe, 1942.

[4] Elias, 1994a [1939].

[5] Uma versão desse capítulo foi originalmente escrita como comentário etnográfico sobre meu encontro com Norbert Elias em Gana, no contexto de memórias do país publicadas por ele em uma série de entrevistas. Eu fui levado a avançar a questão de abordagens sociológicas e antropológicas que sua estadia em Gana suscitaram e considerar essa experiência dentro de sua tese mais ampla sobre o "processo civilizador". Mais tarde, fui solicitado a ampliar esses últimos comentários em relação à sua postura teórica e às de outros importantes teóricos sociais do século xx.

Elias toma como ponto de partida a declaração de Kant de que "nós somos civilizados até o ponto em que ficamos sobrecarregados com todo tipo de adequação e decoro sociais".[6] O "nós" é a Europa. Seu estudo começa com a discussão da "sociogênese dos conceitos de 'civilização' e de 'cultura'", ou seja, de como a ampla conotação popular de "civilização" na Alemanha chegou a um termo quase analítico. Segundo essa concepção, nós somos civilizados e os outros são selvagens – sejam pagãos, camponeses incultos, ou até mesmo indivíduos do proletariado. Ele vê o conceito de civilização (em sua função geral e em sua qualidade comum) como expressão da "autoconsciência do Ocidente", abarcando tudo o que o Ocidente se acredita superior em relação a outras sociedades e indicando seu caráter especial em relação à modernização ("modernização" é um termo meu; ele usa "progresso do Ocidente"[7]). Ele critica essa noção de progresso em trabalhos de outros sociólogos,[8] porém justifica seu uso alegando adotar um termo usado pelo povo. Essa adoção da terminologia obviamente contribui para o aspecto eurocêntrico do trabalho de Elias, já que quem fala são os europeus. E esse uso chega a soar muito parecido com a forma com que o humanismo, em alguns círculos, passou a se referir às nossas realizações particulares ao tempo da Renascença ou mesmo antes.

As tentativas de Elias de "historicizar" os conceitos de civilização e cultura são interessantes, uma vez que, em contraste aos conceitos científicos, ele compreende seu uso como inextricavelmente associado a um contexto social particular. No entanto, essa consideração complica muito seu uso analítico uma vez que o leva a tomar uma posição baseada puramente no contexto social ocidental. Civilização é tudo o que o Ocidente pensa ter realizado, assim como as atitudes a ela associadas. Outras sociedades complexas têm visões similares sobre suas realizações em relação às dos outros. Nesse sentido, ele faz um uso do termo bem diferente do adotado pelos historiadores especializados em sociedades antigas. Para estes, civilização é associada à palavra "civil" (e não, como Elias, às boas maneiras), e refere-se à cultura das cidades, resultado da Revolução Urbana da Idade do Bronze. Temos de compreender os esforços de Elias ligados a uma estrutura de referência avaliativa totalmente diferente.

A concepção de Elias refere-se ao surgimento de padrões de comportamento sociais e psicológicos. Ele fala em "sociogênese" e "psicogênese". Sua alegação é que, depois da Idade Média os comportamentos passaram a ser censurados socialmente de forma crescente, levando à

---

[6] Kant, 1784; Elias, 1994a [1939]:7.   [7] Elias, 1994a [1939]:4.   [8] Elias, 1994a [1939]:193.

180 O ROUBO DA HISTÓRIA

sociogênese dos sentimentos de vergonha e delicadeza, e, de forma mais geral, a comportamentos mais civilizados. Com o tempo, isso foi internalizado, os mecanismos de civilização passaram da coerção externa a uma censura interna, vergonha se tornou culpa (uma ideia que remonta a Freud). Todo o processo de *"Naturvolk"* (povo da natureza) para civilização só se completou uma vez na história: na Europa moderna. De acordo com Elias, esses desenvolvimentos têm sua origem na passagem da sociedade feudal para a absolutista. A organização social tornou-se cada vez mais hierárquica e complexa, impondo restrições mais severas ao comportamento, restrições essas que foram sendo internalizadas com o tempo.

Antes de promover uma análise de suas alegações, Elias esforça-se em expor seus interesses teóricos e metodológicos. Está particularmente preocupado com a maneira pela qual o tipo predominante de sociologia corrente em seus dias (ele se refere principalmente a Talcott Parsons) tinha se tornado uma sociologia de "estados" (estática) e deixado de lado a consideração do problema das mudanças sociais de longo prazo, "da sociogênese e do desenvolvimento de formações sociais de todo tipo".[9] Uma realização importante de Elias foi manter viva a tradição da sociologia histórica, exemplificada nos trabalhos de Marx e, acima de tudo, de Max Weber e rejeitada por muitos "pós-modernistas" entre outros estudiosos.[10]

Não quero sugerir que a comparação seja a única estratégica que a história, a antropologia ou as ciências sociais podem adotar. Certamente existe um lugar para aqueles que desejam concentrar-se nos nuer, no sistema mais amplo dos estudos neolíticos ou na Bósnia medieval, e mesmo em formas de comportamento da Europa Renascentista. Pode até haver espaço para um tipo de pesquisa que não abarque nem estudo intensivo, nem comparação sistemática, mas envolva especulações gerais sobre a história humana. De minha parte, preferiria ver isso listado sob uma designação separada, por exemplo, a "antropologia filosófica" de Habermas, uma possibilidade aqui. No entanto, se a questão é focalizar diferenças entre certos tipos de sociedades (ainda que definidas) ou mesmo inferir a existência dessas diferenças gerais,

---

[9] Elias, 1994a [1939]:190.

[10] Pois Elias havia trabalhado com o irmão dele, Alfred Weber, e se juntado ao círculo de Marianne Weber em Heidelberg, tornando-se assistente do sociólogo Karl Mannheim, com quem se encontrou novamente mais tarde em Londres. Elias aplicou essa abordagem ao tópico fascinante das "atitudes". Ele também esteve muito preocupado, como vimos, com o desenvolvimento ao longo do tempo. Essa era a questão, mas Parsons via vantagens na análise sincrônica da ação social. De fato, a análise diacrônica, nos trabalhos de autores como Comte, Spencer, Marx e Hobhouse, é dispensada pelo próprio Elias, em parte a partir de evidências e em parte por causa de uma ideologia que assumia que o desenvolvimento era sempre para melhor, um movimento em direção ao progresso.

O ROUBO DA "CIVILIZAÇÃO" 181

não há alternativa à comparação sistemática. Pomeranz atesta em um livro recente que a teoria social clássica é eurocêntrica, mas argumenta que

> a alternativa apresentada por algumas correntes "pós-modernistas" – de abandonar por completo a comparação intercultural e focar sua atenção quase que exclusivamente na contingência, particularidade e talvez na incompreensibilidade dos momentos históricos – torna impossível a abordagem de muitas das mais importantes questões da história (e da vida contemporânea). Aparentemente, é preferível, em vez de confrontar comparações tendenciosas, tentar produzir outras melhores,

considerando ambos os lados da comparação como desvios, em vez de ver um dos lados como norma.[11] Essa meta deve manter-se como um objetivo importante para todos os praticantes das ciências sociais, e os trabalhos de Weber e Elias nos instigam nessa direção.

Apesar dos problemas com aspectos de sua abordagem, Elias tem exercido alguma influência no desenvolvimento da análise social, mas sempre em contexto europeu. Um exemplo é o estudo interessante de Mennell sobre o desenvolvimento dos alimentos na França e na Inglaterra, histórico no conteúdo, mas dentro de uma estrutura sociológica. Um aspecto dessa estrutura é a "sociologia figurativa" de Norbert Elias, intrínseca à sua abordagem, mas de fato um tanto obscura.

> A palavra "figuração" é usada para denotar os padrões nos quais as pessoas são alocadas em grupos, estamentos, sociedades – padrões de interdependência que abrangem toda forma de cooperação e conflito e que são raramente estáticas ou imutáveis. Dentro de uma figuração social em desenvolvimento, modos de comportamentos individuais, gostos culturais, ideias intelectuais, estratificação social, poder político e organização econômica estão todos entrelaçados uns nos outros, em formas complexas que se alteram ao longo do tempo de maneiras que precisam ser investigadas. O objetivo é prover uma explicação "sociogênica" de como as figurações mudam de um tipo para outro [...].[12]

Como Mennell, Elias produz uma interessante sociologia histórica da Europa. Isso necessariamente envolve a análise de eventos ao longo do tempo. É com mudança e continuidade que ele está tentando lidar ao introduzir a noção de "figurações". Mas o que de fato o uso de tal noção nos faz ver que já não tenhamos visto por intermédio de vários conceitos sociológicos ou antropológicos? Muito pouco. Ademais, no trabalho de Elias, sempre haverá o problema de as figurações, assim como as civilizações, terem muito pouca base comparativa. Mennell refere-se à sugestão de Elias[13] de que "é uma das

---

[11] Pomeranz, 2000:8. [12] Mennel, 1985:15-16. [13] Elias, 1994a [1939]:ii, 252-6.

peculiaridades da sociedade ocidental que a redução de contrastes na cultura e na conduta tenha se enredado com a combinação de traços provindos inicialmente de níveis sociais bem diferentes".[14] Eu duvido muito que essa seja uma característica exclusivamente ocidental; não há qualquer prova disso.[15] Tampouco nos é apresentado um entendimento, nem no seu trabalho original, nem em seus comentários sobre Gana, do leque de sociedades, comportamentos ou figurações humanas como um todo. E, embora seja possível fazer um trabalho acadêmico de valor sem esse entendimento, sua ausência inibe seriamente a análise de uma questão tão geral como o "processo civilizador".

Em minha opinião, Elias argumenta com razão que deveríamos deixar de lado a ideologia das ciências sociais e tentarmos melhorar as bases factuais. Mas o problema com seu estudo é que a base factual é restrita. Além disso, tampouco fica claro em sua monografia inicial até que ponto a noção de "progresso" é intrínseca ao seu conceito de civilização, de centralização e internalização de proibições no desenvolvimento dos costumes. Tem se discutido muito a natureza dos conceitos de "progresso" e "processo" de Elias e suas relações com noções anteriores de evolução e desenvolvimento, mas, em seu livro principal, ele certamente está lidando com transformação vetorial ao longo do tempo, tanto da sociedade quanto da personalidade.

Ele também chama atenção para a escassez de trabalhos sobre "as estruturas e controles do afeto humano" exceto para "as sociedades mais desenvolvidas de hoje em dia". Ele se refere à necessidade de evidências de outras sociedades, mas considera ter cuidado da questão tanto no que se refere à diferenciação no nível sociopolítico ("controles do Estado") quanto no relacionamento com mudanças de longo prazo no controle dos afetos, este se manifestando "na forma de um avanço no limiar da vergonha e repulsa". A noção de tal "avanço" é crítica. Apesar de ele desejar substituir as teorias sociológicas do desenvolvimento metafisicamente dominadas por um

---

[14] Mennell, 1985:331.

[15] Uma crítica mais elaborada sobre Elias foi oferecida por Hans-Peter Dürr, à qual Mennell e Goudsblom (1977) responderam. A meu ver, a tentativa de mostrar Elias preocupado, intelectual e empiricamente com o Oriente e com o outro, é basicamente um fracasso. Ele começou de um ponto de vista weberiano, como tentei mostrar, tanto nos comentários iniciais em seu livro e em suas experiências africanas, e ele nunca conseguiu superar uma visão eurocêntrica. Em comentários posteriores, esses autores modificaram as concepções de Elias, Mennell enfatizando o processo complementar de descivilização e Goudsblom ao levar "civilização" para o passado, não somente para o século XVI e para a "formação do Estado", ou mesmo para a Idade do Bronze e suas cidades, mas também para a invenção do fogo, que viu como o início da própria cultura. A primeira modificação dá conta da experiência nazista, a segunda da exclusão de Gana e dos "povos da natureza". Ambas as modificações apontam para a relevância de minha crítica e correm, acredito eu, em uma direção diferente da apontada pelo argumento de Elias.

modelo de base mais empírica, rejeita as noções de evolução "no sentido do século XIX" ou de "mudança social" não específica no sentido do século XX.[16] Elias prefere olhar para uma das manifestações do desenvolvimento social, ou seja, o processo da formação do Estado ao longo de vários séculos junto com o processo complementar de avanço da civilização; tudo o mais parece ser o produto do *naturvolk*. Ele afirma estar "construindo os fundamentos de uma teoria sociológica de base empírica e não dogmática do processo social em geral e do desenvolvimento social em particular".[17] Poder-se-ia esperar que um *naturvolk* generalizado fosse a primeira vítima de tal investigação. No entanto, continua ele, a mudança social (vista como "estrutural") deve ser concebida como se movendo em direção a "maior ou menor complexidade" ao longo de muitas gerações.[18] Não é fácil discutir a aplicabilidade dessa teoria a outros contextos por conta de sua alta generalidade. Ao mesmo tempo, ele confina a noção de formação do Estado e da civilização ao período moderno europeu. De um ponto de vista teórico, tal foco é insustentável, especialmente no que diz respeito à formação do Estado, processo que foi discutido por outros escritores alemães (como o antropólogo Robert Lowie) em um contexto bem mais amplo.

O PROCESSO CIVILIZADOR

Elias começa o prefácio de seu livro principal com as palavras: "É central para este estudo os modos de comportamento considerados típicos do homem ocidental civilizado". Sua tese é a de que no período "medieval-feudal" a Europa não era civilizada. A "civilização" do Ocidente veio mais tarde. Como o comportamento e a "vida afetiva" mudaram depois da Idade Média? Como podemos entender "o processo físico da civilização"? Ele alega que houve especificamente uma mudança nos "sentimentos de vergonha e delicadeza"; os padrões do que a sociedade demanda e proíbe mudaram. O patamar do desprazer socialmente infundido mudou e, portanto, a questão dos medos "sociogênicos" emergiu como um dos problemas centrais do processo civilizador, que é marcado pela internalização das sanções sociais. Alguns povos, segundo ele, ficaram infantilizados, menos maduros que nós; não atingiram o mesmo estágio no processo civilizador. Ainda que Elias não afirme que "nosso modo de comportamento civilizado é o mais avançado

---

[16] Elias, 1994a [1939]:184.   [17] Elias, 1994a [1939]:184.   [18] Elias, 1994a [1939]:184.

de todos os modos de comportamento humanamente possíveis", o próprio conceito de civilizado "expressa a autoconsciência do Ocidente".[19] Nesses termos, afirma ele, a sociedade ocidental busca descrever sua superioridade.

Ele chama a atenção para "a noção de que as pessoas devem procurar se harmonizar e mostrar ter consideração umas pela outras, que o indivíduo não pode sempre se deixar levar pelas suas emoções"; essa noção surgiu tanto na França, especialmente na literatura de corte, quanto na Inglaterra.[20] Tais ideias são tidas como ausentes da sociedade feudal e surgiram da vida na corte de monarquias absolutistas da Europa pós-medieval; "situações sociais relacionadas, a vida no *monde*, produziram por toda parte na Europa, percepções e modos de comportamentos". Em outras palavras, o processo civilizador é visto como ligado à "modernização" da Europa.

Parte desse processo foi o desenvolvimento dos costumes com a ascensão do Estado, a partir da Renascença até tempos recentes, com funções corporais tornando-se cada vez mais escondidas, tanto na verbalização quanto em atos, com mediadores gradualmente introduzidos entre alimento e boca, com movimentos, gestos e posturas mais deliberadamente formais. Evidências nos chegam pelos manuais de comportamento (que, segundo Elias, devemos levar mais a sério do que os "livros de etiqueta" de hoje) ou pelos "*manuels de savoir-faire*" (manuais de boas maneiras) dos franceses, assim como de outras fontes escritas ou visuais. Tanto as instruções quanto os comportamentos tinham características de classe, destinados a elementos superiores da sociedade ou voltados a ensinar à classe média o que a classe superior deveria estar fazendo. Esses manuais, como muitos livros culinários e outras formas estratificadas de comportamento, são direcionados à burguesia, mais do que à aristocracia, e estão voltados àqueles que querem ser, não àqueles que já são. Ao mesmo tempo, distinguem o "superior" do "inferior", especialmente quando esses grupos, ou os componentes deles, estavam no processo de mudar sua posição na sociedade.

Um dos problemas com a exposição de Elias é que, enquanto alguns elementos desse comportamento, tal como o uso de garfo, eram realmente novos na Europa, aspectos gritantes desses padrões de comportamento eram remanescentes de modelos clássicos anteriores. Esses modelos, obviamente, exerceram um papel importante no curso da Renascença europeia, que foi, de várias maneiras, um renascimento mais do que um nascimento (sociogênese).[21] Assim como em muitas das facetas da cultura europeia, sociedades estavam passando por um processo de recivilização,

---

[19] Elias 1994a [1939]:3.
[20] Elias, 1994a [1939]:27.

[21] Elias escreve sobre a sociogênese do conceito de civilização, sobre instituições (absolutismo), até mesmo de leis sociogênicas. Ele parece estar atribuindo suas origens ao social.

não somente de recriação, mas de recuperação do que com frequência fora perdido após a queda de Roma. Diferenças entre superiores e inferiores não desapareceram na Idade Média, mesmo antes do período em que se viu o desenvolvimento da "cortesia" e da honra cavalheiresca. No entanto, por um período considerável no Ocidente medieval, muito pouca atenção foi dada à cultura burguesa, à cultura das cidades ("civilização") que havia existido no mundo clássico. Até mesmo em meio à nobreza, algumas gentilezas haviam desaparecido.

Elias tenta explicar a vida social europeia após a Idade Média. Apesar de estar preocupado com as mudanças sociopolíticas depois do feudalismo, ele não faz da grande transformação socioeconômica do "capitalismo" ou da industrialização o ponto central de seu estudo, como fizeram Marx e Weber. Ele rejeita o trabalho de Marx por conta de sua identificação com a classe trabalhadora industrial e da sua crença no progresso da espécie humana. Rejeita, também o método histórico de Weber, caracterizado pela concepção de tipos ideais, que vai contra a preocupação de Elias com processos, em vez de com noções como abstração, distinção e separação. Para estabelecer um contraste com o que ele considera a civilização posterior, Elias trabalha apenas com a Idade Média na Europa; o que aconteceu antes e em outro lugar era de pouca importância para ele, que não lida com civilização na Antiguidade nem no Oriente.

Essa tese é tratada como uma questão de desenvolvimento unilinear europeu surgido na Renascença. Como consequência de ignorar o processo de civilização em culturas anteriores ou outras culturas, Elias o percebe como um aspecto da modernidade, como parte de um processo compreensivo que deve incluir as mudanças socioeconômicas do capitalismo (na consideração de Weber e Marx), bem como os desenvolvimentos dos sistemas de conhecimento; a esses aspectos Elias dá pouca atenção. Outro problema em sua explicação é que o tipo de repressão e etiqueta que aparece nos manuais que Elias examinou é uma característica encontrada em todos os principais sistemas de estratificação. Por principais sistemas de estratificação, entendo aqueles associados com civilizações posteriores à Idade do Bronze e que se estendiam desde a Ásia até a Europa ocidental. Na verdade, para além dessas áreas, em direção a partes da África e da Oceania – porque os missionários muçulmanos difundiram novas formas de "repressão" de comportamento, incluindo algumas práticas de higiene – e em outras culturas, como ocorreu na China quando instituições educacionais espalharam costumes, ritos e ideologias confucianas por toda aquela terra imensa. E talvez seja encontrada ainda mais amplamente, pois em Estados africanos estratificados, mas "culturalmente igualitários", comportamentos especiais desse tipo estão ligados nem tanto a grupos ("classes"), mas a pessoas que ocupam cargos oficiais – a chefes tribais, por exemplo. Essa é uma outra instância da repressão que Elias observa não conectada a hierarquias como as que definiram as sociedades estratificadas da Eurásia. Essa sugestão aponta para a fraqueza das interpretações de desenvolvimento como as de Elias que se caracterizam por tomar como modelo curtos períodos da história europeia e enxergam a ascensão de comportamentos diferenciados por classe (em uma situação cultural particular) como evento único e não como processo recorrente.

Esse foco europeu e a aversão à abstração também o diferencia do sociólogo francês Durkheim.[22] Marx e Weber certamente incorporaram material sobre a Ásia em seus trabalhos; de fato, eles viam isso como essencial para explicar o desenvolvimento do capitalismo na Europa. Eles pouco sabiam sobre "outras culturas (mais simples)". Durkheim, no entanto, sabia e trabalhou em uma frente muito mais ampla no que diz respeito ao desenvolvimento humano. Apesar de Elias frequentemente discutir a divisão do trabalho, falha em não mencionar o amplo estudo comparativo do influente sociólogo francês, concentrando-se apenas em eventos do período moderno inicial, dentro de uma perspectiva mais estreita. Se tivesse dialogado como o trabalho de Durkheim, dado o seu forte interesse psicológico, Elias poderia, talvez, ter dado mais atenção aos aspectos internalizados da divisão do trabalho que Durkhein levou em conta sob a rubrica das solidariedades orgânica e mecânica. Com a primeira, referia-se a relacionamentos em sociedades simples e indiferenciadas. Com a segunda, tratava da forma como grupos e indivíduos se juntam em sociedades complexas. Durkheim discutiu essas formas de divisão do trabalho sob o título de densidade moral, um conceito que foi acatado por antropólogos tais como Evans-Pritchard. Para Elias também, um interesse em origens sociais era sempre colocado em paralelo a um interesse em psicogênese[23] já que ele vê o interno e o externo, o social e o individual, como sendo lados da mesma moeda.

Apesar da sua falta de profundidade histórica de longo prazo, do ponto de vista da análise cultural, precisamos considerar seriamente a constante ênfase de Elias em sociogênese. É um interesse pelo surgimento de instituições que os antropólogos do século XX rejeitaram por considerarem-nas como tendo

---

[22] Elias, 1994a [1939]:3.   [23] Por exemplo, na p. 26.

pouco ou nenhum valor ao lidar com sociedades pré-letradas. No entanto, esse foi um problema aberto a Elias pela pesquisa histórica. Os aspectos psicológicos são inevitavelmente mais problemáticos de serem investigados por causa da natureza da evidência, mas o surgimento de instituições provou ser um campo de pesquisa perfeitamente válido, contanto que tenha alguma base histórica razoável, comparativa, ou até mesmo teórica.

Isso nos remete ao exemplo central, ou seja, à sociogênese do absolutismo[24] que ele concebe, assim como Anderson em seu trabalho *Lineages of the Absolutist State* (*Linhagens do Estado Absolutista*),[25] como ocupando "uma posição-chave no processo de civilização" – o que é claramente similar à noção de despotismo que discutimos no capítulo "Sociedade e déspotas asiáticos: na Turquia ou noutro lugar?". O processo de formação do absolutismo está relacionado à forma com que "coação crescente e dependência se sucederam". Refere-se à discussão kantiana sobre o homem civilizado sendo "sobrecarregado" por "convenções sociais", que já vimos ser questão central de toda a sua empreitada. Sociogênese, desenvolvimento social, é sempre acompanhada por uma "psicogênese" internalizada, os constrangimentos sociais do absolutismo sob controle do superego. Sua recorrência a conceitos freudianos é indicativa do fato de que, sobre progresso social, ele adota um ponto de vista similar ao de Freud no livro *Civilization and Discontents* (*O mal-estar na civilização*).[26]

A comunhão de ideias entre Elias e Freud aparece no livro de Freud *The future of an ilusion* (*O futuro de uma ilusão*),[27] que, segundo o tradutor e editor inglês James Strachey, ativou "o antagonismo irremediável entre as demandas do instinto e as restrições da civilização".[28] "Civilização é algo que foi imposto a uma maioria resistente, por uma minoria que entendeu como obter a posse dos meios que levam ao poder e à riqueza",[29] ou seja, paradigmaticamente sob as condições do absolutismo, e não por meio de um sistema democrático como requerem ideologias posteriores. As "massas são preguiçosas e de pouca inteligência" de acordo com Freud[30] e devem ser controladas por coerção, pelo menos até que a educação as habilite a internalizar controles, quando então deixarão de odiar a civilização e reconhecerão seus benefícios, incluindo o sacrifício do instinto.

---

[24] Elias, 1994a [1939]:269.
[25] Anderson, 1974b.
[26] Elias, 1994a [1939]:249. Apesar de não haver nenhuma referência específica a Freud na versão original, essa ausência é retificada em uma nota de rodapé subsequente, em que a dívida é devidamente reconhecida.
[27] Freud, 1961, [1927].
[28] Strachey, 1961:60.
[29] Strachey, 1961:6.
[30] Freud, 1961 [1927]:9.

A noção de civilização é muito similar à usada por Elias e seus benefícios incluem o reconhecimento da beleza, asseio e ordem; banhos eram importantes nesse processo e o uso do sabão tornou-se "um parâmetro de civilização".[31] De fato, a passagem parece propor o programa para a elaboração da tese de Elias sobre o crescimento da civilização na Europa. Ademais, a ênfase se desloca do material para o mental. De acordo com Freud, o sentimento de culpa é "a questão mais importante no desenvolvimento da civilização"; "o preço que pagamos por nosso avanço em civilização é uma perda de felicidade pelo aumento do sentimento de culpa".[32] E na famosa carta que ele escreveu para Einstein *Why war* (*Por que a guerra*),[33] ele declara:

> As modificações *psíquicas* que acompanham o processo de civilização ["um processo orgânico"] [...] consistem em um progressivo deslocamento de objetivos instintivos e uma restrição de impulsos instintivos.[34]

A linha geral de argumento, a visão de civilização, a noção de contenção e repressão, o controle da natureza instintiva (animal), o papel da autoridade (absolutismo na forma do pai) no processo, esses temas são muito similares nos dois escritores e ajudam a explicar a atitude de Elias perante o que ele chamou de *Naturvolk* quando visitou Gana e encontrou a população nativa. A ascensão do Estado está diretamente conectada com o controle dos sentimentos e comportamento. Ao considerar essa proposta, devemos notar que essa alegação não é singular. Essa noção de controle do Estado associado ao comportamento interno dos cidadãos tem paralelos em outras partes, no Japão, por exemplo: suspeita-se que essa afirmação seja parte da justificação pós-fato da própria existência de um Estado. Em seu comentário sobre a notável novela japonesa do século XI, *Histórias de Genji*, o crítico Bazan escreve: "Expressar-se por meio de sentimentos é a natureza das pessoas; basear-se em rituais e retidão era a influência benéfica dos antigos reis."[35] Em outras palavras, as condições que teriam ajudado o surgimento da civilização durante o absolutismo não são diferentes daquelas que caracterizam os assim chamados despotismos asiáticos. Assim, não há nada particularmente europeu sobre essa ideia de papel do Estado. De qualquer forma, é por certo um erro teórico ver as sanções do Estado como o único método de controlar comportamentos, de fazer "leis", exceto de um ponto de vista puramente terminológico. Em sociedades mais

---

[31] Elias, 1974 [1939]:93.

[32] Freud, 1927:134.

[33] Freud, 1964 [1933].

[34] Freud, 1964:214.

[35] McMullen, 1999.

simples, a reciprocidade existe amplamente como uma sanção social, sem qualquer necessidade de ações do Estado.

Essas ações influenciam os costumes assim como os costumes estão ligados a mudanças internas. Elias concentra-se em aspectos do comportamento do dia a dia, o uso crescente de talheres (especialmente o garfo), de lenços e daí por diante. O aumento do consumo ao longo desse período, associado com a expansão mercantil, produziu uma série de mudanças substanciais em culturas ocidentais, incluindo o aprimoramento em termos de vestuário e boas maneiras à mesa. No entanto, precisamos nos perguntar se é satisfatório simplesmente selecionar um conjunto específico de fatores culturais e descartar outros que parecem ir em um sentido contrário. Além de estar atento às mudanças de comportamento pessoal, é necessário estar ciente do aumento de guerras e violência (incluindo o que levou o próprio Elias a fugir de sua Alemanha natal), assim como da diminuição das restrições a comportamentos sexuais, das violações de direitos de propriedade e outras formas de ação criminal que presenciamos nos dias de hoje.

No que se refere à violência, ele alega que "nós vemos como as compulsões diretamente oriundas da ameaça de armas e força física gradualmente diminuem e como as formas de dependência que levam à regulação de afetos na forma de autocontrole gradualmente aumentam".[36] A afirmação é bastante questionável, pelo menos em nível de sociedade, levando em conta o uso e a ameaça de armas no século XX; nós experimentamos isso diariamente na tela de nossa televisão e nas nossas ruas. Ele alega, porém, que os fatos sociais se encaixam com a noção geral de aumento de autocontrole. Como vimos, essa tese é vagamente baseada no contraste com a *naturvolk* e com a suposta liberdade de sentimentos, presente na ideia da substituição da vergonha (que é externa) pela culpa (que é interna), na visão freudiana e de assemelhados que enxerga os desejos e impulsos instintivos sendo gradualmente controlados pela sociedade. Para Elias, sociogênese (como no absolutismo) parece estar conectada com vergonha, e psicogênese (como no superego) com culpa.

Existem mais problemas com a tese de Elias: primeiro que toda vida social, por toda parte, envolve consideração a outros indivíduos, envolve medidas de contenção das emoções e do comportamento, até por questão de reciprocidade. Elias pode estar certo em suas considerações sobre o desenvolvimento histórico

---

[36] Elias, 1994a [1939]:153.

de boas maneiras à mesa na Europa, mas isso tem pouco a ver com a noção geral de desenvolvimento da consideração pelos outros, que ele pressupõe.[37] Essa consideração, nós certamente encontramos em outras partes. E de fato, como já visto, em alguns aspectos, a falta de consideração em outras esferas parece crescer lado a lado com os desenvolvimentos de boas maneiras à mesa; a violência de hoje na família e na rua não é uma miragem e fica difícil reconciliar a abordagem *"whiggish"** de Elias (apesar de sua declaração de ter rejeitado a ideia) com o fato de que, na época em que ele estava escrevendo, os nazistas assassinavam judeus por toda Europa e limpavam refinadamente com lenços suas botas. Um livro sobre comportamento civilizado demanda uma consideração adequada dessas contradições.

Em segundo lugar, o maior problema com a análise de Elias sobre civilização é que ela é eurocêntrica e nem considera a possibilidade de um processo similar ter ocorrido em outras áreas culturais. Vamos deixar de lado as sociedades antigas da Idade do Bronze, para as quais o termo "civilização" é frequentemente usado, e considerar as culturas mais recentes do Oriente. O historiador comparativo Fernández-Armesto escreve sobre os refinamentos da cultura de corte do Japão Heian registradas no já mencionado livro de Murasaki, *Histórias de Genji*:

> Na Cristandade, na mesma época, a selvageria aristocrática tinha de ser contida ou pelo menos canalizada pela Igreja. Nobres brigões seriam, na melhor das hipóteses, lenta e irregularmente civilizados, por um longo período, por um culto a ordens de cavalaria, que servia tanto de treinamento nas armas como de educação de valores de nobreza. Por essa perspectiva, a existência de uma cultura em que delicadeza de sentimentos e as artes da paz eram espontaneamente celebradas por uma elite secular do outro lado no mundo, parece surpreendente.[38]

Usando um conceito similar ao de Elias, Fernández-Armesto afirma que o Japão evidencia "um projeto coletivo de autocontenção".[39] Essa não é a única semelhança, pois ele acrescenta: "comparando com outras culturas de corte do século xi, os valores dos Heian não são tão bizarros quanto parecem pelos padrões da Cristandade". Por exemplo, al-Mu'tamid, governador de Sevilha, compartilhava com o Japão "um gosto epiceno: amor

---

[37] Para comentários sobre esse aspecto substantivo do seu trabalho, veja E. Le Roy Ladurie, *Figaro*, 20 janeiro, 1997, e *Saint-Simon* (Paris, 1997), Gordon, 1994, e a defesa por Chartier, 2003.

* N.T.: *"Whiggish"* – termo atribuído a historiadores que percebem o passado caminhando inevitavelmente para o progresso em direção a maior liberdade e iluminação, culmi-

nando com formas modernas de democracia liberal e monarquia constitucional.

[38] Fernández-Armesto, 1995:20.

[39] Fernández-Armesto, 1995:22.

por jardinagem, talento para poesia e apetite homossexual". As diferenças eram menores do que os europeus supunham.

Elias certamente admitiria que o processo civilizador também estava ocorrendo na China (apesar de este país ser citado apenas quatro vezes em seu volumoso livro sobre civilização, incluindo duas citações nas notas posteriores), mas a sua problemática e o modo de explicação deixam pouco ou nenhum espaço para a inclusão de outras "civilizações", sem falar em "outras culturas", pois o seu texto é altamente eurocêntrico. Essa situação ocorre parcialmente por conta de sua atitude perante as "regularidades gerais" em comportamentos costumeiros descobertos pela comparação sistemática. Elias considera o valor dessas regularidades "*somente* na sua função de elucidar mudanças históricas".[40] Porém, tanto estrutura quanto mudança são aspectos essenciais do estudo da sociedade. Pode-se entender por que ele se opunha tanto ao sociólogo americano Talcott Parsons e à tradição de comparação generalizada da qual era representante e que incluía uma forte ênfase em "análise sincrônica". Elias evita em geral qualquer comparação mais ampla com outras sociedades, exceto uma *naturvolk* padronizada.

Meu exame da sociedade contemporânea sugere que o que é frequentemente visto como o processo civilizador em termos de maneiras ou civilidade não é um processo de melhoramento claro, mas sim algo bem mais ambíguo. Orgulhamo-nos das mudanças em nosso tratamento dado às crianças (como no trabalho de Ariès), aos animais, às mulheres, aos prisioneiros de guerra etc. Existe alguma base para essa asserção, mas as atitudes são realmente internalizadas da forma que Elias, tomando uma linha freudiana generalizada, sugere? Por que, então, nossas crianças estão ameaçadas de abuso, principalmente dentro da família, mas também de pedófilos de fora? Por que temos tantas "famílias fragmentadas"? Por que a baía de Guantânamo, Abu-Ghraib e o abandono da Convenção de Genebra?

Em nível tecnológico houve, sem dúvida alguma, um avanço na civilização no sentido de culturas de base urbana. Elas têm se tornado mais complexas. Tem havido uma mudança de culturas de luxo para culturas de consumo de massa e isso produz o efeito de disseminar costumes dos grupos superiores. De certa forma, suas maneiras sempre foram mais contidas do que as dos grupos inferiores. No entanto, essa contenção não representa necessariamente uma internalização de formas anteriores de comportamento

---

[40] Elias, 1939:534, meus itálicos.

externo. Apesar de ser consenso no Ocidente, tanto no senso comum como na teoria social freudiana, há pouca evidência de que nosso comportamento seja mais contido internamente do que o de outras pessoas. Em todas as sociedades, o comportamento é sancionado tanto interna como externamente. Parece egocêntrica e insustentável a ideia de que algumas culturas são culturas da culpa, com sanções internas (a nossa), e outras são culturas da vergonha com sanções externas (a deles). É uma visão eurocêntrica do outro afirmar que são menos contidos que nós, como no caso do selvagem Caliban na obra de Shakespeare intitulada *Tempest* (*Tempestade*). Essa ideia, que se apoia em frágeis evidências, tem sido premissa em numerosas teorias sociais voltadas para outros aspectos da vida social, e sua carreira começou muito antes de Elias. Por exemplo, o famoso historiador demográfico reverendo Malthus, escrevendo na virada do século xix, viu o casamento tardio do "padrão europeu de casamento" como evidência de autocontenção e habilidade de controlar a população, uma opinião sobre contenção que Lee e Wang, examinando a situação da China, têm rejeitado com veemência.[41]

"O que concede ao processo civilizador no Ocidente seu caráter único e especial", escreve Elias, "é que aqui a divisão de funções atingiu um nível, os monopólios da força e imposição de impostos atingiram uma solidez, e a interdependência e competição atingiram uma extensão, tanto em termos de espaço físico como em número de pessoas, inigualável na história mundial".[42] Isso poderia ser dito sobre o século xvi? De todo modo, ele não examina a história de qualquer outra parte do mundo e se o fizesse, dado suas ponderações iniciais sobre as maneiras pós-renascentistas, provavelmente ainda acabaria como Weber, vendo a Europa como "única". O que certamente é. Mas a implicação é que ela é única em relação aos fatores que levam ao processo civilizador (ou ao capitalismo). Em um livro recente, Pomeranz questionou essas suposições[43] de uma forma que parece bastante correta.[44]

A sociedade ocidental, afirma Elias, desenvolveu uma "rede de interdependência" englobando não somente os oceanos, mas também as regiões aráveis da terra (na expansão da Europa), criando a necessidade de uma "sintonia da conduta humana sobre áreas mais vastas". "Correspondente a isso também está a força do autocontrole permanente da compulsão, a inibição de afetos e o controle de desejos, os quais a vida, no centro dessa rede, impõe".[45] Tendo elaborado esse relacionamento entre expansão territorial (colonialismo europeu)

[41] Lee e Wang, 1999.
[42] Elias, 1994a [1939]:457.
[43] Pomeranz, 2000.
[44] Goody, 1996; 2004.
[45] Elias, 1994a [1939]:457.

O ROUBO DA "CIVILIZAÇÃO" 193

e interdependência psicológica, produzindo um autocontrole permanente (superegos mais complexos), ele vê isso, por sua vez, como estando relacionado à pontualidade, ao desenvolvimento de técnicas cronométricas e à consciência de tempo, bem como ao desenvolvimento do dinheiro e "outros instrumentos de integração social". Esses desenvolvimentos incluem "a necessidade de subordinar afetos momentâneos a metas mais distantes",[46] começando pelas classes alta e média. Tudo isso diz respeito ao "desenvolvimento do Ocidente" e das "sociedades ocidentais" com "sua alta divisão de trabalho".[47] Note-se que é "alta", em vez de "mais complexa". Certamente em tais sociedades existe mais planejamento e, portanto, gratificação adiada e cálculo de tempo. No entanto, isso envolve, com frequência, controles externos tanto quanto ou mais do que controles internos, que Elias vê como preponderantes nesse tipo de sociedade. E não devemos perder de vista o fato de que, além dessa "sintonia", a formação do Estado levou à violência dentro e fora das fronteiras, ao colonialismo e à opressão, assim como à *pax Britannica*.

Na introdução que fez à edição de 1968, Elias pena para sustentar suas bases teóricas e metodológicas.[48] Precisamos olhar para o seu trabalho no contexto mais amplo da teoria e análise social, no qual a comparação óbvia é com Max Weber. Weber teve um impacto importante em encorajar abordagens comparativas em sociologia. No entanto, seu exame teve, às vezes, valor limitado, como a ideia de uma só categoria de autoridade tradicional que era restritiva demais e não correspondia à prática. Tradicional era simplesmente uma categoria residual para Weber e também assim se tornou para Elias. Em segundo lugar, enquanto Elias era extremamente versado sobre as principais civilizações euro-asiáticas como Durkheim, Weber nada sabia sobre sociedades não letradas, e bem pouco sobre sociedades "camponesas". Tal interesse mais vasto era muito limitado na tradição sociológica alemã da qual Elias emergiu. Mais estimulante era o problema principal de Weber e a maneira (intercultural) como tentou buscar a resposta. No entanto, ao rever a situação nas principais sociedades da Eurásia, ele partiu de um ponto de vista da Europa do século XIX, sem dar o peso devido às realizações das outras sociedades ou ao ponto de vista delas. Elias não oferece esse exame abrangente. Ele começa com a Europa e termina com a Europa. Em outras palavras, sua tese original adota uma abordagem similar à discutida por Blaut em *Eight Eurocentric Historians*.[49] Elias teria se qualificado ao nono lugar

---

[46] Elias, 1994a [1939]:438.
[47] Elias, 1994a [1939]:459.
[48] Elias, 1994a [1939]:190.
[49] Blaut, 2000.

(apesar de haver vários outros candidatos) por conta de suas declarações sobre as vantagens da Europa no processo civilizador (e particularmente no que diz respeito à internalização das proibições) sem qualquer exame de materiais não europeus.[50]

Como afirmei, seu trabalho principal concentra-se inteiramente na Europa e no desenvolvimento do processo civilizador do período que sucede a Renascença. Isso ele vê manifestado no aumento da autocontenção e na internalização de controles de afetos, que ele contrasta explicitamente com o ocorrido na Idade Média (tais como os incontroláveis ataques de bebedeira) e com o que continua a acontecer em sociedades mais simples como entre os *naturvolk* de Gana, com seus sacrifícios, rituais, poucas vestimentas, mas com maior integridade. Com Weber, assim como com Elias, o foco voltou-se para a comparação histórica, embora falar em *naturvolk* e pressupor um ideal de sociedade tradicional é algo que se aproxima perigosamente das amplas especulações dos antropólogos do século XIX, cujos procedimentos e resultados foram combatidos por antropólogos de campo do período entre guerras com suas observações "estáticas".

Elias não vê os desenvolvimentos seguindo em linha reta. Depois da Primeira Guerra Mundial, houve um "afrouxamento moral",[51] mas isso foi "um curto recesso" que, segundo ele, não afetou a tendência geral. Entretanto, afirma, "a direção do movimento principal [...] é a mesma para todos os tipos de comportamento".[52] Os instintos são lenta e progressivamente suprimidos. Embora esse ponto de vista seja lugar-comum no Ocidente, não é fácil encontrar qualquer apoio empírico para ele. Por exemplo, roupas de banho (e roupas esportivas femininas) que revelam mais pressupõem "um alto padrão de controle do desejo". Por que essa observação se aplica a nós e não às vestimentas ainda mais reveladoras de sociedades mais simples? De fato, quando alguém examina o problema do aumento de restrições de um ângulo diferente, a noção de uma progressão geral desaparece, embora possa ter havido mudanças na direção de controles mais estritos e mais indulgentes ao longo do tempo.

Mais para o fim da vida, Elias volta-se para o mais dramático dos eventos políticos recentes, a ascensão do nazismo (ou mais amplamente do fascismo), que alguns consideram ter acontecido devido às mudanças gerais na sociedade humana. Ele vê o período nazista como manifestação de um processo de "descivilização", de "regressão", mas isso parece evitar o assunto principal. As ideologias fascistas e as atividades na Alemanha e na Itália, como as Guerras

---

[50] Como acontece com vários autores, houve mudanças ao longo do tempo. Estou me referindo ao trabalho original.

[51] Elias, 1994a [1939]:153.

[52] Elias, 1994a [1939]:154.

Mundiais, são certamente partes intrínsecas do desenvolvimento da sociedade contemporânea que levou à atual situação e a não algum tipo de "regressão", um equivalente social de processos psicológicos freudianos.

Esse conceito de regressão parece estar relacionado à questão da filogenia e ontogenia. Existe pouca dúvida de que, na maioria dos contextos, Elias aproximou a infância da raça com a infância do ser humano, o filogênico com o ontogênico (apesar de as crianças não passarem por todas as fases do processo civilizador); o *naturvolk* ou os primitivos precisavam ter suas emoções e comportamentos controlados, assim como as crianças requeriam disciplina (com o medo desempenhando um papel em ambos os casos). Essa ideia é agora considerada um equívoco. Como tem sido apontado com frequência, os povos primitivos já passaram também por seus próprios processos de socialização, de afastamento da natureza, e vê-los como carentes de autocontrole é inaceitável. Em sociedades acéfalas, sem um sistema elaborado de autoridade, possivelmente existem mais restrições "internalizadas" e recíprocas – que podem tomar a forma de "reciprocidade negativa", com violência por vingança e disputas entre famílias. Isso Elias teria entendido mais tarde, caso tivesse aprendido com os estudos sobre Gana feitos por Fortes, com sua formação psicológica e mesmo psicanalítica, que Elias negligenciou.

A mudança na estrutura dos afetos é relacionada por Elias à mudança na estrutura da formação social, em particular à guinada da "livre concorrência" que acompanhou as mudanças do feudalismo para a monopolização do poder pela monarquia absolutista, criando a sociedade de corte. Em uma cultura diferenciada, essa ampliação do controle central é vista como provedora de maiores "liberdades" para seus membros, acarretando a mudança das restrições externas para as internas, embora o fundamento lógico dessa transformação pareça ser uma questão em aberto. E as bases mutantes do que seja estar "livre" compliquem mais o assunto.

No entanto, o processo do que ele chama de formação do Estado, a sociogênese do Estado, é analisado exclusivamente do ponto de vista da Europa ocidental, que é onde, claro, o processo civilizador teria tido lugar. Nenhuma sociedade africana nativa, segundo ele, teve um Estado, embora ele tenha vivido na sombra do reino dos Asantes. Sua abordagem contrasta com a de Weber, que se concentrou na sociogênese do capitalismo (e nas restrições internalizadas de base religiosa dos protestantes) e discutiu extensivamente as razões de as sociedades asiáticas não terem gerado e não terem podido gerar a ascensão ao capitalismo. No entanto, as questões estão interconectadas.

Não é necessário considerar os *naturvolk* nesse processo civilizador, mas é inaceitável que não haja referências a outras sociedades urbanas, especialmente porque isso o teria levado a questionar a ideia de uma "estrutura de personalidade social" especial no Ocidente. A questão que ele levanta é se as mudanças de longo prazo em sistemas sociais "em direção a um nível mais alto de diferenciação e integração social"[53] são acompanhadas por mudanças paralelas em estruturas de personalidade. O problema de mudanças de longo prazo nas estruturas de afeto e no controle das pessoas constitui uma questão interessante, que não foi, com certeza, muito discutida, histórica e comparativamente, em termos de afeto e emoção. No entanto, tem havido muito interesse em discutir controle social, incluindo sanções internalizadas, a questão da vergonha e da culpa, e a relação dos sistemas políticos segmentados (não centralizados) com a solidariedade moral e jurídica que foi levantada por Durkheim (e somente bem mais tarde na tradição alemã com suas preocupações exageradas com o Estado). A comparação e a história dos "afetos" apresentam maiores problemas de evidências e documentação, principalmente na ausência de informação escrita; de fato, essa situação questiona a dependência de textos para examinar "mentalidades", e a maioria dos antropólogos, incomodados com o conceito de "mentalidade primitiva" de Levy-Bruhl, tenderia a aceitar as extensas críticas de G. E. R. Lloyd a essa abordagem. Isso não é negar a possibilidade de mudanças de longo prazo, possivelmente mudanças direcionais, no nível dos afetos, mesmo que antropólogos tomem com frequência uma linha relativista ou, às vezes, universalista ("a unidade da espécie humana") sobre esses tópicos, requerendo certo ceticismo sobre questões como "a invenção do amor" na França do século IX ou na Inglaterra do século XVIII, cuja evidência depende inteiramente de registros escritos.

A falha de Elias ao não examinar seriamente outras culturas produziu vários problemas. Primeiro, sua sequência de desenvolvimento privilegia a Europa ocidental e o seu desenvolvimento do feudalismo em direção à sociedade burguesa passando pela palaciana dos séculos XVI e XVII. Segundo, sua visão subestima as contenções sociais em sociedades mais simples, certamente no que diz respeito a sexo, violência, e outras formas de comportamento. O fato de "primitivos" vagarem com pouca roupa não significa que não tenham fortes sentimentos internalizados de vergonha e embaraço. Em terceiro lugar, a hipótese alternativa é a de interpretar em exagero, como acho que

---

[53] Elias, 1994a [1939]:182.

ele às vezes faz, a cultura material como índice de um estado psicológico; a cultura material envolve desenvolvimento e "progresso", o que é muito mais questionável quando se trata de estados psicológicos.

O que permanece problemático em sua análise não é o entrelaçamento dos seres humanos em uma perspectiva mais ampla (sociedade, cultura, representação), nem o relacionamento do indivíduo com o *social* (como algo distinto de sociedade), questões que foram discutidas mais claramente por Durkheim e posteriormente analisadas por Parsons no trabalho *The Structure of Social Action*,[54] um estudo que Elias não leva inteiramente em conta. O problema que mais preocupa está na natureza do vínculo entre estrutura social e estrutura da personalidade. Como estágios mentais correspondem a sociais é uma questão que se encontra no centro da sua problemática. Ninguém negaria que tais relacionamentos existem. No entanto, é muito fácil interpretá-los como excessivamente ligados, excessivamente associados. Elias posiciona o mundo ocidental como passando por uma série de estágios ligados desse tipo. Ele escreve sobre o surgimento de uma concepção da relação entre o que está "dentro do homem" e o "mundo externo" que é encontrada nos textos de todos os grupos "cujos poderes de reflexão e cuja autoconsciência atingiram o estágio em que pessoas estão em uma posição não somente de pensar, mas de ter consciência de si mesmas e de refletir sobre si mesmas como seres pensantes".[55] Mas que estágio é esse que está formulado de forma tão vaga? Isso parece pressupor a existência de uma mentalidade mais primitiva que exclui a possibilidade da autoconsciência e falha em não procurar por fatores sociais particulares que levam a essa suposta ruptura, como o poder da palavra escrita para promover reflexões desse tipo (bem como o papel dos indivíduos, grupos sociais e instituições que desenvolveram tal abordagem, incluindo "filósofos", outros intelectuais e escolas). Podemos falar adequadamente sobre um "estágio no desenvolvimento das representações formadas por pessoas, e as pessoas formando essas representações?".[56] Isso parece estar novamente colocando o problema em um nível muito geral, não social e não histórico. Ele também faz isso quando vê a guinada de um ponto de vista geocêntrico do mundo, como resultado de "um aumento na capacidade do homem para um autodistanciamento ao pensar";[57] e esse desenvolvimento particular do processo civilizador levou a um "maior autocontrole pelos homens".

[54] Parsons, 1937.
[55] Elias, 1994a [1939]:207.
[56] Elias, 1994a [1939]:20.
[57] Elias, 1994a [1939]:208.

Muitos historiadores da ciência colocariam a questão desse relacionamento de outra forma e ofereceriam explicações que não requerem a noção de um processo civilizador autônomo que acarrete maior "controle das emoções", maior autodistanciamento. De fato, ao se analisar o âmago da hipótese de Elias, fica difícil de aceitar a construção de um primeiro móvel desse tipo abstrato que não é simplesmente descritivo, mas causal – "uma mudança na civilização [...] que estava acontecendo dentro do próprio homem",[58] por mais lisonjeiro que isso possa ser para os nossos egos.

Mesmo considerando que tenha havido mudanças direcionais no comportamento ligadas à centralização europeia, por que desconsiderar – como ele faz – o que aconteceu em outras sociedades tais como a China, quando se está lidando com "civilizações"? Lá também o desenvolvimento dos costumes, o uso de intermediários (pauzinhos – *hashi*) entre o alimento e a boca, os rituais complicados de saudação e limpeza corporal, as restrições da corte em contraste com a objetividade dos camponeses, como, por exemplo, na cerimônia do chá, tudo isso apresenta paralelo com a Europa da Renascença. Isso deveria ter atraído sua atenção e produzido uma análise geográfica (transcultural), em vez de limitada à Europa, especialmente dado o teor psicológico da tese que ele estava tentando sustentar. Prenda-se à Europa se desejar, mas não quando se está fazendo afirmações mais generalizadas. E isso era exatamente o que Elias estava fazendo: vendo de uma forma weberiana o que acontecia na Europa como o caminho único para a modernidade.

O que quero afirmar é, primeiramente, que a Europa ocidental não estava inventando modos civilizados pela primeira vez, muito menos boas maneiras *tout court*. Nenhuma sociedade deixa de ter comportamentos específicos à mesa, maneiras formais de comer, e todas tentam distanciar funções corporais da generalidade do relacionamento social. Igualmente, na maioria das sociedades estratificadas, o comportamento de grupos "superiores" é mais formal do que o dos grupos "inferiores". Digo a maioria, porque na África, até em sistemas com Estado, essas diferenças de comportamento são relativamente pequenas, em parte por causa da natureza da economia, em parte por causa dos sistemas relacionados com casamento e sucessão a cargos. Em sociedades tomadas como sendo "primitivas", existe pouca diferenciação hierárquica no comportamento, nos costumes, assim como na cultura de modo geral. No entanto, na Europa e na Ásia,

---

[58] Elias, 1994a [1939]:209.

O ROUBO DA "CIVILIZAÇÃO" 199

os grandes Estados são estratificados não apenas politicamente, mas em termos de cultura também; todos têm experimentado a Revolução Urbana e suas decorrências.

Em uma discussão sobre costumes, no entanto, não podemos ignorar que o Ocidente sofreu um "retrocesso significativo",[59] do ponto de vista de banhos e asseio corporal, do século xv ao século xvii. Casas de banho, "uma invenção vinda de Roma" (alegação duvidosa), eram encontradas por toda a Europa medieval, tanto particulares como públicas, com ambos os sexos tomando banhos juntos e nus. As casas de banho estavam sujeitas a obrigações senhoriais.[60] No entanto, após o século xvi – que é quando Elias considera que o processo civilizador decolou – elas tornaram-se raras, em parte devido ao medo de doenças, em parte por influência de pregadores, tanto católicos quanto calvinistas, que "manifestavam-se com veemência contra os perigos morais e a ignomínia dos banhos".[61] Não havia nenhuma casa de banho na Londres de 1800. Uma indicação das condições mais avançadas do Oriente é que na cidade persa de Isfahan, sob o domínio do grande imperador, xá Abbas (1588-1629), a cidade tinha 273 casas de banho numa época em que estas eram escassas no Ocidente. A produção de sabão era baixa, mas era ainda mais baixa na China, país que não conhecia o benefício das roupas íntimas (que, segundo Braudel, apareceram na Europa na segunda metade do século xviii). No entanto, os chineses tiveram papel higiênico mil anos antes da Europa, fato que ele não menciona; o papel só é discutido em conexão com prensa e dinheiro, cuja presença redimiu o "atraso" chinês, resultado da convivência com povos primitivos "em sua infância".[62] Quando as casas de banho foram finalmente reintroduzidas na Europa, eram conhecidas como "banhos chineses"[63] e banhos turcos. Evidentemente, os cristãos haviam destruído as casas de banho romanas por razões similares às que Braudel atribui ao século xvi: elas estimulavam a imoralidade e estavam associadas a rituais pagãos, incluindo práticas judaicas e islâmicas. O ressurgimento de casas de banho no período medieval pode estar conectado com as Cruzadas e a influência muçulmana.

Não era apenas um problema de banhos, mas de asseio. Em Rabelais, Gargantua recebeu uma visita de seu pai que lhe perguntou se ele havia se mantido limpo enquanto ele estava fora. Sim, respondeu o filho, bastante limpo porque ele havia inventado um limpador de nádegas.[64] Ele havia usado vários pedaços de panos, incluindo as luvas da mãe – "bem perfumadas com cheiro de xoxota".

[59] Braudel, 1981:329.
[60] Cabanès, 1954.
[61] Braudel, 1981:330.
[62] Braudel, 1981:452.
[63] Braudel, 1981:330.
[64] Braudel, 1981, capítulo 13.

Daí eu me limpei com folhas secas, com funcho, com endro e anis, com manjerona doce, com rosas, com abóboras, com polpa de folhas, com repolho e beterrabas, com folhas de videira e malva e *Verbascum thapsus* (isto é um tipo de planta tão vermelha quanto meu traseiro), e alface e folhas de espinafre – e muito bem isso tudo me fez! – e erva de mercúrio, e beldroega, e folhas de urtiga, e espora e confrei. Mas daí eu peguei uma disenteria da qual me curei me limpando com minha cueca.

Depois, eu me limpei com as roupas de cama, os lençóis, as cobertas, com o travesseiro, a toalha de mesa (e mais outra, uma verde), uma toalha de louça, um guardanapo, um lenço, e com um roupão de dormir. E saboreei tudo isso como fazem cães sarnentos quando são esfregados.

"Mas me diga", falou Grandgousier, "qual limpador de nádegas você achou melhor?"

"Estou chegando lá", falou Gargantua, "em um minuto você ouvirá o *tu autem*, o centro da questão. Eu me limpei com feno, com palha, com todos os tipos de coisa felpuda, com lã, com papel. Mas:

Limpe seu traseiro sujo com papel
E precisarás limpar seu traseiro com um raspador".

Por volta do século XVI, quando Rabelais escreveu esse texto, o papel tinha chegado à Europa vindo do mundo árabe e tinha feito uma diferença enorme em várias áreas, não somente na comunicação. Antes, no século XIV, no *Piers Plowman,* Langland descreve como as pessoas se limpavam com folhas.

Sentaram-se até a oração da noite cantando de vez em quando
Até Glutton engolir um galão e um quarto
Suas tripas começaram a resmungar como duas porcas vorazes
Ele urinou um pote na duração de um padre nosso
E soou sua corneta ao final da coluna vertebral
Todos ouviram aquele berrante e tamparam seus narizes
E desejaram que o fizesse parar com um fio de tojo.[65]

EXPERIÊNCIA EM GANA

Alguns dos problemas de Elias com outras culturas estão registrados nos comentários sobre suas experiências em Gana no livro *Reflections on a Life.*

---

[65] Langland, versão B, Passus 5, linhas 339-45.

Ali, em resposta a seus entrevistadores, conta que em 1962 lhe ofereceram a cadeira de sociologia em Gana por dois ou três anos. Aceitou embora estivesse com mais de 60 anos, mas como explicou: "tinha uma imensa curiosidade pelo desconhecido".[66] Como resultado, desenvolveu um "gosto profundo pela cultura africana" de uma forma que, para antropólogos, se assemelha à atração de escritores do século XIX pelos *naturvolk*, uma categoria que incluía até os povos da Antiguidade. "Eu queria ver tudo isso com meus próprios olhos – as entranhas pra fora, o sangue jorrando" [...] "eu sabia que em Gana eu veria artes mágicas, que eu seria capaz de ver sacrifícios de animais ao vivo, e de fato eu testemunhei muitas coisas – experiências que haviam perdido suas cores em sociedades mais desenvolvidas. Naturalmente, isso tinha a ver com minha teoria dos processos civilizadores, as emoções eram mais fortes e mais diretas". Quanto mais natural (instintivo), menos civilizado (restritivo).

Como aprendeu sobre "cultura primitiva"? – pergunta o interlocutor no livro de entrevistas. "Fiz muito trabalho de campo com meus alunos. Comecei a colecionar arte africana, e alguns dos meus alunos me levaram para visitar suas casas. Lá, eu aprendi quão formalizada e ritualizada é a vida ganense: o aluno ficava em pé atrás da cadeira do pai, comportando-se quase como se fosse um servo. O velho tipo de família ainda está bastante vigente em Gana."

Elias contou ter viajado para um vilarejo "no meio da floresta" com seu motorista (há uma foto do autor com seu cozinheiro e chofer). Ao chegar no vilarejo, "deu-se conta pela primeira vez, o que era não ter qualquer energia elétrica". Ou seja, seus comentários sobre o "outro" considerava a tecnologia e não as atitudes. Os habitantes sentiram igual curiosidade e o cercaram dizendo "um homem branco chegou", perguntando sobre sua esposa (ele era solteiro). Ele, e não eles, era o homem estranho ali, chegando em um carro dirigido por um motorista e não tendo uma esposa. Elias falha em não tirar a conclusão evidente desse encontro: para cada cultura, o "outro" representa o desvio das normas de comportamento civilizado. Civilizado no sentido de obedecer a regulamentos sociais que são frequentemente internalizados a ponto de parecerem autocompreensivos. Ele próprio, com suas peculiaridades, era a aberração no vilarejo ganense, aquele que desconsiderava as normas de coabitação.

Em outra ocasião, Elias foi para uma área que seria inundada pela nova barragem do rio Volta e ficou espantado que as pessoas estivessem

---

[66] Elias, 1994b:68.

preocupadas com o que iria acontecer com os deuses locais quando as águas subissem. Essa preocupação ativa com deuses, e havia muitos deles, estaria relacionada, segundo ele, com uma maior insegurança das pessoas. Ele aplica esse pensamento à estrutura da personalidade: "deve-se concluir que o superego é construído de forma diferente da nossa, pois todos esses deuses e espíritos são representações do superego".[67] Considerava que nós presumidamente conhecemos apenas um Deus e temos superegos menos fragmentados. Dessa forma, Gana o ajudou a ver (ou confirmou sua crença) que Freud precisava ser desenvolvido em uma direção comparada e de acordo com a sua própria noção do processo civilizador. "Eu supunha que a formação do superego e ego em sociedades mais simples seria diferente da nossa, e essa expectativa se confirmou completamente em Gana".[68] Visto a partir de um outro quadro de referência, existe vergonha (externa) em vez de culpa (interna). No primeiro caso, "não basta contar com uma voz interior para a pessoa se controlar". Para conseguir se controlar, "eles [seus amigos africanos] tinham de imaginar seres exteriores a eles próprios, que os forçassem a fazer isso ou aquilo. Você verá isso em toda parte, se for a um país desses". Ou seja, um tipo de contenção externa está presente (contrário a suposições anteriores sobre a natureza incontida do sacrifício), mas os controles e as sanções são diferentes.

No entanto, essa diferença não se deve ao fato de eles serem mais "infantis", como seu interlocutor sugere; Elias agora entende que essa leitura dos africanos é uma visão colonialista. Nosso estilo de vida é possível somente "porque nossa segurança física é incomparavelmente maior do que a deles".[69] Existem ganenses da classe alta que "estão no mesmo nível intelectual que nós [...] igualmente educados e autocontrolados", mas a massa de pessoas levanta seus pequenos altares e apela para seus "fetiches". Essas atividades religiosas (Elias é um completo humanista) parecem estar identificadas com comportamentos incontidos e deseducados; elas são um aspecto de segurança social, ou sua ausência.

A percepção desse comportamento permeia a apreciação que faz de manifestações artísticas. A arte deles

> expressa emoções mais forte e diretamente do que a arte tradicional do século XIX ou da Renascença. E isso se encaixa muito bem com minha teoria de processos civilizadores; pois na Renascença houve um enorme *avanço na civilização*, expresso também na tentativa de fazer pinturas e esculturas o mais realistas possíveis. No século XX, houve uma reação contra isso. Pode-se também relacionar isso a Freud: o que aconteceu na

---

[67] Elias, 1994b:71. [68] Elias, 1994b:70. [69] Elias, 1994b:71.

O ROUBO DA "CIVILIZAÇÃO" 203

psicanálise – que em um novo nível, um grau mais elevado de expressão de emoções pôde ser permitido, isso pode ser visto na arte não naturalista, que tem uma semelhança bem maior com o sonho. As esculturas africanas têm a mesma qualidade. Há máscaras ameaçadoras e máscaras amigáveis, mas todas elas dão uma expressão maior, vamos colocar assim, ao inconsciente.[70]

A Renascença é vista como parte do processo europeu de civilização que se tornou um modelo para o resto do mundo. Artisticamente, envolve realismo, o que parece implicar um controle, o controle necessário para a percepção da realidade objetiva. Para Elias, as teorias de Freud representam uma volta ao reconhecimento do primitivo e sua falta de controle, mesmo não sendo óbvio como a teoria do desenvolvimento de Elias acompanha essas reversões de longo prazo. Ele próprio se apoia muito em uma versão popular de Freud. Ao mesmo tempo, percebe que Freud precisa ser complementado. A noção de superego deveria ser diferente em outras sociedades (mais simples), e essa ideia ele confirmou inteiramente em Gana, como vimos. No entanto, a evidência de que lança mão é simplesmente a multiplicidade de santuários para os quais se voltam as pessoas, o que é uma observação superficial para quem tem afinidade com essas sociedades.[71] Mais uma vez, essas são conclusões arriscadas sobre a vida nativa, feitas a partir da consideração de objetos materiais. Ele se manteve distante da religião africana, como se vê, pelo uso da palavra fora de moda "fetiche" ao se referir a santuários e pela curiosidade em ver um sacrifício sangrento.

---

[70] Elias, 1994b:72-3 (meus itálicos).

[71] Eu tive um encontro breve com Elias quando ele era professor de sociologia em Legon. Deve ter sido em 1964. Minha impressão dele foi a de um acadêmico profundamente imbuído da experiência europeia e totalmente compromissado com as categorias de Weber, pelo menos quando falamos sobre os sistemas políticos locais. Parecia ter lido muito pouco sobre esse lugar "desconhecido", que estava recebendo muita atenção acadêmica naquele momento, e ele havia adquirido seus conhecimentos a partir de viagens que ele chamava de seu "trabalho de campo", indo de carro para um vilarejo com seu motorista e alunos. Seu trabalho era pouco informado sobre ensaios acadêmicos a respeito de "outras culturas". Como antropólogo que tinha passado vários anos em vilarejos ganeses, fiquei desapontado com essa noção de "trabalho de campo" e com o que considerei uma sociologia não comparada e eurocêntrica. Eu havia trabalhado com pesquisadores de sociologia comparada como George Homans (também historiador) e Lloyd Warner (também antropólogo), que tentaram levar em conta toda a extensão do comportamento humano. Pelas mesmas razões, achei altamente questionável alguém adquirir *insights* profundos a partir de uma coleção de "arte" africana casual, adquirida de mercadores itinerantes. Não se pode provar a compra e a exportação de objetos africanos, cujo uso não se conhece ou compreende-se muito pouco. Isso também é remanescente da tribo de acadêmicos predadores que, embora mais tarde alegassem necessidade de preservar o material, estavam mais interessados em adquiri-lo e apresentá-lo do que fazer uma apreciação do contexto cultural ou do significado desses objetos para seus autores. A maioria dos expatriados iniciou uma coleção de arte – o que foi fácil de fazer, uma vez que todo fim de tarde os comerciantes hausas com suas mercadorias visitavam os bangalôs de estilo colonial do *campus* universitário; essas transações representavam a total descontextualização e mercantilização da arte africana, mas os acadêmicos puderam levar de volta algo tangível para casa.

Será que nunca teria ouvido falar no abate *kasher* (judaico) ou muçulmano de um animal, ou visitado um abatedouro "cristão" em Chicago ou em qualquer outro lugar?

Nos comentários sobre Gana, emergem claramente questões da teoria geral de Elias sobre processo social. Em determinado momento, pessoas matando galinhas nos seus santuários são vistas como indicação de uma maior liberdade de expressão emocional. Isso ombreia a noção popular do que é o *naturvolk*. Ao mesmo tempo, ele menciona o aluno demonstrando contenção excessiva diante do pai. Os dois comentários indicando liberdade e contenção correm em direções opostas. Afirmações contraditórias parecem se encaixar na teoria, sugerindo que as interpretações psicológicas e sociológicas são suspeitas. Seria muito difícil dizer se os LoDagaa do norte de Gana, com quem passei vários anos, eram mais ou menos contidos do que os britânicos contemporâneos; qualquer avaliação dependeria do contexto da atividade particular, não de uma categorização geral. Em funerais, eles demonstravam tristeza, mas geralmente ritualizada de forma que parece conter ou canalizar esse sofrimento. Todos os rituais eram contidos, inclusive os de sacrifício. No entanto, a vida estava passando por muitas mudanças, com a inclusão de escolas, de força trabalho migrando e com missões. De fato, eu não vi a religião africana tão controlada quanto a dos pentecostais que pregavam a uns cinquenta quilômetros dali, no mercado de Wa (liderados pelo americano Holy Jo como era conhecido por todo mundo). Em práticas locais, matar uma galinha servia para se descobrir a verdade acerca de uma situação conflitante, possivelmente como uma oferenda a uma deidade, mas nunca com as características orgiásticas ou a "liberdade" que Elias lhe atribuiu. Muitas das diferenças que surgem das suas observações superficiais sobre "civilização" desaparecem em um exame mais intensivo e completo. Não existe razão real para acreditar que suas descrições de estados psicológicos e análises sociológicas fossem igualmente suspeitas em seu trabalho europeu. Por que então a grande disparidade entre as observações sobre a Europa e as sobre Gana?

O problema de Elias em compreender Gana toca na raiz de sua teoria sobre os avanços nos controles serem algo intrínseco ao processo civilizador. Esse pressuposto de forma alguma é algo que fica restrito a esse autor: é parte da crença popular europeia. Ele considera que a arte africana expressa os sentimentos de forma mais direta. A prática de sacrifício sangrento e a adoração de uma pluralidade de "fetiches" são atos desinibidos que a civilização nos ensinou a reprimir, substituindo por reza e monoteísmo. Todos esses aspectos da sociedade ganense são julgados como estando próximos de sentimentos desinibidos, marcados pela falta de controles. No entanto, para o comportamento altamente ritualizado (e contido) do aluno universitário ganense, ficando em pé rigidamente atrás da cadeira do pai, Elias observa que toda vida social demanda alguma contenção, algum controle de comportamento que de outra forma levaria a uma guerra de todos contra todos. O ritual exerceria seu papel. Assim como a língua também exerce o seu, ao intervir entre emoção e sua expressão.

Ao justapor a experiência de Elias na África, a sua teoria do "processo civilizador", tentei demonstrar que, contrário à sua afirmação de que experiência e teoria se apoiam mutuamente, elas são de fato contraditórias. Elas teriam sido reconhecidas como tal se o autor tivesse se aprofundado na pesquisa local e tivesse compreendido o comportamento contemporâneo, em vez de impor um conceito de *naturvolk,* pseudopsicológico, pseudofilosófico e pseudo-histórico àquilo que viu. Dessa forma, ele incorporou a noção vulgar de processo civilizador dos europeus, abandonando os estudos mais bem estruturados de historiadores da pré-história e de sociólogos da sociologia comparada.

O ROUBO DO "CAPITALISMO": BRAUDEL E A COMPARAÇÃO GLOBAL

Antiguidade, feudalismo e mesmo civilização têm sido apresentados como sendo exclusivos da Europa, excluindo-se o resto do mundo do caminho para a modernidade e para o capitalismo, uma vez que todas essas fases são consideradas estágios que se sucedem, um levando ao outro. Existe pouco desacordo sobre a posição dominante da Europa no século XIX após a Revolução Industrial ter lhe propiciado uma vantagem econômica. No entanto, o debate se volta para o período anterior. O que é que predispôs a Europa a conseguir essa vantagem? Teria aquele continente inventado o "capitalismo" como muitos supõem? Ou seria essa afirmação dos historiadores mais um exemplo do roubo de ideias?

Neste capítulo, quero dirigir minha atenção para tentativas feitas por especialistas em comparação global relativas ao "capitalismo" que acabam confirmando a posição privilegiada da Europa, não simplesmente no tocante à Revolução Industrial, sobre o que se pode ter alguma concordância, mas no que diz respeito a outros aspectos do Ocidente, mais amplos e anteriores, que teriam estimulado a mudança. Irei concentrar-me sobre a contribuição de Braudel e comentar indiretamente de que forma esses autores se afastaram da "objetividade", ainda que com a melhor das intenções. Eles privilegiaram o Ocidente em um grau exagerado e, dessa forma, privaram o Oriente de seu espaço na história mundial.

O historiador francês Braudel fez um esforço determinado de encarar o "capitalismo" em um contexto mundial. Assim como o sociólogo alemão Weber, antes dele. Weber concentrou-se em comparar a ética econômica de várias "religiões mundiais", concluindo que somente o protestantismo ascético teria fornecido a base ideológica adequada para o desenvolvimento do "capitalismo" (apesar de, como vimos, ter mudado de opinião sobre a Roma Antiga). Não quero argumentar que Weber estava errado em seu pronunciamento programático, somente que não compreendeu por inteiro o que estava em jogo. E se o fez "teoricamente", não o fez "analiticamente". Ele fez um grande esforço para ser "objetivo" ao considerar a natureza da "ética econômica" em religiões diferentes (Israel Antigo, Índia, China, assim como Europa) em relação à ascensão do capitalismo, mas depois ele, então, se posiciona firmemente a favor da variedade protestante. Esse foco tem sido rejeitado com igual firmeza por muitos outros historiadores, mas sobretudo pelo próprio grande historiador francês do Mediterrâneo. Para Braudel, o "capitalismo" de mercado estava muito mais amplamente disseminado, e outros pesquisadores chegaram a identificá-lo até em sociedades antigas. No entanto, Braudel afirma que o "capitalismo financeiro" era distintamente europeu e discute em profundidade as razões.

Weber é mais direto em seu tratamento do capitalismo, ligando-o unilateralmente com o Ocidente. Reivindica objetividade nas análises comparativas,[1] no entanto, considera que o desenvolvimento do espírito científico é mais significativo no Ocidente e ligado às suas noções de racionalidade. Tome o processo da descoberta da mente humana que marcou o crescimento do conhecimento científico significativo pelo processo de intelectualização. Esse processo, segundo ele, "continuou a se desenvolver na cultura ocidental por milênios" e constitui "progresso".[2] Essa noção de progresso, de "enriquecimento contínuo da vida", é a chave para o homem civilizado, e era essencialmente ocidental.

Weber escreve numa certa passagem que uma "análise 'objetiva' de eventos culturais" não tem sentido quando parte da tese de que o ideal da ciência é reduzir a realidade empírica a "leis". Não tem sentido por uma série de razões. Uma delas diz respeito à sua definição de cultura: "um segmento finito da infinidade sem sentido dos fenômenos do mundo, um segmento

---

[1] O ensaio de Weber sobre comparação, traduzido por "'Objetividade' nas ciências sociais e na política social", constituía-se das observações introdutórias de um novo quadro editorial para o periódico *Archiv für Socialwissenchaft und Socialpolitik*. Ele explicou que a diferença que percebia entre ciência natural e "cultural" estava no fato de que "a significância de eventos culturais pressupõe uma *orientação de valor* em relação a esses eventos. O conceito de cultura é um *conceito de valor*. A realidade empírica torna-se 'cultura' para nós porque e enquanto a relacionamos com ideias de valor" (Weber, 1949:76). Seu argumento é baseado na necessidade de se fazer uma "distinção irreconciliável" entre "conhecimento empírico" e "julgamentos de valor" (Weber, 1949:58). Ambos são tópicos importantes para reflexão, embora "aqueles 'valores' mais elevados que permeiam a prática são e sempre serão decisivamente significativos em determinar o foco de atenção de atividades analíticas na esfera das ciências culturais". No entanto, o que é válido para nós "tem de ser válido para os chineses" (Weber, 1949:58).

[2] Weber, 1949:139.

ao qual *seres humanos* conferem sentido e significância".[3] Essa definição é muito diferente da clássica do antropólogo inglês E. B. Tylor,[4] que engloba todas as ações e crenças humanas. A definição de Weber foi importante para o esquema de Talcott Parsons[5] e para os acadêmicos americanos que o seguiram, mas hoje está abandonada. Eu prefiro a definição mais abrangente de Tylor, que cobre todas as atividades humanas conhecidas – materiais ou espirituais – e questiono a utilidade da ideia de cultura de Weber, da qual depende sua discussão sobre objetividade. Isso porque, na prática, é impossível estabelecer um campo de pesquisa que se centre nos valores do observador (que Weber, com razão, diz que são importantes na seleção de tópicos), e muito menos nos valores dos atores (da forma que a maior parte dos sociólogos entende por noção de valores). De qualquer maneira, na prática, alguns acadêmicos desejariam limitar suas análises dessa forma, embora alguns antropólogos tentem seguir a visão de Parsons de que um campo inteiro se volta para crenças e valores, o domínio das "ciências da cultura". Embora valores não possam ser tratados como ciência, ele aponta para uma medida de objetividade em sua análise comparada, especialmente em sua meta mais ampla de considerar as origens do capitalismo. Weber não superou as dificuldades na busca da objetividade, separando "fato" e "valor". Essa dificuldade aparece em seu próprio trabalho, especialmente em relação às origens europeias do capitalismo.

Quando Braudel volta sua atenção para o capitalismo, aceita um número importante de proposições ocidentais sobre as diferenças entre Oriente e Ocidente relativas ao crescimento, incluindo aquela concernente à natureza singular da cidade europeia, derivada da comuna norte-italiana do século x. No entanto, é contrário à tese weberiana de atribuir papel fundamental ao protestantismo na criação do "espírito do capitalismo". Fernández-Armesto também critica os aspectos religiosos da "tese de Weber" ao discutir os impérios atlânticos, cujo surgimento tem sido "usado como evidência de que o protestantismo era superior ao catolicismo como uma fé imperialista e como prova de que os protestantes herdaram os talentos para o capitalismo que na Idade Média eram atribuídos aos judeus". Ele comenta: "cada premissa dessa tese parece-me equivocada".[6] Os impérios atlânticos dos povos do sul eram mais extensos, duraram mais e foram mais lucrativos do que os dos países protestantes. "A predominância das potências do norte

---

[3] Weber, 1949:80-1.
[4] Tylor, 1881.

[5] Parsons, 1937.
[6] Fernández-Armesto, 1995:238.

nos conflitos mundiais do século XIX não começou [...] tão cedo quanto se supõe comumente". E mesmo então, a religião tinha pouco a ver com o seu predomínio. O que importava era a posição geográfica.

Não pretendo continuar comentando o esforço original de comparação global de Weber. Sua preocupação principal era o domínio econômico e cultural do Ocidente e sua análise perspicaz da Índia e da China tem sempre a questão da prevalência do capitalismo ocidental como pano de fundo. Ele não se limita apenas ao desenvolvimento do capitalismo industrial na Europa do século XIX, mas, compreensivamente, se volta para as precondições, especialmente para a Reforma (e portanto para a ética protestante), a Renascença e a "Época das Grandes Navegações" e, ainda mais para trás, para a natureza "singular"da cidade europeia inclusive dos tempos romanos. Essa rota tem sido trilhada pela maioria dos comentadores da hegemonia europeia. Marx e Wallerstein[7] voltam à Época dos Descobrimentos, situando a origem da superioridade europeia antes do século XIX.

A questão da comparação global é uma ideia de historiador e está associada com a recente história europeia. O que está sendo comparado? As questões que interessavam a Marx e Weber no século XIX e no começo do século XX diziam respeito às origens do capitalismo europeu. Escritas a partir do ponto de vista de europeu após a primeira e, no caso de Weber, após a segunda Revolução Industrial, essas interpretações buscavam uma resposta para o fato de a Europa ter se "modernizado" enquanto outras civilizações não. Nas palavras do historiador da economia David Landes, a questão é: *Por que algumas nações são tão ricas e outras tão pobres?* É uma questão importante, mas a busca pela resposta começou de forma errada.[8]

Em primeiro lugar, essas comparações estavam longe de serem globais. Weber escreveu sobre a China e a Índia de forma interessante. O restante do mundo era composto por sociedades tradicionais, exercendo "autoridade tradicional", um conceito sociológico de pouca utilidade, porque eram tratadas como residuais, como sobras. A Índia e a China foram postas em cena como pano de fundo do "capitalismo" europeu. Em segundo lugar, Marx, em sua importante discussão, analisa outras sociedades de um ponto de vista econômico, examinando uma variedade de modos de produção e suas formações sociais associadas. Ele estudara cuidadosamente o livro de Lewis Morgan, *Ancient society*, uma tentativa ambiciosa de desenvolver uma comparação global das sociedades humanas. Morgan foi um dos vários que

---

[7] Wallerstein, 1974. [8] Goody, 2004: cap. 1.

tentaram construir uma história mais sistemática, mais bem sustentada, do desenvolvimento do homem. Foi uma história melhor do que as decorrentes de esforços filosóficos como os de Vico ou Montesquieu. Embora o trabalho de Morgan seja um aperfeiçoamento do esforço especulativo dos filósofos, peca por manter a mesma atitude teleológica com respeito à Europa.

A abordagem de Braudel do capitalismo, modernização e industrialização – que realmente é global – é apresentada nos três volumes do seu trabalho principal, *Civilization and capitalism 15th to 18th century* (*Civilização material e capitalismo, séculos XV-XVIII*). O primeiro volume é intitulado "*The structure of everyday life*",[9] o segundo "*The wheels of commerce*"[10] e o terceiro "*The perspective of the world*".[11] O primeiro volume lida com o que Braudel chama de "vida material" que, segundo ele, "dá sustentação à economia de mercado" e compreende o que comemos, o que vestimos e como vivemos. O segundo nível (da economia) é o mundo do mercado, o mundo do comércio. O terceiro nível, que é uma "zona sombria" "pairando sobre a economia de mercado", é o mundo das finanças, "o domínio favorecido do capitalismo", e sem o qual ele é impensável".[12]

Braudel era um historiador de primeira linha. Seu *Structures of everyday life*[13] é considerado "brilhante" por seu colega Zeldin e "uma obra-prima" por Plumb, outro colega. Eu pretendo examinar, com admiração e crítica, um aspecto de seu trabalho, a partir dos novos desenvolvimentos em história mundial que se empenham em modificar o viés eurocêntrico, presente inevitavelmente no trabalho do qualquer estudioso ocidental. Braudel, menos eurocêntrico do que, digamos, Weber e Marx, considerou uma vasta gama de material comparativo da vida cotidiana. Ademais, é bem mais sutil sobre a questão da superioridade europeia.

No entanto, a maioria de suas fontes é europeia e compartilha certos preconceitos sobre a superioridade europeia, alguns grandes, outros pequenos. Consideremos, primeiro, alguns dos pequenos, que determinam o tom de sua apresentação e de fato referem-se a questões mais amplas da superioridade. Segundo Braudel, "a grande inovação, a revolução na Europa" não foi o papel, mas o "álcool", bebida destilada, apesar de a palavra alambique claramente indicar uma proveniência islâmica (e por fim, grega).[14] Referindo-se, porém, ao resto do mundo, ele pergunta: "Será que foi a destilaria que deu à Europa a vantagem sobre esses povos?"[15] O fato é que a Europa foi lenta em adotar o

---

[9] Braudel, 1981 [1979].
[10] Braudel, 1982 [1979].
[11] Braudel, 1984 [1979].

[12] Braudel, 1981:24.
[13] Braudel, 1981.

[14] Braudel, 1981:241.
[15] Braudel, 1981:247.

álcool destilado. Deixando essa lentidão de lado, por que se atribuiria uma superioridade aos europeus até mesmo em períodos anteriores? A pergunta já tem uma resposta pronta e qualquer alternativa é descartada. Outras bebidas também são tratadas da mesma forma. Mais ou menos na época do "descobrimento" do álcool, a Europa, supostamente no centro das inovações do mundo, teria, segundo Braudel, descoberto novas bebidas, tanto estimulantes como tônicas; ou seja, café, chá e chocolate. Mas todas as três bebidas vieram de fora; o café era árabe (originalmente etíope); o chá, chinês; o chocolate, mexicano.[16] A noção de que a Europa "descobriu" essas bebidas e inovou é claramente muito limitada; o que a Europa fez está relacionado com mercado e consumo. No entanto, Braudel alega que a descoberta dessas bebidas foi feita pela Europa, presumidamente em função do posterior "descobrimento" do "capitalismo". Poderia ser dito que a Nova Guiné descobriu e inovou essas novas bebidas quando elas, mais tarde, chegaram às suas praias? A ideia de que a Europa estava ("sempre") no centro das inovações é muito exagerada, sobretudo no que diz respeito aos alimentos, uma área na qual os europeus estavam certamente mais atrasados que a China e a Índia. Braudel, de fato, reconhece que "não havia um verdadeiro luxo ou sofisticação nos hábitos culinários na Europa antes dos séculos xv e xvi. Nesse aspecto, a Europa se arrastava atrás das outras civilizações do mundo antigo".[17] Esse comentário parece estar correto. Onde então estaria a superioridade europeia nessa esfera?

Braudel é particularmente eurocêntrico nos assuntos domésticos, incluindo alimentação. Quanto ao consumo de carne, a Europa tinha uma posição privilegiada "em relação a outras sociedades".[18] Os povos caçadores e criadores também eram privilegiados nisso. Da mesma forma, podemos adotar um outro ponto de vista e afirmar que a China e a Índia eram privilegiadas ecologicamente em relação ao consumo de frutas e vegetais. A preferência por uma dieta vegetariana não é valorizada, quer se baseie em gosto, religião ou moralidade. Assim como no caso das bebidas, a expansão de produtos de mercado como açúcar e especiarias por todo o mundo é tratada de um ponto de vista europeu, embora esses itens tenham sido descobertos por outras culturas. Braudel cita e endossa a observação do escritor Labat de que os árabes não conheciam o uso de mesas; poder-se-ia igualmente lembrar que a Europa não conhecia o divã ou o tapete até virem do Oriente. A "vantagem" é sempre vista como europeia (o que pode ter acontecido, mais tarde, com relação à distribuição e ao mercado). Suas considerações sobre "a lenta adoção de boas

---

[16] Braudel, 1981:249.   [17] Braudel, 1981:187.   [18] Braudel, 1981:199.

O ROUBO DO "CAPITALISMO" 213

maneiras"[19] na Europa parecem mostrar um tipo de preconceito semelhante ao de Elias em favor do comportamento europeu, pois é de ampla aceitação que, no passado, o Extremo Oriente tinha regras de etiqueta mais elaboradas do que o Ocidente. Braudel cita um europeu que observa que os cristãos não se sentam no chão como animais,[20] insinuando que os outros o faziam e o eram. A mesa e a cadeira "implicavam uma forma de vida completamente diferente"[21] e não estavam presentes na China até o século XVI. A cadeira "foi provavelmente de origem europeia", uma vez que a posição de sentar-se ereto não é encontrada em países não europeus e representava "uma nova arte de viver". Se esse era ou não o caso (e a declaração parece muito dúbia), dar tanta importância a essa mudança no século XVI (uma mudança de "estilo de vida") é pouco compatível com a visão de que a sociedade chinesa era estagnada e "inerte",[22] uma conclusão a que ele chega ao considerar um aspecto, o vestuário, cujo uso certamente não é um fator geral no comportamento humano.[23]

Seu argumento é que as mudanças na moda indicam uma sociedade dinâmica, segundo a opinião de Say, que, em 1829,[24] escreveu com desprezo sobre "a moda imutável dos turcos e outros povos orientais" e que "suas modas tendem a preservar seus estúpidos despotismos".[25] É um argumento que pode ser igualmente aplicado aos nossos próprios aldeões, que vestiam as mesmas roupas dia após dia e raramente as mudavam, e, talvez, a todos os homens que vestem ternos em determinadas ocasiões. No entanto, mesmo quando houve mudanças na Europa, foram modismos que afetaram um número pequeno de pessoas e só se tornaram "mais populares" no início de 1700, quando as pessoas romperam as "águas paradas de contextos antigos como aqueles que descrevemos na Índia, na China e no Islã".[26] A mudança afetava poucos privilegiados, mas Braudel não considera moda algo frívolo, e sim "indicação de um fenômeno mais profundo":[27] o futuro pertencia às sociedades que estavam preparadas "para romper com suas tradições". O Oriente era estático, no entanto, o Ocidente só recentemente tinha começado a se movimentar, o que de certa forma contradiz a sua ideia de que as culturas se diferenciam, nesse aspecto, no longo prazo. Braudel é pouco consistente nesse assunto, uma vez que o recurso à moda é também um produto do "progresso material".[28] Um exemplo era a maneira que os mercadores de seda de Lyon exploravam "a tirania da moda francesa" no

[19] Braudel, 1981:206.
[20] Braudel, 1981:285.
[21] Braudel, 1981:288.
[22] Braudel 1981:312.
[23] Bray, 2000.
[24] Say, 1829.
[25] Braudel, 1981:314.
[26] Braudel, 1981:316.
[27] Braudel, 1981:323.
[28] Braudel, 1981:324.

século XVIII, contratando "ilustradores de roupas de seda" que mudavam seus padrões a cada ano, rápido demais para os italianos poderem copiar.[29] Nesse tempo, a produção de seda já tinha estado presente na Sicília e na Andaluzia por quase setecentos anos, expandindo-se no século XVI, junto com a amoreira, pela Toscana, Vêneto, descendo pelo vale do Reno. Gênova e Veneza também importavam, há muito, seda bruta do Oriente Médio, bem como algodão em forma de fio ou pacotes. Tanto os materiais quanto as técnicas vieram do chamado Oriente "estático". O assunto moda está obviamente relacionado não somente à mudança, mas também ao luxo e, nesse contexto, será tratado com maior profundidade no capítulo "A apropriação dos valores: humanismo, democracia e individualismo".

De outras maneiras também, Braudel tem duas posições no que diz respeito à questão da mudança. Discorre a respeito da rápida expansão das safras americanas, tais como tabaco, pelo mundo como ocorrera com outros produtos de consumo – café, chá e cacau. No entanto, o Oriente estático é sempre contrastado com o Ocidente dinâmico, com a implicação de que as inovações requeridas pelo capitalismo não poderiam se desenvolver fora da Europa. Braudel postula uma oposição entre sociedades estáticas e sociedades mutáveis.[30] A dicotomia é totalmente inaceitável; ritmos de mudança certamente variaram e ficaram cada vez mais rápidos. Mas a ideia de uma sociedade imutável (objetivamente, seja lá o que os sujeitos estejam pensando) parece-me fora de questão, especialmente em relação a religião e mitos;[31] até mesmo tecnologia em sociedades simples mudam ao longo do tempo, do neolítico para mesolítico, por exemplo. Isso não quer dizer que não possa haver bloqueios de tempos em tempos, mas nunca "sistemas travados" como um todo.

A tese de que algumas sociedades são mais preparadas para a mudança do que outras pode estar correta para períodos específicos e em contextos específicos, mas é claramente um erro engessar toda a Ásia nesse modelo. Pelo menos até o século XVI, a China era provavelmente mais dinâmica do que a Europa (supondo que se chegue a um consenso sobre a medida referencial). O conceito de Braudel de "civilização" e "cultura" tenderiam a sugerir que as diferenças na velocidade das mudanças caracterizam "a longa duração"; eu os colocaria mais no nível "histórico" de "eventos" concernentes mais ao "conjuntural" do que ao "civilizacional". De outra maneira seria projetar para trás no tempo as diferenças (e de alguma forma vantagens) indubitáveis

---

[29] Como Poni (2001a e b) havia apontado.   [30] Braudel, 1981:430, 435.   [31] Goody e Gandah, 2002.

da Europa do século XIX. Nesse caso, por que não fazermos o mesmo para as convergências de sociedades nos séculos XX e XXI? Esse argumento já tinha sido adaptado ao Japão: seu "feudalismo" anterior o teria capacitado a desenvolver com mais facilidade o "capitalismo". Será que o mesmo argumento não deveria ser aplicado à China, Coreia, Malásia e a uns tantos outros?

No entanto, Braudel defende a ideia de que em outros lugares existem civilizações "estáticas, voltadas para si", ou seja, civilizações pobres. Só o Ocidente se distingue por mudanças constantes. Segundo ele, "no Ocidente tudo estava constantemente mudando".[32] E considera isso um aspecto duradouro. Por exemplo, a mobília era diferente de um país para outro, testemunhando um "vasto movimento econômico e cultural que levou a Europa na direção do que ela própria batizou de Iluminismo, progresso".[33] E algumas linhas mais à frente, escreve: "se isso está estabelecido para Europa, a civilização mais rica e mais preparada para a mudança, se aplicará também ao resto". Ainda que a Europa estivesse, em tempos recentes mais preparada para mudanças (alguns diriam após a Revolução Industrial, outros insistiriam na Renascença), não há evidência alguma de que estivesse mais propensa à mudança em períodos anteriores. No entanto, essa formulação de Braudel, independentemente das classificações que ele introduz em outros lugares e das evidências que ele eventualmente produz, apoia-se no contraste entre a Europa dinâmica e a Ásia "estática" que ele considera ser duradouro se não permanente. O Ocidente se apropriou das noções de mudança e adaptabilidade.

Para Braudel, o capitalismo pertence à esfera urbana e, a partir dela, espalha-se para o campo. Ele considera estagnantes as economias rurais, a menos que estimuladas de fora. Ele pergunta se cidades ocidentais teriam sido capazes de subsistir se "o absurdo tipo chinês de agricultura fosse a regra e não a exceção"[34] – a agricultura de arroz na China era feita com ferramentas manuais em vez do arado. No entanto, esse "absurdo" era a marca de uma agricultura intensiva, muito "avançada", que permitia maiores densidades de população e cidades maiores do que as da Europa, em parte porque não tinha de reservar espaço para o gado, necessário para puxar os arados. De fato, é inconveniente indagar se as cidades ocidentais teriam "subsistido sobre tais condições", pois eram muito diferentes.[35] Ele vê o capitalismo chegando à área rural quando a agricultura se vincula à exportação, quando as safras são cultivadas por dinheiro. Isso se constituía

[32] Braudel, 1981:293.
[33] Braudel, 1981:294.
[34] Braudel, 1981:338.
[35] Braudel, 1981:338.

em uma "invasão".[36] Sua abordagem, porém, negligencia o fato de os produtores rurais já terem construído seus "capitais" investindo na plantação em terraços, em irrigação e em várias outras formas. Ou, na Europa, ao aumentar seus rebanhos, que era o próprio modelo para "capital". Para Braudel, a noção de capitalista está ligada ao investimento de dinheiro que se reproduz a si próprio, e não por meio do trabalho ou avanço nas técnicas produtivas. Nesse quesito também, a Europa foi considerada única. Ainda que reconheça a natureza dinâmica dos trabalhos manuais na Índia e China, para ele, esses países nunca produziram as ferramentas de "alta qualidade" que marcaram a Europa. Na China, a mão de obra era abundante demais,[37] um pensamento comum, porém equivocado.[38] De qualquer forma, a agricultura de arroz do sul demandava técnicas mais intensas de plantio e transplante do que a de cereais do norte; não era simplesmente porque a mecanização teria sido "bloqueada por mão de obra barata".[39] Ferramentas foram introduzidas. O carrinho de mão era chinês; o estribo provavelmente mongol (conforme Lynn White[40]). Moinhos de água certamente não estavam restritos à Europa; o moinho de vento pode ter vindo da China ou do Irã. Os chineses também estavam bem mais adiantados na produção de ferro e no uso do carvão, embora Braudel se refira à "estagnação do país após o século XIII", especialmente no que diz respeito ao uso do coque.[41] Seu comentário é que "a vantagem chinesa é difícil de explicar".[42] Mas entendo que isso só procede se alguém estiver olhando o mundo de um ponto de vista eurocêntrico do século XIX.

Um dos problemas que, de acordo com Braudel, segurou o avanço da China foi que ela não possuía "um sistema monetário complexo" necessário para produção e operações cambiais;[43] somente a "Europa medieval é que finalmente aperfeiçoou seu dinheiro", curiosamente porque as várias sociedades europeias tinham que comerciar umas com as outras e com o mundo muçulmano. Esse estado de perfeição que ele concede à Europa é devido ao crescimento das cidades e do capitalismo, assim como "à conquista dos grandes oceanos", que resultou em uma "supremacia mundial que durou séculos".[44] A Europa, tendo de encarar o desafio muçulmano, produziu um sistema monetário perfeito; as outras partes da Eurásia "representavam estágios intermediários a meio caminho de uma vida monetária ativa e

---

[36] Braudel, 1984:288.
[37] Braudel, 1984:304.
[38] Hobson, 2004:201ss.

[39] Braudel, 1981:339.
[40] White, 1962.
[41] Braudel, 1981:375.

[42] Braudel, 1981:376.
[43] Braudel, 1981:440.
[44] Braudel, 1981:402.

completa".[45] A alegação da "exclusividade" europeia é intrigante porque "as civilizações marítimas sempre tiveram conhecimento umas das outras", pelo menos na Eurásia. O Mediterrâneo e o oceano Índico formavam "um único trecho de mar", a "rota para as Índias", que anteriormente incluía uma conexão entre os dois, conhecido como o Canal de Necau em Suez, mas que foi posteriormente aterrado. No entanto, o Egito sempre proveu um ponto de comunicação entre Oriente e Ocidente. Assim, as civilizações marítimas deviam estar trocando informação sobre a feitura de roupas de seda ou sobre a prensa e sobre as próprias mercadorias. Foi, porém, a conquista do alto mar que supostamente deu uma vantagem à Europa. Comércio de longa distância, capitalismo em larga escala, segundo observação muito procedente de Braudel, dependem da habilidade de falar uma "língua do mundo comercial" comum, induzindo a uma "mudança construtiva" e acumulação rápida. Em outras palavras, esse comércio envolvia troca. Apesar da tendência em direção a igualdade, reciprocidade e mudança, a Europa teve de ser diferenciada, na leitura de Braudel, das "economias de meio de caminho" da Ásia. Portanto, apesar de tentar comparar, Braudel busca com consistência examinar o Oriente em relação às vantagens do Ocidente, que para ele são duradouras, frequentemente culturais, quase permanentes. Como um bom historiador, ele se vê sempre perante contradições e inconsistências. A Índia estagnada usava metais preciosos e experimentava "uma enorme explosão de industrialização" com relação ao algodão no século XVI, mas a economia era marcada por um "caos monetário".[46] Igualmente, a China só pode ser compreendida "no contexto das primitivas economias vizinhas"[47] e esse contexto é responsável tanto pelo "atraso da China em si" como pela "força do seu 'dominante' sistema monetário". Essa força incluía a invenção do dinheiro em papel muito antes do Ocidente ter qualquer tipo de papel, embora mesmo na China ele só tivesse sido extensivamente usado no século XIV. As contradições são abundantes. Apesar do "atraso" da China sob a dinastia Ming (1368-1644), "uma economia monetária e capitalista estava ganhando vida, desenvolvendo e expandindo seus interesses e serviços", levando à corrida das minas de carvão na China em 1596.[48] Esses desenvolvimentos devem desqualificar o tal "atraso" do país, tornando difícil aceitar a posição de Braudel como ele, de forma inconsistente, nos pede afirmando que "em assuntos monetários a China era mais primitiva e menos sofisticada que a Índia",[49] onde, como vimos, imperava um "caos

---

[45] Braudel, 1981:448.
[46] Braudel, 1981:450.

[47] Braudel, 1981:452.
[48] Braudel, 1981:454.

monetário". Mas e a Europa? Esse continente é considerado "único". No entanto, Braudel admite que "essas operações (monetárias) não ficaram restritas à Europa", mas foram "estendidas e introduzidas por todo o mundo como uma vasta rede jogada sobre a riqueza de outros continentes". Com a importação de tesouros americanos, "a Europa estava começando a devorar, a digerir o mundo", de forma que "todas as moedas do mundo estavam presas pela mesma rede". Essa vantagem não era nova; de fato, "um longo período de pressão após o século XIII" "aumentou o nível de sua vida material"[50] como resultado de "uma fome de conquistar o mundo", "uma fome por ouro" ou especiarias, acompanhada por um crescimento de conhecimento utilitário. A Europa precisava daquele ouro, porque tinha poucos produtos manufaturados e precisava pagar o Oriente por suas "especiarias", cada vez mais disponíveis à classe média. Se a China era de fato atrasada, como alega Braudel, por que os metais preciosos estavam deixando os circuitos ocidentais e indo para Ásia?[51] Claramente, não é só a Europa que tinha "uma fome por ouro". O Oriente sabia o que queria e como consegui-lo por meios pacíficos, especificamente, pelo comércio.

AS CIDADES E A ECONOMIA

O cerne do raciocínio de Braudel é a análise das vilas e cidades, discutidas no capítulo "O roubo das instituições, cidades e universidades", as quais ele compara com baterias elétricas, constantemente recarregando a vida humana. Mais uma vez, elas devem ter constituído um fenômeno mundial desde a Idade do Bronze, mas a Europa é tida como diferente. No entanto, ele afirma que "uma cidade é sempre uma cidade" e caracterizada por "uma divisão de trabalho sempre mutável"; existe também uma população em constante mudança, uma vez que as cidades têm de recrutar habitantes por conta da incapacidade de se reproduzirem.[52] Ele menciona a autoconsciência das cidades, decorrente da necessidade de muros seguros (e de perigos que a artilharia ocidental trouxe a partir do século XV[53]), de comunicação urbana e de hierarquias entre as próprias cidades. No entanto, o reconhecimento desses aspectos comuns não o impede (nem a Goitein, também a esse respeito, sobre o Oriente Médio[54]) de acompanhar Max Weber traçando uma distinção entre a cidade ocidental, com suas "liberdades", e as cidades estáticas asiáticas sem as

[49] Braudel, 1981:457.
[50] Braudel, 1981:415.
[51] Braudel, 1981:462.
[52] Braudel, 1981:490.
[53] Braudel, 1981:497.
[54] Goitein, 1967.

tais liberdades. Obviamente havia diferenças, mas esses autores as localizam no nível ideológico, porque estão interessados no resultado teleológico: o advento do capitalismo. O impulso principal de Braudel, portanto, tem a ver com a "originalidade das cidades ocidentais", como vimos no capítulo "Sociedades e déspotas asiáticos: na Turquia ou noutro lugar?". Elas apresentam, afirma ele, "uma liberdade sem paralelo",[55] desenvolvendo-se em oposição ao Estado e governando de "forma autocrática" o entorno rural. Como resultado, sua evolução foi "turbulenta" comparada com a natureza estática de cidades em outras partes do mundo; a mudança era encorajada. Mas, de fato, a cidade asiática era igualmente turbulenta e longe de ser estática, como pesquisas recentes (por exemplo, em Damasco e Cairo) mostram.

Após a decadência da estrutura urbana do Império Romano, discutida no capítulo "Feudalismo: transição para o capitalismo ou colapso da Europa e domínio da Ásia?", as cidades ocidentais renasceram no século XI, quando já havia "um aumento do vigor rural",[56] responsável por trazer às cidades homens da nobreza e do clero; isso marcou "o começo da ascensão do continente à eminência".[57] Esse renascimento foi possível pelo aprimoramento da economia e o crescente uso de dinheiro. "Mercadores, associações de artesãos, indústrias, comércio de longa distância e bancos apareceram com rapidez, assim como certo tipo de burguesia e alguma forma de capitalismo".[58] Na Itália e na Alemanha, as cidades cresceram e superaram o Estado, formando as "cidades-Estados". "O milagre do Ocidente", como é chamado, foi que, quando as cidades se ergueram novamente, elas dispunham de grande autonomia. Com base nessa "liberdade", "uma civilização distinta" foi construída. As cidades organizaram a taxação de impostos, criaram empréstimos públicos, organizaram a indústria e a contabilidade, tornando-se cenários de "lutas de classes" e "o foco para o patriotismo".[59] Experimentaram o desenvolvimento da sociedade burguesa, que, de acordo com o economista Sombart, caracterizou-se por um nova mentalidade que apareceu em Florença no final do século XIV.[60] "Uma nova mentalidade estabeleceu-se, em linhas gerais a de um capitalismo ocidental primitivo" e caracterizado tanto "na arte de ficar rico quanto na arte de viver". Suas características também incluíam "o jogo e o risco"; "o mercador [...] calculava seus gastos de acordo com seus retornos".[61] É claro que todos os

---

[55] Braudel, 1981:510.
[56] Braudel, 1981:510.
[57] Braudel, 1981:479.
[58] Braudel, 1981:511.
[59] Braudel, 1981:512.
[60] Sombart, 1930.

mercadores tinham de fazer isso, caso contrário não sobreviveriam. Também tinham de calcular riscos, o que os tornava particularmente comprometidos com jogos de azar e apostas, como na China.

Braudel vê a chave do capitalismo no desenvolvimento das cidades, que na Europa estimularam a "liberdade" e forneceram um centro para a atividade artesanal rural. Apesar de ter tido fases de atividade "capitalista", a China, segundo ele, nunca obteve sucesso, tanto em prover a liberdade necessária, como em atrair os artesãos rurais. Seu argumento requer dois modelos contrastantes de relacionamento urbano-rural, a cidade independente e autossuficiente com um entorno rural que provê suas necessidades (o modelo ocidental) e uma cidade que é o lar da burocracia, do funcionalismo, parasita e dependente de uma vida rural mais dinâmica – o modelo oriental. No entanto, a oposição é inadequada, porque as cidades chinesas também eram centros de atividade para acadêmicos, literatos, mercadores e administradores. Em segundo lugar, excluir o campo da atividade "capitalista" é restringir a definição dessa atividade de forma questionável; isso ocorreu na Europa e a zona rural chinesa foi lugar de um regime vigoroso de grandes realizações que demandaram o investimento de capital considerável. De fato, visto da China contemporânea, fica óbvio que o campo tinha a maioria dos requisitos para a "modernização".

Enquanto valoriza a "liberdade" das cidades europeias, Braudel produz um esquema desenvolvimentista que começa com as cidades clássicas – abertas e equilibradas com seu entorno rural, no qual a "indústria era rudimentar"[62] –, passa pela "cidade fechada" do período medieval – habitada por camponeses que haviam se libertado de uma servidão para se sujeitarem à outra, a do capitalismo – e finalmente chega às "cidades subjugadas do início dos tempos modernos".[63] No entanto, o Estado por toda parte "disciplinava as cidades": príncipes alemães e os Habsburgo, tanto quanto os papas e os Médici. "Exceto na Holanda e na Inglaterra, a obediência era imposta". Dado o fato de que esses dois últimos países tinham monarquias centralizadas e que as cidades-Estado "livres" do período medieval na Alemanha e na Itália tinham sido subjugadas, o conceito de cidades ocidentais "livres" precisa ser qualificado. Isso não impede Braudel, assim como Weber e Marx antes dele, de apontar um contraste dramático com as "cidades imperiais" do Oriente. No Islã encontramos cidades semelhantes às do Ocidente, mas estas são descritas como "marginais" e de vida curta como Córdova ou Oran, embora essa

---

[61] Braudel, 1981:514. [62] Braudel, 1981:515. [63] Braudel, 1981:519.

marginalidade seja questionável; de fato, mesmo Braudel refere-se a Ceuta, no norte da África, como uma república urbana. Na Ásia "distante", as cidades imperiais eram "enormes, parasitárias, frágeis e luxuosas". "O padrão usual era uma cidade imensa sob o governo de um príncipe ou um califa: uma Bagdá ou uma Cairo".[64] Elas eram "incapazes de absorver o comércio artesanal do entorno rural", não por conta da natureza da autoridade em si, mas porque "a sociedade estava prematuramente fixada, cristalizada em uma estrutura" (e assim sempre retornando à questão da mudança e estagnação cultural). Na Índia, o problema residia nas castas; na China, nos clãs. Na China, diz ele, não havia nenhuma autoridade para representar a cidade perante o Estado ou o campo; "as áreas rurais eram o verdadeiro coração do viver, agir e pensar da China". No entanto, fica claro que funcionários do governo representavam as cidades, local em que viviam, assim como o entorno rural e que muita atividade acontecia nesses centros urbanos. Ademais, a ideia de castas e clãs impedindo o progresso das cidades segue a análise de Weber segundo a qual essas instituições teriam inibido o desenvolvimento do capitalismo por serem coletivas e não estimularem o individualismo. O tema é com certeza exagerado por Braudel, especialmente quando aponta as dinastias de mercadores como elemento essencial na acumulação de capital.[65] De qualquer forma, as cidades da Índia continham importantes populações de jainistas e parsis, que eram marginais ao sistema de castas e muito importantes para o comércio. O que realmente é problemático no trabalho de Braudel e no trabalho de outros ocidentais é a caracterização das cidades orientais em contraste com as cidades ocidentais.[66]

A ideia de liberdade associada à cidade tem dois aspectos. Onde quer que isso tenha acontecido, ex-camponeses moviam-se em direção às cidades e entravam em um ambiente que tinha menos restrições do que o ambiente mais fechado que eles haviam deixado. No entanto, em sociedades específicas, também existe a questão do quanto as cidades eram coagidas por autoridades políticas mais amplas. Obviamente em cidades-Estado, seja na Europa ou no oeste da Ásia, as cidades propriamente ditas não eram bem controladas, embora a atividade mercantil pudesse ser restringida; mas as restrições não eram impostas por uma autoridade externa, como no caso de alguns sistemas de Estado maiores. Pelo século XIX, as cidades ocidentais eram firmemente parte de um Estado-nação. Fica claro que o grau de "liberdade"

---

[64] Braudel, 1981:524.
[65] Goody, 1996:138.
[66] No entanto, a atividade capitalista também ocorria nos vilarejos, especialmente quando estes proviam energia hidráulica para os moinhos e força de trabalho para mantê-los, como foi frequente no século XIX no sul da França ou no leste dos Estados Unidos.

das cidades varia em diferentes sociedades, em diferentes épocas, e é possível que haja uma liberdade maior no Ocidente de épocas mais recentes do que em outros lugares. As sociedades europeias certamente tinham "*villes franches*", que eram parcialmente "isentas" de impostos, com o intuito de estimular o comércio. No Oriente também, algumas cidades, sobretudo portos, eram menos controladas que outras. Braudel definitivamente não demonstra que cidades pré-industriais em outras partes do mundo fossem em geral menos livres e mais estáticas. De fato, muitas outras cidades pareciam ser tão "turbulentas" quanto as europeias, e em alguns casos até mais.

Que as cidades no Oriente e no Ocidente tenham tomado rumos paralelos é bastante compreensível. Urbanização, diz Braudel, é "o sinal do homem moderno".[67] Se esse for o caso, a modernidade começou há muito tempo, pelo menos na Idade do Bronze, embora tenha avançado bastante desde então. Como Braudel insiste com frequência, nenhuma cidade foi uma ilha; não ficou isolada, mas fez parte de um conjunto de relacionamentos bem mais amplo, justamente porque uma de suas características frequentes era o comércio de longa distância. E esse comércio envolvia uma pluralidade de parceiros de diferentes "civilizações" que trocavam não somente "produtos materiais", mas também maneiras de elaborá-los, um processo que foi marcado pelas transferências de ideias. Baseados na suposição que essa troca estava ocorrendo, o que parece óbvio, podemos imaginar a existência não somente de civilizações "distintas", mas de paralelismo entre elas, com o surgimento de cidades por toda a Eurásia, com a criação de uma burguesia e de ligeiros paralelos de desenvolvimento artístico (embora uma evolução paralela fosse, evidentemente, possível). Isso acontece tanto com pintura quanto com literatura e religião. A Cristandade viaja do Oriente Médio para Europa e para a Ásia. O islã também faz o mesmo. O budismo vai da Índia para China e Japão, e marginalmente também para o Oriente Médio. Os movimentos dessas grandes ideologias religiosas não teriam sido possíveis a menos que houvesse alguma base comum na qual isso pudesse acontecer, especialmente em relação à urbanização.[68]

Como vimos anteriormente, a visão geral que Braudel tem das cidades orientais era que elas seriam "enormes, parasitárias, frágeis e luxuosas";[69] eram

---

[67] Braudel, 1981:556.

[68] No entanto, o problema com a explicação interacionista da evolução social é que ele negligencia os desenvolvimentos paralelos no Novo Mundo comparativamente isolado, que também alcançou sua civilização urbana. Ainda que a interação seja importante, é preciso considerar também a explicação em termos da lógica dos desenvolvimentos internos. Isso certamente ocorreu tanto em certas atividades comerciais como em certas atividades artísticas.

as residências dos funcionários e nobres em vez de serem propriedade das associações ou dos mercadores. Na realidade, as cidades ocidentais também proviam residências para funcionários e nobres e não eram *de propriedade* das associações e dos mercadores. Não é fácil ver a diferença. As cidades tornaram-se um tanto mais "livres" em partes do Ocidente, mas muitas não se preocupavam em se tornar "cidades-Estado", apenas gostariam que o controle governamental não interferisse tanto. "Liberdade" foi vista como fundamental para o efetivo papel da "burguesia" (e às vezes até para seu surgimento), intrínseco às mudanças necessárias para o desenvolvimento do capitalismo; a burguesia é usualmente considerada por eruditos ocidentais uma característica estritamente europeia, assim como a mudança permanente que Wallerstein considera a chave do "espírito do capitalismo". Braudel admite que no final do século XVI, em alguns momentos, o Estado chinês "cochilava" permitindo o surgimento de uma burguesia "com um gosto para empresas comerciais".[70] Na China, o Estado cochila; no Ocidente, o crescimento da burguesia é considerado natural. E ao mesmo tempo, os vários aspectos para os quais ele chama a atenção nos "mercados livres" do Ocidente, ou seja, indústria organizada, associações, comércio de longa distância, faturas para trocas, empresas comerciais, contabilidade,[71] todos eles também estavam presentes na China e na Índia, como apontam mais recentemente historiadores como Pomeranz e Habib.[72] A Índia também tinha um sistema complexo de comércio que envolvia câmbio de moedas, equivalentes às do Ocidente, incluindo *hundi* ou letras de câmbio. "Desde o século XIV, a Índia possuía uma economia-monetária de certa vitalidade, que logo tomou o rumo do capitalismo".[73] Braudel parece contradizer algumas observações anteriores sobre o caótico sistema monetário da Índia, pois este "certo capitalismo" é reconhecido um "capitalismo genuíno"[74] – com atacadistas, rentistas e seus milhares de auxiliares: os agentes de comissão, corretores, cambistas e banqueiros. Quanto às técnicas, possibilidades ou garantias de trocas, qualquer um desses grupos de mercadores estaria no mesmo nível de seus equivalentes ocidentais". Esses aspectos não estavam apenas presentes nas cidades, mas apareceram *antes* do renascimento das cidades na Europa do século XI. No entanto, Braudel ainda vê algo faltando, pois entende que esses aspectos não constituem "uma civilização distinta",

---

[69] Braudel, 1981:524.

[70] Braudel, 1981:524.

[71] Braudel, 1981:512.

[72] Pomeranz, 2000; Habib, 1990.

[73] Braudel, 1984:124.

[74] Braudel, 1984:486.

uma noção essencial para sua tese da gênese europeia do capitalismo, do verdadeiro capitalismo com suas "poderosas redes" se distinguindo do "microcapitalismo" mais difundido.[75]

Existe uma confusão aqui. "Poderosas redes", do tipo a que Braudel se refere, somente aconteceram com o capitalismo industrial, embora o comércio tenha chegado bem antes. No entanto, ele realça o tempo todo que houve desenvolvimentos entre os séculos XV e XVIII que presumidamente seriam "microcapitalistas". É quando a questão dos "mundos livres" das cidades foi relevante para a geração do "verdadeiro capitalismo". O problema é que, enquanto ele vê atividade capitalista estando presente em muitas sociedades anteriores, sente a necessidade de apontar o domínio da Europa no século XIX em termos da qualidade do seu capitalismo, ou seja, o capitalismo verdadeiro, para então procurar teleologicamente por fatores de distinção em sua formação, um procedimento que o leva a várias contradições. Porém, em termos das condições preexistentes que teriam levado ao "verdadeiro capitalismo" no Ocidente, toda a Eurásia parece estar, *grosso modo*, no mesmo patamar, mesmo se os termos são usados para distinguir Ocidente e Oriente. Cidades existiam por toda parte, mas "verdadeiras" cidades somente no Ocidente; somente lá é que a "liberdade" vinga, uma liberdade considerada necessária para o empreendimento mercantil e para o avanço da produção.

Se compreendermos, como Braudel, que um capitalismo generalizado é um aspecto de todas as cidades e de seu comércio, a tese da exclusividade do Ocidente perde muito de sua força. Cidades mais recentes e suas atividades desenvolveram-se a partir de cidades já existentes em todas as suas várias facetas, não apenas comercial e manufatureira, mas também administrativa e educacional, todas relacionadas ao uso da escrita e sujeitas a um processo de desenvolvimento social (ou "evolução" social). As cidades eram centros de letramento, incluindo produção literária, religião escrita e conhecimento textual. Este último deu importante contribuição para a emergência do capitalismo industrial em suas várias e sucessivas formas, auxiliando a invenção, o desenvolvimento da produção e a troca. A cidade era muito mais do que um centro para mercadores e seu comércio, por mais essenciais que fossem para seu bem-estar econômico.

---

[75] Braudel, 1981:562.

CAPITALISMO FINANCEIRO

Quero concentrar-me na discussão que Braudel encaminha sobre o desenvolvimento do capitalismo. Vimos anteriormente neste capítulo como ele separa a "vida material", que permeia o mercado econômico, do mundo do comércio; e agora, novamente, o separa do mundo das finanças, "o domínio favorecido do capitalismo".[76] Nessa ordem hierárquica e cronológica do capitalismo, é no terceiro nível, o do capitalismo financeiro, que ele percebe a Europa assumindo a liderança, e aí se encontra o caráter único da Europa. Vimos as contradições de Braudel em relação à Europa e ao resto da Eurásia. Às vezes são consideradas iguais, mas em outros momentos ele sugere que a Europa obteve vantagem bem antes da Revolução Industrial. De fato, essa parece ser a sua posição mais geral. Ele fala de um capitalismo europeu que se distingue da atividade de mercado, ocupando "a posição de comando no apogeu da comunidade comercial". O capitalismo em outros locais lhe parece mais restrito. Capitalismo completo ou verdadeiro "invariavelmente nasceu junto com um contexto geral maior do que ele próprio, contexto que o carregou nos ombros para cima e para frente".[77] Parte do contexto geral era o comércio de longa distância, que serviu como "uma máquina incomparável para a rápida produção e aumento de capital",[78] contexto esse que o economista Dobb viu como sendo fundamental para a criação da burguesia comercial.[79] Em outras palavras, o capitalismo se relaciona sempre, não só com dinheiro e crédito, mas com finanças, com dinheiro que se autorreproduz.[80]

Braudel associa um capitalismo financeiro emergente com a feira, que ele considera ser um fenômeno puramente europeu: "progresso no século XVI deve ter sido alcançado *de cima*, sob o impacto de uma alta circulação de dinheiro e crédito, de uma feira para outra".[81] As feiras e mercados proviam formas de trocas financeiras e de acerto de contas e, é claro, estavam ativas muito antes em outras partes. As feiras eram obviamente muito importantes no Ocidente, não somente para a venda de produtos, mas por conta das transações financeiras que daí resultavam, como em Champagne. No entanto, também existiam no Oriente. Tratados entre o sultão do Egito e Veneza ou Florença chegaram a delinear "um tipo de lei para as feiras" que "não diferia dos regulamentos

---

[76] Braudel, 1981:24.
[77] Braudel, 1984:374.
[78] Braudel, 1984:405.

[79] Dobb, 1954.
[80] Apesar dessa tendência, muito da riqueza acumulada da Europa

foi para atividades religiosas em vez de investimentos terrenos.
[81] Braudel, 1982:135.

que governavam as feiras do Ocidente".[82] O comércio no Oriente Médio era tão vigoroso quanto em outras partes. As cidades muçulmanas "tinham mais mercados [...] do que qualquer cidade no Ocidente".[83] Bairros especiais eram reservados para mercadores estrangeiros em Alexandria e Síria, assim como acontecia em Veneza. Em Alepo e Istambul também existiam pousadas e hospedarias para europeus, bem como para mercadores do Oriente. As feiras também eram importantes em outras partes do mundo. Na Índia, elas eram frequentemente articuladas com as peregrinações; no Oriente Médio, a peregrinação anual para a Meca coincidia com a maior feira do Islã. Na Indonésia, os chineses estavam presentes em feiras similares, e seu trânsito de longa distância "não era de forma alguma inferior ao equivalente europeu".[84] Na China, as feiras eram "supervisionadas de perto", sendo controladas por um "governo ubíquo, eficiente e burocrático"; no entanto, "os mercados eram comparativamente livres". Esses mercados eram frequentemente ligados aos festivais nos templos budistas ou taoistas.[85] Assim, Braudel conclui, contrariando outra afirmação sua, que no século XVI "as regiões populosas do mundo, diante das demandas de números, parecem estar bastante próximas umas das outras, equivalendo-se ou quase".[86]

Essa equivalência estende-se ao fato de que, na esfera do comércio, mudanças estavam constantemente acontecendo no Oriente tanto quanto no Ocidente. As vidas urbana e comercial estavam sempre se desenvolvendo. A questão da convergência não era simplesmente uma questão de números, mas de evolução social paralela da economia, da comunicação, assim como de outras esferas da atividade cultural. A disparidade com o Ocidente somente apareceu relativamente tarde no tempo, mas constitui "o problema essencial da história do mundo moderno". Essa disparidade será realmente importante daqui a cinquenta anos e, se não, "quão essencial ela foi?" Para Braudel, porém, a verdadeira decolagem da Europa aconteceu durante a época do iluminismo, após 1720. Ele afirma que os "dois aspectos que se sobressaem no desenvolvimento ocidental eram, primeiro, o estabelecimento de mecanismos superiores de comércio e, depois, no século XVIII, a proliferação de caminhos e meios".[87] Na China, no entanto, diz ele, "a administração imperial bloqueou qualquer tentativa de criar uma hierarquia econômica" acima do nível de lojas e mercados. Seguindo a visão geral europeia, para ele, eram o Islã e o Japão os que mais se assemelhavam à Europa. Em todas essas questões,

[82] Braudel, 1982:128.
[83] Braudel, 1982:129.
[84] Braudel, 1982:130.
[85] Braudel, 1982:131.
[86] Braudel, 1982:134.
[87] Braudel, 1982:136.

ele pouco fala de produção, só de finanças. No entanto, toda atividade mercantil e de manufatura, quer seja na China ou alhures, requeria uma combinação de produção e distribuição, ambas demandando consideráveis financiamentos. Braudel reconhece que o que os europeus encontraram quando chegaram ao Oriente foi um comércio de grande escala que não pode ser descrito, como Leur fez, em termos de atividade de mascates.[88] Era muito mais importante do que isso. Muitos mercadores eram empregados por grandes acionistas; a *commenda* (uma parceria marítima) existia no Oriente assim como no Mediterrâneo.[89] Mercadores orientais, incluindo persas e armênios, visitavam Veneza e negociavam em termos similares.[90] É verdade que produção, distribuição e financiamento tornam-se mais complexos ao longo do tempo na Europa e em outras partes, mas Braudel quer fazer uma distinção categórica entre capitalismo financeiro e outras formas, o que não parece ser completamente satisfatório.

Como vimos, segundo Braudel, "o capitalismo verdadeiro" se desenvolveu apenas na Europa, e possivelmente no Japão. As razões para esse crescimento restrito foram políticas e "históricas", em vez de econômicas e sociais. Estiveram relacionadas a condições sob as quais, a longo prazo, grandes famílias burguesas puderam acumular riqueza em suas dinastias, e essa situação remontava a um passado distante. Na conclusão de seu segundo volume, ele critica tanto Weber quanto Sombart por considerarem que uma explicação do capitalismo "tinha de ter algo a ver com a superioridade estrutural da 'mente' ocidental".[91] O que teria acontecido, pergunta ele, se os barcos chineses (*junks*) *tivessem* velejado em torno do Cabo em 1419, mais ou menos oitenta anos antes de Vasco da Gama? No entanto, o uso da palavra "*junks*" (que ao mesmo tempo designa barcos chineses e tralhas) parece um tanto ambivalente, sugerindo que esses países tinham *junks* em vez de navios. Temos de encarar o fato, afirma ele, de que o "capitalismo obteve sucesso na Europa, teve um começo no Japão e falhou em quase todo o resto do mundo" – ou falhou em atingir o completo desenvolvimento.[92] O que significa "falha" para ele? A referência à singularidade do Japão pode ter sido válida quando Braudel escrevia o livro. No entanto, quando o livro foi traduzido para o inglês, a situação do Oriente havia mudado significativamente com o surgimento dos Tigres Asiáticos e a expansão das economias da China e da Índia.

---

[88] Leur, 1955.
[89] Constable, 1994:67ss.
[90] Braudel, 1984:124.
[91] Braudel, 1984:581.
[92] Braudel, 1984:581-2.

Braudel reconhece a vitalidade do comércio de longa distância chinês na província de Fukien, no século XVI, quando essa próspera economia é contrastada com a "estagnação" do interior. Assim, "um certo tipo de capitalismo chinês [...] só poderia alcançar suas verdadeiras dimensões, se escapasse dos controles rígidos do poder central".[93] Porque "na China, o principal obstáculo era o Estado e sua burocracia".[94] Em teoria, o governo era proprietário de toda a terra (embora a propriedade privada da terra remonte ao período Han) e "mesmo a nobreza depende da boa vontade do Estado". Toda cidade era policiada. Somente mandarins "estavam acima da lei". O Estado tinha o direito de fazer cunhagens – "a acumulação somente podia ser alcançada pelo Estado". De fato, os mercadores podem ter sido demonizados pelos escritores por sua exibição de riqueza. Mesmo que a China tivesse uma economia de mercado próspera, em um nível superior todos eram controlados pelo Estado, "então não podia haver capitalismo, exceto dentro de grupos claramente definidos".[95] Muitas dessas limitações certamente não estavam restritas à China e até marcaram as sociedades "progressistas" da Europa. Tampouco, a intervenção do Estado é necessariamente danosa ao crescimento da economia. No Japão e especialmente na China contemporânea (como na China de outrora), o Estado vem exercendo um papel importante no desenvolvimento da economia.

Economicamente, o Oriente e o Ocidente podem ter mais ou menos se igualado – e aqui sua análise é bem mais avançada do que a de muitos "historiadores mundiais" anteriores, incluindo Marx e Weber. Politicamente, no entanto, faltava algo. "Despótico" é um adjetivo que ele usa nos casos chinês, indiano e turco, mas nunca com respeito aos Estados europeus, que são "absolutistas". Existiam mercadores no Oriente, mas nunca "livres" no mesmo sentido que seus semelhantes europeus; novamente a palavra "liberdade" aparece somente no contexto dos habitantes da Europa. E não somente com relação aos os mercadores. O preconceito europeu de Braudel aparece claramente em afirmações tais como "os únicos camponeses livres ou quase livres eram encontrados no coração do Ocidente".[96] Como acontece com o termo "despótico", a distinção é categórica, levantando questões que já examinamos no capítulo "Sociedades e déspotas asiáticos: na Turquia ou noutro lugar?"; em algumas sociedades, camponeses são considerados livres, em outras não. E liberdade é também considerada uma característica

---

[93] Braudel, 1984:582.
[94] Braudel, 1984:586.
[95] Braudel, 1984:589.
[96] Braudel, 1984b:40.

da posição dos mercadores ocidentais diferente da situação dos mercadores orientais, seja nas cidades ou no país como um todo. No entanto, pesquisas recentes sobre cidades asiáticas, as de Rowe, na China,[97] ou Gillion, na Índia,[98] parecem contradizer sua afirmação weberiana, assim como o trabalho de Ho Ping-ti sobre "capitalismo comercial" entre os mercadores de sal da China do século XVIII,[99] ou o estudo de Chin-heong Ng, sobre a rede de trabalho de Amoy na costa, e o trabalho de Chan,[100] sobre mandarins e mercadores. Os mercadores tinham mais espaço para operar do que Braudel reconhece; e os letrados certamente não eram todos burocratas.[101] Campo e cidade eram mais diferenciados do que Braudel sugere; embora muitos acadêmicos tenham escrito sobre "a pequena nobreza" como um grupo e outros sobre revoltas camponesas.[102] O que vejo como equivocado na apreciação de Braudel sobre estrutura social desses países caminha *pari passu* com uma apreciação correta de sua situação econômica.

No entanto, ele aceita que havia uma burguesia ("por modismo") sob os Ming, bem como um "capitalismo colonial" nas Índias Orientais. Mas ele afirma que o poder do Estado não era desafiado pela presença de um regime feudal como no Japão.[103] Neste país, pode-se verificar um tipo de "anarquia" agitada por "liberdades", assim como na Europa medieval. No Japão, o regime não era totalitário, como ele alega ser o caso da China: era mais "feudal". "Assim, [no Japão] tudo conspirava para produzir um tipo de capitalismo primitivo",[104] surgindo de uma economia de mercado com desenvolvimento do comércio de longa distância. Igualmente, na Índia e nas Índias Orientais, "todos os aspectos típicos da Europa estavam presentes ao mesmo tempo: capital, mercadorias, corretores de comércio, mercadores atacadistas, banqueiros, instrumentos de negócios, e mesmo um proletariado de artesãos, e mesmo as oficinas muito similares às fábricas [...], e mesmo trabalho doméstico para mercadores feito por corretores especiais [...] e, por último, até comércio de longa distância".[105] Mas esse "comércio de alta tensão" estava presente somente em alguns lugares e não generalizado por toda a sociedade. Pode-se indagar, com Pomeranz, se tal generalização seria válida para grandes unidades, ou mesmo para a Grã-Bretanha.

---

[97] Rowe, 1984.
[98] Gillion, 1968.
[99] Ho Ping-ti, 1954.
[100] Chan, 1977.
[101] Veja Ching-Tzu Wu, 1973.
[102] Por exemplo, Chesneaux, 1976.

[103] Apesar de o Partido Comunista, em 1928, identificar um regime semifeudal, semicolonial, na China (Brook, 1999:134ss.), o feudalismo na China era associado à ideia de "soberania par-celizada", que o considerava uma fase pré-capitalista universal.
[104] Braudel, 1984:592.
[105] Braudel, 1984:585.

230   O ROUBO DA HISTÓRIA

Na interpretação de Braudel (assim como na de muitos acadêmicos ocidentais), o feudalismo "preparou o caminho para o capitalismo". A meu ver, essa tese simplesmente reflete a cronologia europeia e não tem nenhum significado causal. Para Braudel, sob o feudalismo, as famílias de mercadores estavam fadadas a serem consideradas de segunda classe e tinham que lutar contra esse *status*, condenadas a serem frugais, portanto se encaminhando para o capitalismo. Considera-se que na Índia, na China e no Islã não havia esse tipo de família. É necessária uma economia de mercado desenvolvida para o capitalismo, mas esse tipo de economia surge somente em um tipo de sociedade que "tenha criado um ambiente favorável muito tempo antes".[106] Essas sociedades todas apresentavam tipos de hierarquia e dinastias que estimulavam o acúmulo de riqueza. Será que tais famílias estavam ausentes da China, da Índia e do Islã? É improvável, como se vê em relatos sobre a cidade indiana de Ahmedabad e sobre muitas famílias no Oriente Médio. Essas famílias existiam e acumulavam riquezas. Braudel exclui essa possibilidade, porque exclui a possibilidade de o "verdadeiro capitalismo" desenvolver-se em outras partes. Os genes culturais estavam contra isso. As origens do capitalismo foram colocadas nas distantes origens culturais. Em outras palavras, como observado anteriormente, os fatores políticos ou "históricos" foram mais significativos do que os econômicos, sociais e religiosos.

Assim como no Ocidente, outras sociedades mantiveram certa coerência ao longo do tempo. É a noção de "cultura" de Braudel que parece sugerir que a vida sempre foi como é, imutável, pelo menos no Oriente. A China sempre teve seus mandarins, a Índia seu sistema de castas, e a Turquia seus *sipahis*.[107] Ele afirma que "a ordem social se reproduziu de forma constante e monótona de acordo com as necessidades econômicas básicas"; a cultura (ou civilização) continua ao longo do tempo, especialmente por conta da religião, e de alguma forma "preenche as lacunas da tessitura social".[108] A Europa, no entanto, era mais "móvel", e mais aberta a mudanças, um aspecto que novamente parece ser atribuído à "cultura" ou talvez à sua "mentalidade". É de fato verdade que, em muitas esferas, a mudança certamente parece ser mais rápida a partir da Revolução Industrial, mas puxar essa habilidade para trás, para um tempo cultural, parece ser uma abordagem a-histórica que desrespeita a evidência.

Braudel reconhece os paralelismo no passado nos desenvolvimentos do comércio e das finanças em outros locais, por exemplo, no Islã. "Por todo o Islã existiam associações de artesãos e as mudanças pelas quais elas

---

[106] Braudel, 1984:600.   [107] Braudel, 1984b:61.   [108] Braudel, 1984b:86.

passaram (emprego do mestre artesão, produção em domicílio e produção de artesanato fora das cidades) assemelham-se por demais ao que estava para acontecer na Europa para que seja resultado de qualquer outra coisa, se não da lógica econômica".[109] Houve evolução social paralela no trabalho, bem como interação. Mesmo que a China tenha tentado proibir o comércio com o estrangeiro por um período limitado, em parte por razões estratégicas, um enorme mercado interno continuou a existir. "Os mercadores e banqueiros da província de Shansi percorriam toda a China". Outros viajavam para o exterior. "Outra rede chinesa originou-se na costa sul (especialmente em Fukien) e alcançou o Japão e as Índias Orientais, construindo uma economia chinesa estrangeira que, por muitos anos, assemelhou-se a uma forma de expansão colonial".[110] O comércio exterior indiano também muito se expandiu, bem antes do advento dos navios europeus; seus banqueiros estavam presentes "em grande número" em Isfahan, Istambul, Astracã e até em Moscou. A abertura do comércio Atlântico fez uma grande diferença, mas o comércio já era muito ativo na Eurásia. E, basicamente, não tinha qualquer diferença com o Ocidente.

Foram esses comerciantes que desenvolveram uma vez mais os fortes contatos que havia com a Europa antes da decadência do Império Romano, institucionalizando um "capitalismo primitivo". Depois do colapso do império, a Europa se abriu novamente. A partir do final do primeiro milênio e.c., Veneza construiu uma frota mercante e uma marinha para suas transações comerciais com o Mediterrâneo oriental, com a Ásia, principalmente com os muçulmanos do Oriente Médio, que já tinham comércio com a China. Veneza desenvolveu comércio e marinha. O Arsenal onde os navios eram construídos foi fundado por volta de 1100, mas somente cresceu com a construção de um novo Arsenal, por volta de 1300. "Arsenal" era uma palavra árabe e locais de construções similares existiam por todo o Mediterrâneo, inclusive na Turquia, evidentemente concorrendo entre si. Nos trezentos anos seguintes, Veneza produziu os melhores navios de guerra disponíveis, especialmente com galés leves (*galea sottile*) suplementadas por um número menor de outras mais pesadas (*galea grossa*). O Arsenal adquiriu o monopólio de construção para o Estado. O número de navios construídos era grande, provendo uma frota maior do que qualquer outra no mundo ocidental, com 100 galés leves e 12 grandes, o que explica a importante contribuição de Veneza na batalha de Lepanto contra os turcos em 1571. Esse

[109] Braudel, 1982:559.   [110] Braudel, 1984:153.

232 O ROUBO DA HISTÓRIA

Arsenal, ao lado de empreendimentos semelhantes no Oriente, demonstra que aspectos que tendemos a considerar produtos da Revolução Industrial já estavam presentes muito antes, e não somente na Europa.

Para construir aqueles navios, o Arsenal foi organizado para produção contínua com "uma das maiores concentrações de trabalhadores do mundo naquele tempo"[111] em torno de dois a três mil empregados. Por volta de 1360, a força de trabalho distinguia-se hierarquicamente, com uma elite profissional sendo paga com salário e o restante recebendo semanalmente, em geral empregados por mestres artesãos e gozando de considerável "liberdade". Segundo Zan, era uma "organização híbrida", "moderna e pré-moderna ao mesmo tempo, em que as relações de trabalho já são internalizadas [para a organização] de acordo com um modo capitalista de produção, apesar de o trabalho não estar totalmente sob controle".[112] Essa situação apresentou claramente problemas de coordenação e gerência. Todas as operações de larga escala, que empregam uma força trabalho numerosa, passam por isso, requerendo hierarquia, especialização, previsão, estimativa de custos e habilidades organizacionais variadas. No início da Europa moderna, esses aspectos estavam especialmente associados aos arsenais que eram importantes empreendimentos fabris.[113] O ponto não é considerarmos o surgimento da "administração" em Veneza anterior ao aparecimento do que se chamou de "mão visível" nos Estados Unidos do século xx,[114] mas que, com a complexidade da atividade industrial, efetivamente começando com a Idade do Bronze, vemos o surgimento gradual de habilidades desenvolvidas a partir do crescimento da produção coletiva. No que diz respeito à Veneza, deve ser enfatizado que qualquer estabelecimento que construísse numerosos navios, especialmente grandes embarcações, seja na Turquia, na Índia ou na China, teria de enfrentar problemas desse tipo. Ninguém "inventou" a administração, embora a prática fosse elaborada sob processos de produção cada vez mais complexos. Como vimos no capítulo "Sociedades e déspotas asiáticos: na Turquia ou noutro lugar?", não havia nada particularmente singular no Arsenal de Veneza, que era uma função mais da atividade do que da cultura.

Essa foi parte da história do desenvolvimento europeu do "verdadeiro capitalismo", frequentemente visto como decorrente de vantagens anteriores e desigualdades antigas. Propondo considerar a sociedade por "frações" ou "setores", Braudel afirma que a situação social geral é mais facilmente obser-

---

[111] Zan, 2004:149.
[112] Zan, 2004:149.
[113] Concina, 1987.
[114] Chandler, 1977.

vável na Europa, "que estava tão mais à frente do resto do mundo" e onde "uma economia que se desenvolvia de modo rápido, parece ter com frequência dominado outros setores após os séculos XI e XII, e de forma mais marcante após o século XVI".[115] O século XI refere-se ao desenvolvimento do comércio, das cidades, no "feudalismo", após *l'an mille*, o novo milênio.[116] O século XVI refere-se, sobretudo, às atividades das "grandes companhias de comércio" da Holanda e Inglaterra, que criaram posições monopolistas em algumas partes do norte do globo. E foi no século XVI que uma "nova classe" se expandiu, e surgiu uma "burguesia que tinha o comércio como pano de fundo"[117] e estava escalando "por esforço próprio, até lugares superiores da sociedade contemporânea". Eles somente sobreviveram como capitalistas por algumas gerações; mais adiante, tornaram-se *grands bourgeois* (grandes burgueses) ligados à cultura humanista da Renascença, prenunciando o Iluminismo[118] que direcionou sua "ideologia revolucionária" contra "os privilégios de uma classe aristocrática ociosa".[119] Portanto, foi "dentro de um complexo de forças conflitantes que a expansão econômica ocorreu entre a Idade Média e o século XVIII, trazendo consigo o capitalismo".[120] Fora da Europa, a situação era diferente, uma vez que o Estado "vinha impondo suas intoleráveis pressões por séculos".[121] Foi somente na Europa no século XV que o governo embarcou em uma "expansão determinada" e criou o primeiro "Estado moderno". Em outras partes do mundo, as velhas regras reinavam. "Somente a Europa estava inovando na política (e não só na política)".[122] Essa é uma afirmação fortemente eurocêntrica, que diminui os desenvolvimentos políticos ocorridos em outras áreas; ela se apoia mais nas vozes de comentadores (filósofos políticos) do que na análise empírica de sistemas políticos reais.

O argumento de Braudel admite desenvolvimentos capitalistas menores em outras partes, mas existindo sempre algo especial na Europa que produzia o "verdadeiro capitalismo". Ele fala sobre a economia e sobre desenvolvimentos sociais como marcados por "uma tendência geral de sincronização por toda a Europa", o que não ocorria em outros lugares (embora o tamanho da unidade tenha que ser levado em conta).[123] Porém, dada a relação muito próxima (recíproca) que a Europa tinha com o Oriente Médio, como esses outros desenvolvimentos poderiam não estar "sincronizados"?[124] E se esse foi o caso do Oriente Médio,

[115] Braudel, 1984:460.
[116] Duby, 1996.
[117] Braudel, 1984:478.
[118] Braudel, 1984:487.
[119] Braudel, 1984:504.
[120] Braudel, 1984:461.

[121] Braudel, 1982:514.
[122] Braudel, 1982:515.
[123] Braudel, 1984:477.
[124] Peter Burke localiza em Braudel o argumento de que populações cresceram e decaíram no início

da Europa moderna mais ou menos no mesmo momento que na China, no Japão e na Índia, o que sugere a possibilidade de uma certa sincronia em outras áreas.

por que não do restante da Ásia? Sua interpretação, que às vezes não considerava a reciprocidade do comércio, era a de que a eles faltava um certo fator histórico e político. Em outras palavras, o passado mais distante, talvez a cultura, fez com que o capitalismo fosse inevitável na Europa, porém impossível em outros lugares. Isso está relacionado com um problema geral em sua abordagem teórica. Primeiro, ele faz uma firme distinção entre as camadas da economia. Tal divisão tem certo valor heurístico, mas produz uma separação severa demais entre capitalismo e mercado. A economia de mercado quase aparece como algo "natural";[125] somente em certos lugares é que ela foi acompanhada "por uma economia abrangente que capturou essas humildes atividades a partir de cima, direcionando-as e submetendo-as". O capitalismo, então, tornou-se europeu.

Em segundo lugar, Braudel acredita em ciclos (movimentos repetitivos) não simplesmente como instrumentos analíticos, mas como fatores causais, o que enfatiza seu comprometimento com continuidade, repetição e "cultura". Ele escreve sobre um historiador negando o papel de um ciclo Kondratieff, ou seja, movimentos repetitivos na história com uma duração padrão. Sempre questionando suas próprias premissas ele pergunta: "Será possível acreditar que a história humana obedece a determinados ritmos que a lógica ordinária não consegue explicar? Estou propenso a responder sim".[126] Eu confiaria na lógica, e diria definitivamente não. De qualquer forma, não fica claro como uma visão cíclica se encaixa com uma desenvolvimentista.

Seu argumento geral sobre desenvolvimento é que "o capitalismo tem sido *potencialmente* visível desde a aurora da humanidade".[127] Que peso à "potencialmente" deveria ser dado aqui? Na Europa ele vê a ascensão de cidades como talvez o primeiro indicador de potencialidade tornando-se possibilidade. Já no século XIII, desenvolvimentos comerciais e industriais estavam acontecendo, incluindo atividade bancária. Ao contrário de muitos acadêmicos, como temos visto, Braudel está preparado para ver capitalismo em economias mais antigas e em outros lugares. No entanto, muito poucas áreas favoreceram a reprodução de capital necessário ao capitalismo "verdadeiro". Ele percebe o capitalismo não como um comportamento racional, mas como "o comportamento irracional de especulação".[128] Pois o capitalismo ocidental era diferente; no final das contas este criou "uma nova arte de viver, novas formas de pensamento",[129] quase que uma nova civilização, não na época da Reforma protestante, mas já com a Renascença católica. A Florença do século XIII era "uma cidade capitalista"[130] do mesmo

---

[125] Braudel, 1984:38.
[126] Braudel, 1984:618.
[127] Braudel, 1984:620.
[128] Braudel, 1984:577.
[129] Braudel, 1984:578.
[130] Braudel, 1984:578.

modo que cidades como Veneza, mas mais por conta do comércio do que da produção. Na Europa do século XVIII, foi o comércio, mais do que a indústria ou a agricultura, que fez dinheiro em larga escala; mas, é claro, era necessário ter o que comerciar: era aí onde estavam os lucros.[131]

Na opinião de Braudel, participar desse nível de maior inclusão do capitalismo (europeu), que nem sempre foi uma atividade francamente competitiva (às vezes era monopolista), levava um capitalista a trabalhar com grandes quantidades de dinheiro.[132] Até mesmo o desenvolvimento de monopólios não foi, como alegou Lênin, uma característica da última fase "imperialista" do capitalismo, de fato, surgiu em fases muito anteriores. Entretanto, o monopólio existente anteriormente "somente ocupava uma plataforma estreita da vida econômica".[133] Uma das características do capitalismo é que podia atuar movendo-se de um setor para outro em um curto período de tempo.[134] Aqui, Braudel está claramente pensando em capitalismo financeiro, incluindo títulos e ações, os quais ele vê estando no topo da árvore econômica. Por outro lado, comércio intenso envolvia certa flexibilidade em cargas e destinos. Ao certo, como a indústria e o comércio demonstram, são necessárias finanças novas e mais complexas. Porém, nesse desenvolvimento, a produção e distribuição de mercadorias tornaram-se progressivamente importantes.

O MOMENTO CERTO DO CAPITALISMO

Quando é que esse tipo de "capitalismo verdadeiro" apareceu na Europa? Alguns historiadores elegeriam como o começo do capitalismo na Europa a abertura do Mediterrâneo ocidental pelo comércio entre Veneza e o Oriente. O que bloqueou esse avanço foi o fato de todos os europeus sofrerem um grande retrocesso com a Peste Negra do século XIV. A Inglaterra só começou a se recuperar por inteiro dessa praga já pelo fim do XV. Nesse momento, em resposta ao renascimento demográfico, agricultores, pequenos proprietários rurais, criadores de ovelhas, manufatureiros de tecidos nas cidades e mercadores aventureiros produziram o que tem sido descrito como uma revolução social e econômica. A exportação de lã bruta abriu caminho para a produção doméstica de tecidos manufaturados. Produzidos em "casas de costura" (*cottage*), esses tecidos eram feitos principalmente

---

[131] Braudel, 1984:428.
[132] Braudel, 1984:432.
[133] Braudel, 1984:239.
[134] Braudel, 1984:433.

por pequenos produtores e embarcados para Europa continental. Quando Henrique VII chegou ao trono, os Mercadores Aventureiros, uma associação de exportadores de roupas de Londres, controlavam o mercado de Antuérpia (antiga Bruges) e substituíram em importância econômica os Staplers que lidavam com lã bruta. Por volta de 1496, a associação já tinha o monopólio do comércio da lã. Como consequência desse crescimento, rebanhos aumentaram, cercamentos proliferaram e banqueiros italianos migraram para Londres. Proprietários de terras assumiram um papel diferente na vida econômica. A mudança foi estimulada mais pelo crescimento do comércio de matéria-prima para atividade têxtil e dos próprios tecidos do que pela produção de alimentos. Esse comércio de têxtil para Flandres, Holanda e Itália era de importância fundamental para a recuperação da Europa, uma vez que produzia bens procurados pelo Oriente e, ao mesmo tempo, estimulava a importação de tecidos orientais pela Europa, especialmente seda e algodão. O continente, mais tarde, adaptou sua manufatura às condições locais em um esforço de substituição de importações e iniciou o que tem sido chamado de Revolução Industrial.

Muitos localizariam a vantagem econômica da Europa mais tarde. Para Braudel, a economia europeia era a matriz do verdadeiro capitalismo, mas num momento diferente: para ele, o capitalismo desenvolveu-se bem mais cedo. Todas as características do capitalismo do período contemporâneo parecem ter-se desenvolvido de maneira embrionária nas primeiras cidades da Europa.[135] Essas cidades-Estado eram "formas modernas", "à frente do seu tempo". A primeira economia mundial europeia surge por volta de 1200, com a reconquista do Mediterrâneo pelos navios e mercadores da Itália, principalmente Veneza.[136] Braudel argumenta que as Cruzadas foram o grande estímulo para tal. Somente após as Cruzadas é que a Itália realmente se desenvolveu como centro comercial. As campanhas levaram a constituição de cidades muradas separando o campo da área urbana. Mas os contatos com Islã e Bizâncio mudaram a situação. A ascensão de Amalfi no sudoeste da Itália é explicada por conta do contato privilegiado dessa cidade com o mundo islâmico, onde outras "cidades-Estado" podiam ser encontradas.

O desenvolvimento das finanças foi obviamente fundamental para "financiar o capitalismo". Tem-se afirmado que um dos aspectos da economia que não retrocede aos tempos clássicos é a ideia de dívida nacional. Na Inglaterra, o endividamento estava no centro de uma "revolução financeira"

---

[135] Braudel, 1984:528.   [136] Braudel, 1984:93 (a Revolução Comercial, Lopez assim a chamou em 1971).

que serviu para atrair capital, sobretudo para o comércio de além-mar. Pois o capitalismo esteve sempre presente no setor da economia que buscava participar nos aspectos mais ativos do comércio internacional:[137] "O capital ria das fronteiras".[138] Como temos visto, a concentração de Braudel em crédito, câmbio e finanças como as principais características do capitalismo avançado o leva a dar menos importância à produção, até mesmo à Revolução Industrial, à própria era da máquina, apesar de ele ter devotado o penúltimo capítulo do seu grande trabalho a esse processo. Ele sugere que a produção industrial na Europa se multiplicou em pelo menos cinco vezes entre 1600 e 1800, ou seja, antes da chamada Revolução Industrial. Essa é uma tese à qual retornaremos na discussão de Wrigley.[139] Muito dessa produção em larga escala subsistiu graças à ajuda de subsídios e monopólios, uma situação que somente mudou com a era da máquina e, portanto, estava atrelada, da mesma forma que a dívida nacional, às atividades do Estado nação (apesar de estar baseada paradoxalmente em comércio internacional). Entretanto, o aumento da produção foi importante para sustentar a cultura do consumo. Isso é parcialmente reconhecido quando o fato de as mercadorias terem um custo de produção mais baixo no norte é descrito como "a vitória do proletariado", levando à poderosa ascensão de Amsterdã e de outras regiões protestantes.[140]

É preciso adicionar que, para Braudel, a Revolução Industrial foi mais do que uma questão de aumento em valores de poupanças, de investimento em tecnologia, sendo de fato "um processo geral e indivisível".[141] Essa complexidade, ele alega, torna mais difícil transferir o capitalismo para outras partes do mundo. Para poder tomar parte desse processo, o Terceiro Mundo contemporâneo terá que "modificar a ordem internacional existente". Anteriormente, isso só era possível "no coração" da "economia mundial aberta", ou seja, na Europa. Ele vê a mecanização associada à Revolução como tendo começado na Europa, possivelmente nos séculos XIII e XIV. A precursora foi a indústria de mineração alemã, cuja dependência de máquinas foi tão bem ilustrada no trabalho de Agricola. A Itália seguiu o mesmo caminho. Houve uma revolução demográfica naquele país, desenvolvendo os primeiros "Estados territoriais" (no início do século XV). Na região de Milão, houve uma revolução agrícola desenvolvendo irrigação e "agricultura intensiva" antes que isso ocorresse na Inglaterra e na Holanda. De fato, Milão bem que poderia ter ido mais adiante na estrada do capitalismo se tivesse um mercado externo.

[137] Braudel, 1984:554.
[138] Braudel, 1984:528.
[139] Braudel, 1984:181.
[140] Braudel, 1982:570.
[141] Braudel, 1984:539.

No entanto, a Inglaterra, que se arrastava atrás dos franceses no século XVI, também teve acesso ao carvão como fonte de energia, o que lhe permitiu ter fábricas maiores para suprir um mercado maior (de além-mar, mais do que interno) e inovar em termos de produção. Porém, a inovação não estava de forma alguma restrita ao Ocidente, que, na verdade, adotou muitas inovações do Oriente, onde a mecanização e a industrialização já haviam começado e onde, em muitas áreas, a agricultura estava muito avançada.

Em resumo, Braudel demonstra estar com duas opiniões sobre o momento do capitalismo. Uma se refere à produção em si. Outra, às finanças envolvidas na feitura ou troca de mercadorias. Sobre a questão do "momento", o capitalismo é generalizado, mas o "verdadeiro capitalismo" é específico do Ocidente tardio, mesmo que suas raízes recuem para uma época anterior. Sua ambiguidade reflete as divergências entre os historiadores ocidentais de modo geral. Marx originalmente determinou o século XIII, na Europa, como sendo o momento do começo do capitalismo, já Wallerstein seguiu uma segunda posição de Marx ao localizá-lo no século XVI. Nef viu a Revolução Industrial na Inglaterra começando no século XVI, quando a industrialização era "endêmica" por todo o continente. Alguns, como Charles Wilson e Eric Hobsbawm, veem o início do capitalismo na restauração da monarquia britânica de 1660. Na visão mais comum, o século XVIII é o *locus* do capitalismo da Revolução Industrial, sendo a chegada da era da máquina e o desenvolvimento de tecnologia seu ponto crítico. Esta é a opinião de Marx, que considerava central a indústria do algodão com sua produção massiva e comércio extensivo.

O momento e o local nos quais se detecta a vantagem europeia são motivos de grandes desacordos entre os historiadores da economia. O geógrafo da economia Wrigley[142] argumenta que, por volta do começo do século XIX, a Inglaterra estava significativamente diferente de seus vizinhos continentais: mais próspera, crescendo mais rápido, mais urbanizada e bem menos dependente da agricultura. Usando técnicas de contabilidade de renda nacional e referindo-se à noção de Rostow de decolagem entre 1783 e 1802, Wrigley fala de um crescimento localizado antes de 1830 – a era da ferrovia – que parece ter sido lento apesar do desempenho agregado à economia como um todo. Conclui que a divergência da Inglaterra ocorreu muito antes do que frequentemente se acredita e que isso deve ter ficado bem claro para os seus rivais por volta de 1700. Essa vantagem, ele argumenta, não se deveu

---

[142] Wrigley, 2004.

O ROUBO DO "CAPITALISMO"   239

à Revolução Industrial, uma vez que somente ondas lentas de crescimento ocorreram a partir de 1760, mas se baseou em uma vantagem maior obtida no século anterior ou mesmo nos dois séculos precedentes. Esse crescimento derivou do sucesso em expandir as possibilidades da passagem do que ele chama de "economia orgânica" – na qual artefatos eram feitos de materiais de origem animal ou vegetal[143] (de onde também provinha a energia) – para uma economia inorgânica (ou seja, baseada em carvão e combustíveis fósseis).

Críticas foram dirigidas à visão anglo-centrada. De acordo com de Vries e Van der Woud, foram os holandeses que desenvolveram a primeira economia "moderna" (capitalista) durante a Era de Ouro entre meados do século XVI e c.1680. Não somente o comércio e a indústria, mas a agricultura também estava envolvida em uma expansão dinâmica. Ocorria um crescimento urbano rápido, bem como uma transformação da estrutura ocupacional que antecipava a Inglaterra em 150 anos.[144] Tal processo foi acompanhado por uma infraestrutura de transporte excelente (principalmente por água) e por energia de baixo custo (turfa, "inorgânica"). No final do século XVII, um período de estagnação se instalou, uma vez que uma economia moderna – eles argumentam – não é necessariamente autossustentável. Wrigley, no entanto, compreende que na Inglaterra o crescimento foi exponencial e que uma divergência dramática ocorreu quando uma economia de base orgânica mudou para uma de tipo inorgânica.

Segundo essas alegações nacionalistas, primeiro os holandeses, depois os britânicos, possuíam economias "orgânicas" avançadas – que eram pouco autossustentáveis no que diz respeito a crescimento –, passaram a explorar o inorgânico. Porém, tais economias não foram as primeiras na Europa a fazerem tal movimento em direção à mecanização como podemos ver a partir da história da produção da seda em Lucca, bem como a da organização de fábrica na produção de navios e armas nos arsenais do Mediterrâneo. Em outras palavras, a Itália as havia precedido dessa forma e de outras. Ademais, assim como a China e o Oriente Médio, a Itália havia empregado a água para gerar força e energia, o que não estava sujeito às mesmas limitações orgânicas que a queima de madeira. O uso da água na manufatura do papel deu à chuvosa Europa uma vantagem sobre o Oriente Médio. Uma produção mais eficiente fez a Europa modificar sua posição de importadora para a de exportadora desse artigo. No entanto, a China também fez uso de água e de combustíveis fósseis (em fornalhas) para gerar energia muito antes da

[143] Wrigley, 2004:23-4.   [144] Wrigley, 2004:62.

Inglaterra e da Europa. Aspectos da economia inorgânica (mecanização e industrialização, e com eles o capitalismo) já estavam presentes em outras partes. No tocante à intensificação da agricultura na Holanda "pré-industrial" e na Inglaterra, eventos paralelos haviam ocorrido na Itália e, como Pomeranz discute,[145] em outras áreas específicas fora da Europa. Ele nos lembra que devemos ter cuidado com o uso da noção de crescimento agregado baseado em unidades políticas nacionais (como Wrigley nos alerta no caso da Grã-Bretanha ou Inglaterra), devendo de preferência referirmo-nos a regiões específicas e, deve-se acrescentar, a tempos específicos, uma vez que estes variam consideravelmente. O próspero *mezzogiorno* dos tempos islâmicos e normandos tornou-se a Itália retrograda da máfia em tempos posteriores. Quando os países do Atlântico Norte chegaram à cena, eles o fizeram com base na exportação de têxteis "orgânicos", primeiro de lã e depois de roupas feitas de lã. Eram exportações da Inglaterra para Flandres, para o norte da França e, depois, para a Itália. Eles desenvolveram um comércio litorâneo no mar do Norte e eventualmente dentro do Mediterrâneo, onde as coisas realmente aconteciam naquela época.

Tal oscilação entre regiões é não somente uma função da lei do rendimento decrescente, como foi formulada por Riccardo. Economias agrícolas não existem isoladamente, pelo menos não desde a Idade do Bronze, quando desenvolvimentos nessa esfera eram estimulados pelo crescimento de cidades e do comércio, o que, por sua vez, encorajava a agricultura. Oscilações ocorreram por conta de uma variedade de fatores, mas, enquanto o crescimento não era sustentável em curto prazo, em longo prazo ele o era. Oscilações também ocorreram entre economias industriais individuais, onde o domínio do crescimento inglês deu espaço para Alemanha e em seguida para os Estados Unidos, cada um explorando vantagens particulares. Agora, o mesmo está acontecendo com a China. Competição e vantagem são os nomes do jogo.

O que é comum entre a maioria dos historiadores ocidentais, incluindo aqueles como Weber e Braudel que estudaram o problema comparativamente, é que, até mesmo após considerarem dados de diferentes sociedades, acabam tudo onde começaram: a Europa é o "verdadeiro" lar do capitalismo, bem antes da Grande Divergência. Isso é compreensível se a situação sob consideração é a Europa do século XIX, que indubitavelmente tinha uma vantagem comparativa. Mas empurrar essa vantagem para trás,

[145] Pomeranz, 2000.

para o início da Idade Moderna ou para o Medievo é desconsiderar as muitas realizações, na economia, na tecnologia, na educação, na comunicação e nos estágios iniciais do "capitalismo" que outras sociedades tinham produzido. O resultado é apropriar-se de toda a natureza e de todo o espírito do capitalismo (ou no caso de Braudel do "verdadeiro" capitalismo) e considerá-lo exclusivamente ocidental, ou mesmo produto de um determinado componente do Ocidente, como Inglaterra ou Holanda.

Na conclusão do capítulo "Sociedades e déspotas asiáticos: na Turquia ou noutro lugar?", discuti os méritos do conceito de "Estados tributários" como algo aplicável a toda Eurásia e de um desenvolvimento contínuo desde a Revolução Urbana da Idade do Bronze. Precisamos olhar para a economia em crescimento ao longo desses cinco mil anos. Eu me refieri ao desenvolvimento de civilizações urbanas, ao aumento na produção de mercadorias e ideias e, portanto, do capitalismo mercantil. É claro que, em todas estas áreas, houve desenvolvimentos diferenciados cujos ritmos foram acelerados por mudanças na comunicação, levando à mídia eletrônica. Desses desenvolvimentos, o aumento da industrialização na Grã-Bretanha do final do século XVIII foi de suma importância para o futuro. Entretanto, industrialização, mecanização e produção em massa desenvolveram-se lentamente, em um momento anterior, em outras partes da Eurásia – na China com os têxteis, cerâmica e papel, na Índia com algodão e, mais tarde, na Europa e no Oriente Médio, com a produção em massa também de armas de destruição em fábricas, organizadas modernamente (envolvendo capitais estatais e privados), em fundições e arsenais por toda a região. Esse é o tipo de esquema de desenvolvimento de longo prazo que precisamos utilizar para pensar a Eurásia.

Se duvidarmos da relevância de uma ordenação especificamente europeia de Antiguidade, feudalismo e capitalismo, chegaremos à noção de um desenvolvimento de longo prazo – às vezes rápido, às vezes lento – de culturas urbanas da Idade do Bronze à Idade do Ferro, passando pela florescência das culturas clássicas e mediterrânicas (mas também na China e em outros lugares), pelo colapso na Europa ocidental, pelo aumento lento porém contínuo na China, chegando à renovação gradual das cidades no Ocidente com constante comunicação com o Oriente e consequente crescimento da atividade mercantil e das culturas urbanas. Essas culturas mercantis diversificaram seus produtos, mecanizaram seus métodos de produção, chegando à produção em massa e à exportação e importação também em massa. Todo esse processo pode ser descrito sem a adoção da ideia, característica do século XIX, da emergência do capitalismo como estágio específico do desenvolvimento da sociedade mundial. Podemos dispensar a suposta sequência de períodos de produção confinados a essa situação. Isso evita a periodização europeia e sua suposta superioridade de longo prazo.

A discussão de Braudel, portanto, nos leva a perguntar se realmente precisamos do conceito de capitalismo. Esse parece sempre fixar a análise em uma direção eurocêntrica. Braudel, na verdade, trata de uma atividade mercantil difundida e de suas concomitantes, que eventualmente chegaram a dominar a sociedade. Isso frequentemente envolve reinvestir lucros em meios de transporte (navios) ou em produção (tecelagem), mas o processo ocorre também até em sociedades agrícolas. A fase do chamado capitalismo financeiro é seguramente uma extensão dessa atividade. Será que não podemos, então, dispensar esse termo pejorativo criado na Grã-Bretanha do século XIX e reconhecer o elemento de continuidade no mercado e nas atividades burguesas desde a Idade do Bronze até os tempos modernos?

PARTE III
TRÊS INSTITUIÇÕES E VALORES

O ROUBO DE INSTITUIÇÕES, CIDADES E UNIVERSIDADES

Há uma crença comum no Ocidente de que as cidades europeias diferem substancialmente das do Oriente, em especial em fatores que produzem o "capitalismo", como expressou Max Weber. Essa distinção origina-se supostamente de circunstâncias específicas da vida europeia surgidas depois do fim da Antiguidade, mais especificamente das condições políticas e econômicas características do feudalismo (que viu a ascensão da "comuna" no norte da Itália). Ligada a isso está a crença de que a educação superior teria começado com a fundação de universidades na Europa ocidental, em Bolonha no século XI.[1] A mesma constelação que teria dado origem às cidades europeias, nessa visão, teria gerado o impulso para o salto qualitativo que diferenciou a vida intelectual europeia depois dos primeiros séculos da Idade Média. De acordo com o medievalista Jacques Le Goff, a Europa cristã ocidental, na virada dos séculos XII e XIII, viu o nascimento simultâneo de cidades e universidades (embora ele esteja mais interessado em intelectuais como indivíduos do que em universidades como instituições). Ele afirma: "o aspecto mais conclusivo de nosso modelo do intelectual medieval é sua conexão com a cidade".[2] Ambas são vistas como particularmente ocidentais além de fatores de desenvolvimento da modernidade. Ambas as suposições são bastante questionáveis e ilustram o esforço coordenado de acadêmicos europeus para manter uma posição altamente eurocêntrica mesmo diante de evidências que exigem interpretação diferente.

---

[1] Ver, por exemplo, o estudo de Haskin (1923:7), em que as universidades são vistas como parte da "renascença do século XII", estimuladas pelo ensino árabe, apesar de Salerno remontar à metade do século XI – a "mais antiga universidade da Europa medieval".

[2] Le Goff, 1993:xiv.

CIDADES

Comecemos pelas cidades. Na discussão sobre a Idade Média, muitos historiadores, em especial os marxistas, concentraram suas análises no setor rural e nas relações feudais, como apontou Hilton.[3] As cidades foram amplamente relegadas ao segundo plano, e vistas como relativamente sem importância para a dinâmica feudal, pelo menos nos primeiros estágios. Elas ressurgiram na história da Europa simultaneamente com os primeiros passos em direção ao capitalismo, refletindo a passagem progressiva de sociedades agrárias para industriais. Outros autores, como Anderson, chamaram a atenção para os "enclaves urbanos" na Alta Idade Média, recusando-se a divorciá-los da influência agrária que os cercava.

No Ocidente, "as comunidades urbanas corporativas representaram, sem dúvida, uma força de vanguarda na economia medieval".[4] No extremo oeste do Império Romano, as cidades haviam sofrido drasticamente com a dissolução do império. Anderson minimiza a extensão do colapso urbano e chama a atenção, por exemplo, para a continuidade de muitos municípios no norte da Itália. Mais tarde, no novo milênio, houve o crescimento de outros centros, sendo a maioria "originalmente promovidos ou protegidos por senhores feudais".[5] Esses centros logo ganharam "uma autonomia relativa", criando um novo extrato de elite e explorando os conflitos entre os nobres e o poder eclesiástico, como entre guelfos e gibelinos na Itália. Isso significou uma "soberania parcelizada", um rompimento entre as forças eclesiásticas e aristocráticas do qual a burguesia saiu lucrando ao ganhar mais espaço para se tornar o partido dominante no governo da cidade. No Oriente, as cidades continuaram existindo, assim como os burgueses; senhores de terra não foram necessários como promotores da vida urbana como no Ocidente, apesar da importância dos centros religiosos e das cidades eclesiásticas.

A cidade clássica não desapareceu com o colapso de Roma e, "com uma população urbana, edifícios monumentais, jogos e uma elite intelectual, continuaram a existir como capitais provinciais do oeste e sul da Ásia menor, na Síria, Arábia, Palestina e Egito até as invasões árabes, e nas áreas sob o domínio árabe para além do período das invasões".[6] Pelo século VII, a Itália e mesmo Bizâncio "pareciam bem diferentes do Oriente Médio (árabe, na época), em que havia muito mais evidência de uma complexidade

---

[3] Hilton,1976.

[4] Anderson, 1974a:192.

[5] Anderson, 1974a:190.

[6] Liebeschuetz, 2000:207.

O ROUBO DE INSTITUIÇÕES, CIDADES E UNIVERSIDADES 247

e prosperidade econômica persistente".[7] No Ocidente, a situação havia mudado radicalmente. Na Grã-Bretanha, certas habilidades, como o uso da roda de ceramista e a construção de edifícios de tijolos e argamassa, desapareceram; escolas sumiram das cidades remanescentes; ginásios caíram em desuso; a complexidade da vida econômica romana deixou de existir. A Igreja e os senhores rurais tornaram-se muito mais importantes para a vida em geral, especialmente onde as "cidades não tinham mais escolas" e o conhecimento letrado era pequeno e restrito a "umas poucas famílias da elite"; a cultura literária superior foi relegada a tutores particulares, e de forma intermitente à Igreja. No Oriente, entretanto, uma cultura letrada continuou a florescer com o cristianismo e com outros cultos, no decorrer do século VI. No século VII, mesmo no Oriente, houve uma diminuição radical da quantidade de livros em Constantinopla, e o ensino foi progressivamente se restringindo ao clero erudito e à capital.[8]

Observando a reconstituição urbana no fim da Idade Média, Marx atribuiu à cidade europeia uma contribuição única ao capitalismo. Isso faz parte de sua visão da genealogia eurocêntrica do desenvolvimento do capitalismo conectado ao feudalismo a partir da Antiguidade. De acordo com Hobsbawm, Marx não teve especial interesse nas dinâmicas internas dos sistemas pré-capitalistas, "exceto na medida em que pudessem explicar as precondições do capitalismo".[9] Em *Formen,* Marx elaborou seu conceito de por que "trabalho" e "capital" não podiam aparecer em quaisquer outras formações pré-capitalistas que não as do feudalismo. Por que só o feudalismo é considerado capaz de permitir o surgimento, sem interferência, de fatores de produção? A resposta deve estar nas definições de trabalho e capital adotadas, definições que necessariamente os excluíam de outros tipos de sociedade. Em outras palavras, a resposta a essa pergunta tinha sido predeterminada pela natureza da questão. Muitos eruditos europeus, "pré-ocupados" com as realizações de suas sociedades no século XIX, se fizeram questões teleológicas semelhantes, que impediram a análise de outros tipos de sociedades em seus próprios termos, ou mesmo em uma perspectiva comparada "objetiva". No caso de Marx, "há a implicação de que o feudalismo europeu é *único*, pois nenhuma outra forma produziu a cidade medieval, que é crucial para a teoria marxista da evolução do capitalismo".[10] Assim, a natureza das cidades é avaliada a partir da

[7] Ward-Perkins, 2000:360.
[8] Liebeschuetz, 2000:210-11.

[9] Hobsbawm, 1964:43.
[10] Hobsbawm, 1964:43.

perspectiva de quem estava no ápice da atividade econômica no século XIX. No entanto, qualquer exclusividade, geral ou genuína, que a "cidade europeia" por ventura tenha tido (e isso continua sendo uma questão substantiva) não está necessariamente ligada ao crescimento do capitalismo. Braudel vê uma só forma de capitalismo (mercantil) caracterizando todas as cidades em todos os lugares; para ele é somente a forma financeira que é exclusiva do Ocidente (conclusão que questionei no capítulo "O roubo do 'capitalismo': Braudel e a comparação global").

Desde a Antiguidade, as principais cidades da costa norte do Mediterrâneo eram supridas por mar com trigo proveniente da Sicília, Egito, norte da África e mar Negro. No Mediterrâneo, o comércio de outras mercadorias, como óleo de oliva e cerâmica, era também importante. Mais tarde, no entanto, surgiu uma diferença entre as cidades do leste e do oeste do Mediterrâneo. As cidades medievais da Europa (com exceção de Istambul) eram de dimensões e atividades muito reduzidas. Só no século XIX, Londres e Paris alcançaram o tamanho da Roma imperial.[11] Por causa dessa redução de tamanho e de atividades, questões de suprimento não mais envolviam o mesmo nível de intercâmbio.

A vida das cidades só renasce com a retomada do comércio com o Oriente. Veneza foi parte importante dessa retomada, mas não foi a única das cidades italianas a fazê-lo. Um papel fundamental na abertura do comércio foi desempenhado pelas cidades ao redor de Amalfi, a sudoeste de Nápoles. Amalfi não foi o único porto envolvido com o comércio do sul e, por conseguinte, com os "sarracenos", que eram "presença constante no arco do Tirreno por volta do século IX".[12] Skinner sugere que o fundador de Gaeta, Dolcibili, era um comerciante que havia feito fortuna negociando com os muçulmanos; a certa altura ele "juntou um grupo de árabes perto de Salerno para enfrentar o papa".[13]

O Oriente Médio não contribuiu somente para agilizar o comércio na Europa ocidental. Sua influência pode ser atestada na organização e planejamento das cidades bem como em desenvolvimentos arquitetônicos no período que precedeu a Renascença, tanto diretamente quanto como consequência do intercâmbio comercial entre o Oriente e o Ocidente e da afluência que isso trouxe às cidades ocidentais. O território da região de Amalfi era difícil; as cidades eram construídas nos vales dos rios que desciam para o mar. As escarpas rochosas eram fáceis de defender, o que

---

[11] Geraci e Marin, 2003:577-8.   [12] Skinner, 1995:32.   [13] Skinner, 1995:31.

O ROUBO DE INSTITUIÇÕES, CIDADES E UNIVERSIDADES 249

foi importante quando começaram as invasões árabes, pesadas e furiosas. Foram talvez essas invasões que levaram os nativos de Amalfi e de Gaeta a fugir da influência do ducado de Nápoles. Esse contato afetou a arquitetura e a arte de formas específicas:

As composições de casas nas encostas de Amalfi eram lugares diferenciados em termos espaciais e decorativos, e essas características as excluíam das edificações contemporâneas da Itália e das residências mais simples e austeras do início da Idade Média. As complexas características das casas eram inseparáveis do ato de *mercatantia,* porque os recursos financeiros da comunidade eram canalizados para a criação desses ambientes pródigos. Com essas condições, as habitações não só superavam os requisitos básicos de abrigo como se inseriam no âmbito da expressão artística.

Embora a existência e o esplendor desses edifícios dependessem dos lucros da *mercatantia,* suas formas específicas também representavam as experiências comerciais dos amalfitanos. Com suas fachadas compostas e intricadas teias de ornamentos, as casas de Amalfi coincidiam com o léxico ornamental e arquitetural norte-africano que aparecia em proeminentes ambientes seculares e religiosos. Muitas obras de arte norte-africanas do mesmo estilo foram localizadas em cidades da costa como Mahdia e Tunis, centros comerciais familiares a gerações de comerciantes amalfitanos.

Do século XI ao XIII, essas cidades estavam precisamente onde os *regnicoli* [habitantes locais] trocavam mercadorias como madeira, grãos e produtos têxteis por ouro, couro e cerâmica.

A presença dos muçulmanos no próprio *Regno* [reino] e uma longa (ainda que fragmentada) tradição de produção artística islâmica facilitavam a recepção de idiomas norte-africanos. Alguns dos ornamentos usados no Norte da África não eram incomuns para a elite almafitana, pois estavam estreitamente ligados a trabalhos feitos no reino em pequena escala. Assim como com os banhos e banheiras, é provável que o paradigma habitacional sofisticado que valorizava os pátios, diferenciação de espaços e decoração fosse parte de uma cultura mais ampla, afluente nessa parte da bacia do Mediterrâneo, que transcendia as diferenças de crença. Desse modo, os almafitanos lembravam os prósperos habitantes de Constantinopla do século XII, cuja consciência e apreciação da pintura islâmica os levaram a imitar esses trabalhos na capital.[14]

As opções arquitetônicas de inspiração islâmica incluíam a integração direta de objetos produzidos fora da Europa. Uma das principais importações do Norte da África e do Oriente Médio foi a cerâmica vitrificada, "uma das primeiras mercadorias largamente disponíveis no sul da Itália para adornar os lares".[15] Essa cerâmica era frequentemente usada fragmentada como

[14] Caskey, 2004:113-4.   [15] Caskey, 2004:164.

tesserae ou mesmo inteira como *bacini,* incorporada ao desenho das igrejas, especialmente em Ravello, em que evidenciou o gosto e as experiências dos comerciantes de Amalfi.

A arquitetura em Ravello era a do sul, "uma cultura mediterrânea generalizada". Mas também continha alguns elementos do norte. Influências do norte se fizeram sentir no sul quando a bacia de Paris conquistou o sul da França e, na Itália, os normandos tomaram a Sicília dos árabes, abrindo caminho, primeiro para a dinastia Hohenzellern e depois para a de Anjou da França central. A arte gótica vinha despontando com seus arcos e sua heráldica.[16] Os arcos góticos eram provavelmente de origem árabe; de qualquer modo, havia uma forte influência do Oriente na arquitetura urbana, especialmente em cidades como Veneza.

No entanto, apesar das múltiplas influências das cidades orientais no Ocidente e das semelhanças entre as duas estruturas urbanas, muitos estudiosos do Ocidente consideraram as cidades asiáticas estruturalmente diferentes das europeias posteriores ao século XI, de maneira que o desenvolvimento do capitalismo foi tornado possível nessas e não naquelas. As cidades islâmicas, embora se comunicassem e fizessem intercâmbio com as europeias, foram consideradas responsáveis, em parte, por essa diferença. De acordo com o sociólogo Max Weber, isso também era válido para as cidades asiáticas. Os argumentos dos estudiosos, no entanto, sempre partem do ponto de vista das posteriores conquistas europeias que eles precisam justificar. Mais recentemente, essa posição vem sendo muito criticada. Por exemplo, o arabista Hourani escreve: "Estudiosos de gerações anteriores tendiam a adotar a ideia (em última análise derivada dos trabalhos de Max Weber) de que cidades no sentido próprio da palavra só existiam em países europeus, porque era somente na Europa que havia uma 'comunidade urbana' gozando de uma autonomia, pelo menos parcial, sob uma administração direta de autoridades eleitas". Portanto, as cidades orientais não seriam cidades "reais".[17] Entretanto, estudiosos modernos do Islã enfatizam aspectos comuns aos dois tipos de cidade,[18] como se esperaria com relação à urbanização e à atividade mercantil, e invertem esse julgamento. Isso também se aplica à Índia[19] e China.[20]

No entanto, o conceito de exclusividade do Ocidente não seria abandonado sem certa resistência. Anderson atribui o poder crescente das

---

[16] Caskey, 2004:165.
[17] Hourani, 1990: minha tradução; Denoix, 2000:329.
[18] Denoix, 2000.
[19] Gillion, 1968.
[20] Rowe, 1984.

O ROUBO DE INSTITUIÇÕES, CIDADES E UNIVERSIDADES   251

novas cidades ocidentais à "parcelização da soberania peculiar ao modo feudal europeu (portanto, único), e nisso se distingue fundamentalmente dos Estados orientais com suas cidades maiores". A forma ocidental mais madura era a comuna, expressão da unidade feudal de cidade e país porque era "uma confederação fundada [...] por um tratado de lealdade recíproca entre iguais, o *conjuratio*".[21] Nessa visão da diferença dos tipos de cidade, Anderson se alia a Marx, Weber, Braudel e muitos outros. A liberdade da "comunidade de iguais" era restrita a uma pequena elite, mas "a inovação germinal da instituição derivava do autogoverno próprio das cidades autônomas", especialmente na Lombardia, na época em que a soberania dos governantes episcopais foi abolida. Na Inglaterra, as cidades eram sempre dependentes em certo grau, por serem "um componente econômico e cultural absolutamente central da ordem feudal".[22] Anderson continua: "foi sobre esse fundamento dual de impressivo progresso agrário e vitalidade urbana que os admiráveis monumentos estéticos e intelectuais da Alta Idade Média foram levantados, as grandes catedrais (a arquitetura gótica foi um feito notável) e as primeiras universidades".[23] Entretanto, mesmo no Oriente Médio algumas cidades tinham uma relativa autonomia (especialmente as cidades-Estado). Na Europa, o norte da Itália era atípico. Outras cidades em Flandres e na Renânia existiam "sob alvarás de autonomia dos suseranos feudais". Anderson também ignora as conquistas urbanas (e rurais), tanto na esfera estética como na intelectual, em outros lugares – por exemplo, sob o islamismo em Granada e Córdova – além de realizações arquitetônicas e educacionais construídas sobre fundamentos bem diferentes.

O conceito de "parcelização da soberania" – tão importante para a maioria dos analistas preocupados com a emergência das cidades e, consequentemente, com o desenvolvimento da modernidade – é intrínseco à tese de Anderson de que o feudalismo era um precursor necessário do capitalismo porque:

1. Permitiu o "crescimento de cidades autônomas no espaço intersticial entre autoridades discrepantes".[24] Entretanto, como vimos, as cidades do Oriente não requeriam essa permissão; elas cresciam através da Eurásia seguindo a Revolução Urbana da Idade do Bronze e eram intrínsecas à economia política. Algumas eram

---

[21] No Islã, por exemplo na Síria, durante as Cruzadas, a autoridade era constantemente dividida entre o califa, o imã ou príncipe dos fiéis, e o sultão e seus vários emires, eles também aptos a assumir o poder.

[22] Anderson, 1974a:195.

[23] Anderson, 1974a:195.

[24] Anderson, 1974b:418.

mais autônomas que outras. Era assim também com relação à autonomia da Igreja, que ele descreve como "independente e universal". No entanto, todas as religiões letradas mantinham, de fato, uma independência parcial do governo como resultado de sua organização e de suas propriedades.

2. O sistema estamental criou os parlamentos medievais. Entretanto, debates públicos e assembleias consultivas não se restringiram à Europa; ter alguma forma de consulta, e mesmo de representação, era uma característica disseminada em governos de muitas partes do mundo. Como também o era a divisão em estamentos, os "*stände*" na terminologia weberiana.

3. A soberania parcelizada era uma precondição para a liberdade dos habitantes das cidades bem como para a liberdade das próprias cidades. No entanto, a "liberdade" não ficou limitada aos habitantes urbanos da Europa ocidental; todas as cidades tinham uma pitada de autonomia, de anonimato e, portanto, de "liberdade".

A liberdade das cidades medievais é o paradigma das teses eurocêntricas e merece ser considerada em maior profundidade. Anderson em algum lugar recorda o ditado alemão: *Die Stadt macht frei* (a cidade liberta). Essa observação se aplica às cidades em qualquer lugar, pois fornecem anonimato a seus habitantes. Seriam as cidades, em geral, também mais livres politicamente? Muitas delas alcançam certa liberdade pela natureza de suas atividades: manufatura, empréstimos financeiros, direito, medicina, administração e comércio. No entanto, como Southall observa, "a criação da cidade envolvia um aumento drástico de desigualdade",[25] que eu interpretaria como crescente diferenciação econômica, produzida pelo uso do arado (bem como da irrigação). Nesse sentido, a cidade sempre "explora" o campo; usa sua produção excedente para viver e trabalhar. De qualquer modo, fora o norte da Itália, poucas cidades europeias estavam livres das restrições impostas por autoridades políticas ou religiosas. Em outras partes, as chamadas "cidades livres" gozavam de certas liberdades financeiras concedidas pelo suserano. Em geral, as cidades da Europa ocidental eram mais parecidas com a "cidade asiática" do que a maioria dos eruditos supõe.

---

[25] Southall, 1998:14.

O ROUBO DE INSTITUIÇÕES, CIDADES E UNIVERSIDADES   253

Num livro abrangente sobre cidade (1998), Southall, embora aceite a distinção de Marx entre cidades do Oriente e do Ocidente, observa que, "apesar da grande diversidade de cidades em termos de tempo e espaço, há uma linha visível de continuidade percorrendo suas transformações dialéticas, de suas origens até os dias de hoje, conforme foram tendo crescente participação na vida humana".[26] Apesar das continuidades que ele mesmo vê, Southall é compelido "a destrinchar essa massa de tempo e espaço em porções manejáveis e comunicáveis, ainda que toda dissecação viole a realidade".[27] Para esse propósito, escolhe "os modos de produção descritos por Marx" – o que, na minha perspectiva, não "minimiza a distorção" como ele sugere, mas a agrava. Assim, ele aceita a divisão Europa-Ásia sem analisá-la.

Ao considerar a cidade, Southall não a restringe como sendo posterior à Idade do Bronze. Ele reconhece a urbanização dos iorubás na África ocidental, a chamada "agrocidade", e admite o crescimento de cidades menores em Catal Hüyük e Hacilar na Anatólia, em Jericó (Palestina), em Jarmo na região montanhosa do Tigre, bem como algumas no Novo Mundo e no sudeste da Ásia.[28] Entretanto, em termos gerais, o desenvolvimento da cidade é associado à Idade do Bronze. No entanto, ele realmente tenta separar as cidades asiáticas (para as quais dedica um longo capítulo de 125 páginas) das europeias, em parte baseado na divisão, feita por Hsu, dos fatores civilizacionais-chave de casta, classe e associação. Olhar as cidades dessa forma é negar as similaridades óbvias (para as quais Southall chama a atenção) em termos de tamanho de população, densidade, organização, especialização, estabelecimentos educacionais, mercados, hospitais, templos, comércio, bancos, arte e guildas. Em todas essas dimensões, há pouco para distinguir cidades do Oriente e Ocidente antes do século XIX.

UNIVERSIDADES

Uma afirmação que corre em paralelo com a suposta singularidade das cidades europeias refere-se à natureza da educação superior, considerada fundamentalmente diferente com relação a experiências anteriores e contemporâneas não europeias. De fato, Le Goff as trata num só fôlego.[29] A noção de singularidade acadêmica europeia parte da ideia de que somente na Europa as cidades seguiram linhas que levavam ao capitalismo, à secularização e à modernidade.

---

[26] Southall, 1998:4.
[27] Southall,1998:1.
[28] Southall, 1998:18.
[29] Le Goff, 1993.

Na Europa, e somente na Europa – na crescente autonomia do mundo urbano e a partir dos interesses econômicos e comerciais de uma emergente classe social, só existente na Europa, caracterizada pela preocupação com o mundo natural – é que podemos encontrar as premissas para o surgimento de universidades e de uma ciência correspondentes ao progresso em direção à modernidade.

Entretanto, essa posição fica difícil de defender quando consideramos outros países e outros tempos; as evidências indicam que a Europa pós-Antiguidade viveu um período de relativo vazio intelectual, superado em parte graças a contribuições externas. A educação superior obviamente existiu na Grécia na forma da Academia e do Liceu. Continuou mesmo no início do Império Romano:

> Encontravam-se escolas em Alexandria, Antioquia, Atenas, Beirute, Constantinopla e Gaza; eram efetivamente as universidades do mundo antigo. Variavam em caráter e importância: em Alexandria, Aristóteles era um dos mais importantes objetos de estudo; a principal matéria em Beirute era o Direito. A necessidade dessas instituições decorreu do aumento no serviço público romano no século IV. O governo necessitava de administradores com uma educação liberal e boa escrita, como explicitou o imperador Constantino em 357, em um édito preservado no Código de Teodósio.[30] (14.1.1)

Com exceção da escola de Atenas, fechada por Justiniano em 529, todas as outras eram na Ásia e na África. O fechamento de uma instituição como essa no mundo cristão evidencia o que uma religião dominante pode fazer para limitar a propagação do conhecimento, embora, pela natureza das religiões escritas, algo tivesse de ser recuperado. O cristianismo certamente fechou instituições antigas de ensino superior. Mas a Igreja, inevitavelmente, desenvolveu sua própria forma de ensino, embora houvesse problemas no nível superior com o ensino clássico, que obviamente era pagão.

> Ao final do século VI, o declínio do ensino e da cultura foi grave. A universidade imperial em Constantinopla, restaurada por Teodósio II, c. 425, e uma nova academia clerical sob a direção do patriarcado eram as únicas instituições educacionais significativas na parte principal do império; a escola de Alexandria continuou, mas isolada. A exaurida condição do império não fez nada para encorajar o aprendizado; e a controvérsia religiosa sobre a adoração de ícones piorou a situação. Durante três séculos, há poucos registros sobre educação e estudo dos clássicos. Os iconoclastas só foram finalmente derrotados em 843, quando um conselho da Igreja restaurou as práticas tradicionais de adoração de imagem. Restaram muito poucos manuscritos de qualquer tipo desse período e pouca evidência externa sobre estudos clássicos.[31]

---

[30] Reynolds e Wilson, 1974:45.   [31] Reynolds e Wilson, 1974:47-8.

O ROUBO DE INSTITUIÇÕES, CIDADES E UNIVERSIDADES 255

Até o final do século III, o oriente e o ocidente do Império Romano tinham uma cultura comum, podendo-se encontrar mosaicos quase idênticos com milhares de milhas de distância entre eles.[32] Então, o Ocidente aboliu o uso do grego; e, por várias razões, as diferenças aumentaram. Grande parte do território romano passou para controle "bárbaro", e, no final, até a Itália se tornou um império ostrogodo. No início, as escolas continuaram a florescer, mas a guerra ameaçou sua existência, e a invasão lombarda de 568 deu o golpe final, "deixando monastérios como virtualmente as únicas instituições que proviam o letramento".[33] Mesmo áreas do Norte da África – invadidas pelos vândalos arianos em 429, que despachavam suas frotas de Cartago para controlar a Córsega, Sardenha e Baleares – tiveram melhor desempenho. No início, sem interesse em educação, os vândalos permitiram escolas latinas em Cartago, que continuaram ativas até a tomada da cidade pelos árabes em 698.

O Egito e grande parte do Oriente Médio haviam sido cristãos antes da conquista árabe, embora o cristianismo oriental não tenha sido tão afetado pelo colapso do Império Romano do Ocidente e de sua economia. As cidades se mantiveram e mesmo as conquistas dos árabes não interromperam a vida como fizeram no norte as invasões "bárbaras" e a fragilidade interna. De fato, os árabes estavam longe de serem "bárbaros", sendo herdeiros de complexas culturas do sudoeste da Arábia e da terra de Sabá, além de convertidos para uma religião escrita do mesmo escopo do judaísmo e do cristianismo, crenças essas que muitos dos habitantes já conheciam. Eram também herdeiros de uma eminente tradição de poesia, por morarem nas franjas das grandes civilizações do Oriente Médio.[34] Enquanto em todo lugar se via períodos de declínio, o sul e o leste do Mediterrâneo continuaram a hospedar grandes cidades com vida comercial e urbana comparável à da Grécia e Roma clássicas. A relativa falta de cultura artística decorria, provavelmente, mais das interdições das influentes religiões abraâmicas do que de qualquer outra coisa.

Assim, no Oriente, a cultura continuou. Temos que levar em conta também um capítulo bem menos considerado da história da transmissão do conhecimento: o significado da tradução dos textos gregos para línguas orientais. "Em determinado ponto do final da Antiguidade, os textos gregos começaram a ser traduzidos para o siríaco, atividade centralizada nas cidades de Nisibis e Edessa".[35] Traduzia-se não apenas textos bíblicos, mas também Aristóteles e Teofrasto e poesia. A cultura grega, que quase não deixou rastro na

---

[32] Browning, 2000:872.
[33] Browning, 2000:873.
[34] Conrad, 2000.
[35] Reynolds e Wilson, 1974:48.

Europa ocidental, sobreviveu na tradução. O latim, entretanto, permaneceu presente esporadicamente até ser revivido na Renascença.[36] Tanto o latim quanto o grego foram mantidos na relativa continuidade das escolas no Oriente depois da conquista árabe, inclusive em Bizâncio. Nessa cidade,

> A universidade de Bardas foi fundada sob condições favoráveis, e era provavelmente o centro de um vigoroso grupo de acadêmicos preocupados em recuperar e propagar textos clássicos de diferentes espécies [...]. A cultura e a educação clássica continuaram no século XI como antes [...]. A escola filosófica, que também deu instrução em gramática, retórica e matérias literárias, estava sob a direção de Miguel Psellus (1017-78), o homem mais versátil de sua geração, que se distinguiu como burocrata, consultor sênior de vários imperadores, historiador e filósofo acadêmico. Sua produção literária atesta uma vasta leitura dos clássicos, mas seu interesse intelectual era mais voltado para a filosofia e sua celebridade como conferencista e professor renovou o interesse em Platão, e, em menor extensão, em Aristóteles.[37]

Foi no Oriente que a tradição clássica persistiu, tanto em termos de obras de autores gregos e romanos, quanto em relação à organização de estabelecimentos educacionais. Embora isso não tenha sido contínuo, em nada se compara com a interrupção na aquisição e disseminação do conhecimento que marcou o Ocidente. A escola do século XI, em que Psellus ensinava, tinha sido estabelecida bem antes:

> Em 863, o auxiliar do imperador Bardas restaurou a universidade imperial, que havia desaparecido nos tumultuosos séculos anteriores, fundando uma escola na capital sob a direção de Leo, um notável filósofo e matemático; outros professores apareceram ao mesmo tempo como Teodoro, o geômetra; Teodósio, o astrônomo; e Cometas, erudito em literatura; este último pode ter se especializado em retórica e aticismo, mas também preparou uma revisão crítica de Homero.[38]

A escola permaneceu ativa mesmo depois de distúrbios políticos interromperem brevemente sua atividade:

> A sorte da escola nem sempre foi inteiramente favorável. Por razões aparentemente mais políticas que intelectuais, os professores da escola caíram em desgraça na corte e o próprio Psellus teve de se retirar para um monastério por um tempo; mas ele retornou assumindo cargos importantes e muito provavelmente a escola continuou a funcionar.

Ao longo de sua existência, a universidade Badras passou por várias transformações, como a especialização dos campos do conhecimento, o que a aproximou muito das ideias modernas de ensino superior:

---

[36] Reynolds e Wilson, 1974.   [37] Reynolds e Wilson, 1974:54,60.   [38] Reynolds e Wilson, 1974:51.

O ROUBO DE INSTITUIÇÕES, CIDADES E UNIVERSIDADES 257

A maior mudança dessa época foi uma reorganização da universidade imperial; não se sabe se isso foi provocado por uma decadência na instituição na forma que Bardas havia sido concebida, mas os novos arranjos incluíram uma faculdade de Direito e outra de Filosofia. As mudanças foram executadas sob a proteção do imperador Constantino IX Monomachus em 1045. Quanto à escola de Direito, é importante lembrar que sua fundação antecipa em alguns anos a famosa faculdade de Bolonha, origem das modernas faculdades de Direito [na Europa].[39]

Os modelos orientais foram providenciais para a origem da academia como a conhecemos.

Na Europa ocidental, a descontinuidade com relação à cultura clássica, particularmente o ensino de grego, foi mais pronunciada nas escolas eclesiásticas e nos mosteiros, que haviam retomado algumas atividades acadêmicas e constituíram o que é considerado um precedente das primeiras universidades em Bolonha e outros lugares nos séculos XI e XII. Isso representou o restabelecimento da educação superior depois do declínio da cultura ocidental que se seguiu ao desaparecimento do Império Romano no Ocidente. Com as novas instituições, o conhecimento, incluindo o científico, começou a se acumular e circular mais rapidamente pelo Ocidente do que no Oriente. Isso foi parte do reviver depois do declínio, a presença depois da ausência, o resultado de seu próprio renascimento, representado na pintura de Botticelli o *Nascimento de Vênus*. Antes disso, os níveis de conhecimento tinham sido mais amplos no Oriente, observados, por exemplo, na surpreendente manutenção de bibliotecas que privilegiavam o uso do papel em detrimento de peles de animais ou papiros.[40]

Além de Bolonha, havia a escola medieval em Salerno no sul da Itália descrita por Kristeller como "a mais jovem universidade da Europa medieval".[41] Sua especialidade era Medicina prática, realizando a dissecação de animais. O primeiro registro de seu renome em Medicina data de 985; e não há evidência de sua existência antes de meados do século X. Significativamente continuou em contato com o Oriente (grego). Um dos primeiros autores associados a Salerno foi Constantino, "o Africano", que se tornou um monge em Monte Cassino e é lembrado como,

o primeiro tradutor e introdutor da ciência árabe no Ocidente. As declamações de humanistas da Renascença e de nacionalistas modernos não nos devem enganar, levando-nos a menosprezar a ciência árabe, que nos séculos XI e XII sem dúvida era superior à ciência ocidental, incluindo a primitiva Medicina de Salerno, e a desconhecer que a tradução de

[39] Reynolds e Wilson, 1974:54,60.   [40] Ver Djebar, 2005:22-3.   [41] Kristeller, 1945:138.

material árabe significou definitivamente um progresso no conhecimento disponível. E o mesmo se aplica às traduções de trabalhos gregos do árabe, pela simples razão de que, naquele tempo, os árabes possuíam muito mais obras científicas gregas do que os latinos e, com seus comentários, assim como com seus trabalhos independentes, contribuíram de forma definitiva para a herança grega antiga.[42]

Nem tudo dependia da tradução árabe. Certo número de trabalhos atribuídos a Hipócrates, Galeno e outros estavam disponíveis em latim. Mesmo assim, as traduções de Constantino eram as mais importantes, tornando-se a base da instrução médica "durante muito tempo".[43] A influência árabe parece ter começado com Constantino, o que levou a literatura de Salerno do final do século X a se apresentar menos escolástica e mágica.[44] Depois disso, o currículo tornou-se "cada vez mais teórico"[45] e provavelmente foi transferido para Paris.

Vimos que a fundação da universidade bolonhesa e de outras instituições de ensino superior na Europa foi precedida pela universidade bizantina de Badras no Oriente. Uma discussão semelhante tem se desenvolvido no que diz respeito à renovação dessas instituições de ensino superior: será que dependeu de estímulos externos do islamismo, que herdara escolas, a biblioteca de Alexandria e um grande número de textos clássicos ("ciência antiga"), ou decorreu do desenvolvimento interno do humanismo que levou à Renascença? Vamos considerar primeiro a situação no Islã que foi recentemente revista por Makdisi em *The rise of colleges* (1981).

EDUCAÇÃO MUÇULMANA

Foi no Oriente que o ensino de gramática e da retórica continuou. No Ocidente, como mostrei, a maior parte das cidades e suas escolas entrou em decadência. Houve, claro, ambivalências com relação à permissão do ensino clássico tanto sob o cristianismo quanto o islamismo; Justiniano adotou fortes medidas contra a cultura "pagã". No entanto, a persistência da língua grega no Oriente tornou os clássicos mais prontamente disponíveis, inclusive para os árabes que chegaram no século VII. O Islã então criou um espaço religioso universal que se estendia desde o sul da Espanha ao norte da China, da Índia ao sudeste da Ásia, possibilitando que informações e invenções fossem divulgadas facilmente por toda a Eurásia. E foi por intermédio dos

[42] Kristeller, 1945:152.
[43] Kristeller, 1945:153.
[44] Kristeller, 1945:155.
[45] Kristeller, 1945:159.

O ROUBO DE INSTITUIÇÕES, CIDADES E UNIVERSIDADES 259

árabes que muitos textos clássicos e outros foram transmitidos ao Ocidente, preparando o caminho para o retorno do estudo no Ocidente. A filosofia continuou a florescer em Atenas e Alexandria depois da decadência do Império Romano. Em Alexandria, o *Museum* "funcionava como uma universidade com ênfase em pesquisa".[46]

Entretanto, apesar das várias escolas que se mantiveram ativas fora da Europa mesmo depois da queda de Roma, a universidade foi uma forma de organização social que só apareceu no Ocidente cristão, de acordo com Makdisi, na segunda metade do século XII.[47] As universidades na Europa eram um "produto novo",[48] completamente distinto das academias gregas de Atenas ou Alexandria e totalmente estranho à experiência islâmica. A educação superior no Ocidente, afirma Makdisi, não era um produto do mundo greco-romano nem se originou nas escolas monásticas e eclesiásticas que a precederam; diferia delas em organização e no conteúdo de seus estudos.[49] Além do mais, segundo ele, não devia nada ao islamismo que não conhecia o conceito abstrato de corporação; somente pessoas físicas podiam ser dotadas de personalidade legal. Além disso, as universidades europeias obtinham seus privilégios do papa ou do rei e os acadêmicos podiam morar longe de casa, onde não eram cidadãos (como no Islã).

No entanto, a rejeição sem rodeios de Makdisi do impacto que as práticas islâmicas tiveram sobre a Europa parece negligenciar que a ascensão das universidades foi acompanhada de um renascimento cultural entre 1100 e 1200, quando um influxo de conhecimento chegou do que tinha sido a Sicília muçulmana (até 1091) e, principalmente, da Espanha árabe. Além do mais, embora as universidades fossem consideradas diferentes das *madrasah* que haviam sido estabelecidas no mundo muçulmano na altura dos séculos X e XI, havia "paralelos significativos entre o sistema de educação no Islã e no Ocidente Cristão".[50] De fato, alguns eruditos reconhecem que a universidade medieval devia muito à instituição colegiada da educação árabe.[51] Se a questão for essa, a faculdade "como uma fundação beneficente e caritativa era definitivamente originária do Islã",[52] baseada no islâmico *waqf.*[*] Paris foi a primeira cidade ocidental em que uma faculdade foi estabelecida por um peregrino retornado de Jerusalém em 1138; foi fundada, provavelmente sob inspiração da *madrasah,* como uma casa de estudiosos criada por um

[46] Childe, 1964:254.
[47] Makdisi, 1981:224.
[48] Makdisi, 1981:225.
[49] Rushdall, 1936.

[50] Makdisi, 1981:224.
[51] Ribera 1928: I, 227-359.
[52] Makdisi, 1981:225.

[*] N.T.: Sistema de doação de terras com propósito religioso e de caridade.

indivíduo sem carta régia. Isso ocorreu também com Balliol em Oxford antes de se tornar uma corporação. Já vimos que Makdisi reconhece as semelhanças entre as escolas orientais e ocidentais e a influência potencial de instituições islâmicas sobre suas congêneres europeias mais novas. Mesmo assim, insiste que as universidades europeias como corporações não tinham equivalentes e que foi por sua natureza exclusiva que a educação moderna e a ciência puderam se desenvolver. A natureza da distinção entre universidade e faculdade vem do fato de que se chega a uma instituição híbrida, a faculdade-universidade (como Yale). A universidade era uma corporação, originalmente de mestres expedindo certificados (graus), e a faculdade era um crédito beneficente para alunos pobres frequentarem a universidade.[53]

Needham também considera universidades como sendo uma das instituições que fizeram a diferença na superação do atraso ocidental em ciências, abrindo caminho para o surgimento da "ciência moderna". Elvin, entretanto, questiona a tese de que essas instituições estavam ausentes da China, asseverando que lá existiam escolas superiores.[54] Entretanto, embora as universidades fossem instituições de ensino superior, nem toda educação superior acontecia em universidades, conquanto a diferença fosse tênue. Institutos de cultura e educação superior já existiam no Oriente Médio: em "institutos de pesquisa" do templo, no mundo Clássico, na Pérsia Antiga, e praticamente onde quer que houvesse um maior domínio da capacidade de ler e escrever. Como no caso das cidades, só um ponto de vista teleológico muito estreito enxerga as universidades como exclusivamente europeias. Sua existência como corporação é importante a longo prazo, o que não significa que instituições de ensino superior não pudessem funcionar em outros moldes, ainda que a variante europeia tenha sido largamente (mas não universalmente) adotada no mundo moderno.

A instituição que tem criado mais controvérsia é a *madrasah* islâmica, considerada responsável pela posse das bibliotecas (*dār al-'ilm*) no Islã antigo em um esforço sunita de trazer o ensino de volta à ortodoxia legal. Consequentemente, as *madrasah* concentravam-se em educação religiosa, perdendo na comparação com escolas europeias, ainda que muitos aspectos da instrução e do currículo fossem semelhantes. De qualquer modo, apesar de a *madrasah* estar muito voltada para a educação religiosa, "as ciências estrangeiras" (derivadas da sabedoria grega, persa, indiana e chinesa) eram aprendidas em outros lugares, nas bibliotecas, tribunais e

---

[53] Makdisi, 1981:233. [54] Elvin, 2004.

instituições médicas. Além do mais, as universidades europeias certamente se concentravam, no início, na religião. A concentração em medicina como em Salerno e nos estudos legais como em Bolonha eram raros.

No Islã, a educação parece ter sido inicialmente financiada de maneira privada por filantropos individuais. No entanto, instituições de ensino só foram fundadas depois da formalização da caridade pela lei do *waqf*, de fundações beneficentes que se tornaram vitalícias e estabelecidas em grande escala no século x.[55] A fundação das *masjid* (mesquitas), em que teve início o ensino do islamismo, deu-se mais cedo, no século VIII pelo menos. O ensino da religião tinha caráter beneficente.

No século x, Badr de Bagdá desenvolveu um novo tipo de instituição, a *masjid-khan* (estalagem), que dava abrigo para estudantes de fora da cidade. Isso era um prelúdio para uma renovação da *madrasah* operada por Nizam al-Mulk, renovação voltada mais para seu *status* legal do que para seu currículo, embora ele também fosse afetado; o *Nizamiya* propriamente dito foi fundado em Bagdá em 1067. No entanto, os verdadeiros fundadores dessas instituições não foram Badr ou Nizam (ambos políticos); elas se desenvolveram gradualmente a partir de antigas escolas. Essas escolas foram estabelecidas para fortalecer a ortodoxia sunita perante a difusão xiita, as invasões dos cruzados e a necessidade de estabelecer o islamismo e sua lei.

Makdisi se recusa a dar à *madrasah* o *status* de universidade, uma vez que ela não se constituiu numa corporação, mas somente numa instituição de caridade; o Islã jamais fez como o Ocidente, inventando a corporação, que para Makdisi é a grande nova forma de perpetuidade do século XIV. Essa perpetuidade, segundo ele, era mais flexível no Ocidente, dando margem a uma interpretação mais liberal à mão-morta (bens alienáveis) e, em parte, a uma divergência entre as duas civilizações. Todavia, os elementos correspondentes eram muitos. Ele os lista como segue:

(1) o *waqf* e a instituição de caridade [...], *especialmente* o fundador estabelece sua entidade por livre e espontânea vontade, sem a mediação do governo central ou da Igreja;

(2) a *madrasah* e a faculdade baseadas nas leis do *waqf* ou da instituição de caridade, com seus quadros de graduados e alunos de graduação [...] e outros elementos correspondentes dessas instituições, entre outras coisas, as obras dos fundadores, sua liberdade de escolha e

---

[55] Makdisi, 1981:28.

suas limitações, o objeto da caridade e os motivos não declarados, as visitas de inspeção e os beneficiários;

(3) a vontade soberana de criar universidades no Islã ocidental, na Espanha cristã e no sul da Itália;

(4) o desenvolvimento de duas dialéticas, uma legal, a outra especulativa;

(5) a controvérsia na base dos estudos legais e teológicos;

(6) o *status* único do professor *mudarris al-fiqh* (professor de jurisprudência) na *madrasah* e o equivalente nas universidades do sul da Europa, começando por Bolonha;

(7) a aula inaugural (*dars iftitahi*) e o *inceptio*;

(8) o *mu'id* e o tutor;

(9) o *shahid* e o notário [...];

(10) o *khadim* e o estudante servidor;

(11) *o lectio* e os dois conjuntos de três significados idênticos de *qara'a* e *legere*;

(12) o *ta'liqa* e o *reportatio*;

(13) o resumo [...];

(14) o interesse pela comprovação [...];

(15) a subordinação das artes literárias às três faculdades superiores – Direito, Teologia e Medicina – provocada por uma franca concentração na dialética e na controvérsia".[56]

Para Makdisi, embora não com relação à universidade (que ele vê como uma distinção crítica entre Oriente e Ocidente), o Ocidente "constituiu o sistema universitário completo com elementos islâmicos que tomou emprestado" num segundo momento.[57] Anteriormente, esse "empréstimo" pode ter se dado em outra direção, pelo menos em termos de ensino. Deixando de lado corporação e direção de mestres, o ensino superior existiu em ambas as regiões. Toda essa discussão, entretanto, pressupõe uma concepção estreita de universidade. Claramente, desde muito cedo, o Islã teve importantes instituições de educação

---

[56] Makdisi, 1981:287-8.   [57] Makdisi, 198:291.

superior religiosa e legal. É controverso dizer se isso estimulou ou não a Europa ocidental, mas houve paralelos evidentes, assim como em outras culturas escritas avançadas. Talvez mais importante seja que no Islã essas instituições eram quase exclusivamente devotadas aos estudos religiosos, ao passo que na Europa, apesar de a religião inicialmente ter dominado, permitiu-se que outras matérias se desenvolvessem dentro dos domínios da universidade. Gradualmente, formas de conhecimento secular se tornaram mais importantes. No Islã, esse tipo de cultura teve de se desenvolver em outro lugar.

É óbvio que qualquer cultura letrada deve ter escolas para instruir jovens em leitura e escrita, uma instituição que os retire de seus ambientes "naturais" em que pastoreiam, cuidam dos menores e garantem o suprimento de água, no caso das garotas. Os jovens então são confinados no espaço limitado de uma escola ou lugar de oração em que o mestre (homem ou mulher) lhes ensina não somente a escrever, mas a se lembrarem do que está contido nos livros (e, às vezes, do que contém a vida). Inevitavelmente, as escolas são divididas entre aquelas que ensinam o conhecimento básico, o catecismo no cristianismo,[58] e o Alcorão (a palavra de Deus) de cor, no islamismo. Ao mesmo tempo, alguns alunos, que se mostrem particularmente talentosos poderão ser aproveitados como futuros mestres ou administradores (uma vez que o letramento agora faz parte da sociedade) e serão encorajados a prosseguir nos estudos. Na verdade, alguns alunos podem ser levados nessa direção por suas próprias curiosidades. Dessa maneira, o desejo e a necessidade de alguma forma de "educação superior" difundiu-se pelas culturas escritas. Isso ocorreu de inúmeras formas, da instrução pessoal à organização comunitária, dessa forma não é de se surpreender que parte disso tudo possa ter vindo da China,[59] Pérsia,[60] Islã, bem como da Antiguidade.[61] Já havia existido no Oriente Médio. Templos "instituições de pesquisa" na Babilônia continuaram a operar no período helenístico.[62] Childe lembra a universidade de Gondeshāpur, uma grande cidade nestoriana de doutores durante o Irã sassânida (530-580), capturada pelos árabes e, mais tarde, da renovação do conhecimento médico e de outros conhecimentos, sob os califas de Bagdá (750-900). Essa instituição foi central para a continuação do estudo da Medicina sempre privilegiado entre os árabes, essa forma de "ciência antiga" era preservada e expandida em hospitais e escolas médicas (*maristan*) que não estavam sujeitas às restrições impostas pela religião.[63]

---

[58] Furet e Ozouf, 1977.
[59] Elvin,2004.
[60] Childe, 1964.
[61] Reynolds e Wilson, 1974:47-8.
[62] Childe, 1964:255.
[63] Makdisi, 1981:27.

264   O ROUBO DA HISTÓRIA

Sempre houve uma dicotomia nas ciências islâmicas entre as "religiosas" e "as estrangeiras" ou "antigas". Essa divisão levou a uma incompreensão do papel da *madrasah* que era a instituição islâmica de educação superior. No entanto, tanto ela quanto suas escolas subordinadas só se voltavam para a "ciência religiosa". Como, então, tanto a "ciência estrangeira" quanto "as ciências dos ancestrais" teriam florescido? Inicialmente porque havia mútua influência entre a forma tradicionalista da *madrasah* e as formas racionalistas representadas pelo *dar al-'ilm*, que por fim acabaram sendo absorvidas pela primeira. O principal obstáculo à continuidade dos estudos não religiosos nas escolas mantidas por doações era o *waqf* islâmico, que excluía tudo o que fosse pagão do currículo. Isso, no entanto, não excluiu, de maneira geral, as "ciências estrangeiras" da vida intelectual das sociedades islâmicas. As "ciências estrangeiras" estiveram presentes nas bibliotecas "onde as obras gregas foram preservadas e houve debates sobre temas racionalistas",[64] mas esses estudos tinham de ser desenvolvidos particularmente. Portanto, havia acesso às "ciências antigas", estimuladas em determinadas épocas e locais, "apesar da oposição tradicionalista, das proibições periódicas e dos autos de fé". No entanto, a dicotomia nas ciências persistiu nas instituições de ensino; as ciências islâmicas eram ensinadas nas mesquitas, enquanto o ensino secular era largamente confinado à esfera privada.

Porém, deixemos de olhar as origens e olhemos mais para os muitos paralelos entre o ensino islâmico e cristão. De muitas formas, os métodos islâmicos podem ter precedido a fundação da primeira universidade europeia em Bolonha, que ensinava Direito como a escola Badras em Bizâncio. O *sic et non* (central para o estudo de escolásticos como Aquino), os *questiones disputatae*, o *reportio* e a dialética legal poderiam ter seus paralelos islâmicos, mais antigos.[65] Como Montgomery Watt lembra sobre a influência islâmica na Europa (contra Von Grunebaum): "Como a Europa resistia ao islamismo, ela desdenhava a influência dos sarracenos e exagerava a dependência da herança grega e romana. Assim, hoje, uma tarefa importante para nossos europeus ocidentais, quando avançamos na direção de um único mundo, é corrigir essa falsa ênfase e assumir nosso débito para com o mundo árabe e islâmico".[66] Esse débito não se encontra apenas nas "ciêncas naturais",[67] mas também na organização do ensino, isto é, nas instituições e nos currículos

[64] Makdisi, 1981:78.
[65] Makdisi, 1981:224.
[66] Watt, 1972:84.

[67] Para uma breve avaliação, ver Djebar, 2005.

apesar da predominância do ensino religioso na *madrasah* e da separação entre ciências religiosas e "antigas" – isto é, modernas –, que tornaram tão mais difícil o ensino formal do conhecimento secular no Islã.

HUMANISMO

No Ocidente, a história da educação está associada à secularização do ensino e ao desprendimento, se não a libertação, do controle religioso. Esse avanço dependeu de forma marcante do advento do "humanismo" e da promoção dos autores "pagãos" da Grécia e de Roma, do renascimento do ensino clássico, que se deveu, em parte, à influência árabe. Aqui, quero voltar a discutir o "humanismo" no contexto educacional, sua contribuição para o crescimento do secularismo, tão importante no mundo moderno, e o papel desempenhado pelo islamismo (levemente ambíguo mesmo antes do recente "fundamentalismo") nesse movimento na Europa.

Apesar do crescimento na manufatura e no comércio, considerar a Idade Média uma fase progressista no contexto mundial (e separada de uma Europa pós-colapso) é negligenciar o declínio das culturas letradas bem como da sociedade urbana e suas atividades associadas. A queda de Roma acarretou declínio no letramento que havia sido decisivo no rápido desenvolvimento das sociedades posteriores à Idade do Bronze. O ensino secular se desenvolveu outra vez com o novo humanismo e, por fim, com a Renascença. Isso se aplica não somente ao ensino clássico e a outras áreas como arquitetura, mas a sistemas de conhecimento em geral. Como Needham demonstra de forma categórica com respeito à botânica,[68] no início da Idade Média houve uma queda no domínio do conhecimento científico que acompanhou um declínio na sociedade urbana e nas escolas existentes bem como um decréscimo do comércio no Mediterrâneo e outros lugares. A situação econômica começou a ser revertida com a abertura do comércio com o Oriente depois do primeiro choque da conquista árabe. Porém, de início, a educação reviveu fortemente atrelada à Igreja; e grande parte da "antiga ciência", considerada "pagã", foi excluída. Isso mudaria com o desenvolvimento da comunicação: espacialmente com o Oriente e cronologicamente com as culturas clássicas, nenhuma delas cristã.

O conhecimento, a educação e as artes não estão, é claro, ligados somente à economia, mas também ao controle que a religião exerceu nessas áreas. A

---

[68] Needham, 1986a.

religião foi de grande importância no cristianismo, assim como no islamismo, mas não na China que havia evitado a dominação por um único credo ou uma "religião mundial" hegemônica com importantes consequências para a questão do humanismo. As autoridades religiosas controlavam a educação e dominavam as artes, pelo menos nos níveis "superiores". Seguindo injunções judaicas, o islamismo proibiu a representação figurativa (inclusive teatro) durante muitos séculos e até hoje em alguns lugares. O cristianismo começou com objeções semelhantes, mas acabou permitindo essas atividades, embora, até a Renascença, efetivamente somente nos serviços religiosos. Antes, tinha até havido algum teatro, pintura e mesmo "ficção" secular.[69] A religião de Abraão via a educação como um ramo da fé e entregava o ensino nas mãos de seu próprio corpo sacerdotal.

Quando as religiões internacionais teriam desistido dessa opressão sobre o aprendizado e o ensino (que também determinou a disseminação de escolas religiosas)? Na China, não havia uma religião hegemônica, afora o culto ao imperador e aos ancestrais. Na Europa, o processo de liberação teve origem na atividade humanista dos séculos XII ao XV, muito influenciada pelo Islã. No islamismo, a luta entre a tradição e outras formas de ensino foi vencida pela primeira, especialmente em Bagdá (o centro cultural do Islã) e durante a grande Inquisição, conduzindo ao triunfo da lei e da *madrasah* onde esta era ensinada. O ensino de "ciência antiga", como vimos, foi relegado ao mundo privado de cada professor. Entretanto, longe de ser um aspecto insignificante de uma tradição dominada pela religiosidade, a inclinação para a ciência e o conhecimento "estrangeiro" secular irrompeu de tempos em tempos, durante fases humanistas do islamismo, e geralmente contribuiu para a preservação do conhecimento científico e de hábitos de investigação que foram disponibilizados, muitas vezes, no despertar da Europa.

O humanismo não rejeitava crenças religiosas a menos que extremas. Limitava, porém, sua relevância e, portanto, evocava as tradições do ceticismo e agnosticismo, que, como afirmei, eram encontradas amplamente nas sociedades humanas.[70] Na Europa, essas tradições foram estimuladas não somente pelo humanismo, mas também, mais tarde, pela Reforma que, em certa medida, libertou a Europa dos dogmas existentes – ou mostrou o caminho para isso. Até então, o ensino da leitura e da escrita em todos os níveis estava concentrado nas mãos da Igreja Católica. A Reforma necessariamente quebrou esse monopólio, embora muitos professores fossem ainda sacerdotes

---

[69] Ver Goody, 1997.   [70] Goody, 1998: cap. 11.

e objetivos religiosos não tivessem sido abandonados, mas somente confinados a uma esfera "espiritual" mais restrita. Esse desenvolvimento foi um importante aspecto da modernização, pois pesquisa científica avançada e pensamento, geralmente, implicam a secularização da natureza de forma que os questionamentos possam estender-se livremente por todas as áreas relevantes, especialmente em instituições de ensino superior.

Na Europa, essas instituições, que emergiram no século XII, foram chamadas universidades. Esse movimento foi parte de um renascimento geral da educação na Europa ocidental (onde o letramento havia decaído significativamente). Historiadores ocidentais consideraram com frequência as universidades as reais precursoras da educação superior, relacionadas ao nascimento independente do humanismo e inerentes a ele; mas, na verdade, elas ainda estavam claramente ligadas à Igreja e ao treinamento de "clérigos", como era o caso da *madrasah* no islamismo. Entretanto, tiveram, sim, grande importância para a Europa e sua modernização, sobretudo quando desenvolveram uma perspectiva mais humanista e abandonaram alguns de seus papéis religiosos.

A partir de meados do século XV, a educação foi enormemente auxiliada pelo desenvolvimento da tipografia que mecanizou a escrita. A impressão de textos ajudou o protestantismo a tornar a Bíblia mais disponível, mas também fez avançar o secularismo e a ciência, difundindo novas ideias e informações. A impressão com peças de madeira chegou da China entre 1250 e 1350. A manufatura do papel veio pela Espanha árabe no século XII. Por volta de 1440, a impressão com tipos móveis, já usada no Oriente, foi desenvolvida em Mainz (na Alemanha) e o complexo processo de produção, que evoluíra de copistas a trabalhadores em metal, espalhou-se rapidamente, para a Itália em 1467, para a Hungria e Polônia em 1470, e para a Escandinávia em 1483. Em 1500, as tipografias na Europa já produziam cerca de 6 milhões de livros e o continente tornou-se um lugar muito mais "culto". Muitos trabalhos anteriores foram reeditados, bem como novas informações, atendendo ao projeto da Renascença italiana.

Foi a partir do ressurgimento do estudo da literatura clássica na época do início da Renascença no norte da Itália (durante século XIV) que a Europa passou a exaltar as virtudes da civilização humana sob a rubrica do "humanismo". Os estudos clássicos haviam sido ensinados por educadores conhecidos desde o final do século XV como *umanisti*, professores ou alunos de literatura clássica. A palavra derivava de *studia humanitatis*, equivalente ao grego *paideia*, e consistia de gramática, poesia, retórica, história e filosofia moral, relevantes apenas em parte para a educação religiosa nos círculos do cristianismo e do islamismo. No entanto, *humanitas* tinha também um significado moral mais amplo, expressando "o desenvolvimento da virtude humana em todas as suas formas, em sua mais completa extensão". São afirmadas não somente as qualidades associadas com a palavra moderna "humanidade" – "compreensão, benevolência, compaixão –, mas também características mais agressivas como coragem, julgamento, providência, eloquência e amor à honra".[71] Em outras palavras, os aspectos positivos da humanidade propriamente dita tornaram-se atributos da Renascença europeia. Assim, o conceito adquiriu três significados principais: (1) o retorno a um conhecimento letrado anterior, que no caso da Europa era o período clássico, (2) o desenvolvimento do potencial e virtude humanos no mais alto nível, e (3) uma referência aos tempos em que a religião participava de uma parte relativamente restrita das atividades intelectuais e antecipando assim o que hoje seria visto como um desejável "moderno" estado das coisas, o triunfo do secularismo na maioria dos contextos, ampliando a liberdade de pesquisa nas atividades intelectuais.

O humanismo envolvia não somente o ressurgimento do ensino clássico, que para o poeta italiano Petrarca (1304-74) era compatível com a espiritualidade cristã, mas também uma preocupação com o conhecimento sobre o mundo real e um reforço ao chamado "individualismo", considerado positivo para a humanidade. Essas "virtudes" serão discutidas no capítulo "A apropriação dos valores: humanismo, democracia e individualismo". Somando-se ao ensino e às "virtudes", houve uma tentativa de reviver as instituições romanas, a própria república, a coroação do laureado, o épico latino (bem como o *canzoniere* vernacular). A própria poesia era agora vista como "uma busca séria e nobre" (havia sido subestimada no Islã também). Na verdade, o nome "humanismo" tem sido relacionado a outras civilizações, a outros períodos e lugares. De acordo com Zafrani,[72] o próprio Islã viveu fases humanistas no Magrebe, em que estudos não teológicos foram desenvolvidos e o conhecimento científico e secular teve mais liberdade de ação. Afinal, o Islã era uma cultura que, às vezes relutantemente, às vezes com estusiasmo, transmitia as ideias "pagãs" gregas tanto quanto as islâmicas por meio de escolas de educação superior, *madrasah* e academias. No entanto, os grandes passos para a secularização nas escolas aconteceram mais tarde no Islã que na Europa cristã.

A secularização também foi problemática no Islã, que, embora o ensino estivesse em alta conta, era fortemente voltado para as ciências religiosas.

---

[71] Grudin, 1997:665. [72] Zafrani, 1994.

Porque "em um sentido real, aprender *é* venerar".[73] E mais: o ensino era subordinado à prescrição religiosa, por isso a tardia introdução da tipografia. Para o islamismo, tanto as palavras quanto o estilo do profeta não poderiam ser reproduzidos por meios mecânicos. Apesar dos grandes feitos do Islã em outros campos tradicionais, isso tornou a possibilidade de mudança no campo da educação não impossível, mas difícil. Na Turquia, por exemplo, foi somente depois da derrota pelas mãos dos russos, entre 1768 e 1774, resultando na perda da Crimeia, que a necessidade de uma drástica reforma na educação foi reconhecida.

> Os líderes da ulema, os doutores da Lei Sagrada, foram solicitados a autorizar e concordaram com duas mudanças básicas. Primeiro, aceitar professores infiéis e lhes dar alunos muçulmanos – uma inovação de incrível magnitude para uma civilização que por mais de um milênio tinha se acostumado a desprezar outros infiéis e bárbaros por não terem nada de valor para contribuir, exceto talvez eles mesmos em estado bruto.[74]

Essa inovação veio relativamente tarde, apesar dos chamados períodos "humanistas" do Islã.

Fases semelhantes foram encontradas em outras culturas. Fernández-Armesto viu "o que num contexto ocidental seria chamado de 'humanismo' no Japão e na Rússia do século XVII". No primeiro, esteve associado ao monge budista Keichu (1640-1701), um pioneiro na recuperação de textos autênticos do Manyoshu, obras poéticas xintoístas do século VIII. Na Rússia, em 1648, a irmandade conhecida como Entusiastas da Piedade persuadiu o czar a banir da corte as vulgaridades da cultura popular. Ambos os movimentos foram humanistas no sentido de defenderem um retorno à pureza dos textos antigos,[75] uma reforma religiosa para o benefício do povo.

Na Europa também, o humanismo não foi tendência exclusiva mas recorrente. Southern, entre outros autores, descreveu a Inglaterra do século XII como "humanista",[76] referindo-se principalmente a uma renovação do interesse na Antiguidade clássica (já ocorrida no período carolíngio). Essa renovação foi também promovida pelo contato com o ensino islâmico. O que falta na abordagem de Southern é qualquer alusão à possível influência externa; para ele, tudo deve ser considerado como invenção interna. Essa é uma posição altamente eurocêntrica. Em muitas partes da Europa, havia

---

[73] Berkey, 1992:5.
[74] Lewis, 2002:24.
[75] Fernández-Armesto, 1995:279.
[76] Southern, 1970.

comunicação considerável com as culturas islâmicas.[77] A Sicília, que tinha sido parte da "Ifriqua"(África) muçulmana, foi conquistada pelos normandos no século XI, mas manteve uma corte que copiava os costumes muçulmanos anteriores. O rei falava árabe, mantinha um harém, era patrono da literatura e do ensino islâmicos. Ele promoveu as traduções das obras de Aristóteles e Averróis e as distribuiu para instituições europeias. A origem da literatura vernácula italiana é tida como siciliana. As traduções árabes, assim como os textos médicos de Constantino, foram copiadas por cristãos convertidos.[78] No entanto, como elemento de ligação, a Espanha medieval foi mais importante do que a Sicília. Ali, cristãos e muçulmanos viveram lado a lado; os primeiros eram conhecidos no sul como moçárabes e seguiam um estilo muçulmano de vida, incluindo harém e circuncisão. Quando Toledo foi capturada pelos cristãos, os muçulmanos conquistados e convertidos passaram a ser então conhecidos como os mudéjares e, durante o século XII, a cidade tornou-se importante como centro de disseminação da ciência e da cultura árabes pela Europa. Sob a direção de Afonso, o Sábio, o arcebispo Raymond começou a tradução de obras árabes para o espanhol e mais tarde para o latim, com a ajuda dos mudéjares e dos judeus. Traduziram e comentaram toda a enciclopédia de Aristóteles, bem como obras de Euclides, Ptolomeu, Galeno e Hipócrates.[79] Antes, como governador da cidade reconquistada de Múrcia, Afonso tinha uma escola especialmente construída por Muhammad al-Riquat, em que muçulmanos, judeus e cristãos aprendiam juntos. Mais tarde, em Sevilha, ele fundou uma faculdade de ensino em latim e árabe, descrita como uma "universidade interdenominacional", em que muçulmanos e cristãos ministravam Medicina e Ciência.[80]

Como Asin demonstrou, era uma cultura asiática de "superioridade inegável",[81] que influenciava a Europa daquele período, influência rastreada por ele até na grande obra de Dante, *A divina comédia*, especificamente em uma das lendas do *hadith* sobre a experiência da ascensão de Maomé e a jornada noturna para Jerusalém (*Miraj*), de onde o autor traça paralelos com a jornada de Dante para o paraíso e o inferno. O interesse cristão por Maomé é muito anterior e remonta ao texto de um escritor moçárabe-cristão (possivelmente Eulogius de Córdova), que produziu uma biografia de Maomé; em 1143, Robert de Reading, vice-arcediago de Pamplona, também fez uma tradução em latim do Alcorão. Assim, conhecimento e

[77] Asin, 1926:239.
[78] Asin, 1926:242.
[79] Asin, 1926:244-5.
[80] Asin, 1926:254.
[81] Asin, 1926:244.

mitologia islâmica ficaram disponíveis. O professor de Dante, Brunetto Latini, foi mandado como embaixador de Florença para a corte de Afonso, o Sábio (1221-84), em 1260, onde teria sido exposto a esse conhecimento. Afonso lutou contra os mouros, mas mesmo assim adquiriu conhecimentos muçulmanos, notadamente em astronomia e filosofia. Em sua corte, o embaixador teria tido contato com grande parte das obras literárias espanholas e deve ter levado essas informações para Dante. É sabido que o sistema filosófico do poeta não derivava diretamente dos filósofos árabes, mas do círculo dos "místicos iluministas" fundado por Ibn Masarra de Córdova (e de Ibn Arabi), cujas ideias foram transmitidas para escolásticos agostinianos tais como Dun Scotus, Roger Bacon e Raimundo Lúlio.

O interesse muçulmano na obra de Aristóteles, que enfatizava a importância do estudo da espécie humana ("realidade") separado da fé, ajudou muito o desenvolvimento do humanismo.[82] O final da Idade Média viu o *reductio artis ad theologiam*, "o reducionismo de tudo ao argumento teológico", como inadequado para a nova situação da Europa, especialmente na Itália, em que o comércio tinha se tornado crescentemente importante, as cidades se expandiram e a cultura e a sociedade estavam mudando. A nova educação adequada ao comércio e à burguesia teve sua origem nas escolas instaladas nas cidades livres do fim do século XIII para suprir as necessidades da população urbana, rejeitando a tradição medieval. Na Renascença, voltaram-se mais e mais para o conhecimento clássico, facilitado pelas traduções árabes, realizadas do século XIV ao XVII. É, portanto, paradoxal que o novo sistema educacional na Europa tenha sido muito influenciado – não somente nas instituições de educação superior, mas também em seu impulso na direção da secularização – pelo contato com uma cultura religiosa que preservava a "ciência antiga", a tradição "pagã" dos clássicos. Evidentemente, essa nova cultura na Europa também desenvolveu sua própria busca de textos clássicos, bem como aprofundou o contato com a erudição grega do cristianismo oriental de Constantinopla.

É notável que a Renascença e o movimento humanista em si tenham adquirido grande impulso quando uma delegação ortodoxa, buscando apoio contra o avanço turco, chegou de Constantinopla para um concílio em Ferrara e Florença em 1439. Em Florença, a delegação foi recebida por Cosmo de Médici, que ficou altamente impressionado com o conhecimento de Platão dos gregos. Como resultado, fundou a Academia Platônica, que

---

[82] Ver Peters, 1968; Walzer, 1962; Gutas, 1998.

teve grande influência no ensino europeu. À frente da delegação estava George Gemistos Plethon (*c.* 1355-1450/2), acadêmico bizantino que havia estudado na corte otomana em Adrianópolis. Ele introduziu não somente Platão, mas o geógrafo Estrabão, cuja obra ajudou os europeus a mudar noções de espaço. Outros eruditos ligados à Academia foram George de Trebizond (1395-1484), Basílio Bessarion (1403-72), também de Trebizond, e Teodoro de Gaza, todos acadêmicos vindos de cidades da Ásia. Assim, todo o movimento em direção ao humanismo, ao ensino secular e à Renascença ganhou muita força vinda do Oriente e, indiretamente, de culturas que eram predominantemente religiosas.

Para concluir: as instituições de educação superior do Ocidente ao certo eram diferentes, mas só mais recentemente caminharam resolutamente em direção ao ensino secular. Em essência, elas não estavam limitadas ao Ocidente, nem tinham um formato especial que teria aberto caminho para o "capitalismo". Isso é história teleológica.

Abordando a questão da universidade na Idade Média europeia, Le Goff escreveu: "No começo, havia as cidades. O intelectual ocidental medieval nasceu com elas".[83] Isso não aconteceu na chamada Renascença Carolíngia, mas somente no século XII. Entretanto, cidades, intelectuais e universidades não estavam restritos ao Ocidente, nem as instituições eram fundamentalmente diferentes de suas congêneres do Oriente, embora mais tarde, essa diferenciação tenha ocorrido. A questão das universidades assim como a questão das cidades é um assunto técnico e deve ser tratado como tal. Em quais aspectos elas diferem das outras instituições de educação superior de outros lugares? Em vez disso, assumiu-se uma posição absoluta em que valores elevados têm sido sobrepostos a categorias. Não é assim que a história do passado deveria ser escrita.

---

[83] Le Goff, 1993:5.

A APROPRIAÇÃO DE VALORES:
HUMANISMO, DEMOCRACIA
E INDIVIDUALISMO

No capítulo anterior, expliquei como os classicistas reivindicaram para a Antiguidade europeia da Grécia e de Roma a origem da democracia, da liberdade e de outros valores. Da mesma forma, em período posterior, os conceitos de humanismo e os estudos humanistas foram apropriados pelo Ocidente por sua história particular. A reivindicação foi uma pretensão exagerada que menosprezava questões de representação, de liberdades e de valores humanos em outras comunidades. Ainda hoje, o Ocidente continua a apropriar-se do efetivo monopólio dessas virtudes. Um dos mais perturbadores mitos do Ocidente é o de que os valores de nossa civilização "judaico-cristã" têm de ser diferenciados do Oriente em geral e do islamismo em particular. O islamismo tem as mesmas raízes do judaísmo e do cristianismo, como também muitos dos mesmos valores. Formas de representação existiram na maior parte das sociedades, especialmente em regimes tribais, embora não "democráticas" segundo padrões eleitorais contemporâneos. A democracia ocidental raptou muito dos valores que ao certo existiram em outras sociedades, o humanismo e o trinômio individualismo, igualdade, liberdade, assim como a noção de caridade que tem sido vista como um valor particularmente cristão. Não há consenso do que constitui uma vida virtuosa do Ocidente, por isso esse tratamento aparecerá um tanto fragmentário. Selecionei algumas das qualidades mais proeminentes e centrais reivindicadas pelo Ocidente. Todas essas ideias ocidentais de sua exclusividade precisam ser criticadas radicalmente.

Considerando as virtudes reivindicadas pelo Ocidente, a "racionalidade" deve ser incluída. Não o faço aqui porque já tratei extensamente disso em *The east in the west* (1996) [*O Oriente no Ocidente*]; vários outros autores também. Alguns escritores têm considerado que as sociedades orientais eram carentes de racionalidade, tese contestada por Evans-Pritchard em *Witchcraft, oracles and magic among the Azande* (1937) [*Bruxaria, oráculos e magia entre os azande*]. Outros procuraram distinguir a forma ocidental da racionalidade de formas anteriores, como se fez no caso do capitalismo. Diferenças, claro, existiram, como mostrei, notadamente entre a "lógica" desenvolvida por sociedades letradas, frequentemente de tipo formal-acadêmico, e os processos de pensamento sequencial, em culturas genuinamente orais. Todavia, a ideia de que somente o Ocidente tem racionalidade ou pode pensar de modo lógico é totalmente inaceitável, tanto com relação ao presente, quanto com relação ao passado.

HUMANISMO

No entanto, a versão *Whig* da história admite que haja um progresso constante não somente na racionalidade, mas na prática e nos valores da vida humana, tendendo para o surgimento de feitos e objetivos mais "humanistas". Padrões de vida, tecnologia e ciência caracterizam-se por um constante movimento de avanço, de "progresso". Pensa-se normalmente que mudança semelhante possa ser encontrada nos valores. O sociólogo Norbert Elias, como vimos, escreve sobre a emergência do "processo civilizador" no tempo da Renascença europeia; ele discute certos valores para os quais qualquer movimento vetorial parece mais questionável.

Primeiro, o que entendemos por humanismo? Usamos o termo de várias formas, às vezes para a "humanidade de Cristo", às vezes para a secular religião da humanidade, em outras, para o trabalho dos eruditos renascentistas que devotaram suas energias para o estudo dos clássicos gregos e romanos, ou seja, para o "paganismo" que a tradição cristã por longo tempo desprezara. Hoje, o termo tende a se referir a "valores humanos", quase como sinônimo de direitos humanos e, às vezes, a aproximações seculares em vez de religiosas bem como à separação entre poder e autoridade religiosos e políticos. Esses direitos são aceitos como válidos, mas precisam ser definidos (quais humanos, em qual período, em qual contexto? Se são direitos, quem tem os deveres correlatos?).

HUMANISMO E SECULARIZAÇÃO

Os europeus frequentemente traçam o quadro evolutivo dos valores contemporâneos centrais que remontariam à Antiguidade ou ao Iluminismo do século XVIII. Esses valores incluem tolerância[1] e, consequentemente, pluralidade de crenças e secularismo. O secularismo é considerado a chave para o desenvolvimento intelectual, na medida em que libera o pensamento sobre o universo das limitações dogmáticas da Igreja. Um objetivo da modernização foi a separação da esfera da Igreja da atividade intelectual mais geral, ciência (no sentido amplo de conhecimento) de um lado e teologia de ouro, o que correspondente à separação, no nível político entre Igreja e Estado. A secularização é interpretada não como o abandono da crença religiosa, mas sim como confinamento da "religião" à sua "própria" esfera. Deus não está morto, mas mora em seu lugar, a Cidade de Deus. Petrarca, um dos líderes da Renascença italiana, considerou que o reflorescimento da Antiguidade foi um reforço da mensagem cristã, mas, para muitos, significou a secularização de muitas esferas da atividade social.

O que define a esfera adequada é uma questão em disputa, e os critérios mudam constantemente. Cristo declarou que seus seguidores deviam dar a César o que é de César. Essa injunção não impediu que muitos cristãos insistissem que a política deveria ser conduzida de acordo com os princípios cristãos e no mesmo espírito. Com a queda de Roma, o Império Romano tornou-se o Sacro Império Romano; o papa e a fé católica passaram a ser fatores dominantes na política de muitos Estados. Na época da Reforma, Henrique VIII era ainda rei pela graça de Deus e, portanto, defensor da fé, assim como seus descendentes até hoje. Há mesmo um certo número de políticos contemporâneos europeus que desejam definir a Europa como um continente cristão e assim identificar política e religião, como é comum no Islã.

Esse aspecto do Iluminismo – a ênfase numa visão secular de mundo – foi bom para a ciência. É só lembrar de Galileu durante a Renascença ou dos debates de Huxley com o bispo Wilberforce sobre o darwinismo em meados do século XIX. Entretanto, nem toda a Europa e nem todos os indivíduos foram afetados da mesma forma por esse movimento. Muitas pessoas permaneceram comprometidas com o que os secularistas consideravam

---

[1] Livres-pensadores como Bayle tomaram a China, nos anos 1680, como um exemplo de tolerância religiosa. Locke, Leibnitz e William Temple ficaram igualmente impressionados. Voltaire também elogiou a tolerância dos chineses e viu a honra e o bem-estar dos habitantes protegidos pela lei em todo o império. Ele atribuiu a natureza racional desse governo à ausência do poder teocrático (Blue, 1999:64, 89).

ideias fundamentalistas. O secularismo não estava abolindo Deus, mas o via ocupando cada vez menos espaço social e intelectual. Isso veio acompanhado do fechamento de muitas igrejas, pelo confisco do patrimônio delas, pela secularização das escolas religiosas, pela diminuição da presença nos serviços religiosos e pela diminuição do recurso às orações. Entretanto, a maioria dos políticos, a maioria dos governantes, a maioria dos países ainda fazem reverências para a religião dominante, mesmo que isso esteja cada vez mais puramente formal.

Nunca teríamos alcançado uma situação em que o Iluminismo vingasse se não nos tivéssemos convertido a uma simples e dominante religião monoteísta. Na Europa, essa religião tentou regular o modo de vida das pessoas de uma maneira muito radical. Em toda vila, uma igreja cara era erguida, um guardião eleito, serviços organizados, nascimentos, casamentos e mortes celebrados. Aldeões frequentavam a igreja aos domingos, ouvindo longos sermões que enfatizavam temas religiosos, valores, direitos. Havia pouco espaço para o secular.

Contraponha-se isso à situação na China. A tradição religiosa não desempenhava um papel dominante. Havia muito mais pluralidade. O confucionismo, que não era estranho à moralidade, buscava uma abordagem secular, rejeitando explicações subrenaturais. Isso fornecia um conjunto alternativo de crenças ao culto dos ancestrais, aos santuários locais, ao budismo. Com essa pluralidade, um Iluminismo encorajando a liberdade da secularização não era tão necessário. A ciência seguia seu curso firmemente e entrava pouco em conflito com a crença religiosa. Não parece ter passado pelas mesmas mudanças radicais, como na Europa ou no Oriente Médio, sob regimes monoteístas. Sob o neoconfucionismo, por exemplo, pluralidade e secularização já existiam em medida considerável, suficiente para permitir o desenvolvimento da ciência e de visões alternativas. As semelhanças entre a China e a Renascença humanista são impressionantes, incluindo a ênfase em ética e literatura, o recurso aos clássicos, o interesse na edição de textos, a crença que uma educação "humana" geral é melhor do que um especialista treinado como administrador.[2]

Muito trabalho nos campos científicos foi produzido na China, como Needham mostrou em sua obra magistral (examinada no capítulo "Ciência e civilização na Europa renascentista").[3] Elvin sugere que a postura secular da China se acentuou e que a mentalidade da elite mostrou um movimento

---

[2] Devo esse comentário final a Peter Burke. [3] Needham, 1954-.

semelhante a um desencantamento do mundo na época final da China imperial, isto é, houve "uma tendência para ver menos dragões e milagres, semelhante ao desencantamento que começou a se espalhar na Europa do Iluminismo".[4] Afirma-se também que a crença no budismo vivenciou algumas dessas consequências por sua rejeição qualificada ao sobrenatural. Essas características não foram simplesmente resultados da influência europeia.

Claro, mesmo as tradições monoteístas permitiram que alguma ciência e tecnologia se desenvolvessem, assim como certas tradições politeístas impediram seu desenvolvimento. (Aqui também precisamos de uma grade em vez de uma oposição categórica.) Isso era especialmente válido com relação ao Islã, apesar do que disse o califa Omar: "se o que estiver escrito [nos livros restantes na Biblioteca de Alexandria] está de acordo com o Livro de Deus, não será necessário, se discordar, não será desejado. Destrua-o, portanto".[5] Entretanto as tradições de investigação na Grécia eram confiáveis e muitas conquistas nessa área foram devidamente registradas. Na Europa, muitas áreas do conhecimento foram influenciadas pelo saber islâmico, especialmente na medicina, matemática e astronomia, o que contribuiu para uma espécie de Renascença precoce. A Renascença italiana propriamente dita também viu um movimento em direção à secularização, o que Weber chamou de desencantamento do mundo, especialmente nas artes. Seguindo os precedentes clássicos, na Renascença, as artes plásticas e o teatro libertaram-se de muitas restrições, temas não religiosos passaram a predominar. A música também desenvolveu suas formas seculares no nível da alta cultura.

É no sentido de secular que a palavra "humanismo" tem sido usada, às vezes, para caracterizar períodos particulares em tradições não cristãs. Zafrani fala de fases de "humanismo" nas culturas islâmicas da Andaluzia e do Oriente Médio, quando os eruditos não devotavam integralmente sua atenção às questões religiosas, mas também investigavam as "ciências" e as "artes". Ele registrou o mesmo acontecendo de tempos em tempos sob o judaísmo. Esses períodos, novamente, não envolviam rejeição às crenças religiosas, mas apenas as restringiam a uma esfera mais limitada.

No entanto, mesmo hoje, o humanismo não conquistou a todos. Não há caminho único a partir do iluminismo. Enquanto muitos dos primeiros líderes dos Estados recém-independentes eram seculares, hoje a situação mudou; na Índia, por exemplo, e certamente no Oriente Médio, os regimes seculares foram "modificados" ou estão sendo ameaçados. O secularismo tem

[4] Elvin, 2004:xi. [5] Barnes, 2002:74.

sofrido um duro golpe no Oriente Médio por interferências externas que ameaçam a religião local. O Egito tem tido dificuldades com a Irmandade Muçulmana, como outros países tiveram com vários grupos islâmicos. Em certa medida, esse movimento é uma rejeição ao humanismo, uma mudança em direção ao fundamentalismo, em parte para compensar as ameaças políticas. Essa rejeição também está presente na Chechênia, na Irlanda, nas Filipinas, em Gujarate e em muitos outros lugares em que a filiação religiosa passou a ser de central importância social e política. O Ocidente continua a exportar milhares de missionários para todas as partes do globo, alguns dos quais resistem fortemente ao pensamento pós-iluminista. Resistem não somente à secularização em geral, mas também às doutrinas da evolução, à monogênese, ao uso de contracepção, ao aborto etc. Tal resistência ocorre em uma parte da população mesmo de países capitalistas mais avançados.

HUMANISMO, VALORES HUMANOS E OCIDENTALIZAÇÃO: RETÓRICA E PRÁTICA

No capítulo anterior, discuti a contribuição do humanismo para o processo da educação, sobretudo num contexto europeu. No entanto, precisamos examinar não somente um período específico, mas a forma pela qual o conceito foi identificado com o Ocidente como "valor humano". É claro que humanismo, tanto com respeito a "valores humanos" quanto como compromisso com o secular, não é invenção recente das sociedades "modernas" ou ocidentais. Os valores humanos variam, obviamente, de acordo com a humanidade envolvida, mas alguns são difundidos, como as noções de justiça distributiva, de reciprocidade, de coexistência pacífica, de fertilidade, de bem-estar, e mesmo algumas formas de representação no governo ou em outras hierarquias de autoridade, das quais a "democracia", como interpretada no Ocidente, é uma variedade. As sociedades modernas são também tidas como mais científicas ou seculares em suas atitudes, mas, segundo o antropólogo Malinowski,[6] uma abordagem "científica", tecnológica ou pragmática do mundo é muito difundida e pode coexistir com atitudes religiosas, isto é, com uma abordagem que envolva crença no sobrenatural (na definição de E. B. Tylor). Mesmo em culturas orais, encontramos certo grau de agnosticismo. Nas sociedades letradas, esse ceticismo pode ter expressão escrita como uma doutrina, mas está também

[6] Malinowski, 1948.

presente em culturas orais como elemento de sua visão de mundo, como tentei demonstrar com as várias versões que gravei das longas narrativas do Bagre dos LoDagaa no norte de Gana.[7] Mesmo nas chamadas sociedades tradicionais, nem todos acreditam em tudo; de fato, muitos mitos incorporam uma medida de descrença.

No entanto, toda noção de domínio colonial europeu, em muitas partes do mundo, esteve associada a uma missão "humanizadora", educativa, com frequência nas mãos de instituições religiosas que tinham objetivos genuinamente educacionais, mas entendiam que seu papel era de cristianizar a população, livrando-a de práticas locais e introduzindo os padrões europeus. Nesse projeto, o ensino dos clássicos sempre teve importante papel no nível secundário; os clássicos da Antiguidade europeia eram vistos como aliados do cristianismo (como Petrarca insistia) e como formadores de um estilo de vida centrado em valores humanistas. Esses esforços alcançaram considerável sucesso. Alguns dos melhores professores europeus em escolas seletas eram capacitados em cultura clássica e, ao mesmo tempo, tinham compromisso com o cristianismo. Encorajavam seus melhores alunos a seguirem seus passos, e é significativo que com a Independência em 1947, uma universidade foi estabelecida em Gana (o primeiro dos territórios coloniais a receber sua independência) e o primeiro departamento a ter um quadro de pessoal inteiramente africano foi o Departamento dos Clássicos. Seu diretor não somente passou a traduzir os textos gregos para a língua nativa, como se tornou o primeiro diretor ganense da universidade e, logo após, assumiu a direção da Universidade das Nações Unidas em Tóquio. Tal era o poder provido pelos clássicos e pelas "humanidades"!

Com o fim do colonialismo, alguns políticos associaram a emergência do "humanismo" com o processo da globalização que é visto também como ocidentalização. Uma reconhecida contribuição para isso foi o movimento mundial de independência depois da Segunda Guerra Mundial. Muitos dos antigos líderes das novas nações tinham inclinações seculares – indivíduos de boa formação como Nehru na Índia, Nkrumah em Gana (o primeiro dos novos líderes da África subsaariana), Kenyatta no Quênia, Nyerere na Tanzânia, Nassar no Egito. Opunham-se ao poder colonial ocidental e conquistaram a independência (sua "liberdade") adotando *slogans* carregados de valores de seus oponentes. Lembro-me de uma manifestação no início dos anos 1950, na cidade de Bobo-Dioulassou, no território colonial

---

[7] Goody, 1972b.

francês de Alto Volta (hoje Burkina Faso), em que uma massa organizada de trabalhadores africanos cercada pela polícia francesa protestava carregando estandartes que proclamavam "Liberdade, Igualdade, Fraternidade".

Esses movimentos eram apoiados pelos poderes ocidentais e pelas Nações Unidas em nome da liberdade e da democracia, expressão do desejo do povo. Analistas e políticos tendem a ver valores associados a isso – como respeito à dignidade humana – como importados por comunidades que careciam deles. Ao mesmo tempo, esses "corpos estranhos", como tudo o mais, sempre falham na prática. Por exemplo, os Estados Unidos estavam interessados em promover seu próprio projeto que, em parte, era ditado por um enorme consumo de petróleo e pelo desejo de proteger seu "estilo de vida", o "capitalismo", contra a possível expansão soviética, mesmo se ela fosse o objetivo da maioria. O Oriente Médio, particularmente, sofreu com a Guerra Fria e a ajuda dada para regimes "não democráticos" que apoiavam alguns desses objetivos. No curso de conter o comunismo e garantir seu petróleo, "os Estados Unidos não economizaram esforços para apoiar, promover e mesmo impor regimes islâmicos que eram integralmente corruptos e contrários a todos os valores democráticos e liberais na defesa dos quais os Estados Unidos proclamavam agir".[8] Em outras palavras, havia uma total discrepância entre a retórica e a realidade.

Deparamo-nos constantemente com declarações de compromisso com valores universais "humanistas" feitas por políticos (e outros indivíduos equivalentes) e sua constante violação em situações específicas. Tomemos dois exemplos contemporâneos. A Convenção de Genebra estabeleceu normas estritas sobre o tratamento a combatentes e civis capturados em guerra. Recentemente, os Estados Unidos e suas forças aliadas que invadiram o Afeganistão e o Iraque e transportaram certo número de prisioneiros para uma base extraterritorial na baía de Guantânamo, Cuba. Esses prisioneiros são mantidos lá em condições assustadoras. A justificativa para lhes negar direitos internacionais ou mesmo direitos baseados na lei americana é a de que esses capturados de várias nacionalidades não podem ser considerados prisioneiros de guerra e que a base cubana não é território americano. Em outras palavras, lhes foi negada "liberdade", acesso a advogados, e seus "direitos humanos" gerais, situação condenada pelas Nações Unidas.[9] Uma

---

[8] Saikal, 2003:67.

[9] Tenho que admitir que, tendo tido todos esses direitos respeitados quando fui prisioneiro de guerra dos fascistas na Itália e dos nazistas na Alemanha, fico desolado com isso. Obviamente, nesses países coisas piores aconteceram a prisioneiros políticos.

A APROPRIAÇÃO DE VALORES   281

contradição semelhante ocorreu com Saddam Hussein em 13 de dezembro de 2003, depois de capturado escondido "como um rato", de acordo com porta-voz da coalizão. Apesar de protestos contra a exposição de seus prisioneiros à televisão, em desobediência à Convenção de Genebra, fotos mostraram o ex-dirigente, que como comandante-chefe deveria ser tratado como um prisioneiro de guerra, tendo os cabelos examinados em busca de piolhos e a boca inspecionada detalhadamente, à cata de objetos escondidos. Tais quadros, sem dúvida, violaram a convenção de Genebra, expondo os prisioneiros à humilhação pública.

A segunda ocorrência tem a ver com o recente bombardeio em Tikrit (e outras cidades), em resposta à morte de soldados americanos nas redondezas, alguns meses depois do presidente Bush ter anunciado o fim das hostilidades. Tal punição coletiva foi exatamente alvo de protestos dos Aliados durante a Segunda Guerra Mundial, quando as forças alemãs adotaram ações coletivas contra vilas e comunidades após sofrerem ataques. Isso ocorreu nas cavernas de Ardeantine na Itália e na vila de Oradour na França, entre outros. Esses massacres foram considerados crimes de guerra e submetidos à punição internacional.

Em suma, o Ocidente reivindica uma série de valores centrados nos conceitos de humanismo e comportamento humano. É claro que isso muda ao longo da história, uma vez que os próprios conceitos de humanismo têm historicidade. Às vezes, eles são colocados em termos universais, como "não matarás". No entanto, esses princípios são frequentemente retóricos e aplicados somente a certos grupos, não ao "outro" – o inimigo, o terrorista, o traidor. Isso é muito claro na guerra, quando esses valores são com frequência suprimidos ou jogados para o alto, apesar dos melhores esforços de instituições, como a Cruz Vermelha Internacional, para garantir a sua manutenção no mundo contemporâneo.

DEMOCRACIA

Uma das mais importantes características de novos "humanismos emergentes" é a "democracia", associada às noções de "liberdade", "igualdade", participação cívica e "direitos humanos". No que diz respeito a governo representativo, tem havido um certo movimento geral na direção de uma nova participação em muitas partes do mundo nos séculos recentes. No entanto, esse movimento precisa ser visto em perspectiva. Os antigos grupos humanos certamente gozavam de uma participação mais direta. Hoje as questões tornaram-se mais complexas. A maior participação no voto foi acompanhada por menor participação prática em outras áreas, porque o governo tornou-se mais complexo, mais remoto, e incorporou um número maior de pessoas. Isso significa maior profissionalização de políticos e menos representação direta.

Um problema maior surge quando a democracia é vista como um valor universal do qual o mundo contemporâneo ocidental tem a custódia e o modelo. Mas é assim? Deixe-me começar sugerindo que os procedimentos democráticos têm de ser contextualizados, em relação a instituições específicas. Tenho ouvido membros da força de trabalho contemporânea afirmar que não há democracia no local de trabalho. Certamente há pouca democracia nas instituições de ensino. No entanto, compare o local de trabalho contemporâneo com o que existe sob condições de agricultura simples. Meu amigo de Gana que levei para visitar uma fábrica na Inglaterra viu mulheres trabalhando em fila e em pé, e batendo um "relógio" na entrada e na saída do trabalho. "São escravas?", ele perguntou em sua língua. Seu próprio trabalho no campo era muito mais "livre", não envolvia relações de autoridade.

Na Grécia antiga, o conceito de democracia se referia ao "governo do povo" e se opunha à autocracia ou mesmo à "tirania". O desejo do povo era determinado por eleições limitadas aos homens "livres", excluindo escravos, mulheres e estrangeiros residentes. Do mesmo modo, no contexto político, a democracia na Europa também era restrita no passado. Hoje, no que é considerado "democracia completa", todo homem e toda mulher têm um voto e as eleições ocorrem em intervalos regulares. Há uma "individualização" da representação, embora pesquisas mostrem que marido e mulher tendem a votar do mesmo modo, mas não como uma unidade familiar ou linhagem. Dessa forma, a prática da democracia é nova. Na Grã-Bretanha, o voto só se expandiu em 1832, incorporando pais de família, enquanto as mulheres só conquistaram o voto depois da Primeira Guerra Mundial, e, na França, muito mais tarde. Mesmo nos EUA, supostamente o epítome da democracia moderna aos olhos de Tocqueville, George Washington defendeu a ideia de limitar a participação em eleições a "cavalheiros" brancos, isto é, a donos de terra e indivíduos com formação universitária. Sempre uma restrição acompanhando a concessão. O uso da urna e a seleção que ela faz dependem de que a escolha seja livre e de-simpedida; a esquerda francesa rejeitou, no início, o direito de voto feminino argumentando que as mulheres são inclinadas a votar no que o clero ordena.

Mesmo agora, há alguns problemas técnicos sobre a interpretação da escolha, como nas eleições na Flórida em novembro de 2000. Há também a questão da maioria: se ela deve levar em consideração o número de votos ou o número de unidades (estados). Em segundo lugar, a questão se complica pela coerção, tanto pelo suborno pré-eleitoral, como no caso da Inglaterra do século XVIII, como por recompensas pós-eleitorais, traduzidas em benefícios futuros que são parte do próprio processo. O acesso diferencial à publicidade por causa do controle político do rádio (como na Rússia) ou controle econômico por meios financeiros (como nos EUA) também podem limitar a liberdade de escolha.

No Ocidente, a democracia eleitoral é agora vista não simplesmente como um entre outros modos de representação, mas defendida como forma de governo adequada a todos os lugares em todos os tempos.[10] Nesse sentido, tornou-se um valor universal. O objetivo das potências ocidentais contemporâneas tem sido promover a democracia e afastar regimes como os da União Soviética ou Iugoslávia, que não conheceram esses critérios, apesar de esses regimes terem argumentado que a liberdade política de escolha não era o único valor a ser considerado. Durante a descolonização na África, os governantes coloniais insistiram em entregar o poder a governos eleitos – em termos britânicos isso era chamado de modelo Westminster –, para assegurar o consentimento popular. Essa forma de governo não perdurou, como mencionei, em parte porque o povo votou seguindo linhas "tribais" ou sectárias. O que se seguiu foram governos de partido único, considerados essenciais pelos governantes para consolidar o novo Estado, e, depois, golpes militares como o único modo de mudar o regime de partido-único. Para muitos, em um novo Estado, o principal problema político não é a mudança para a democracia, mas o estabelecimento de um governo central em um território que nunca teve nenhum. Isso é muito difícil de conseguir onde Estados incluem grupos definidos por características primordiais, tribais ou religiosas, que inibem o estabelecimento de "partidos" no sentido ocidental e os mantêm como grupos com seus próprios procedimentos representativos ("democráticos").

Israel foi uma exceção parcial (como a Índia e a Malásia) celebrado como o único estado democrático do Oriente Médio, embora nada tenha feito para diminuir seu enorme acúmulo de armamentos e exércitos usados tanto para se defender quanto para ameaçar os outros. Esse pequeno país tem 12 divisões, uma das maiores forças aéreas do mundo e armas nucleares que são proibidas ou desaprovadas em outros Estados. Essa forma de governo não inibe a fre-

---

[10] Um dos meus interlocutores em Alexandria objetou quanto à descrição de democracia como forma de representação, alegando que é uma "forma de cultura". Entretanto, mesmo onde os procedimentos eleitorais são usados na esfera política, raramente atuam em outros contextos, tais como emprego e família.

quente escolha de ex-soldados para liderar um governo civil (como ocorre nos EUA), nem evita atrocidades como a na vila árabe de Deir Yasin, nos campos de Sabra e Shatilla, no Líbano, ou mais recentemente em Jenin. Entretanto, qualificada como "democrática", essa forma de governo é automaticamente contrastada com o "corrupto" governo autoritário dos palestinos, que, como a maioria dos outros árabes, nunca teriam conhecido a "real democracia".

Essa preferência estrita por uma forma de governo independente de contexto é nova. Na Grécia antiga, e em Roma também, havia importantes mudanças no regime, oscilando ao longo do tempo entre "democracia" e "tirania" ou entre república e império, como aconteceu na África a partir da Independência. Mesmo na Europa, não havia, até o século XVIII e até mesmo mais tarde, uma visão ampla da democracia como a única forma aceitável de governo. Havia mudanças de várias formas e não necessariamente de natureza violenta. A força era usada às vezes. Formações sociais antigas não teriam conhecido mudanças radicais nas formas de governo. Rebeliões ocorreram, mas não revoluções; isto é, o povo se rebelava para mudar as autoridades, mas não o sistema sociopolítico.[11] A validade dessa tese é duvidosa. Em muitas dessas sociedades, havia mudanças no modo de governo, bem como dos representantes. É verdade que a queda de todo o sistema de acordo com um plano elaborado era rara em sociedades antigas, especialmente nas pré-letradas. No entanto, com frequência, houve certa oscilação não só nos regimes centralizados, mas entre eles e os tribais, descritos como segmentários, ou entre a locação do poder no centro ou na periferia. Mudança na natureza do governo era característica de sociedades primitivas em que "democracia" era somente uma das possibilidades.

Quando falamos de procedimentos democráticos, pensamos em maneiras de a opinião pública ser formalmente levada em consideração. Há muitos modos de se fazer isso. No Ocidente, o eleitorado é consultado pelo voto secreto (normalmente escrito) a cada quatro, cinco ou seis anos. O número é arbitrário. É um compromisso entre testar a opinião do *demos* e buscar uma política consistente durante um dado período. Alguns defendem que o público deveria ser consultado de forma mais frequente, sobretudo quanto a assuntos mais importantes como uma declaração de guerra, que na Inglaterra nem mesmo requer um voto do parlamento por causa da ficção da prerrogativa real (enquanto a adoção do euro requer!). É difícil afirmar que vivemos em uma democracia (i.e., sob o governo do povo) quando o governo pode

[11] Gluckman, 1955.

decidir algo tão importante como uma guerra, contra o desejo da maioria. Por outro lado, devemos ser governados por constantes consultas populares e plebiscitos? Não seria o caos? Seria possível afirmar que a democracia só é assegurada pela possibilidade de revogar os representantes quando deixam de ser representativos, de forma que um povo poderia rejeitar um governo decidido a entrar numa guerra contra o desejo da maioria do país. Se essa possibilidade "realmente democrática" estivesse disponível, certos governos europeus teriam caído no começo da invasão do Iraque.

No entanto, também se pode argumentar que alguns programas sociais requerem um período mais longo para se efetivarem do que quatro ou cinco anos, portanto, um governo deveria ser escolhido por um período maior. Era esse o argumento dos países da África independente quando alguns governos eleitos transformaram-se em regimes monopartidários. É claro que não há nada que impeça um governo de ser eleito sucessivamente de modo a habilitá-lo a carregar um programa mais extensivo, mas o que acontece se os eleitores "escolhem" um governo para representá-los por um longo tempo ou mesmo permanentemente?

A democracia moderna apresenta problemas mesmo para os democratas. Hitler foi eleito pelo povo alemão e transformou o regime numa ditadura. Partidos comunistas, também, podem ter sido eleitos em um primeiro momento, mas não hesitaram em estabelecer "a ditadura do proletariado". O que é uma ditadura eleita? É um regime que adiou ou abandonou as eleições "normais" e suprimiu a oposição, apesar do uso da consulta popular. E se ele o fez com o consentimento ou escolha da maioria? Para os democratas, o problema é que regimes monopartidários e sistemas similares não permitem mudança eleitoral.

Outro problema é que os defensores da democracia não permitem sistema diferente além dos procedimentos que escolheram, para ser "o governo do povo". Poderia haver uma consulta que escolhesse o líder por aclamação em vez de pelo voto. Mesmo o sistema de voto pode representar a vontade de Deus e não do povo, como nas eleições no Vaticano ou nas faculdades de Cambridge, em que os votos para um papa ou um professor são registrados na capela. A escolha entre partidos políticos num sistema eleitoral não fez muito sucesso na África, em que a lealdade tribal e local é de maior relevância. Nem em outras partes do mundo, como no Iraque, em que estão envolvidas a crença religiosa "fundamental" ou a identificação pelo idioma.

Se o termo "democracia" refere-se ao tipo de processo eleitoral recorrente desenvolvido mais destacadamente na Europa no século XIX, ele constitui apenas uma forma possível de representação. A maioria dos regimes políticos, seja qual for, possui algum modo de representação. Abstratamente, talvez seja possível imaginar um regime autoritário que seja autocrático por completo, mas se, de alguma forma, não levar em conta a vontade do povo, seus dias estão provavelmente contados, mesmo sob uma ditadura ou despotismo. Por exemplo, foi observado que na China nem Ch'in nem Wang Mang mereciam suas reputações de despóticos; havia uma série de instituições de controle e separação de poderes. Os próprios textos clássicos, como os escritos de Confúcio (referidos no capítulo "Sociedades e déspotas asiáticos: na Turquia ou noutro lugar?"), constituíam um controle do governo. Como resultado, os mais letrados frequentemente se viam opondo-se ao regime corrente.[12]

Há situações nas quais os Estados modernos não consideraram a democracia universalmente adequada, mesmo na política. Em algumas partes dos EUA até recentemente, a população negra não tinha direito a voto num país em que todos tinham. Mais tarde, o direito a voto foi dado nacionalmente a essa minoria substancial. Se fosse maioria, é duvidoso que a população branca tivesse concordado. O país teria mantido um regime de segregação como o da África do Sul.

Na Palestina, perto do fim do mandato britânico, o governo propôs como solução para a questão árabe-judaica o Estado único e tentou estabelecer uma assembleia baseada nos princípios democráticos. A população judaica rejeitou essa oferta, pois estava em minoria. Mais tarde, quando a maioria dos árabes havia saído ou sido expulsa do novo território de Israel, eles estabeleceram uma "democracia" com direitos reduzidos para os muçulmanos que permaneceram; hoje, para os que saíram é recusado "o direito ao retorno", um direito que os próprios judeus haviam proclamado ruidosamente, mas que, no presente, ameaçaria a sua maioria "democrática". Em Estados divididos por religião, "raça" ou etnia, o princípio um "homem, um voto" não é necessariamente uma solução aceitável; tal princípio pode levar a uma maioria permanente ou mesmo a uma limpeza "étnica", como em Chipre. Nos locais em que a democracia total é obtida nessas condições, pode haver uma busca de aumento demográfico para conseguir ser maioria, como muitos protestantes acusam os católicos de fazer na Irlanda do Norte.

Seria a democracia a resposta para o Iraque contemporâneo? Pode-se argumentar que, com comunidades radicalmente divididas em termos de religião e etnia, deve-se optar por uma "divisão de poder", como foi feito recentemente na Irlanda do Norte, de forma a não haver maioria permanente

---

[12] Nylan, 1999:70,80ss.

de um grupo (xiita ou protestante) sobre o outro, mas sim uma "democracia consocional", uma instituição bem diferente. Na Grécia Antiga, o direito de voto era restrito aos cidadãos. A ideia de cidadania, muito associada aos regimes liberais e revolucionários, pode, na prática, envolver a exclusão de uma grande categoria de não cidadãos. "*Civus Romanus sum*" significa que há residentes no mesmo território que não compartilham de direitos iguais, como os imigrantes turcos na Alemanha até recentemente, ou qualquer imigrante ou mesmo o residente temporário na Suíça ou na Índia que não pode comprar terra ou casa. Cidadania é um conceito tanto excludente como inclusivo.

Dentro da noção de cidadania, mesmo uma ligação estável da maioria a um grupo religioso específico, por exemplo, pode significar a efetiva exclusão de grupos similares menos numerosos. Para conter uma instabilidade quase permanente, que virtualmente exclui a curto prazo as mudanças dos votos das quais a "democracia total" depende, deve-se recorrer ao poder compartilhado para assegurar a representação (e assim a "ordem" social ou aquiescência). Outro procedimento "quase democrático" é a "discriminação positiva" que dá privilégios adicionais, seja constitucionalmente, seja em caráter temporário, para certos grupos minoritários. Esse procedimento tem sido aceito para os negros nos EUA, para mulheres em outros lugares sob certos arranjos eleitorais. O primeiro exemplo em uma escala nacional que conheço foi a introdução desse procedimento nas "castas programadas" na Constituição de 1947 na Índia, quase toda escrita pelo dr. Ambedkar, pertencente por origem à casta dos intocáveis e que sentia que sua comunidade não receberia um tratamento "justo" sob um governo hindu controlado por outras castas.

Apesar desses problemas, hoje em dia, democracia tem sido vista como um valor positivo e aplicável universalmente. No entanto, como é tida em grande conta retoricamente e considerada (erroneamente) uma invenção de culturas europeias, sua prática é algo diferente. E mesmo a referência mudou. No início, significava governo do povo, porém, agora o significado se estreitou referindo-se especificamente a regimes que elegem parlamentares a cada quatro ou cinco anos pelo voto secreto universal. Ainda assim, o conceito tem sido questionado em certas circunstâncias. Nem todas as eleições são consideradas "democráticas" pelo Ocidente. Com Arafat, os palestinos tinham um líder eleito que se submeteu à reeleição. Em 24 de junho de 2003, o então presidente dos EUA, George W. Bush, sugeriu um plano de paz para o Oriente Médio; seu primeiro item ditava que os palestinos teriam de eleger um novo líder, porque Arafat estava comprometido com o terrorismo. Isso, é claro, também teria enodoado o primeiro ministro de Israel, Begin e, segundo alguns, até mesmo Sharon. Pode-se almejar líderes diferentes para um país estrangeiro, mas exigir a substituição "democrática" de políticos eleitos como condição para negociar (como no caso do Hamas) é uma atitude muito arrogante. Isso não tem nada de democrático, pelo contrário, é a expressão da pretensão ditatorial de uma potência mundial dominadora que considera a interferência no processo político de outros países um aspecto legítimo de sua política internacional. Nos últimos tempos, tal política tem apoiado abertamente ditadores em vez de líderes democraticamente escolhidos e mesmo hoje não vê muita dificuldade em se aliar à poderosa monarquia centralizada da Arábia Saudita ou aos governantes militares do Paquistão pós-golpe.

A maior justificativa para a invasão do Iraque foi a de que o país possuía um regime não democrático, de fato, uma ditadura brutal. Não há nenhum acordo internacional sobre a natureza de governo que um país precisa adotar. Antes da Segunda Guerra Mundial, os governos da Alemanha e da Itália assumiram o poder por meio de eleições democráticas. Isso não ocorreu na Espanha, mas os Aliados não tentaram depor Franco após a guerra embora ele tenha chegado ao poder após um golpe militar fascista e uma sangrenta guerra civil. O mesmo aconteceu com muitos governos na África, alguns na América do Sul e em outros lugares (Fiji, por exemplo). Por outro lado, a presença de um governo democrático na ilha caribenha de Granada não evitou a invasão dos EUA, mesmo sendo um território da comunidade britânica e associado a seu mais próximo aliado.

A "democracia" que existe em casa é raramente aplicada numa escala mundial. A prática eleitoral opera muito diferentemente em tomadas de decisão no nível internacional. Na Assembleia Geral das Nações Unidas, os delegados são escolhidos por governos e cada um tem voto simples independente do número de habitantes – um governo, em vez de uma pessoa, um voto. O Conselho de Segurança de 18 membros é eleito em assembleia, com a exceção dos cinco membros permanentes, as nações vitoriosas na Segunda Guerra Mundial, e cada um tem um voto. É um sistema "legal" criado pelos vitoriosos. Nesse Conselho, as decisões da maioria não contam por causa do veto. De qualquer modo, as potências dominantes, e especificamente a superpotência, podem usar seus recursos militares, econômicos, culturais para pressionar os outros a votarem como elas querem, usando métodos que seriam condenados em um parlamento nacional. Em uma ocorrência recente, representantes de determinados países europeus, incluindo a Bulgária e a Romênia, enviaram uma carta à Casa Branca apoiando a estratégia no Iraque. Esses representantes, ao que parece, encontravam-se regularmente em Washington, onde eram "assessorados" por um oficial americano que trabalhava na inteligência. Foi ele quem de fato escreveu a carta em nome desses Estados, que, por sua vez, eram candidatos à Otan e precisavam da aprovação do governo dos EUA para ingressar na organização militar.[13] A decisão de oferecer apoio foi feita sem qualquer consulta à população, que provavelmente teria se oposto. O mesmo ocorreu com o então primeiro-ministro da Inglaterra, Tony Blair, que não se sentiu na obrigação de consultar o eleitorado sobre a guerra do Iraque, já que decidira que sua posição era a correta, qualquer que fosse o parecer dos outros. Essa foi também a posição de Bush. Além disso, os que adotam uma linha alternativa não apenas são condenados – isso é esperado – mas podem ser alvo de sanções de vários tipos. Insinuou-se que as nações que não tomassem parte na guerra contra o Iraque não teriam voz nas decisões pós-guerra, as quais seriam claramente tomadas não pela ONU, mas sim pela superpotência e seus aliados. No futuro, Rússia, França e China não teriam acesso aos contratos com o Iraque ou ao seu petróleo (como tinham com Saddam Hussein), cujas disposições estariam nas mãos dos vitoriosos. A "Lei" seria produto da guerra.

Medidas discriminatórias como essas dificilmente respeitam os direitos legítimos e a liberdade de escolha diante de cursos alternativos de ação, o que é básico para a democracia e para o governo do povo. Estamos entregues ao regime da força. Em um nível mais doméstico, essas medidas não esperaram o fim da guerra. Um debate na CNN[14] levantou a possibilidade de os EUA pararem de tomar vinho francês (em favor da Austrália, país cujo governo apoiava a guerra do Iraque) e previu também a queda nas vendas da Mercedes. Até os nomes dos países dissidentes foram transformados em tabu: em alguns cardápios, *french fries* foi mudado para *freedom fries*, "freedom" sendo associada à participação na guerra. A posição dominante dos EUA no cinema, na TV, na mídia em geral, garantiu que sua situação fosse constantemente explicada em seus próprios termos. Parece haver argumentos do tipo democrático em favor de restringir a posse e controle da mídia de massa para limitar o papel do dinheiro (bem como das armas) influenciando a escolha do povo. No entanto, a mídia eletrônica universal dificilmente será controlada dessa forma. Afinal, democracia baseia-se na noção da efetiva "liberdade de escolha". Dinheiro e monopólio claramente afetam

---

[13] *Herald Tribune*, 20/2/2003.   [14] *Herald Tribune*, 20/2/2003.

essa liberdade quando, em um nível internacional, o voto é influenciado por empréstimos e presentes. E, nacionalmente, quando se escolhe o candidato que tem condições de pagar pela publicidade ou pela bebida oferecida aos eleitores. Em geral, a situação internacional difere e muito da nacional; o sistema democrático é aplicado contextualmente. Um ex-secretário das Nações Unidas comentou em artigo – "The United States against the rest of the World" – que "o argumento mais importante pode ser resumido em uma fórmula inspirada no filósofo Pascal: 'Democracia nos Estados Unidos; autoritarismo fora dele'".[15] Em um nível internacional, potências democráticas não respeitam procedimentos democráticos.

A ideia de que a democracia só surgiu como uma característica das sociedades modernas – na verdade, das sociedades ocidentais modernas – é uma simplificação grosseira como o é a atribuição de sua origem às cidades-Estado gregas. Obviamente, a Grécia produziu um modelo parcial. No entanto, muitos sistemas políticos antigos, inclusive alguns bem simples, incorporavam procedimentos consultivos destinados a determinar a vontade do povo. De modo geral, o "valor" democracia, embora às vezes pendente, esteve com frequência, se não sempre, presente em sociedades antigas e especificamente em contextos de oposição a governos autoritários. O que o mundo moderno fez foi institucionalizar certa forma de eleição (escolha) – inicialmente por razões políticas, quando o povo foi convocado a contribuir ativamente com o orçamento nacional na forma de taxas. Era para levantar dinheiro que o parlamento foi convocado. Seria difícil uma taxação em geral sem alguma forma de representação, como reivindicaram as colônias americanas. As formas particulares, tão celebradas no Ocidente, nem sempre são as mais efetivas para assegurar a representação adequada; a promoção do modelo Westminster não provou ser uma panaceia universal, nem mesmo em nível nacional. Internacionalmente, há um longo caminho a trilhar para que procedimentos internacionais sejam aceitos em vez de impostos pela força ou por meio de outras sanções.

INDIVIDUALISMO, IGUALDADE, LIBERDADE

Associados à democracia, há três valores que formam uma tríade no pensamento europeu e são com frequência apresentados como causas ou

---

[15] *Unitá*, 22/4/2003.

efeitos exclusivamente europeus de desenvolvimentos nas artes, nas ciências e na economia. Eles estão sempre disponíveis para as humanidades. Em crítica literária, por exemplo, aparecem nas discussões sobre a ascensão do romance e da autobiografia como gêneros paradigmáticos do individualismo.[16] O individualismo é também aclamado pelo Ocidente por sua contribuição à figura do empreendedor, central no capitalismo. Como veremos no próximo capítulo, o individualismo envolve certa liberdade de escolha pessoal (distinta das responsabilidades coletivas) nas questões de casamento e família nuclear, e esta também é considerada particularmente europeia. Liberdade desse tipo é frequentemente igualada à irrelevância de amarras familiares na escolha de companheiros. No entanto, total liberdade de laços familiares não é o que ocorre na experiência dos sujeitos sociais que logo formam ligações alternativas. Os jovens podem até partir relativamente cedo de seus lares, mas logo estabelecem fortes ligações com outras pessoas, um companheiro, um marido, e, finalmente, com seu próprios filhos; ao mesmo tempo, mantém laços a distância (intercalando visitas e frequentes comunicações por carta, telefone, e e-mail) com seus pais e irmãos. Laslett e outros sugerem que, na Europa, rupturas desse tipo podem fortalecer ligações na família conjugal, que são distintas dos laços com os parentes. Essa visão de laços fortes no Ocidente no que diz respeito à família conjugal não parece ser consistente com a ideia do indivíduo isolado (livre), fazendo seu próprio caminho contra o mundo, à maneira de Robinson Crusoé ou outros heróis míticos do continente, como Fausto. A inconsistência ideológica fica evidente diante da ideia de que nossa economia é criada por empresários individuais. Isso está longe da realidade. A família sólida ainda tem um papel muito importante, mesmo hoje.[17]

Essa tríade de valores – individualismo, liberdade, igualdade – não se restringe à Europa. Recentemente,[18] igualdade, liberdade e amor foram apontados como aspectos fundamentais do ensino ético do islamismo, assim como a preocupação com o indivíduo. Yalman considera igualdade um "aspecto fundamental" da "cultura do islamismo". Isso é "traduzido" na prática pela ideia de livre acesso das pessoas às oportunidades e de inexistência de um grupo religioso (sacerdotal) com acesso privilegiado às verdades divinas. Esse "valor" não significa que não há desigualdade entre os povos islâmicos. "Na prática, inferioridade e superioridade são parte da experiência diária islâmica como de qualquer outra sociedade".[19]

---

[16] Watt, 1957.
[17] Goody, 1996a:192ss.
[18] Yalman, 2001.
[19] Yalman, 2001:271.

Yalman mostra o contraste entre uma fórmula altamente idealizada relacionando igualdade e amor no islamismo, por um lado, e hierarquia e renúncia na Índia, por outro. No entanto, com frequência, ideologia e prática são muito diferentes. Como já observei, Yalman reconhece que a igualdade nem sempre foi alcançada pelos Estados islâmicos. Por outro lado, cita um comentário que, mesmo nas rígidas sociedades de casta da Índia dominadas por uma suposta hierarquia permanente, a presença de *bhakti* significa que a classificação pode ser modificada e aqueles que caíram do *status* de *dwija* (duplo nascimento) podem ser reconduzidos a uma condição superior.[20] Igualmente, o amor é um aspecto tanto da sociedade indiana quanto da muçulmana e não está restrito a uma ou outra. Ele se refere às grandes tradições hindus do amor sexual, por exemplo, dos *gopis* por Krishna, e do amor mencionado no corpo da poesia sânscrita. Assim, a semelhança constitui um "ponto de profundo contato na devoção hindu e muçulmana". No caso hindu, observa ele, o amor, assim como a igualdade, é um tema menor de uma grande civilização (isso será discutido no próximo capítulo).[21] Quão longe estão essas avaliações dos preconceitos europeus usuais sobre essas sociedades (e suas visões com relação à igualdade e ao amor)! O que Yalman mostra é que, como em uma interpenetração hegeliana de opostos, a prática de ambas as sociedades acabou desenvolvendo traços que foram de encontro aos estereótipos estrangeiros e mesmo, em alguma medida, a suas ideologias dominantes.

Então, precisamos modificar o rígido contraste entre valores e práticas de igualdade (e amor fraternal) que caracterizam essas ideologias, levando em conta os aspectos semelhantes que as acompanham na prática. Comparadas com a África, que experimentou uma trajetória diferente envolvendo menos diferenciação social, tanto a sociedade islâmica da Turquia como a sociedade hindu na Índia são representantes de culturas pós-Idade de Bronze da Eurásia. São fortemente estratificadas, letradas e baseadas em acesso desigual à terra e outros recursos, assim como à proeza militar. No entanto, as desigualdades nessas formas de estratificação podem ser qualificadas por ideologias religiosas escritas. O islamismo faz alguma coisa para se desprender e mesmo se opor à estratificação secular; encoraja a caridade (um aspecto do amor fraternal), ocasionalmente encoraja a revolta dos pobres, mesmo que uma redistribuição efetiva não ocorra. Caridade desse tipo individual deve reforçar o *status quo*. Na Índia, a hierarquia secular é amparada pela ideologia religiosa, mas não sem ambiguidade, uma vez que, ao invés de governantes político-militares, é

---

[20] Hopkins, 1966; Yalman 2001:277.

[21] Yalman, 2001:277.

a camada sacerdotal letrada – que ocupa o topo da hierarquia – que conduz os ritos religiosos. Os governantes seculares vêm a seguir. O mesmo ocorre no islamismo, embora não conte com um clero como tal, e sim apenas um grupo de homens escolados nos textos sagrados. E o conhecimento é considerado mais importante do que o poder político.[22]

Na Índia a divisão de classe é modificada pela caridade (como no Islã) e pelas doações (como em Gujarat, num vilarejo governado pelo Partido do Congresso). Mais significativos ainda são os aspectos religiosos, *bhakti* e os cultos Krishna, que revelam características igualitárias positivas. E sempre ocorre franca oposição à hierarquia dos outros, especialmente na longa tradição do pensamento ateísta indiano que inclui a resistência dos dalit (intocáveis) ao sistema de castas, em que eles ocupam a posição mais inferior. Essa oposição foi tipificada em Pune, no século XIX, pelas contra-atividades de Mahatma Phule, um comerciante de flores de baixa casta, que fundou uma escola primária para garotas. E, mais tarde, pelo trabalho de Dr. Ambekhar, líder dos harijan sob Mahatma Gandhi, que projetou a Constituição indiana para incluir a discriminação positiva que já mencionamos, mas que, no final, afastou seu grupo do hinduísmo e o ligou ao budismo. Tanto o budismo quanto o jainismo originaram-se do hinduísmo, mas rejeitavam o sistema de castas. Por isso, Ambedkhar pôde levar com sucesso os antigos intocáveis de volta ao budismo, uma religião indiana que tinha poucos seguidores no país e, portanto, ainda menos implicações políticas internas.

A ideia de igualdade não estava confinada à Europa. Pertencia também à sociedade hindu, ainda que nem sempre de forma proeminente no pensamento religioso brâmane, na medida em que a prática e, de certa forma, a ideologia da hierarquia existiam no islamismo. Essas tendências contrárias de igualdade e hierarquia se refletem em cada sociedade; as crenças podem mostrar aspectos contrastantes, mas, considerando-se uma moldura mais ampla, ambas estão presentes não somente nas duas sociedades, como também no cristianismo. Como e por quê? Porque essas sociedades, sendo dependentes de agricultura avançada e seu concomitante comércio e artesanato, são fortemente estratificadas de um ponto de vista socioeconômico do mesmo modo que possuem estratificação política e de educação religiosa em relação ao uso da palavra escrita e das escrituras sagradas. No entanto, essa estratificação é sempre considerada contrária às

[22] Berkey, 1992:4.

ideias de igualdade integral entre humanos (isto é, entre irmãos e irmãs) que vão contra a corrente em sociedades hierarquizadas e baseiam-se na ideia de justiça distributiva. Do ponto de vista da família, a igualdade está associada com relações entre irmãos ("somos todos irmãos") ou entre companheiros mais do que entre pais e filhos (prototipicamente pais e filhos homens, como com Édipo).[23] Um conjunto envolve desigualdade e o outro, igualdade, e ambos são construídos como relações sociais a partir de modelos familiares. Ambos envolvem amor. Um tipo assenta-se em relações fraternais (irmãos e irmãs) e amor sexual, e tem caráter igualitário. O outro tipo diz respeito ao amor filial e seu complemento, que é hierárquico, uma relação entre desiguais. A imposição de hierarquia pelos pais é contrastada pela pressão por igualdade nas relações entre irmãos. Essas reivindicações podem dominar o estilo de vida de uma pessoa ou de uma comunidade, ou constituem-se um ponto de referência distante que pouco consegue afastar alguém de atos de rapina ou consumistas. Estamos bem familiarizados com essas contradições entre comportamento ideológico e prático em nossas vidas diárias. Por exemplo, quando nos queixamos da poluição que os carros provocam e pulamos dentro do nosso Nissan para ir até supermercado (que censuramos por ter destruído as pequenas lojas personalizadas).

Como a ideia de igualdade, a de liberdade[24] se espalhou nas sociedades humanas. É um conceito que depende do contexto e não está confinado ao Ocidente. O inglês Sir Adolphus Slade, que serviu como oficial na Marinha otomana nos anos 1820, escreveu:

> Até agora os otomanos têm usufruído, por uma questão de costumes, de alguns dos mais preciosos privilégios dos homens livres, pelos quais as nações cristãs lutaram por tanto tempo. Eles pagavam um imposto muito pequeno pela terra, sem dízimo, não precisavam de passaporte, enfrentar alfândega ou polícia [...] advindo das mais baixas origens eles podiam aspirar até a posição de paxá.

Slade compara essa liberdade, "essa capacidade de realizar os mais desenfreados desejos", às conquistas da Revolução Francesa.[25] Há muitos significados práticos nessa situação. Você pode fazer de um escravo um muçulmano, mas não pode fazer de um muçulmano um escravo. Do mesmo

---

[23] Ver Mitchell, 2003.

[24] A liberdade é ainda mais complexa. Caroline Humphries analisou recentemente conceitos russos de liberdade na era pós-comunista comparados com os do Ocidente. Há dois conceitos que podem ser usados para traduzir a palavra inglesa *freedom*: *slobude* e *valya*. A primeira refere-se à liberdade de buscar objetivos políticos, a segunda, à liberdade de buscar objetivos pessoais.

[25] Citado em Yalman, 2001:271.

modo, um novo convertido, como, por exemplo, um garoto albanês capturado e levado a Istambul poderia galgar as mais altas posições, exceto a de sultão.

Yalman explica como a noção de liberdade está ligada à de igualdade. Os "altos ideais do Islã", diz ele,

> distorcem o princípio de que não há pessoas privilegiadas no islamismo, ou que o valor de uma pessoa depende da moralidade de suas intenções, de seu comportamento e piedade. Isso pode levar aos portões do paraíso, mas, mesmo nos reinos terrestres, todas as pessoas, uma vez convertidas à crença do islamismo – isto é, tendo se "rendido" (*teslim*) à vontade de Deus – devem ter a mesma oportunidade de subir na sociedade. Mas e quanto aos muçulmanos negros na América e povos oprimidos noutros lugares?[26]

Como vimos, ainda que as importantes "virtudes" do individualismo, igualdade e liberdade, sejam com frequência consideradas basicamente europeias e parte da herança cultural do continente – que lhe permitiu avançar para a modernização antes do resto do mundo –, essa visão se apoia em fundações frágeis. "A liberdade dos sujeitos para buscar seu entendimento" é vista, há muito, como um aspecto do capitalismo moderno. No entanto, como mostra Wallerstein,[27] a ausência de restrições deve significar o oposto, isto é, a "eliminação de garantias para reprodução", desprezando direitos derivados de herança e deixando impreciso quão grande é a diferença entre "capitalismo" e sistemas do passado.[28] De diferentes formas, esses atributos são encontrados em outras sociedades, não somente nas letradas e avançadas, embora nestas, as ideologias sejam inevitavelmente mais explícitas. Entretanto, ideologicamente, os europeus tentam se apropriar dos aspectos positivos dessas ideias, que também têm aspectos negativos – fraternidade envolve rixas entre irmãos, e o amor produz o ódio que se segue ao fim da intimidade. As virtudes aparentemente sinceras são na verdade mais complexas do que se costuma pensar, sobretudo a virtude da fraternidade (o amor fraterno), a qual, pela caridade, tende a modificar as desigualdades hierárquicas dos sistemas de Estado.

CARIDADE E AMBIVALÊNCIA COM RELAÇÃO AO LUXO

Um aspecto central, não somente do humanismo, mas da humanidade ou dos valores humanos é a noção de caridade. São Paulo proclamou que as

---

[26] Yalman, 2001:271.   [27] Wallerstein, 1999:16.   [28] Wallerstein, 1999:16-17.

grandes virtudes são "fé, esperança e caridade, e a mais nobre, a caridade". O termo, do latim *caritas*, foi traduzido tanto por caridade, como por amor, amor ao próximo; o aspecto sexual do amor será examinado no próximo capítulo. A caridade é uma virtude que foi colocada acima de todas aos companheiros cristãos e, às vezes, apresentada como exclusivamente associada ao cristianismo. De fato, todas as religiões escritas solicitaram apoio e precisaram atrair fundos para fins de caridade, para a manutenção de seus templos de oração, bem como para manter o pessoal requerido pela instituição. Então, era inevitável buscarem riquezas recorrendo especialmente aos mais ricos na sociedade. Se um indivíduo tinha riqueza em excesso, devia doá-la para as ações de Deus (ou para o Buda ou outra função). Ao mesmo tempo, a pobreza era, em princípio, louvável. O homem rico tinha dificuldades para entrar no reino de Deus (a não ser que doasse seus bens). O homem pobre tinha, de longe, menos problemas; merecia ser alvo da caridade, de presentes ofertados pelos ricos com a intermediação da Igreja. A caridade nunca foi uma virtude puramente cristã. Era encontrada em igual medida entre muçulmanos, hindus, parsis, jainitas e budistas. Para os muçulmanos, a caridade era um dever sagrado, um dos cinco pilares da sabedoria. Na África ocidental, a caridade pessoal era exercitada toda sexta quando o *saddaqa* era dado ao pobre ou a quem merecesse. Nas terras do Mediterrâneo, em que havia uma maior diferenciação de "classe" e um sistema de distribuição de terras, doações mais substanciais (*waaf*) eram ofertadas tanto para sustento de uma mesquita e de suas instituições associadas – um hospital, uma hospedaria, um mercado, uma *madrasah* como para um fundo de família para ajudar os necessitados. Provisões semelhantes foram feitas em todas as religiões mundiais (escritas), para as quais dar esmolas a um pedinte ou a um monge era uma marca de mérito. A construção de asilos e a doação de alimentos, bem como a providência de abrigo para os pobres eram presentes importantes que um indivíduo podia dar para obter o perdão de pecados anteriores.

Dessa forma, tanto os pobres como a igreja eram atendidos. Na Cristandade, a pobreza era considerada um estado sagrado. O que não significa que, nessas culturas, não se aspirasse riqueza, luxo. Na verdade, como autojustificativa, os ricos se consideravam necessários para sustentar os menos afortunados, assim como as nações mais ricas são necessárias para socorrer as pobres. O clero, os príncipes da Igreja, também estava voltado como todos para a busca do luxo. No entanto, havia sempre certa ambivalência sobre a própria existência desse luxo, não só em doutrinas religiosas como nas posições de filósofos, como Mêncio, que proclamavam que o luxo era desnecessário para a vida humana, nocivo e em algumas vezes um pecado. Ainda assim, era certamente o objetivo dos poderosos – tanto nos meios eclesiásticos como nos leigos, entre comerciantes, senhores de terra ou profissionais – acumular riqueza para poder se comportar de forma especial. As duas tendências permaneciam em divergência, produzindo ambivalência em muitos, que era resolvida pela prática da ascese (recusa a objetos luxuosos ou mesmo sua destruição) por alguns, como no caso notável de São Francisco de Assis. Quando jovem, Francisco vivia voltado aos prazeres, à fidalguia e em ostentosa prodigalidade. Uma doença o fez voltar a atenção para outra dimensão da vida. Devotando-se à pobreza, ele fez votos de nunca negar uma esmola. Abandonou sua herança e passou a usar somente uma túnica marrom de lã grosseira, amarrada com uma corda de cânhamo. Depois, fundou a Ordem dos Franciscanos, que, como outras, baseava-se em votos de castidade, pobreza e obediência. Destes, a pobreza era o mais importante (convidando à caridade), e a ordem repudiou toda a ideia de propriedade privada.

A disseminada ambivalência com respeito ao luxo e aos ricos raramente foi manifestada de forma tão extremada. A real natureza da caridade depende, em considerável medida, da percepção de que o que é uma pequena mudança para o privilegiado, que vive no luxo, é essencial para o pobre. Tanto o alto consumo que o luxo implica e, por outro lado, sua ausência – a pobreza – são aspectos de diferenciação na economia, a emergência de ricos e pobres, que ocorreu de maneira marcante com a Idade do Bronze, quando o relativo "igualitarismo" econômico das sociedades antigas foi rompido pelas novas técnicas de produção que capacitaram um homem com um arado a produzir muito mais que outro, possibilitando que um ficasse mais rico e outro mais pobre.[29] Em outras palavras, tanto a caridade, como a ambivalência com relação ao luxo, à pobreza e aos ricos foram produtos das mudanças da Idade do Bronze, e não ocorreram nas sociedades de agricultura de enxada da África. Não que estivessem de todo ausentes, mas foram menos explicitamente matéria de elaboração ideológica.

O comportamento do luxo, como o da caridade, é um aspecto dinâmico de todas as sociedades estratificadas. Muda ao longo do tempo, tanto por razões externas como internas. Como razões externas refiro-me às forças de mercados e às técnicas produtivas, que, por exemplo, transformaram o açúcar de artigo de luxo em mercadoria de consumo massificado. Uma

---

[29] Não quero sugerir que não havia pobreza em outros tipos de sociedade, mas era de uma ordem diferente.

vez que os elementos da classe alta se definem a partir de itens de luxo, eles têm sistematicamente que procurar novos itens para servir como sinal de diferença, itens que outros não podem adquirir pela raridade ou preço. Em *The Structures of Everyday Life*, Braudel observa que precisamos sempre distinguir a condição da minoria – "os privilegiados, que consideramos viver luxuosamente" – da maioria.[30] Entretanto, os aspectos distintivos mudam frequentemente. "O açúcar era, por exemplo, um luxo antes do século XVI; o papel continuava sendo um luxo nos últimos anos do XVII, assim como o álcool e os primeiros 'aperitivos' no tempo de Catarina de Médici, ou os colchões de penas de cisne e as xícaras de prata dos boiardos russos antes de Pedro, o Grande". Laranjas eram um luxo na Inglaterra no período Stuart e mais adiante, sendo apreciadas especialmente no Natal. Tudo isso mudou quando os luxos dos privilegiados tornaram-se necessidades universais e a produção para a elite voltou-se para o consumo de massa.

Mudanças nos bens de luxo podem também ocorrer internamente como resultado de modismos. Segundo Braudel, a moda apareceu na Europa em 1350 com a mudança das túnicas para curtas e leves, mas só se tornou poderosa por volta de 1700, quando "começou a influenciar tudo".[31] No entanto, isso só na classe alta; os aldeões continuaram com seus estilos velhos e imutáveis, que, segundo Braudel, eram o padrão das civilizações do Oriente.

Esse tema da mudança é o favorito de alguns historiadores eurocêntricos que consideram o Ocidente o "inventor da invenção".[32] Essa declaração não tem sentido, como vimos no capítulo "Ciência e civilização na Europa Renascentista", examinando o importante trabalho de Needham sobre a China. Isso também acontece com algumas teses mais nuançadas de Braudel. O problema da mudança, não só com relação ao comportamento de luxo, mas mais genericamente, é intrínseco às percepções ocidentais das sociedades orientais. O capitalismo requer mudanças; a tradição, o imobilismo. No entanto, todas as sociedades mudam em diferentes velocidades, em diferentes contextos. Já sustentei que em antigos sistemas religiosos muitos cultos tendiam a exibir uma obsolescência embutida, dirigida ao Deus que falhara.[33] Eventualmente, percebia-se que esses cultos não funcionavam e a busca por novas soluções para as dificuldades humanas prosseguia sendo um aspecto essencial nessas sociedades. Decorrência disso é a rotatividade de santuários:

[30] Braudel, 1981 [1979]:183.
[31] Braudel, 1981:317.
[32] Landes, 1999; Goody, 2004.
[33] Goody, 1957.

os antigos são desprezados quando falham e então surgem novos. Esse processo talvez devesse ser considerado exterior ao campo da moda, mas é também uma questão de mudança em nível mais trivial. Esse nível também se encontra nas culturas orais como a dos LoDagaa no norte de Gana. Canções e melodias para xilofone mudam frequentemente, mesmo nos rituais, como também, pelo menos no presente, as danças e os vestidos de algodão que as mulheres vestem. Tal comportamento está muito próximo da moda, especialmente no uso de roupa importada.

O papel da moda e do luxo para promover o capitalismo foi tema do economista alemão Sombart, entre outros, como vimos no capítulo "O roubo do 'capitalismo': Braudel e a comparação global". Esse papel não era exclusivo da Europa, mas largamente promovido pela crescente atividade econômica das sociedades pós-Idade do Bronze. A rapidez da mudança aumentou ao longo do tempo. Assim como o aumento no volume do comércio, das trocas e seus produtos constituiu-se em importante aspecto da vida moderna, o mesmo aconteceu com o aumento das mudanças na moda. Braudel, como vimos, situa o início desse aumento por volta de 1700. Essa data refere-se à moda na corte francesa de Luís XIV (1638-1715). Luís insistia que os nobres morassem em Versalhes parte do ano pelo menos, e foi no contexto de suas existências ociosas que mudanças regulares no vestir foram estabelecidas. A corte francesa passou a convidar mestres de seda de Lyon para visitá-la a cada seis meses, e discutir novos modelos. Não foi o fenômeno da mudança, da nova moda, que foi marcante, mas sim como ela se estabeleceu de forma regular; os efeitos que isso teve na produção industrial foram significativos. Na França, a rapidez da mudança no desenho das roupas de seda para a aristocracia foi tão grande que, no século XVIII, extinguiu a manufatura de seda da cidade italiana de Bolonha, até então a grande produtora de roupas de seda. A indústria italiana não suportou a concorrência.[34] A competição se instalou e estabeleceu o padrão dos atuais desfiles anuais de moda em Paris, Milão, Nova York, Londres e outras capitais, desfiles que são mercados de vestuário dos ricos (mulheres, no caso), mas que também ditam a produção de massa. Com os modernos desenvolvimentos socioeconômicos, essa produção se adaptou aos ditames "da moda", em escala menos luxuosa.

Houve certamente um aumento na velocidade de mudança da moda e dos bens de luxo na Europa, bem como no número de participantes, junto

[34] Poni, 2001 a e b.

com o desenvolvimento da produção industrial e do mercado consumidor de massa. Essa mudança não se deveu a alguma tendência nata a mudanças que distinguia a Europa de algumas "mentalidades" diferentes, mas, em vez disso, à natureza do mercado e do processo produtivo. Assim, a tese de Braudel de que a moda era exclusivamente europeia estava errada. Contestando a ideia de sociedades que mudam e sociedades que não mudam, Elvin registra que, na China, a moda nas roupas femininas era conhecida como "a tendência dos tempos", encontrada em Shangai no final do século XVII.[35] Desconfio que, em menor escala, essa tendência poderia ser rastreada mais cedo e provavelmente em todo lugar.

No início, a moda era um símbolo de *status* para os ricos, como o luxo em geral. Como em muitas outras sociedades pós-Idade do Bronze, as roupas eram com frequência ditadas pela classe; em alguns lugares, as leis suntuárias limitavam certos produtos para determinados grupos na hierarquia, em outros, as diferenças eram mais informais. A seda, por exemplo, foi proibida aos cidadãos de Paris por Henrique IV.[36] No entanto, com o desenvolvimento da manufatura e do intercâmbio, tanto nacional como internacional, o crescimento em número e o prestígio dos envolvidos – a burguesia –, tornou-se cada vez mais difícil manter essas restrições, na Europa e outros lugares. As classes inferiores faziam todos os esforços para adotar o comportamento das classes altas, especialmente quando a aquisição de riquezas ameaçou as categorias de *status* existentes. Curiosamente, as leis suntuárias foram facilitadas na China na mesma época que na Europa, quando em ambas a burguesia emergente não pôde mais ser controlada, provocando mudanças semelhantes, que eram, sem dúvida, o resultado do comércio exterior e da "evolução" interna. Depois disso, a moda e o "gosto", em vez da lei, assumiram a função de distinguir a elite, e todo o processo tornou-se mais flexível, porém mais complexo. Entretanto, a virtude da caridade (aos pobres), a ambivalência com relação ao luxo (para os ricos), o uso de roupas para distinção de *status* e de leis para proteger isso, o papel da moda não são fatores exclusivos de uma cultura da Eurásia, são encontrados em todas as grandes sociedades urbanizadas.

Concluindo, muitos europeus se veem como herdeiros do humanismo do Iluminismo, bem como das Revoluções Francesa, Americana e Inglesa, que supostamente produziram novas sociedades, novas formas de vida. Um aspecto

---

[35] Elvin, 2004:xi.

[36] Braudel, 1981:311.

dessa nova e iluminada vida é a democracia moderna. A Europa também reivindicou valores que são considerados invenção dela num nível retórico (e em particular num nível textual) e tidos como de aplicação universal, mas que, na prática, são tratados contextual e contingencialmente. A distância entre os objetivos manifestos (valores) e a prática real pode ser muito grande; e considera-se que o Oriente carece de ambos. Na verdade, valores humanos e, nesse sentido, humanismo são encontrados nas sociedades humanas, nem sempre da mesma forma, mas frequentemente de forma comparável. Com certeza, a tríade individualismo, igualdade e liberdade não pode ser associada exclusivamente à democracia moderna nem ao Ocidente moderno. Como a caridade, ela se encontra disseminada de modo bem mais amplo.

AMOR ROUBADO:
EUROPEUS REIVINDICAM AS EMOÇÕES

A Europa reivindicou a exclusividade não somente de certas instituições especiais e valores, mas também de algumas emoções – particularmente o amor.[1] Algumas formas de amor e, às vezes, a própria ideia do amor são vistas como um fenômeno puramente ocidental. Essa ideia é especialmente forte entre muitos historiadores medievais, como Duby, que criaram a tradição de que o "amor romântico" nasceu na sociedade de trovadores do século XII na Europa. Historiadores modernos de família têm usado a ideia de exclusividade das relações de amor para explicar certos aspectos da vida doméstica conectados com a transição demográfica de famílias maiores para menores e com o papel da família conjugal no crescimento do capitalismo. Alguns sociólogos veem a família conjugal como a chave para a modernização, especialmente a modernização da vida afetiva. Outros, de maneira mais geral, consideram o amor estando ligado às suas religiões – um atributo da Cristandade e da caridade cristã ("amai ao próximo") com o amor sendo interpretado como amor fraterno. Uma hipótese geral defendida por muitos estudiosos europeus, inclusive psicólogos como Person, é de que a ideia teria se espalhado pela cultura ocidental com a "crescente ênfase na individualidade como um valor básico".[2] Acredita-se que o amor, amor romântico, caminha passo a passo com o individualismo, com a liberdade (de

---

[1] Este capítulo é baseado nos textos que escrevi para a coletânea organizada por Louisa Passerini, especialmente "Love, lust and literacy", reimpresso em *Food and Love* (J. Goody, 1998), e "Love and religion: comparative comments", editado por L. Passerini a ser publicado por Berghan Books, Oxford. Há também referências ao assunto em *Islam in Europe*, Polity Press, 2003, como também em um artigo na coletânea organizada por C. Trillo San José (ed.), *Mujeres, familia y linaje en la Edad Media* (2004).

[2] Person, 1991:386.

escolha do parceiro, diferente do casamento arranjado) e com a modernização em geral. Não estou muito preocupado com a razão de os europeus fazerem essa afirmação etnocêntrica.[3] Só não concordo com ela.

Neste capítulo, acompanho os europeus (e especialmente Hollywood) que tratam do amor romântico como alguma coisa que difere do amor em geral e consideram-no algo que somente o Ocidente tem. Não acho correta essa proposição, por razões que ficarão claras, nem acho que amor "romântico" deva ser considerado distinto, exceto em particularidades, do amor em geral. Em outras palavras, tal atitude é uma invenção do Ocidente para distinguir as culturas dessa região das do resto do mundo.

Comecemos com a conhecida tese de que, ao escrever sobre o amor cortês, os trovadores do século XII foram os primeiros a introduzir a ideia e a prática do amor romântico. Essa suposição é central, por exemplo, para o estudo sobre o amor na Europa do historiador Denis de Rougemont.[4] O amor é interpretado nos mesmos termos desenvolvimentistas do sociólogo Norbert Elias. O que "chamamos 'amor'", "essa transformação do prazer, essa tonalidade de sentimento, essa sublimação e refinamento dos afetos"[5] surge, segundo Rougemont, na sociedade feudal dos trovadores e é expresso em "poesia lírica". Ele vê esses textos, na verdade todo o gênero, como representando "sentimentos genuínos" e, nas palavras do medievalista C. S. Lewis, como um indicador de um "novo estado de coisas".[6] Não há dúvida de que se trata de um gênero poético novo para a Europa cristã, mas não há evidência de novos sentimentos em geral, a menos que se queira dizer que surgiram novas formas de expressão desses sentimentos. Mesmo assim, a novidade da expressão se aplica somente à Europa cristã, não a uma mudança total na consciência do homem. Como veremos, havia muitas expressões de amor, mesmo amor romântico, fora da Europa. A tese de que surgiu pela primeira vez na Europa feudal é insustentável.[7]

Um tema semelhante foi recentemente abordado pelo respeitável medievalista Georges Duby. Ele também considera que "a Europa do século XII tinha descoberto o amor".[8] Mas não vê os trovadores da Aquitânia como os únicos agentes. Melodias do mesmo tipo eram também cantadas em Paris, por Aberlardo, por exemplo, que agia "como um trovador".[9] Atividades como essas também surgiram nas cortes anglo-normandas sob

---

[3] Passerini, 1999.
[4] De Rougemont, 1956.
[5] Elias, 1982:328.
[6] Lewis, 1936:11.

[7] Ver Goody, 1998.
[8] Os escritos de Duby sobre o amor incluem *Que sait-on de l'amour en France au XII⁢ᵉ siècle?*

(1988) e *A propos de l'amour que l'on dit courtois* (1988).
[9] Duby, 1996:61,66.

o plantageneta Henrique II, quando ocorreram "as mais produtivas oficinas da criação literária", de onde surgiu a lenda de Tristão e Isolda.[10] Para Duby, as mudanças na orientação do amor estão relacionadas à "feminização do cristianismo" e ao novo papel dos filhos mais jovens dos cavaleiros, beneficiados pela prosperidade daquele período.

O tipo de amor (*la fin d'amour*) expresso nesses poemas trovadorescos envolve uma medida de ausência e distância, normalmente distância social, entre o cortejador e a esposa do seu senhor. Não somente homens, mas mulheres também (*troubaritz*) compunham poemas de amor. Uma das poetisas mais famosas, Na Castelosa de Auvergne, esposa do Turc de Meyonne, dedicou versos a um certo Armand de Bréon. Um dos seus poemas começa assim:

> *Vouz avez laissé passer un bien long temps*
> *Depuis que vous m'avez quitté.*
> Você deixou passar um longo tempo
> Desde que me abandonou.

O amado sempre tem de partir, ou ser inalcançável, e essa distância, física ou social, é vista como uma característica geral do amor cortês.

No entanto, os sentimentos dessa forma de poesia de amor não são exclusivos. O historiador especialista na Antiguidade, Keith Hopkins, encontrou poemas de amor entre irmã e irmão escritos no Egito Antigo num tempo em que irmãos eram aceitos como companheiros.[11] Na China, entre os séculos IX e VII a.e.c., encontramos poemas de amor compilados em *O livro das canções*. Em meados do século VI, um poeta cortês, Hsu Ling, organizou toda uma coleção de poemas de amor que chamou de *New Songs from a Jade Terrace* (*Novas canções de um terraço de Jade*), que consistia basicamente de poesia pertencente à tradição de corte aristocrática do sul da China. O "estilo de poesia de palácio" apresentava um padrão de retórica que lutava contra as convenções. Uma delas era que "o amante da mulher deveria estar ausente do cenário de amor".[12] Como veremos adiante, a distância era intrínseca à natureza das cartas e da poesia de amor. No Japão também, durante o período Heian (794-1185), o país era conhecido pelos chineses como a "corte de rainhas" e suas mulheres dominavam a cena literária. Em famílias aristocráticas, ao cortejar a futura esposa, o jovem enviava poemas de amor à pretendida e ela correspondia da mesma forma. Uma vez casadas, as mulheres passavam o tempo escrevendo

---

[10] Duby, 1996:73,68.   [11] Hopkins, 1980.   [12] Birrell, 1995:8.

poesia e envolvendo-se em competições, uma das quais consistia em escrever e expor poemas escritos em tiras de papel na Festa da Primavera das Flores de Cerejeira, um ritual tanto religioso como secular.[13] A arte de escrever cartas era a mais importante para o galanteio e para "o cortejar".[14] As cartas de amor tinham um valor especial; diferentemente da situação no cristianismo ocidental (pelo menos em um contexto religioso), o amor não era pecado, era celebração. Livros de educação sexual (literalmente, imagens de diferentes posições) eram com frequência escritos por monges e escondidos no enxoval de jovens moças. No entanto, num período posterior, quando as virtudes militares passaram a ser mais valorizadas, amor e sexo passaram a ser tratados de forma mais puritana. Essa alternância entre puritanismo e celebração, nas atitudes públicas para com o amor, foi associada não somente às questões militares, mas também às religiosas. De fato, pode-se ver o período trovador como uma manifestação europeia desse processo, seguindo as restrições impostas pelo cristianismo da época.

A China e o Japão não são as únicas culturas fora da Europa que conheceram e cultivaram a poesia de amor. Encontramos a expressão literária do amor na Bíblia judaica no "Cântico dos Cânticos" (que, sem dúvida, influenciou a Europa cristã, embora fosse muitas vezes interpretado alegoricamente, como em outras tradições semelhantes, como se o gênero não merecesse a atenção séria na sua forma literal), como também, em considerável quantidade, em sânscrito antigo na Índia.[15] Um modelo mais imediato para a poesia dos trovadores e bem conhecido no século XII na Europa é o trabalho de Ovídio, que viveu em Roma no tempo do imperador Augusto. Para ele, entretanto, o amor é "francamente sensual" e extramarital; na visão de De Rougemont, "há pouco ou nenhum traço da afeição romântica de tempos mais recentes".[16] Esse autor, entretanto, menospreza as várias semelhanças. Em ambas as tradições, o amor era frequentemente extramarital; além disso, entre os trovadores havia certamente um substrato de sexualidade, da mesma forma como em Ovídio havia mais de um traço romântico.

Num estudo abrangente sobre o amor lírico medieval latino e a ascensão da forma europeia (1965), Dronke conclui, ao contrário de Lewis, que não houve um "sentimento novo" no século XII,

(i) "que 'o sentimento novo' de *amour courtois* [amor cortês] é pelo menos tão velho quanto o Egito do segundo milênio a.C., e deve mesmo ocorrer em qualquer tempo ou lugar: que é, como o professor Marrou

---

[13] Ver *La Culture des Fleurs*, edição francesa, Le Seuil, 1994, p. 496.

[14] Beurdeley, 1973:14.

[15] Brough, 1968.

[16] Parry, 1960:4.

suspeitava, *un secteur du coeur, un des aspects éternels de l'homme"* [um setor do coração; um dos aspectos eternos do homem];

(ii) que o sentimento de *amour courtois* não está restrito à sociedade de corte ou cavalheiresca, mas está gravado até no mais antigo verso popular da Europa (que certamente sucedia uma longa tradição oral);

(iii) que pesquisas sobre a poesia cortesã europeia devem se preocupar, portanto, com a variação no *desenvolvimento* sofisticado e culto dos temas de *courtois* e não em procurar origens específicas para esses temas. Pois, se a miragem do sentimento novo é abolida, os problemas particulares da história literária, sem dúvida, permanecem".[17]

Concordaria inteiramente com Dronke que estamos lidando com "uma miragem" vista em termos europeus, mas enfatizaria o papel dela na história mundial. Ao mesmo tempo, eu teria minhas dúvidas, como expressei antes, sobre sociedades orais;[18] o amor lírico parece sempre requerer a composição escrita.

Enquanto a poesia latina servia de antecedente aos trovadores do Languedoc, fontes e influências específicas estavam presentes na forma da tradição islâmica da poesia de amor da Espanha e da Sicília de língua árabe. A explicação mais plausível para a diferença entre Ovídio e o trabalho posterior nesse campo é "que os trovadores foram influenciados pela cultura da Espanha muçulmana".[19] Durante o período dos "pequenos reinos" (*taifas*), antes do advento em 1086 dos puritanos almorávidas (que eram berberes da África), muçulmanos e cristãos viviam lado a lado na Andaluzia. As cortes muçulmanas da Andaluzia eram parte da mesma tradição daquelas presentes no restante da Espanha, que também eram importantes centros para a escrita e declamação da poesia de amor. Era representativo dessa tradição o famoso poeta Ibn Hazm, autor de *The Ring of the Dove* (*O colar da pomba*) (1022), um poema sobre a arte de amar (às vezes interpretado alegoricamente). Havia, claro, muita poesia de amor escrita no mundo muçulmano, que influenciava até as áreas periféricas como a Somália, no chifre da África. Porém, no sul da Espanha a tradição era especialmente forte, e não somente entre os homens, também entre mulheres. Uma das mais proeminentes, Wallada, a filha do califa, tinha um salão literário em Córdova. Havia outras mulheres que

---

[17] Dronke, 1965 i:ix. A referência a Marrou é RMAL, iii (1947), 189. A expressão "o novo sentimento" é usada por C. S. Lewis, *The Allegory of Love*, p. 12.

[18] Goody, 1998:119.

[19] Parry, 1960:1.

também escreviam poesia mostrando "uma surpreendente liberdade em suas expressões e plenitude em seus sentimentos de amor".[20] Na Andaluzia, até mesmo algumas judias dedicaram-se a escrever poemas de amor.

A interação com os Estados cristãos era fácil e frequente. Os próprios poetas eram mediadores da comunicação. "Um grupo de poetas errantes surgira, passando de uma corte para outra",[21] como ocorreu um século mais tarde na França. Na Sicília, poetas do norte frequentavam a corte normanda de Rogério II e a de Frederico II (1194-1256), em Palermo, muito voltada para a cultura árabe, para aprender as artes locais.[22] Os membros da escola siciliana usavam sua língua vernácula em vez do provençal para a expressão da poesia de amor. A eles é creditada a invenção das duas maiores formas poéticas da Itália, o *canzone* (madrigal) e o soneto.

As mulheres muçulmanas e judias participavam de atividades que a tradição europeia parecia considerar incompatível com a cultura de desigualdade de gênero (que considerava as mulheres incapazes de experimentar o amor romântico, exceto talvez em um contexto religioso). A inegável influência da Europa muçulmana sobre seus vizinhos cristãos apresenta uma séria ameaça à ideia de que o amor romântico foi inventado espontaneamente nas cortes cavalheirescas da Europa. Para resgatar uma origem europeia própria para o amor (junto com outros componentes da chamada vida familiar "moderna"), alguns acadêmicos lembram que o papel proeminente das mulheres em Andaluzia buscou sua força nas raízes mais antigas do país, nas populações (visigóticas, ibéricas) que lá haviam chegado antes das invasões muçulmanas. Uma visão similar foi tirada de outros aspectos da vida familiar da Andaluzia e foi particularmente popular durante o período fascista na Espanha, quando houve uma tendência a subestimar a contribuição islâmica tanto para a vida social como para a Europa em geral. Essa tendência foi contestada pela contribuição pioneira de Guichard para a história da região em seu livro *Structures sociales 'orientales' et 'occidentales'*[23] e pela pesquisa subsequente dos acadêmicos da Andaluzia. Em uma perspectiva mais ampla, tem havido uma nova percepção do papel das mulheres sob o Islã. Os ocidentais ficam surpresos hoje com as imagens de mulheres usando véu, com a poligamia e o não encorajamento da educação formal feminina. Essa perspectiva persiste na consciência coletiva, no discurso político e mesmo nos debates acadêmicos, embora pesquisas mais recentes tenham proporcionado variadas visões sobre

[20] Viguera, 1994:709.
[21] Parry, 1960:8.
[22] Asin, 1926.
[23] Guichard, 1997.

essas questões e revelado semelhanças mais profundas nas atitudes e práticas de europeus e muçulmanos no Mediterrâneo. Na região do Mediterrâneo, o uso do véu é símbolo de *status* social como foi na Renascença italiana ou na Europa vitoriana. Além dos haréns principescos, matrimônios plurais são, de fato, restritos a uma pequena minoria de uniões, menos de 5%, geralmente em circunstâncias especiais, por exemplo, para prover um herdeiro. Essa poligamia se assemelha aos casamentos seriais de Henrique VIII, salvo que, a esposa não favorecida não é dispensada (divorciada). Outras práticas afins, como o concubinato e os romances extraconjugais, são comuns entre as populações europeias. De qualquer modo, a poligamia não evita o desenvolvimento de sentimentos pessoais e individualizados, inclusive o amor. Como vemos na história do casamento de Jacó, além da esposa principal há sempre uma "favorita" (Raquel) com quem o marido pode estar ligado de forma romântica. Quanto à educação, as escolas do Alcorão (para meninos) não eram as únicas formas de instrução; tutores, às vezes da família, davam aulas particulares para as mulheres. No entanto, a exclusão das mulheres da educação escolar refletiu-se nas escolhas de vida de muitos no islamismo, como aconteceu até recentemente no judaísmo e na Europa cristã.[24]

Como se vê, a questão da origem da poesia trovadoresca desenvolve-se paralelamente a uma questão mais geral sobre a natureza da sociedade andaluza e islâmica. A situação das mulheres (que afeta sua participação nas relações de amor) deve ser explicada por suas raízes europeias ou, ao contrário, pela interferência muçulmana? Sob o Islã, as mulheres geralmente eram livres para ir aos mercados, tanto como compradoras como vendedoras. Na Turquia, elas apareciam com frequência nas cortes judiciais. De Gana e outros lugares elas empreendiam a árdua peregrinação para Meca. Como já observei, Guichard sugere que precisamos recorrer a um estudo de classe para explicar a situação. Mulheres de grupos sociais elevados estavam frequentemente submetidas a regras mais restritivas, enquanto as mulheres do setor de entretenimento eram muito mais livres. Cantoras, dançarinas, musicistas, poetas eram ofertadas como presentes entre cortes, mesmo entre governantes muçulmanos e cristãos. Essa permuta parece ilustrar as semelhanças estruturais nas duas tradições, bem como os canais de comunicação de ideias sobre poesia e amor. As fronteiras entre as cortes e territórios de diferentes convicções religiosas eram frequentemente bem porosas.

---

[24] Apesar de as mulheres muçulmanas serem excluídas da educação formal na maioria das *madrasah*, recebiam educação religiosa, segundo Berkey (1992:161ss.).

Esse fato levou, recentemente, alguns acadêmicos a considerar mais profundamente a questão da influência muçulmana na poesia trovadoresca. Os temas são semelhantes em muitos aspectos como o são as formas métricas. Vimos que poetas viajaram de uma região para outra, sempre sob algum tipo de proteção informal.[25] Assim, a probabilidade de aquilo que foi para a Europa ocidental ser uma forma inovadora de literatura estimulada pelo contato com o islamismo parece grande. Tanto em relação à prosódia como ao conteúdo foi dito que "não há precursores de letras trovadorescas no Ocidente, mas existem analogias convincentes em temas, imagens e forma de verso com a poesia árabe-hispânica".[26] Em seu trabalho sobre as relações entre árabes e a Europa na Idade Média, o historiador Daniel comenta:

> No geral, parece inegável que a poesia cortês em árabe, com frequência trivial, varia de forma muito mais ampla em tema e tratamento que o verso trovadoresco. Se este último não ocupou uma posição especial na história literária europeia, foi talvez por ter sido visto como não mais que um ramo provinciano e decadente dos poetas de corte da Espanha [...]. Se, no entanto, os conceitos europeus de amor cortês derivam dos pequenos reinos dos taifas [que apareceram quando o califado caiu em 1031], toda a tradição romântica na literatura europeia possui um débito quase desproporcional para com a Espanha do século xi.[27]

Mesmo Nelli, historiador francês dos trovadores e dos cátaros, vê a tradição romântica, o freio aos atos sexuais íntimos e a subordinação do homem à dama como derivações, em parte, de fontes árabes, bizantinas e outras. "Todas as possibilidades de Nelli", assinala Daniel, "sugerem a ambiguidade ou multiplicidade da origem do romantismo europeu". Quão diferente é essa conclusão das afirmações do influente literato medievalista, C. S. Lewis, que escreveu que os trovadores:

> no século xi, descobriram ou inventaram ou foram os primeiros a expressar tipos românticos de paixão sobre os quais poetas ingleses ainda escreviam no século xix [...] e eles ergueram barreiras intransponíveis entre nós e o passado clássico ou o presente oriental. Comparado com essa revolução, a Renascença é uma mera ondulação na superfície da literatura.[28]

A ideia de que foram os trovadores quem, pela primeira vez, fizeram do amor "não um pecado, mas uma virtude"[29] deve ser correta para a

---

[25] Asin, 1926.
[26] Nykl, 1946.
[27] Daniel, 1975:105-6.

[28] Lewis, 1936:4.
[29] Roux, 2004:166.

Europa medieval, mas insustentável de uma perspectiva mundial, e ilustra a estreiteza de um ponto de vista literário confinado à literatura ocidental. Um elemento interessante percebido por Roux é que a poesia provençal não somente elaborou sobre a beleza física da mulher numa era teocrática, mas, pela primeira vez na Europa, excluiu qualquer referência tanto à salvação quanto ao sobrenatural e ao maravilhoso,[30] fazendo surgir um novo humanismo, que leva o autor a fazer referência a uma abordagem secular da vida e a uma integração entre a ética feudal e os "relacionamentos de amor". Como afirmei, também sob o islamismo o povo viveu períodos similares, tanto na Europa como em outros lugares. O aspecto secular no amor e em outros assuntos não foi monopólio da Europa, embora seja verdade que a Renascença tenha visto sua expansão em várias esferas. No entanto, a exclusão da referência religiosa e sobrenatural entre os trovadores conta em favor da influência de poetas e acadêmicos vindos de diferentes tradições que sabiam o que tinham que excluir. Tal influência não surpreende, visto que o provençal estava linguisticamente próximo do catalão do norte da Espanha e que os cátaros, por exemplo, embora não cruzassem essa fronteira, tinham comunidades tanto na Espanha como na França.[31]

É possível que na Europa cristã a expansão do amor tivesse que ocorrer em um contexto secular, fora da esfera religiosa, por causa dos limites que esta última impunha. Isso não ocorreu em todo lugar; o humanismo, no sentido secular, não foi um pré-requisito para o desenvolvimento ou expressão de sentimentos de amor. A matéria era de largo interesse no mundo muçulmano, tanto no contexto secular como no religioso. A ênfase no segundo era especialmente marcada no sufismo. Um mestre sufi escreve – "Não sou cristão, judeu ou muçulmano [...] o amor é minha religião".[32] De fato, amor secular e amor religioso estavam muito mesclados. Em interessante contribuição, que cito em detalhes por suas ligações com capítulos anteriores, o antropólogo Yalman escreve:

> O interesse no amor como uma doutrina social pode ter surgido com os *tarikats* místicos, há muito tempo, no islamismo. Há muita discussão sobre o coração: amor nesse sentido é uma doutrina perigosa, até mesmo subversiva. Assim são vistos os *tarikats* até os dias de hoje em muitos lugares. O amor dos homens por Deus, e entre si, tem uma qualidade dionisíaca difícil para as autoridades controlarem. Esse amor, irreprimível e absoluto, é expresso em rituais altamente emotivos – as peças de paixão de Shi'a ou o ritual de canto (*dhikr*) das várias ordens dervixe, ou o *sema*

---

[30] Roux, 2004:166-7.   [31] Weis, 2001.   [32] Zafrani, 1986:159.

(ritual de giros) dos mevlevis e, em todos os casos, relata-se que o efeito do ritual comunal é a submersão do indivíduo no "oceano de amor" de seu grupo. O nível pelo qual o Oriente Médio, pelo menos, foi suscetível a tais ideias pode ser entendido a partir do fato de o amor Divino (*tasavvuf*) ser o tema maior e mais persistente na poesia e música dos impérios Otomano, Persa e Mugal. A corrente fluiu profunda e largamente por muitos séculos, e ainda corre. Vastos textos de poetas maiores como Yunus Emre e Mevlana Celaleddin Rumi, Sadi, Hafiz, e muitos outros, versam sobre o amor Divino. Atrás da espiritualidade divina sente-se a poderosa imagem do amor como uma metáfora para as relações humanas. De novo, a insistência é na experiência mística comunal. A experiência mística individual e o êxtase são associados mais propriamente aos cristãos.

A metáfora do amor, o amor dos homens por Deus e entre si, tem certas implicações políticas. Ela nega, claro, a qualidade mecânica que sociedades bem-sucedidas, algumas vezes, apresentam. O amor, como uma paixão consumidora, deixaria de lado formalidades e minaria as barreiras sociais. Iria corroer os privilégios daqueles pequenos grupos fechados que normalmente dirigem instituições importantes da sociedade e insistiria que as estruturas hierárquicas, construídas com zelo e dependentes de pessoas que mantêm seus lugares e fazem seus deveres, deveriam ser destruídas. Insistiria em que os homens fossem iguais entre si, dissolvessem as barreiras que os separam e os unissem num sentido de comunidade e identidade, unindo-os entre si e com Deus.[33]

Um exemplo extraordinário do êxtase do amor, que associa o divino com o secular, foi a relação homossexual do grande poeta Rumi com o viajante Shems. Uma associação similar, nesse caso heterossexual, ocorre no influente trabalho do poeta sufista andaluz, Ibn Arabi (1165 e.c., Múrcia-1240, Damasco). Ele estudava a tradição profética em Meca com Ibn Rustan de Isfahan, quando conheceu a virginal filha deste, Nizam. Ela era "uma delgada donzela, de olhar cativante, que enchia nossos encontros de graça [...] se não fosse por tais almas, tendentes aos maus pensamentos e intenções, descreveria em detalhes todas as virtudes que Deus lhe deu, comparáveis a um fértil pomar". Seu trabalho sobre "A interpretação dos desejos" é dedicado a Nizam (Harmonia) e, mais tarde, ele explica que todas as expressões usadas em seu verso (expressões apropriadas para a poesia de amor) aludem a ela e, ao mesmo tempo, a uma realidade espiritual.[34] O relacionamento tem sido comparado com o de Dante e Beatriz; de fato, reivindicou-se uma influência direta sua sobre o florentino. A associação do amor secular com o divino é particularmente forte no islamismo, como também no cristianismo; no entanto, no islamismo podemos encontrar

---

[33] Yalman, 2001:272.
[34] Ver V. Cantarino, 1977; R. Nicholson, 1921; Ibn Arabi, 1996.

uma separação (porém sem distinção absoluta) em certas formas de poesia e na arte de Mugal e outras cortes.

Segundo os estudos de Caroline Bynum sobre o misticismo das mulheres medievais,[35] às vezes os dois aspectos do amor, o espiritual e o sensual, tornam-se muito mesclados. A mística do século XIII Hadewijch escreveu sobre sua união com Cristo: "depois que ele próprio veio para mim, tomando-me inteiramente nos braços e me apertando junto a si, todos os meus membros sentiram os seus em plena felicidade [...]".[36] Essa preocupação com a carne é ligada à ideia de que Cristo tinha uma natureza humana bem como uma divina, o Deus invisível se fez visível como incorporado pela doutrina da encarnação. Como em outras grandes religiões, no cristianismo, o limite entre o amor secular de homem/mulher e o amor espiritual de Deus (e de Deus pela espécie humana) é sempre indistinto. A mesma palavra é usada para ambas as emoções, e o amor romântico, como no "Cântico dos Cânticos" ou em *O colar da pomba*, pode ter um significado alegórico-espiritual, já que o amor é visto como parte intrínseca de um complexo de ideias e práticas religiosas. O amor de Deus (dado e recebido), o amor de homem, o amor de mulher são unidos pelo uso dessa palavra, que implica um elemento comum em uma variedade de formas. A Bíblia hebraica também usa a mesma palavra para o amor de Deus, de companheiro ou de companheira. Por conseguinte, os rabinos podiam interpretar o aparentemente erótico "Cântico dos Cânticos" como o amor de Deus por Israel, uma interpretação que os cristãos, mais tarde, transferiram para o amor de Cristo por seu povo. Esse livro só foi incluído nas escrituras sagradas porque o rabino Aquiva (século I e.c.) decidiu lê-lo alegoricamente; não há nada no texto propriamente dito que sugira tal interpretação.[37] Os primeiros três capítulos de Oseias mostram a mesma identificação, alguns protestantes mais tarde diriam confusão. Entretanto, parece que há uma diferença em hebraico entre o amor (*'ahebh*) e o desejo (*shawq*). Quando Deus amaldiçoa Eva, ele diz que o "desejo" (*shawq*) dela deve ser por Adão, e não que ela deva ter "amor" (*'ahebh*) por ele.

Essa identificação de amor por uma mulher, por um país ou por Deus era comum no Antigo Testamento e continuou mais tarde. Nos escritos do judeu Ibn Gabirol (*c.*1021-*c.*1057), muito influenciado pelos modelos islâmicos, a poesia de amor também continha um elemento de amor cósmico, da relação privilegiada entre Israel e seu Deus. Zafrani escreve sobre "*compositions du*

---

[35] Bynum, 1987.
[36] Hart, citado J. Soskice, 1996:38.

[37] Agradeço a Jessica Bloom por esse comentário, a Andrew Macintosh e aos escritos do Prof. N. O. Yalman.

reste ambiguës, qu'elles soient liturgiques ou profanes, dont on ne peut dire s'il s'agit d'amour mystique, ou de la relation avec un être plus proche, le disciple ou l'ami" ("composições ambíguas, litúrgicas ou profanas, das quais não se pode dizer que se referem ao amor místico ou a uma relação com alguém mais próximo, o discípulo ou o amigo").[38] Note que, enquanto a poesia árabe era frequentemente profana e mesmo erótica,[39] a poesia judaica no Magrebe sempre foi principalmente religiosa, apesar de ter seu outro lado. O grande filósofo judeu Maimônides denunciou vigorosamente o uso da poesia. O verso secular não era sempre respeitável, especialmente a canção (com frequência cantada por escravas e acompanhada de vinho).[40]

Em alguns ramos do cristianismo europeu, as duas formas de amor, mesmo possuindo o mesmo nome, são em muitos contextos completamente opostas. Na Igreja Católica romana, padres são proibidos de se casar (bem como, é claro, de manter relações sexuais). São obrigados a juntar-se ao amor mútuo de Deus bem como à eterna amizade (fraternidade) para com toda a espécie humana e para com toda a criação de Deus. No entanto, afora o mérito que o catolicismo outorga ao celibato tanto de homens como de mulheres, dúvidas ou críticas ao amor, mesmo o amor no casamento, são parte da crença cristã, na história de Adão e Eva e incorporadas nas palavras de Cristo e de seu apóstolo Paulo. A oposição torna-se particularmente aguda nas versões dualistas da fé cristã, aproximando-se do maniqueísmo, onde há uma linha cortante entre este mundo e o outro, entre o mau e o mundano, de um lado, e o bom e espiritual, do outro. Para ser "perfeito" entre os cátaros do século XII – e todos tinham esse objetivo –, tinha-se de renunciar ao amor carnal como uma das coisas desse mundo completamente contrário ao mundo espiritual, a Deus, à vida religiosa. Como resultado, eles renunciavam ao mundo, à carne e ao demônio. O caminho da renúncia afeta até mesmo a laicidade cristã. No fim da vida, a nova religião de amor de Tolstoi o levou ao abandono da família e à renuncia aos laços terrenos, inclusive o amor da sua esposa e dos 13 filhos. Nesse caso, a mudança não foi tanto entre amor secular e divino, mas entre amor carnal e fraterno. Os gregos distinguiam as duas principais formas de amor espiritual e secular como *eros* (isto é, erótico, sexual) e *ágape* (fraterno ou social). No cristianismo, esses sentidos eram representados pela mesma palavra, e as ideias com frequência se misturavam, embora houvesse contextos em que alguma diferença era feita. Os trovadores lidavam com o amor secular. Mas isso também ocorria com algumas tendências da poesia de amor da Índia sânscrita, da antiga China e no Islã. E, en-

---

[38] Zafrani, 1986:109.   [39] Zafrani, 1986:134.   [40] Zafrani, 1986:136.

quanto a poesia dos judeus do Magrebe era religiosa, o "Cântico dos Cânticos" aponta para o sentido secular (embora com frequência interpretado alegoricamente). O que encontramos na maioria dessas tradições, a longo prazo, é alguma alternância de ênfase entre elementos religiosos (e puritanos) e seculares (mais expressivos). Os contemporâneos dos poetas trovadores das mesmas regiões do sul da França eram os cátaros que colocaram firmemente o amor secular numa moldura religiosa puritana, especialmente entre os "perfeitos", seus líderes espirituais. Portanto, a ambiguidade era encontrada não somente na alternância ao longo do tempo, mas também em diferenças contemporâneas na crença.

Vamos estender essa discussão para o âmbito do sexo, porque, embora amor e sexo não se identifiquem, também não podem, na maioria dos casos, ser separados. Certo, temos "amor platônico", amor de companheiro homem ou mulher, amor a Deus e mesmo autoestima. Mas, na maioria dos casos, "fazer amor" com outro é um aspecto do amor e esse amor é essencialmente terreno e geralmente secular.

A dualidade entre o bem e o mal permanece, mas no islamismo o ato sexual legítimo vai para o outro lado do divisor de águas se comparado ao catarismo. No entanto, alguma ambivalência existe largamente nas sociedades humanas e se estende a vários comportamentos que cercam o amor. Em algumas sociedades, o sexo é proibido entre familiares próximos (como no cristianismo), em outras, amplamente estimulado (como no islamismo). O islamismo parece ser uma religião que em geral não coloca uma mão fortemente reguladora na sexualidade humana. De fato, um dos *hadith*, histórias tradicionais associadas à vida de Maomé, expressa que todas as vezes que um homem tem intercurso sexual legal, ele empreende um trabalho de caridade.[41] No entanto, a ambivalência faz-se presente; entre os árabes as palavras rituais adequadas na iniciação de relações sexuais com a esposa são: "procuro refúgio em Deus do maldito satanás. Em nome de Deus, o beneficente, o misericordioso".[42] Porque enquanto o intercurso podia implicar a realização de um serviço a Deus, a situação total é mais complicada, uma vez que o islamismo também se reporta à queda do homem, que traz um aspecto óbvio da ambivalência sobre o sexo. A queda está ligada à sexualidade masculina, mas um Adão requer uma Eva, então há alguma coisa aqui com a mesma dúvida com relação a sexo e o amor que encontramos na narrativa do Bagre dos LoDagaa,[43] embora em cada caso as uniões aprovadas por Deus pareçam ser opostas às de Satanás.

---

[41] "Segundo Abu Dharr".   [42] Goode, 1963:141.   [43] Goody e Gandah, 2002:15.

Os defensores da tese da descoberta europeia do amor romântico pelos trovadores também faziam uma avaliação semelhante de certas atitudes com relação à sexualidade e ao casamento, considerando-as exclusivas. Por exemplo, Elias, cujo trabalho examinamos no capítulo "O roubo da 'civilização': Elias e a Europa absolutista", trata da sexualidade em uma seção intitulada "mudanças de atitudes nas relações entre os sexos".[44] Conforme sua visão geral da "história dos costumes", ele começa afirmando que "o sentimento de vergonha a respeito das relações sexuais humanas mudou consideravelmente no processo civilizador".[45] Ele extrai a evidência disso de comentários feitos no século XIX aos *Colóquios* de Erasmo publicados no século XVI; segundo os comentários, o texto de Erasmo expressa "um padrão diferente de vergonha" comparado a um período mais recente. Essa diferença faria parte do processo civilizador já que nesse período posterior, "mesmo entre os adultos, tudo que é ligado à vida sexual é oculto em alto nível, e liberado nos bastidores".[46] A vergonha do ato sexual é interpretada como decorrente do processo civilizador da Europa renascentista. Eu a vejo ligada a uma ambivalência muito maior.

Elias também percebe uma evolução semelhante com relação ao casamento monogâmico que a Igreja institucionalizou muito cedo em sua história. "Porém o casamento assume essa forma estrita como uma instituição social – que aprisiona ambos os sexos – somente mais tarde, quando impulsos e iniciativas encontraram-se sob controle mais firme e mais estrito. Porque somente então as relações extraconjugais para homens ficam de fato excluídas socialmente, ou, pelo menos, sujeitas ao sigilo absoluto".[47] Parece algo duvidoso, que talvez tenha sido válido para o período vitoriano na Inglaterra, mas de forma alguma valeu em todo lugar, mesmo na Europa. No entanto, ele segue em frente, tentando firmar sua tese: "no curso do processo civilizador, o impulso sexual, como muitos outros, fica sujeito a controles mais estritos e transformação".[48] Pode ter sido válida essa afirmação nos anos 1930 (embora eu tenha muitas dúvidas a respeito), mas depois dos anos 1960 é difícil ver uma evolução de "controles cada vez mais estritos". As mulheres experimentaram alguma liberação nesse sentido e em outras esferas; os homens também não são mais "formais" do que no período vitoriano. Sobre isso, a Inglaterra vitoriana tem de ser vista como um caso especial de inibição.

---

[44] Elias, 1982:138ss.

[45] Uma nota refere-se a comentários de Ginsberg, Montaigne e Freud sobre influências sociais no comportamento, mas que não dão qualquer suporte à ideia de uma progressão em questões de vergonha.

[46] Elias, 1982:146.

[47] Elias, 1982:150.

[48] Elias, 1982:149.

Escrúpulos sobre o amor mundano não começam com as religiões escritas, embora alguns mencionem a história de Adão e Eva – tão aclamada nos frontões das igrejas românicas, lembrando que foi a tradição judaico-cristã (como é com frequência chamada, erroneamente se omitindo o islamismo nisso) –, que confere sentimentos de culpa ao ato sexual, uma culpa que Deus impôs aos primeiros humanos pelo desrespeito de seu tabu, com a consequente exclusão do Paraíso. A religião indiana também, apesar de muito mais explícita a respeito do ato sexual em esculturas nos templos, não somente encoraja sua renúncia por outros modos, como vê esse ato como "poluidor", como portador de sujeira e impureza, pelo menos espiritualmente. Vemos uma ambivalência semelhante quanto à procriação humana no mito do Bagre dos LoDagaa, uma cultura oral.[49] Em uma das versões, o primeiro homem e a primeira mulher fazem sexo, mas se mostram reticentes em admitir seu ato diante de Deus, o criador. A sexualidade é sempre virtualmente um ato privado; e essa mistura de fluidos tem seus perigos bem como suas bênçãos.

Aos trovadores (mas não os cátaros, que, como maniqueístas, eram cautelosos com o amor carnal) é frequentemente creditada a invenção europeia do amor. No entanto, como vimos, outros autores consideram o desenvolvimento desse sentimento (pelo menos em sua forma fraterna) como inerente ao cristianismo propriamente dito, na noção de "caridade" (*caritas*) e na injunção do amor ao próximo, irmão ou outro. Nenhuma explicação é oferecida sobre como o cristianismo, com as mesmas raízes e textos sagrados do judaísmo e do islamismo, teria se desenvolvido dessa forma. De fato, todas as grandes religiões mundiais, nascidas da Idade do Bronze com suas diferenças socioeconômicas radicais na forma das "classes", produziram algum tipo de estímulo à caridade. Esse é o caso do *waqf* islâmico e de instituições similares encontradas entre os parsis, jainistas, budistas e outros. A ordem formal "ame seu próximo" era parte do inevitável universalismo das religiões mundiais letradas. Elas não permaneceram "tribais", mas desejaram converter pessoas de outros grupos.[50] De qualquer maneira, a injunção foi aplicada de forma restrita, mesmo entre os membros da mesma confissão. Essa é uma área na qual precisamos distinguir retórica e ideologia, de um lado, de prática, do outro. Apesar das afirmações de seus apologistas, é difícil nesse sentido enxergar uma influência particularmente importante do cristianismo no sentimento das pessoas.

A questão não é só que o amor seja visto como europeu – uma tese altamente questionável –, mas também que historiadores e sociólogos

---

[49] Goody e Gandah, 2002:15.   [50] Ver Goody, 1986.

318   O ROUBO DA HISTÓRIA

tenham interpretado a suposta invenção do amor na Europa (pelo menos na sua variedade romântica) como origem da emergência nesse continente da verdadeira sociedade moderna, modernização esta ligada ao advento do capitalismo, outra invenção europeia. Esse tema percorre importantes contribuições da demografia histórica. Não é apenas o amor, mas também a "família" o que está em jogo nessas confrontações. Em seu trabalho sobre os registros de nascimento e morte das paróquias inglesas desde a Reforma, Peter Laslett e seus colegas do Grupo de Cambridge mostraram que as famílias na Inglaterra nunca foram "extensas", e o tamanho médio da família (TMF) girava em torno de 4,7 desde o século XVI.[51] Eles interpretaram a pequena família como relacionada à família nuclear, considerada um dos fatores da modernização e do capitalismo no Ocidente. Sociólogos como Talcott Parsons mostraram a afinidade entre capitalismo industrial e família pequena, que permite mobilidade de trabalho e elimina despesas com parentela extensa. Historiadores da família viram a "família nuclear", baseada no amor romântico, como provedora do amor conjugal (pela livre escolha do cônjuge) e do amor dos pais (o cuidado das crianças), o que criou motivação para melhoria pessoal em um ambiente competitivo. Na verdade, a Inglaterra não precisou esperar o capitalismo para adotar esse tipo de família: ela já estava implantada ali, ao contrário de outras partes do mundo que não partilhavam esse mesmo padrão europeu (ocidental).[52]

Um estudo recente intitulado *The household and the making of history*, de Mary Hartman (2004), pretende oferecer "uma visão subversiva do passado ocidental". Afirma que "um único padrão de casamento tardio, descoberto nos anos 1960, mas originado na Idade Média, explica o persistente quebra-cabeça da razão de a Europa ocidental ser o lugar das mudanças [...] que produziram o mundo moderno". Não há nada de novo nessa afirmação malthusiana, que tem uma longa história envolvendo a ligação de fatos demográficos e "progresso" social e ético. Não duvidamos da existência na Europa de um casamento tardio para homens e mulheres, que, segundo alguns, teria encorajado o "amor", mas a conclusão de que esses arranjos foram responsáveis pelo mundo moderno parece exagerada, altamente especulativa e, mais uma vez, teleologicamente baseada em uma posição de vantagem posterior e deduzida sem se fazer comparações.

Essa afirmação da singularidade da família europeia também apresenta problemas do ponto de vista de um estudo abrangente de parentesco. A

---

[51] Laslett e Wall, 1972.   [52] Laslett e Wall, 1972; Hajnal, 1965.

China, por exemplo, sempre foi pensada a partir da chamada família "extensa" (um tipo de família restrito aos mais favorecidos). Em uma conferência organizada pelo Grupo de Cambridge,[53] apresentei evidências de que mesmo em sociedades com grupos de parentesco de tamanho considerável (por exemplo, clãs), a família nuclear (distinta da família cheia, do "fogo") é frequentemente pequena, baseada em uma unidade econômica e reprodutiva[54] que não é diferente no tamanho daquela registrada por Laslett na Europa. Embora eu reconheça a validade do conceito de padrão europeu de casamento,[55] a divisão rígida entre tipos europeus e não europeus ignora as similaridades entre as práticas ocidentais e orientais no que concerne, no mínimo, às principais sociedades posteriores à Idade do Bronze. Essa oposição negligencia as características comuns associadas ao dote e ao "complexo da propriedade das mulheres".[56] Essas considerações nos levam a questionar até mesmo o refinamento mais tarde do problema relativo ao tamanho médio da família no Ocidente e no Oriente,[57] em que ele aponta diferenças não tanto no tamanho mas no processo de formação da família.

Além da questão do tamanho, com respeito à questão da evolução das famílias há duas tendências interpretativas em termos antropológicos. A primeira, originária das especulações dos escritores do século XIX, examinava a passagem da horda-tribo para família, envolvendo a mudança de unidades familiares grandes para menores. Essa mudança se refletiu naquelas avaliações históricas que identificaram famílias maiores (mas não analisadas), por exemplo, "a família extensa", em sociedades antigas, e famílias menores (a "família nuclear") mais tarde, em sociedades modernas. Entretanto, "famílias extensas" sempre tiveram "famílias nucleares" em seu cerne, portanto, o contraste, pelo menos em parte, é errôneo. A segunda tendência representa outra perspectiva antropológica, derivada do exame de material recente de pesquisa de campo e não de especulações sobre um passado desconhecido, e presente na monografia do antropólogo polonês Bronislaw Malinowski, *The Family among the Autralian aborigines*,[58] no qual ele mostra que, mesmo nas sociedades mais "primitivas", as chamadas "hordas" eram organizadas com base em pequenos grupos conjugais. Assim, com relação a essas unidades, não houve uma mudança da "horda" ou "tribo" para a "família"; os dois tipos podiam existir lado a lado. Enquanto grandes grupos de parentesco tenderam a desaparecer ao longo do tempo histórico, especialmente em sociedades

---

[53] Os resumos foram publicados em 1972 (Laslett e Wall, eds.)

[54] Goody, 1972.

[55] Hajnal, 1982.

[56] Ver Goody, 1976.

[57] Hajnal, 1982; Goody, 1996b.

[58] Malinowski, 1913.

urbanizadas, a família e seu pessoal conectado permanecem como atores centrais no campo das relações sociais. Para mim, essa parece ser a posição adotada pela maior parte dos grandes teóricos sociais da área, não somente Malinowski, Radcliffe-Brown e Lévi-Strauss, mas também Evans-Pritchard e Fortes que os seguiram, seja qual for a ênfase de cada um, todos seguindo uma ampla linhagem que remonta a Durkheim e Gifford.[59]

Aceitando uma ampla prevalência, ainda que não universal, da família menor, pode-se imaginar uma unidade que não funcione na base do "amor" (sexual) para com o esposo (ou esposos) e "amor" (não sexual) pelos filhos? O primeiro não envolve necessariamente escolha de parceiro. Não havia escolha do parceiro na Europa do século XVIII, pelo menos entre as famílias proprietárias. No entanto, podemos verificar o quanto essa forma de amor foi central para historiadores da modernidade com orientação ideológica, na medida em que implica *liberdade* de escolha e *individualismo* (vistos como valores essencialmente ocidentais). Esse modelo também implica relações estreitas entre os cônjuges (embora mais frequentemente rompidas por divórcio) e laços igualmente estreitos (embora frágeis) entre pais e filhos, levando não só a um pesado investimento na capacitação do jovem, mas, em seguida, a uma decisão de constituir uma família menor (qualidade em vez de quantidade), processo conhecido como transição demográfica. Famílias menores, portanto relações mais intensas entre pais e filhos e entre os próprios pais: em outras palavras, amor paterno, materno e conjugal. No melhor dos casos, uma família seria constituída pela escolha dos próprios parceiros e não por casamento arranjado (o que, novamente, era uma questão menor entre os pobres para os quais propriedade e *status* tinham pouca importância).

Embora existam várias formas de estabelecer uma união, nas quais casamento arranjado e "escolha livre" ou romance representam possibilidades, poucas sociedades veem isso como boas alternativas.[60] Certamente, casamentos arranjados, antipáticos como são para europeus modernos, não impedem o crescimento de relações afetivas depois de o casamento acontecer; nesse caso, o sexo precede o amor. E, se a união não funciona, muitas sociedades permitem o recurso ao divórcio, e, depois, a "livre escolha" passa a ser mais importante em um segundo casamento. As culturas humanas têm se reproduzido baseadas em uniões sexuais, cada uma envolvendo seleção de parceiros (não necessariamente feita pelos próprios, outras pessoas com frequência participam e existem regras), portanto a afirmação de que só no

---

[59] Para um comentário crítico, ver Goody, 1984.

[60] Ver Hufton, 1995.

Ocidente isso envolve amor, ou pelo menos amor romântico, parece uma pretensão arrogante. Há uma contracorrente minoritária no Ocidente que há muito reconheceu algo de especial no relacionamento homem-mulher no Oriente, expresso tanto na linguagem das flores, que no início do século XIX julgava-se invenção de haréns turcos, quanto pela leitura dos contos de Scherazade, pelo erotismo encontrado nas pinturas em miniatura na corte Mughal ou nos álbuns usados para estimular ou instruir noivas japonesas (e, mais tarde, no final do século XIX, tão procurados pelos europeus). O hábito de dar flores, acompanhado de vários significados, existe há muito nas sociedades mais importantes da Ásia.

Em casos extremos, essa conjunção de machos e fêmeas tem sido atribuída mais à luxúria do que ao amor, especialmente em sociedades polígamas. Essa dicotomia está errada e relações identificáveis com o que chamamos de amor são encontradas em culturas simples e não letradas da África, tais como os LoDagaa do norte de Gana,[61] embora seja significativa a injunção dos pais no primeiro casamento.

Entretanto, embora eu considere o amor como estando presente em culturas africanas, a "literatura" oral falha em elaborar o sentimento na forma encontrada nas grandes sociedades da Europa e da Ásia. Note-se que todas essas sociedades são letradas e que nossas evidências sobre a França do século XII e de outras sociedades são essencialmente textuais. A presença da escrita significa que a representação do amor toma uma forma especial. Em primeiro lugar, não se utiliza a escrita a não ser para se comunicar à distância (a menos que você seja um professor de escola com uma classe, um quadro-negro e um pedaço de giz). Assim, o ato comunicativo escrito é bem diferente daquele que envolve uma audiência presencial, como nas culturas exclusivamente orais. A poesia de amor escrita é essencialmente uma questão de comunicação com alguém que partiu, foi deixado para trás ou está "distante" (talvez, socialmente) de alguma forma, característica já observada tanto na poesia dos trovadores quanto no verso chinês, como afirmei antes neste capítulo. Em segundo lugar, a composição poética ou em prosa escrita envolve um processo de reflexão que é diferente da fala. Existe uma reflexão sobre o que se está escrevendo que estimula uma elaboração na expressão do sentimento, e isso não se encontra em culturas orais. Consequentemente, a poesia de amor é mais elaborada em sociedades letradas e mais em certos momentos que em outros. Isso não implica a existência de uma única noção

---

[61] Goody, 1998:113ss.

de "amor" em todas as sociedades, e nem que o "amor romântico" seja, por toda parte, o principal método de procurar cônjuge. No entanto, essa forma de relacionamento não é uma prerrogativa do Ocidente moderno. Tampouco o é o chamado "amor congruente", defendido recentemente pelo sociólogo Giddens como pós-romântico, característico da sociedade "moderna"[62] e sucessor evolucionário do "amor romântico".

A visão oposta sobre a ausência de amor e de escolha foi parte e parcela da ideia de que sociedades antigas eram organizadas em bases coletivas em vez de individuais. Essa ideia, que deu origem àquela do "comunismo primitivo", foi em parte sustentada pela presença de grandes grupos de parentesco (clãs ou famílias extensas), mas falhou em não considerar as formas pelas quais esses grupos sempre se dividiram em "segmentos de rede" ("linhagens segmentares", por exemplo) que atuavam de maneira própria. Na sua base havia com frequência uma "linhagem mínima" em torno da qual se constituía a família elementar ou a mais complexa. Da mesma forma, a posse da terra nunca era comunal no sentido literal. Pequenos grupos tinham direitos mais ou menos exclusivos sobre a produção de determinada terra e em geral sobre a caça, embora tais atividades pudessem, às vezes, assumir formas comunais.

O que é notável nessa discussão sobre o amor (especialmente sobre o amor romântico) é que a maioria (mas não todos) os sistemas não europeus encorajavam essas uniões em menor idade. As meninas podem se casar logo depois da puberdade e há promessas de casamento antecipadas, tanto em arranjos particulares como por sistemas de parentesco, por exemplo, no islamismo, para a filha do irmão do pai, embora um grau de escolha seja sempre permitido. Arranjos desse tipo podem ser encaminhados, parte para que se tenha certeza de um parceiro, parte para encontrar um parceiro adequado, parte (onde técnicas contraceptivas são limitadas) para evitar o nascimento de crianças consideradas ilegítimas sob as normas existentes. Onde isso acontece, não encontramos longos períodos de adolescência durante os quais o sexo é adiado enquanto parceiros sexuais são procurados ou os pretendentes estão "distantes". É durante essa busca prolongada que o "amor romântico" é elaborado e expresso, e que ânsias insatisfeitas afluem. No entanto, mesmo em uma idade precoce, parceiros prospectivos podem misturar suas personalidades e prontamente sair para viver numa família estranha. Nessas circunstâncias é o amor e não o desejo sexual que se expressa.

[62] Giddens, 1991.

Há uma grande diferença entre a expressão de uma emoção e sua existência. Como já sugeri, nas culturas letradas, a emoção é expressa de forma elaborada na escrita, em cartas de amor, por exemplo. No entanto, a emoção encontra-se disseminada por toda parte, ainda que em diferentes formas. E realmente governa o mundo todo, não só o continente europeu.

Enfim, a proposição de que o amor é exclusivamente europeu teve várias implicações políticas ligadas não ao desenvolvimento do capitalismo, mas usadas a serviço do imperialismo. Há em um palácio em Mérida, Yucatan, um painel que retrata conquistadores armados dominando selvagens vencidos, com inscrições que proclamam o poder conquistador do amor. Essa emoção, mais fraterna do que sexual, foi reivindicada pelos imperialistas europeus. Nas mãos de militares invasores, o amor literalmente conquista tudo.

PALAVRAS FINAIS

Meu objetivo neste livro foi examinar o modo como a Europa roubou a história do Oriente, impondo suas próprias versões de tempo (amplamente cristão) e de espaço ao resto do mundo eurasiano. Pode-se talvez sustentar que uma história mundial demanda um único marco de tempo e espaço, que a Europa forneceu. No entanto, meu principal problema foram as tentativas de periodização feitas pelos historiadores, dividindo o tempo histórico em Antiguidade, Feudalismo, Renascença seguida pelo Capitalismo. Isso foi feito como se cada etapa levasse a outra em uma única transformação até o domínio do mundo conhecido pela Europa no século XIX, seguindo a Revolução Industrial que teria se iniciado na Inglaterra. Aqui, a questão dos conceitos impostos tem várias implicações teleológicas.

Dominação mundial ou colonial em qualquer forma implica um considerável perigo, bem como possíveis benefícios para o trabalho intelectual, não tanto nas ciências, como nas humanidades, em que o critério de "verdade" é menos definido. No presente caso, o Ocidente pressupõe uma superioridade (o que obviamente aconteceu em algumas esferas desde o século XIX) e projeta essa superioridade para o passado, criando uma história teleológica. O problema para o resto do mundo é que tais crenças são usadas para justificar o modo como os "outros" são tratados, uma vez que os "outros" são vistos como estáticos, ou seja, incapazes de mudança sem a ajuda de fora. Acontece que a história nos ensina que qualquer superioridade é um fator temporário e que temos de buscar alternância. A enorme China parece estar tomando a liderança na economia, que pode ser a base do poder educacional, militar e cultural, como aconteceu antes na Europa, e depois nos EUA e mesmo na própria China ainda mais cedo. Essa mudança recente foi liderada por um governo comunista, sem muita ajuda deliberada do Ocidente.

Neste livro, tentei expor o modo pelo qual a dominação do mundo pela Europa, desde sua expansão no século XVI, mas, acima de tudo, desde a sua posição de liderança na economia do mundo a partir da industrialização no século XIX, resultou no domínio da narrativa da história mundial. Convoco como alternativa uma abordagem antropológica da história moderna. Ela começa com o trabalho de Gordon Childe, que descreveu a Idade do Bronze como a Revolução Urbana, o começo da "civilização" no sentido literal. A Idade do Bronze começou no Antigo Oriente Médio, espalhando-se em direção a leste para a Índia e China, a sul para o Egito e a oeste para o Egeu. Ela consistiu na introdução da agricultura mecanizada, na forma do arado puxado a boi, no controle da água em larga escala, no desenvolvimento da roda e de uma variedade de ofícios urbanos, inclusive a invenção da escrita, provavelmente ligada à expansão da atividade mercantil. Essa especialização nas cidades obviamente requereu um aumento na produtividade para capacitar artesãos e outros a escaparem da produção agrícola primária e, ao mesmo tempo, estimulou grandes diferenças na posse das terras que passou a ser controlada por "classes", já que não se estava mais limitado a trabalhar com enxada, e o arado permitia cultivar áreas maiores. O arado é simplesmente uma enxada invertida, mecanizada por ser puxada por animal, porém representou um grande avanço na produtividade.

A Idade do Bronze foi inicialmente uma "civilização" com base asiática, que precedeu em muito a Renascença europeia, relacionada por Elias ao processo civilizador. Eu quis investigar historicamente como a relativa unidade da Idade do Bronze foi rompida para o surgimento de um ramo europeu e outro asiático. O primeiro tem sido apresentado como um continente dinâmico caracterizado pelo crescimento do capitalismo; e o segundo marcado pelo imobilismo, pelo despotismo e pelo que Marx chamou "o excepcionalismo asiático", baseado em diferentes "modos de produção".

O rompimento tinha de começar em algum lugar. Onde? Existe um consenso segundo o qual a cultura minoica (e necessariamente, a egípcia) pertencia à Idade do Bronze, com suas antigas tradições escritas. O rompimento teria se dado na Europa, primeiramente com os gregos arcaicos, depois os romanos. A Antiguidade é considerada, pois, fundamentalmente diferente do que havia existido, mas devemos lembrar que, ela se desenvolveu em parte na Ásia, com a história de Homero e os filósofos jônicos. Afirmo que essa ideia da diferença, da divergência foi produzida amplamente pelos europeus, quer seja na Renascença, que eles viram como uma volta à Antiguidade clássica (com o humanismo), quer seja nos séculos XVIII e XIX, quando a economia da Revolução Industrial na Europa deu àquele continente uma vantagem econômica distinta sobre o resto do mundo (uma vantagem que havia começado com a cultura, a economia, as armas e os navios da Renascença). Em outras palavras, havia um forte elemento de teleologia por trás da afirmação europeia de que sua tradição se distinguira em tempos remotos, quando teria se originado sua subsequente superioridade.

No entanto, em que medida a Antiguidade propriamente dita pode ser considerada um período específico? O historiador clássico Moses Finley considerava a democracia uma invenção da Grécia antiga, o governo do povo. Esse é um tema que toca os corações de políticos contemporâneos, como George W. Bush e Tony Blair, que a veem como característica de nossa civilização judaico-cristã (de onde o islamismo é excluído, embora tenha sido claramente o terceiro membro), e como um presente que a Europa pode agora exportar para o resto do mundo. Há pouca dúvida de que Atenas tenha sido uma das primeiras a institucionalizar o voto popular direto e escrito e que isso tenha distinguido essa política dos regimes monárquicos da Pérsia e de outros Estados asiáticos. Mas também sabemos que o reino pré-letrado do Daomé votava por meio de pedras colocadas em um recipiente. Como cidade-Estado, Atenas era pequena o suficiente para utilizar representação direta. Entretanto, a cidade-Estado e sua democracia não existiam somente lá. Essa forma de governo estava presente nas cidades-Estado da Fenícia, hoje Líbano, especialmente em Tiro que era a cidade mãe da colônia fenícia de Cartago. Não somente os fenícios desenvolveram o alfabeto sem vogais, usado para escrever a Bíblia e outras obras árabes e semitas, como também tinham uma forma de democracia pela qual representantes (*sufrafetes*) eram escolhidos todos os anos, garantindo uma ligação próxima entre a opinião pública e o governo. No entanto, Cartago foi apagada do mundo, ou pelo menos da história europeia. Era africana, não europeia; era semita, não ariana, indo-europeia; e suas bibliotecas foram destruídas, em parte como resultado da conquista romana, por isso pouco sabemos de seus feitos.

E não foi só a Fenícia. Mesmo sistemas monárquicos da Ásia podem ter tido governos democráticos em suas cidades constituintes. Nos arredores de muitos governos centralizados, isto é, reinos, encontramos povos com diferentes sistemas de governo representativo e acéfalo, descritos por Ibn Khaldun entre os beduínos e por Fortes e Evans-Pritchard na África em geral. A Antiguidade não foi a única fonte do modelo do regime democrático.

Finley também celebra a Antiguidade como a inventora da "arte". Obviamente, ela inventou a arte grega, muito importante na Europa e mesmo na história mundial. No entanto, de forma alguma ela teria inventado a arte em si. As colunas redondas da Grécia, por exemplo, vieram do Egito que, juntamente com a Assíria, foi de grande importância no desenvolvimento das formas visuais. De qualquer modo, muitas outras regiões, fora do Ocidente, foram significativas nos campos da arte. A aparente autoridade mundial do Ocidente nessa esfera está muito ligada à hegemonia europeia no século XIX e, através da Europa, conquistou o mundo. O problema aparece realmente quando se vê a Antiguidade como um estágio do desenvolvimento mundial no caminho para o capitalismo ocidental.

Do ponto de vista da Europa, a Antiguidade não é somente um período, mas um tipo de sociedade, específica do continente. Isso foi necessário para os europeus estabelecerem a Antiguidade como uma fase distinta do desenvolvimento histórico, pois o colapso do Império Romano foi seguido pela ascensão de outro período, chamado Feudalismo, que também foi considerado exclusividade do Ocidente e cujas contradições fez emergir o Capitalismo no Ocidente. O conceito de Antiguidade foi elaborado pelos classicistas europeus para expressar a singularidade das tradições vindas da Grécia e de Roma. Essas sociedades certamente diferiam de outras culturas antigas, como também das próprias sociedades arcaicas da Grécia e de Roma. Tentativas radicais foram feitas para distingui-las das outras não só a partir de suas bases econômicas, como por seu sistema político e sua ideologia. Por exemplo, democracia e liberdade encontradas na Europa foram apresentadas como distintas da tirania e despotismo prevalecentes na Ásia. Qualquer que seja o caso com esses atributos de prestígio, o que é claro é que sistemas de conhecimento estavam consideravelmente avançados no mundo clássico, graças a tecnologias do intelecto, pela adoção do alfabeto; a disseminação de seu uso ampliou as possibilidades da palavra escrita, inventada na Mesopotâmia e no Egito, subsequentemente, transformada em alfabeto fonético na Síria (Ugarit), alcançando depois a Grécia. O alfabeto grego foi, é claro, único na representação das vogais e altamente influente na Europa mais tarde. No entanto, era próximo da escrita fenícia, e as consequências das diferenças relativamente pequenas e das diferenças com outras formas de escrita não foram tão radicais como eu e Watt, além de muitos outros, supúnhamos.

Outros acadêmicos usaram o cristianismo de forma semelhante para acentuar a singularidade da Europa. Só que o cristianismo era uma das três religiões da Ásia Ocidental que portavam mitos e escritos análogos e abraçavam valores e códigos semelhantes. Havia pouca coisa especificamente europeia em tudo isso. As principais ideologias antigas vinham do Oriente Médio ou, no caso de Agostinho, do Norte da África. Era um típico credo intercontinental mediterrâneo, tendo como pano de fundo um Antigo Testamento, em parte nômade, em parte semita, oriundo de desertos áridos e férteis oásis.

O ponto crítico na história do mundo moderno não é a busca da singulari-dade da Europa antiga, mas o abandono da perspectiva dos historiadores da pré-história, resumida em *What happened in history* (*O que aconteceu na História*), de Gordon Childe, uma visão que enfatiza a ampla unidade das civilizações de Idade do Bronze por toda a Europa e a Ásia. Essa unidade, rompida pela ideia ocidental de uma Antiguidade puramente europeia (quem mais a tinha?), era baseada no desenvolvimento das muitas artes artesanais, incluindo a própria escrita. A antiga escrita estava associada, *inter alia*, com os textos religiosos, colocando a instrução nas mãos dos sacerdotes (os professores eram sacerdotes), assim como, com a ampliação do templo, de complexos palacianos e de um grupo religioso que o historiador da Antiguidade Oppenheim chamou de "a grande organização". A ideia de uma Antiguidade europeia independente rompe essa ampla unidade, proclama que uma fase na história do mundo foi exclusiva da Europa, e, nas mentes de seus protagonistas, desloca o desenvolvimento da modernidade e do capitalismo para aquele continente. Pouco há no nível econômico para justificar esse excepcionalismo. O ferro substituiu o bronze em todas essas civilizações e essa mudança teve implicações "democráticas" (o ferro era mais disponível e mais útil do que o bronze) para a guerra, a agricultura, a arte e também para o desenvolvimento de "maquinário", embora a madeira continue a ser a matéria-prima dominante até o século XIX. Algumas sociedades sem dúvida se desenvolveram mais rápido que outras. No mundo antigo, a Grécia liderou as formas de construção urbana como vemos em templos, escolas e residências em cidades como Éfeso. Liderou também a produção de conhecimento escrito, literatura e artes em geral, apesar de depender em muitos campos dos precedentes do Oriente Médio (a famosa coluna, por exemplo) e de rivalizar com outros como a distante Índia e a China. No entanto, o problema da Antiguidade torna-se especialmente grave, tanto para o presente como para o passado, quando os acadêmicos europeus atribuem a esse período histórico (e, portanto, à Europa) a prestigiosa origem de uma forma de governo (democracia), de valores como liberdade, individualismo e mesmo "racionalidade".

A economia não era fundamental para marcar a diferença, exceto para a descrição da Grécia e de Roma como sociedades escravocratas que foi usada, "paradoxalmente", para fortalecer a noção de Antiguidade como espaço e tempo da "invenção" da liberdade. A Antiguidade foi considerada inventora não somente da liberdade, mas também da democracia e do individualismo. Sugeri que essa suposição é tão exagerada, quanto a que vê o papel único da escravidão. Conquistas na literatura, ciência e artes são excelentes, mas devem ser vistas, como Bernal afirmou, como extensões das culturas da Idade do Bronze na região. A tentativa de distingui-las como sociedades bastante diferenciadas segue o desejo dos gregos de destacar a Europa da Ásia, bem como o dos acadêmicos ocidentais de destacar sua própria linhagem.

330 O ROUBO DA HISTÓRIA

Pode ser que, como resultado parcial do alfabeto, a abundância de fontes escritas tenha criado a impressão geral de uma "mentalidade" e um modo de vida diferentes. Na mudança da pré-história para a história, os atores começaram a falar deles mesmos por meio de uma linguagem escrita. Não se está mais confinado à interpretação de dados predominantemente materiais, mas sim tem de se levar em conta o "espiritual", o verbal (registrado na escrita); é forçoso considerar o que os gregos pensavam de si mesmos (o que não se pode fazer com os fenícios, porque deles temos muito pouca coisa escrita). Isso significa dar um peso mais à sua autoavaliação e à sua avaliação dos outros, bem como aumentar o consequente perigo de aceitar essa autoavaliação como a "verdade". Os valores deles tornam-se a base de nossos julgamentos. Aceitamos (e mesmo expandimos) sua apropriação da democracia, da liberdade e de outras "virtudes". A Grécia diferia somente em grau da Fenícia e de Cartago, que têm sido largamente desqualificadas. As pequenas cidades-Estado que existiam em ambas as áreas produziram sistemas mais flexíveis de governo do que unidades maiores, embora de vez em quando também tivessem ou escolhessem tiranos. Todavia, outros tipos de sociedade empregaram procedimentos democráticos e não há como considerar a Grécia (ou a Europa) inventora da consulta popular, apesar de ela ter desenvolvido o procedimento escrito dessa consulta. Isso também vale para a liberdade. Foi com ironia que Finley viu a emergência do conceito de liberdade na Grécia em oposição à escravidão? Muitas comunidades instaladas às margens dos grandes Estados, ou de qualquer política centralizada, deliberadamente rejeitaram a autoridade centralizada (por exemplo, os Robin Hoods de todo o mundo), enquanto algumas, por outras razões, organizaram-se de modos diferentes, "acéfalos". Os povos das margens, dos desertos, das matas e das colinas sempre estabeleciam um modelo de governo distinto daquelas formas centralizadas das planícies.

A exclusão da Fenícia, preparando a posterior exclusão do resto da Ásia e do Oriente, é um indicativo da fragilidade do conceito de uma Antiguidade europeia única, uma vez que, para muitos contemporâneos, sua colônia, Cartago, claramente rivalizava com Roma e Grécia. Para os europeus que vieram depois, a Fenícia nunca foi vista como tendo deixado uma herança literária similar, mas isso se deve, possivelmente, à destruição deliberada ou à dispersão de suas bibliotecas pelos romanos e outros, ou pela efemeridade do papiro. Alguns atribuíram essa exclusão a um viés de europeus "arianos" que menosprezam a influência de asiáticos, semitas e africanos em desenvolvimentos importantes, o que é certamente uma possibilidade. Mas devemos tratar com cautela a afirmação de Bernal e, mais recentemente, de Hobson de que tal exclusão surgiu do antissemitismo ou do imperialismo do século xix. Essas inclinações pertencem a uma categoria mais ampla, a do etnocentrismo, que remonta a um passado remoto e é parte do inevitável do processo de definir identidades (embora também isso varie de intensidade em determinados tempos e espaços).

Assim como a Antiguidade é vista como não tendo contrapartidas em outros lugares, também, de várias formas, o feudalismo ficou restrito ao Ocidente. Alguns têm duvidado dessa restrição: Kowalewski com relação à Índia, Coulbourn para outras áreas. No entanto, no esquema evolucionário exposto por Marx ou que ele aceitou, a Antiguidade necessariamente precedeu o feudalismo europeu, assim como esse foi essencial para o capitalismo europeu. As contradições inerentes a uma fase levaram à sua resolução na seguinte. A afirmação da exclusividade era atraente para muitos medievalistas ocidentais; mesmo que não tivessem se curvado explicitamente aos argumentos unilaterais de Marx, aceitavam que a trajetória europeia deveria ser considerada única. Ela é única, é claro, mas em que sentido e em relação a quê? Relativo à posse de terra? A um governo descentralizado? O que é necessário com respeito a esses dois aspectos é a produção de uma grade analítica a partir da qual as variações possam ser delineadas. Apenas a afirmação de que "nós somos diferentes" é de pouca utilidade para análise ou investigação. Precisamos saber qual desses fatores "únicos" foi essencial para o crescimento do mundo "moderno".

Isso porque, associada a essa visão de Marx e outros, está a do feudalismo como uma "fase progressiva" na história mundial, caminhando em direção ao derradeiro desenvolvimento do "capitalismo". Não é fácil ver isso no oeste da Europa, onde o colapso do assentamento urbano foi amplo. O mesmo aconteceu com as atividades conectadas com as cidades – ofícios urbanos –, educação, atividade literária, sistemas de conhecimento, arte e teatro. As coisas, evidentemente, melhoraram aos poucos, houve um "renascimento" como tinha que haver, ainda que somente devido ao intercâmbio comercial. Algumas mudanças ocorreram no campo, que tem recebido mais atenção. As cidades, porém, só renasceram no Ocidente por volta do século xi, assim como as escolas monásticas, um pouco mais cedo, a economia, mais ou menos na mesma época, e a maior parte das artes e da vida intelectual, com as primeiras universidades, também, embora a verdadeira recuperação só tenha ocorrido com a, justamente nomeada, Renascença. Quando, por fim, a economia europeia reviveu, foi em grande parte devido ao comércio italiano com o Mediterrâneo Oriental, uma região que não tinha vivido a mesma devastação que o Ocidente. Ali, as cidades continuaram a florescer comercializando com o Extremo Oriente. A vida intelectual e o comércio deviam muito aos muçulmanos do leste e do sul antes do século XIV, por conta não apenas das traduções dos textos gregos, mas também de suas próprias contribuições (assim como as dos judeus) em medicina, astronomia, matemática e outras áreas. A Índia e a China também tomaram parte nesse reviver, porque a faixa das sociedades islâmicas se estendia por toda a Eurásia, do sul da Espanha às fronteiras da China. Do Oriente, vieram muitas plantas, árvores e flores (laranja, chá e crisântemo), bem como as inovações que Francis Bacon viu como centrais para a sociedade moderna: bússola, papel e pólvora, além da prensa e da manufatura, e mesmo da industrialização, da porcelana, da seda e dos tecidos de algodão. Poucos desses feitos fazem o antigo feudalismo parecer um período particularmente progressista na história europeia ou do mundo; no Ocidente, o progresso foi frequentemente exógeno em caráter, embora não seja essa a maneira de muitos acadêmicos europeus verem a questão. Para eles, a Europa tinha se apoiado numa trajetória autossuficiente e autônoma a partir da Antiguidade, o que a levou inevitavelmente, através do feudalismo, para a expansão colonial e comercial, e depois para o capitalismo industrial. Isso, porém, é história teleológica que exclui outras formações sociais desses desenvolvimentos, vendo-as prisioneiras de Estados estáticos e despóticos construídos sobre a irrigação e imensas cidades. Enquanto o Ocidente tinha agricultura de estações (em geral muito menos produtiva) e cidades menores.

A essas cidades não europeias é sempre negada a condição de "terem uma burguesia"; elas eram diferentes, de acordo com Weber, mesmo apresentando o mesmo tipo e nível de realizações do Ocidente, em particular na vida doméstica e "cultural", assim como no comércio e em manufaturas. O capítulo "'O roubo da 'civilização': Elias e a Europa absolutista" analisou o estudo que o sociólogo Elias fez da sociogênese da "civilização", o qual se concentrou no pós-Renascença do Ocidente. Toda a noção de comportamento "civilizado" (urbanizado, polido) – que foi marcante na China por muitos séculos – viu-se negligenciada. Nesse caso, a Europa roubou a ideia e a realidade do processo da civilização. E quão civilizado seria o Ocidente antes de adquirir o papel dos árabes e, através deles, da China? Uma comparação melhor entre as civilizações é feita por Fernández-Armesto em seu livro *Millennium*,[1] que começa com o período Heian (794-1185) no Japão e trata as maiores sociedades eurasianas como estando em um nível semelhante.

Obviamente, alterações importantes nas atividades comerciais, manufatureiras, intelectuais e artísticas aconteceram durante a Renascença europeia.

---

[1] Fernández-Armesto, 1995.

Outros renascimentos também ocorreram, talvez de forma menos espetacular, nas culturas escritas da Eurásia, como resultado tanto de desenvolvimentos internos como de interação recíproca. Com relação à Europa, essas mudanças foram narradas pelo historiador Braudel, que empreendeu um grande esforço para considerar dados comparativos, deixando de lado, por exemplo, a tese de Weber sobre a importância da ética protestante (capítulo "O roubo do 'capitalismo': Braudel e a comparação global"), que por muito tempo esteve presente nas explicações europeias para seus feitos (com menos apelo para italianos e outros católicos). Braudel menciona a extensiva atividade de mercado que caracterizava o Oriente bem antes do Ocidente; o capitalismo mercantil floresceu mais tarde na Europa e nunca esteve confinado a um continente ou outro. No entanto, para ele, o "capitalismo financeiro" é uma contribuição ocidental fundamental para o "verdadeiro capitalismo". O capitalismo industrial, com seus caros projetos de manufatura, requeria crescente aumento de capital; e o mesmo era válido para a economia nacional. No entanto, as bases para essa expansão já estavam presentes nas reformas bancárias e financeiras que emergiram na Itália, impulsionadas pelo aumento do comércio com o Oriente no Mediterrâneo. Esse desenvolvimento produziu instituições semelhantes às que já existiam ou estavam para se desenvolver nos maiores centros de comércio da Ásia.

O mesmo se repetiu com respeito à industrialização. Também houve um desenvolvimento espetacular na Revolução Industrial na Inglaterra e no Ocidente. Porém, uma vez mais, as bases disso estavam assentadas antes e em outros lugares. As mais importantes economias da Idade do Bronze deram impulso a algumas iniciativas de manufatura em grande escala, especialmente têxteis e na maioria administradas pelo Estado. Na Mesopotâmia, roupas de lã eram manufaturadas naquilo que o arqueólogo Wooley chamava "fábricas". Seu correspondente russo, Diakonoff, protestou que elas eram apenas oficinas, seguindo Marx na reserva do termo "fábrica" mais tarde para a produção capitalista (ou protocapitalista). Na Índia sob os mughals, *kharkhanas* eram instituições estatais que empregavam trabalhadores sob um grande teto para desenvolveram em larga escala a produção de roupas de algodão. A China é um caso ainda mais claro de uma antiga forma de industrialização. Ledderose escreveu sobre a extensiva produção de cerâmica ("china") embarcada em grande quantidade para o Ocidente e como essa produção se caracterizava pela técnica de produção em série com uma complexa divisão de trabalho digna de Adam Smith. A manufatura de cerâmica na China tem sido descrita como industrial, utilizando uma complexa divisão de trabalho, produção em série e um tipo fabril de organização. Do mesmo modo, enquanto a seda era amplamente tecida num contexto doméstico antes de ser adquirida pelo Estado por meio da taxação, o papel, muito usado desde sua invenção no início da era comum, era feito em um processo "industrial". Tratava-se de um sistema mecânico, pois o papel era produzido com o uso do moinho d'água – protótipo das engenhocas posteriores usadas no Ocidente para manufatura de têxteis, que empregavam além do trabalho humano a energia vinda de córregos e rios –, permitindo um material para a escrita mais barato do que a seda local ou a pele (pergaminho) ou papiro importado na Europa, vindo do Egito com custo alto. Com o novo processo, o papel podia ser feito em qualquer lugar a partir de materiais locais. Manufaturas de papel espalharam-se pelo mundo muçulmano e finalmente alcançaram a Europa ocidental desencadeando a revolução impressa, chegando primeiro à Itália via Sicília. A presença desse material para escrita, barato e manufaturado localmente, significava que, mesmo sem ser impressa, a circulação de informação e ideias era consideravelmente mais rápida e extensiva no Oriente do que no Ocidente.

A ideia do "excepcionalismo asiático" que caracterizou o pensamento teleológico dos historiadores sobre o passado, assombrados diante do desenvolvimento da "modernidade" e do "capitalismo industrial" no Ocidente, cegaram-nos para as muitas similaridades existentes. Em livro recente, Brotton escreveu sobre a Renascença Bazaar e a contribuição da Turquia e do Oriente Médio para aquele período. Podíamos também pensar na contribuição do Islã na Espanha para os "renascimentos" em matemática, medicina, literatura (por exemplo, para a poesia trovadoresca e para a narrativa de ficção), para os estudos de Platão e para as ideias de Dante. No entanto, devemos avançar um degrau para considerar a ideia de que tais renascimentos não foram um fenômeno exclusivamente europeu. Teoricamente, toda sociedade letrada pode ressuscitar o conhecimento esquecido ou deliberadamente abandonado. Na Europa posterior ao período clássico, a Igreja cristã se empenhou em abandonar grande parte da cultura clássica, estigmatizada como pagã, contrária a sua crença e, portanto, proibida, não apenas nas artes (escultura, teatro, pintura secular), mas também na ciência (por exemplo, na medicina). A severidade foi tão intensa que quando veio o renascimento ele foi mais marcante na Europa que em outros locais. E a velocidade na recuperação de assuntos intelectuais foi muito maior pelo impacto da prensa e do papel, assim como a retomada do comércio extensivo, especialmente com o Oriente.

O problema de interpretar a Renascença como um reviver ou mesmo uma continuação da vida clássica é que, embora as construções romanas tenham continuado a afetar a vida da Igreja de várias formas, tanto como modelo como estrutura, e o latim continuasse a ser utilizado pelos cristãos no Ocidente, a chegada do cristianismo e o colapso do império produziram uma profunda ruptura. Mencionei o desaparecimento do ensino das letras, das escolas, das artes urbanas e possivelmente do próprio cristianismo na Inglaterra. Houve também um decadência maior ainda da arte grega e romana, especialmente da escultura e do teatro, devido à adoção ideológica da iconoclastia semítica, colocando restrições à representação. Isso não continuou assim em um contexto católico, mas sim numa esfera secular, persistindo até o início da Renascença. A Europa teve que pôr de lado muita coisa para que o secularismo se tornasse possível novamente, o que viabilizou o retorno do teatro secular, possibilitando o trabalho de Albertino Mussato, um secretário de Pádua cuja tragédia *Ecerinis* (1329), sobre um tirano local, foi escrita em verso latino modelado em Sêneca. Porém, ainda esperaríamos duzentos e cinquenta anos pelas peças escritas em língua vernácula por Marlowe e Shakespeare, em inglês, e Racine e Corneille, em francês.

Em outras palavras, em várias esferas houve uma ruptura significativa com a Antiguidade nos tempos pós-romanos, uma ruptura que *exigiu* um "renascimento" no Ocidente. No Oriente, entretanto, não se produziu tão formidável brecha na cultura urbana. Na verdade, foi o Oriente que ajudou a reconstruir o Ocidente, não apenas no comércio, mas também nas artes e ciências. Houve a influência do Islã na Andaluzia e sobre Bruneto Latini (professor de Dante), por exemplo. Houve a influência dos numerais arábicos cujo uso no Ocidente foi difundido pelo papa Silvestre ii. E o caso da medicina: seu estudo no Ocidente havia ficado para trás pelo interdito da dissecação, a retaliação do corpo humano, ocasionando o desaparecimento de textos médicos, como os de Galeno, por exemplo. Esses textos foram recuperados para a medicina ocidental com várias traduções do mundo islâmico, levadas por Constantino, o Africano, em Monte Cassino (próximo à escola médica de Salerno), e por outros em torno de Montpellier. O problema é que se nós entendermos que a medicina se valeu simplesmente de um resgate de um saber clássico, esqueceremos que esse saber (junto com acréscimos islâmicos) chegou até nós por um caminho indireto.

Foi o Oriente, que não passou pela experiência do declínio do Império Romano do Ocidente, que estimulou a Renascença. Por não ter enfrentado o mesmo colapso da cultura que a Europa ocidental, o Oriente permaneceu um foco de comércio e transferência cultural até que as cidades italianas, principalmente Veneza, renovaram os laços que se mostraram tão importantes. Por toda a Ásia, o Oriente não precisou do mesmo tipo de renascimento porque não havia morrido. Em termos de conhecimento científico, a China esteve à frente do Ocidente até o século xvi e, em economia (de acordo com Bray e outros), até o final do século XVIII. O Oriente não conheceu nem um colapso material extenso nem uma religião hegemônica restritiva. Apesar das teses de muitos autores, a Ásia desenvolveu uma cultura urbana mercantil ativa antes mesmo da Europa. Weber, Pirenne, Braudel e outros concentraram-se naquilo que consideravam ser diferente nas cidades asiáticas. Seus argumentos foram teleológicos e muito ambíguos. Se considerarmos, por exemplo, os desenvolvimentos da cultura das flores e dos alimentos, vemos que precedem os da Europa pós-clássica. O desenvolvimento da especialidade e do interesse em "antiguidades" surgiu antes fora da Europa. O mesmo aconteceu com o teatro (por exemplo, o *kabuki* no Japão) e com a literatura de ficção realista, embora posteriores ao período clássico. Isso só se torna compreensível se abandonarmos a tese do excepcionalismo asiático e começarmos a pensar em paralelismos posteriores à Revolução Urbana, variando em tempo e conteúdo, é claro. Esses paralelismos ocorreram por toda a Eurásia baseados em processos semelhantes de evolução social e amplas relações de troca recíproca. O comércio requeria contatos que envolviam não só troca de bens materiais, mas também de informação, incluindo técnicas e ideias.

Novamente precisamos considerar os desenvolvimentos intelectuais da Renascença, aquilo que denominamos de revolução científica. Esse não é, evidentemente, o período de nascimento da ciência. Os importantes livros de Joseph Needham sobre as realizações chinesas concluem que, naquele vasto país, havia maior avanço científico que na Europa até o século XVI. Naquele momento, o papel e a impressão tinham recém-chegado à Europa, permitindo uma circulação da informação mais ampla (como ocorreria com o computador mais tarde). Assim, para Needham, o Ocidente assumiu a dianteira, introduzindo uma ciência baseada em testes de hipóteses matematicamente provadas. Ele chamou isso de "ciência moderna" e a conectou com o advento do capitalismo, da burguesia e da Renascença. Entretanto, há indícios de que a experimentação foi influenciada por alquimistas árabes e que a matemática adveio de um maior número de fontes. Além do mais, as sugestões de Needham envolvem a hipótese de desenvolvimento que venho criticando, e prefiro uma interpretação que aceite uma mudança evolutiva regular em vez de uma revolução repentina de tipo putativo. A "ciência moderna" deveria ser mais aproximada da ciência existente anteriormente e os desenvolvimentos no Ocidente deveriam mostrar maior continuidade com os da China do que o que propõe Needham.

Da mesma maneira, Elias, com conceitos como os de "civilização", e Braudel, com "capitalismo verdadeiro", eliminaram partes importantes do processo de desenvolvimento do Ocidente. O mesmo foi feito com instituições mais gerais, especialmente a cidade e a universidade. Discuti esse problema no capítulo "O roubo de instituições, cidades e universidades" e percebi que o argumento da exclusividade tem sido muito exagerado, especialmente com relação à cidade. Há indicações de que a universidade na Europa ocidental desfez laços religiosos e caminhou para uma cultura secularizada antes das escolas de ensino superior (*madrasah*) no Islã, mas a China nunca teve esse tipo de problema com o ensino superior, pois escapou da hegemonia de um credo religioso que impusesse sua visão de mundo. Sem dúvida, houve características específicas de ambas as instituições, cidades e universidade, no Ocidente, mas a tese de que a Europa inventou o tipo mais propício para o capitalismo contradiz o persistente paralelismo entre Ocidente e Oriente. Esse paralelismo não impediu os europeus de se autoatribuírem certas virtudes (capítulo "A apropriação de valores: humanismo, democracia e individualismo") que consideravam mais úteis do que outras, para alcançar a modernização. Essas virtudes teriam surgido com os gregos (pelo menos segundo registros escritos). Como vimos, eles sempre se definiram como democráticos ao permitir que o povo escolhesse seu governo (pelo menos todo o povo com exceção de escravos, mulheres e metecos), enquanto os Estados da Ásia praticavam a "tirania". Ocorreu o mesmo com o individualismo. Essa característica existia em vários grupos. A ideia de "coletivo" primitivo, de "comunismo primitivo", como tipo de sociedade é inaceitável, mesmo que em algumas sociedades o direito de acesso aos recursos seja comum.

Também emoções têm sido apropriadas pelo Ocidente. O caso do amor é exemplar. Alguns autores europeus reivindicaram para os trovadores do século XII a invenção do amor. Outros a atribuíram a um aspecto intrínseco do cristianismo, como a caridade. Para outros ainda, o amor caracteriza a família europeia (ou especificamente a inglesa) ou o mundo ocidental moderno. Todas essas teses são insustentáveis. Hollywood mercantilizou o "amor romântico", mas não o inventou, nem os ingleses, ou os cristãos, ou os modernos. Quanto aos trovadores da Provença e da Aquitânia, eles foram muito influenciados por seus vizinhos árabe-espanhóis, herdeiros de uma longa tradição de poesia de amor secular (e religioso) do Oriente Médio, que remonta pelo menos ao "Cântico dos Cânticos". Seria interessante investigar o que teria levado os europeus a reivindicar o desenvolvimento exclusivo de certas emoções e virtudes. O fato é que as provas dessa exclusividade não existem e poderiam aparecer apenas em um trabalho de comparação transcultural sistemática.

338   O ROUBO DA HISTÓRIA

Retornemos à noção de Revolução Urbana da Idade de Bronze de Childe, claramente conectada com o conceito de civilização de L. H. Morgan e com seu conceito de cidade apresentados no livro *Ancient Society*,[2] tanto como em fontes mais gerais. Uma grande qualidade dessa tese é que ela não privilegia o Ocidente, mas descreve um desenvolvimento histórico comum que teve lugar no Oriente Médio antigo (alcançando o Egito e os povos do Egeu), na Índia e na China. A resultante afinidade cultural entre as principais civilizações urbanas da Eurásia nesse período vai contra a noção de radical descontinuidade ou diferença que é a base de algumas das maiores e mais influentes avaliações socioculturais do desenvolvimento mundial. De acordo com a visão europeia dominante, voltada para o século XIX, a partir das indubitáveis realizações que se seguiram à Revolução Industrial, historiadores, sociólogos (e em boa medida também os antropólogos), sentiram que tinham de procurar pelas diferenças. Assim, o Ocidente teria passado por um número de estágios de desenvolvimento, da sociedade antiga, para o feudalismo até o capitalismo. O Oriente estaria marcado pelo que Marx chamou de "excepcionalismo asiático", caracterizado pela agricultura hidráulica e por governos despóticos em contraste com o Ocidente, especialmente a Europa, com uma agricultura de estação e formas consultivas de governo. Essa não é uma avaliação apenas marxista; foi retomada de uma forma diferente por Weber e outros historiadores. Versões dessa visão foram explicitadas pelo sociólogo M. Mann[3] e outros que estão comprometidos com a ideia de uma superioridade europeia de longo prazo. São os historiadores eurocêntricos, como os denomina o geógrafo Blaut. Essas versões possuem várias formas; por exemplo, há a leitura altamente influente de Malthus a respeito da incapacidade da China em controlar sua população, por não possuir os constrangimentos internos do Ocidente. Essa tese é muito parecida com a interpretação weberiana do papel da ética protestante no surgimento do capitalismo. A natureza desses constrangimentos, muito parecida com aquela apontada por Freud e Elias, foi investigada pelos historiadores-demógrafos do Grupo de Cambridge sob a liderança de Peter Laslett.

Certamente, houve grandes diferenças na ordenação da vida social no Ocidente e no Oriente. No oeste da Europa, a queda dos impérios clássicos produziu uma crise na civilização urbana, o desaparecimento de várias cidades e o aumento da importância do campo e dos seus senhores, o que teria levado ao "feudalismo". Segundo a avaliação europeia do processo, esse

---

[2] Morgan, 1877.   [3] Mann, 1986.

PALAVRAS FINAIS 339

estágio é frequentemente interpretado como movimento "progressivo" em termos da história mundial, resultando no nascimento de um novo tipo de cidade, começando com as comunas do norte da Itália, que abrigavam burguesias amantes da liberdade, com governos autônomos e com diversas características que as fizeram ser as precursoras do capitalismo e da modernização. Mas essa sequência remonta às leituras preexistentes da Ásia como "despótica", em contraste com a Grécia democrática (embora essa também possuísse seus tiranos assim como a Ásia tinha seus democratas).

A noção de excepcionalismo asiático recentemente foi bombardeada. Ela foi criticada, entre outros, por Eric Wolf, em seu trabalho *Europe and the people without history,*[4] no qual ele sugeriu que os sistemas de autoridade do Ocidente e do Oriente, despóticos ou democráticos, deveriam ser vistos como variantes do "Estado tributário", com o Oriente sendo, às vezes, mais centralizado do que o Ocidente. As implicações para o posterior desenvolvimento do capitalismo têm sido firmemente criticadas por uma nova geração de acadêmicos europeus, que rejeitam ou modificam a noção de superioridade europeia anterior à Revolução Industrial. Discuti esses trabalhos em meu livro *Capitalism and modernity: the great debate.*[5] No entanto, pouco tem sido feito para conectar essas novas perspectivas sobre história pós-clássica com trabalhos anteriores a respeito das semelhanças de desenvolvimento na Eurásia que emergem de um cenário arqueológico. Se houve uma ampla unidade em termos de "civilização" na Idade de Bronze, como pode surgir esse "excepcionalismo" do Oriente e a correspondente exclusividade do Ocidente? Será que isso realmente aconteceu? Será que o desaparecimento das cidades (e a prevalência do "feudalismo") foi algo além de um episódio europeu ocidental na história do mundo? Pois em torno do Mediterrâneo cidades portuárias continuaram a ter uma vida vigorosa em Constantinopla, Damasco, Alepo, Bagdá, Alexandria e outros lugares. E é claro que isso ocorreu também no Extremo Oriente. Algum tempo depois, Veneza recapturou o espírito e a atividade de seu passado romano e entrou em vigorosa e proveitosa troca com o Oriente. Se observarmos a história das cidades na Ásia, teremos uma imagem bem diferente da história mundial do que a que se concentra na decadência da cultura urbana e no modo de produção rural (caminhando para o "feudalismo") na Europa Ocidental. Isso pode ser considerado uma questão de excepcionalismo mais europeu do que asiático. Fora da Europa, cidades e portos não desapareceram para renascer como antecipações da empresa capitalista; continuaram a florescer por toda a Ásia e constituíram elementos

---

[4] Wolf, 1982.   [5] Goody, 2004.

de troca, manufatura, educação, cultura e outras atividades especializadas, dirigidas para desenvolvimentos posteriores. Embora as novas cidades da Europa ocidental possuíssem algumas características singulares e feições próprias, elas não eram únicas no sentido de Weber e Braudel.[6] Onde quer que estejam, cidades sempre estiveram envolvidas em ações mercantis ("capitalistas"), seja na Índia, China ou Oriente Médio. Eram centros de atividade especializada, de cultura letrada, de comércio, de manufatura e de consumo em vários graus de complexidade, levados a efeito por mercadores, artesãos e outros elementos da burguesia. Na verdade, embora o capitalismo industrial avançado se desenvolvesse no Ocidente, é um erro interpretar seus primeiros feitos como exclusivos da Europa. Os critérios usuais para capitalismo avançado são industrialização e altas finanças (Braudel) ou comércio extensivo (Marx, Wallerstein). Com a produção em massa sob condições industriais, as finanças necessariamente desempenharam um papel central, e a troca tornou-se mais intensa, mas as três não foram características exclusivamente europeias da economia. Tampouco a industrialização. Tem sido mostrado, convincentemente, que a industrialização caracterizou alguns antigos processos manufatureiros sobretudo na China. Dentro da Europa, a produção industrial têxtil certamente não teve início com a indústria inglesa de algodão em meados do século XVIII. Ela já tinha começado na Itália no século XI com a bobinagem da seda, o que concedeu a essa indústria considerável vantagem competitiva.[7] Esses processos foram desenvolvidos em concorrência com a seda importada da China e do Oriente Médio. Os tecidos eram manufaturados com apoio de máquinas movidas à água cujo projeto provavelmente tinha sido importado, assim como a matéria-prima.

Precisamos questionar muitos desses velhos mitos e reconsiderar a suposta descontinuidade com a Idade de Bronze entre sociedades arcaicas, Antiguidade e feudalismo. A história urbana pode ganhar um novo perfil. Culturas urbanas, com seus elementos de "luxo" e saber, não pararam de se desenvolver e sofrer mudanças desde os primeiros tempos. Os casos da culinária[8] e mesmo dos produtos de luxo tais como as flores cultivadas[9] nos ajudam a enxergar isso. O que é especialmente interessante sobre o desenvolvimento das *haute cuisines* é o fato de que ele ocorreu em todas as maiores civilizações da Eurásia, e mais ou menos no mesmo período. Podemos traçar a emergência de uma literatura de especialistas nessa área na China, mais ou menos na mesma época que ela surge na Europa.[10] A

---

[6] Braudel, 1981.
[7] Poni, 2001a e 2001b.

[8] Goody, 1982.
[9] Goody, 1993.

[10] Clunas, 1991 e Brook, 1998.

PALAVRAS FINAIS 341

cozinha complexa apareceu primeiro na China, mas não se consideramos o Mediterrâneo oriental no mundo antigo. Afirmações similares podem ser feitas sobre as realizações em várias artes, incluindo a total rejeição de formas de representação figurativa (ícones) que encontramos em determinados tempos e lugares em todas as religiões (i.e., escritas) mundiais.

Se levarmos a sério essas avaliações do desenvolvimento mundial que consideram o Oriente estático e o Ocidente dinâmico, mesmo a longo prazo – e mesmo Braudel adota essa perspectiva em sua grande síntese – *Civilization and capitalism – 15th to 18th century* (*Civilização material e capitalismo, séculos XV-XVIII*) –, esse paralelismo pareceria surpreendente. O mesmo aconteceria se aceitássemos as doutrinas do "excepcionalismo asiático" ou do "despotismo oriental" que aparentemente inibiram o desenvolvimento dos gostos urbanos, uma vez que esses povos eram amplamente urbanizados.

É verdade que depois da queda do Império Romano, ou talvez, depois do domínio muçulmano do Mediterrâneo, houve um declínio do comércio e da cultura urbana no Ocidente,[11] em parte ligado ao advento do cristianismo,[12] no qual a propriedade era mais atribuída à Igreja do que à municipalidade. No entanto, a consequente ênfase na vida rural, dando origem à noção de feudalismo, foi um fenômeno notadamente ocidental que não pode e não deve ser visto como uma fase inevitável da história europeia ou mundial.

Alhures, a civilização urbana da Idade do Bronze continuou a produzir uma crescente linha de objetos artesanais e manufaturados, uma ampla série de redes de comércio e um maior desenvolvimento da cultura mercantil. Um passo levava a outro naquilo que Childe viu como "evolução social". Mais tarde, após a recuperação do comércio e o crescimento de cidades no século XI, o Ocidente retomou o passo, conforme Pirenne. Essa retomada se deu principalmente pelo retorno das trocas com o Oriente Médio, em que a cultura mercantil urbana nunca desapareceu. Nesse retorno, o papel de Veneza e de outros centros italianos foi essencial.[13] Em outros lugares, redes de comércio continuaram a existir desde a Idade do Bronze: no Ceilão,[14] no sudeste da Ásia,[15] no Oriente Médio[16] e no oceano Índico.[17] Com o tempo, a Europa cristã acompanhou o processo "modernizador", frequentemente valendo-se

---

[11] Essa questão tem sido discutida por Hodges e Whitehouse (1983), que tentaram modificar, com a ajuda de evidências arqueológicas, a tese de Pirenne (1939) sobre a interrupção do comércio.

[12] Speiser (1985) tem discutido a questão com referência a alguns centros urbanos do mundo bizantino.

[13] Lane, 1973.

[14] Perera, 1951, 1952a e b.

[15] Sabloff e Lamberg-Karlovsky, 1975; Leur, 1955; Melink-Roelofsz, 1962, 1970.

[16] Goitein, 1967.

[17] Casson, 1989, para o Périplo.

de empréstimos do Oriente, por exemplo, tipografia, papel, tecelagem de seda, bússola, pólvora, alimentos como cítricos e açúcar e muitas espécies de flores. Mais tarde, a Europa cristã desenvolveu, mas não inventou, o processo de produção industrial (assim como a manufatura de navios e armamentos – sendo que o arsenal foi particularmente importante no desenvolvimento e no processo de produção da indústria[18]). Nesses andamentos, a Europa obteve uma expressiva vantagem comparativa. Mal isso aconteceu, a atividade industrial avançada começou a se espalhar para outras partes do mundo, especialmente em circuitos metropolitanos e em lugares em que as culturas urbanas da Idade do Bronze tinham se desenvolvido mais (assim como em outras partes, como decorrência da migração).

Ainda que esses processos de "modernização" tenham se desenvolvido mais rapidamente em algumas sociedades da Eurásia do que em outras, é certo que o movimento geral se espalhou. Os arqueólogos estão acostumados a lidar com transições desse tipo, transições que se deram na mesma sequência, mas em diferentes tempos, por exemplo, a mudança do mesolítico para o neolítico. Eles vão buscar explicações em termos de comunicações externas, ou a partir de semelhanças estruturais surgidas internamente de uma situação inicial paralela.[19] Por outro lado, os antropólogos com frequência recorrem a vagas indicações de mudança cultural, enquanto os historiadores recorrem às "mentalidades". Na minha perspectiva, essa última opção constitui-se em território perigoso para esses acadêmicos e mais ainda para arqueólogos que possuem ainda menos dados para construir sua hipótese. Explicação baseada em cultura ou em mentalidade pode ser enganosa se levar a conceber diferenças automaticamente. Esse tipo de explicação pode aceitar como permanente uma característica temporária. Alguns dos desenvolvimentos que observamos possuíram cursos paralelos por longo tempo em várias culturas posteriores à Idade do Bronze, mesmo que com velocidades diferentes. Esse processo não é uma questão de globalização, como muito se tem admitido. Hoje, globalização é ocidentalização. Diferentemente disso, o processo ao qual me refiro representa o crescimento de sociedades burguesas, urbanas, que têm se desenvolvido continuamente, a partir dos tempos aos quais Childe se reporta, em parte por causa da interação e troca entre elas, em parte devido a um tipo de "lógica" interna. Pois eram culturas mercantis, empenhadas em criar produtos e serviços que iriam comercializar com suas próprias populações urbanas, com áreas rurais da região, e também com outras cidades em outros lugares.

[18] Zan, 2004.
[19] Ver G. Stein, "The organizational dynamics of complexity in Greater Mesopotamia", in Stein e Rothman, 1994, pp. 11-22.

Elas desenvolveram novos produtos, aprimorando os antigos e estendendo o arco de seus contatos.

Em essência, as cidades eram "portos de comércio", para usar (de forma um pouco diferente) uma expressão forjada por Karl Polanyi. Elas produziam bens e serviços e, de tempos em tempos, aprimoravam esses produtos, aumentando sua escala e sua clientela. Raramente permaneciam estáticas. Estavam engajadas em manufatura e comércio para ganhar a vida, isto é, viam-se obrigadas a produzir cada vez mais lucros (ou pelo menos equilibrar a receita) para pagar sua crescente importação. Portanto, elas estavam em transição contínua. Os mercadores, segundo Southal,[20] foram "as principais parteiras do modo de produção capitalista, transformados e elevados a industriais e financistas". Seguindo Weber, Southal vê esse processo emergindo do modo de produção feudal, embora os mercadores fossem componentes essenciais de todas as cidades, em todo lugar.[21] "As cidades foram criação dos mercadores, e eles as defenderam contra Estados, reis e nobres". As cidades "sempre foram os centros de inovação", especialmente nos tempos feudais, afirmou Southall – mas isso é algo para ser discutido. Elas eram também os centros do conflito de classes, "o teatro da perpétua guerra social de implacável crueldade", mas ao mesmo tempo a cena da grande atividade artística.[22]

Essas atividades devem ser vistas como raízes do "capitalismo", pelo menos do capitalismo mercantil. Ou talvez como "os brotos do capitalismo", como designados por alguns eruditos chineses. Nesse nível, não há problema a respeito da origem do capitalismo ou, o que é mais importante, a respeito do crescimento das culturas urbanas em todas as suas variadas formas socioculturais, incluindo as artes. Sobre isso, o grande salto em nossa reflexão se dá quando entendemos que, seja lá o que tenha acontecido com os meios de comunicação de massa recentemente, o Ocidente não é o inventor das artes, da literatura (o romance, por exemplo), do teatro, da pintura ou escultura, muito menos de um conjunto especial de valores que permitiram a modernização com exclusividade. Essas atividades foram sendo desenvolvidas pelas sociedades urbanas da Eurásia (e de outros lugares), às vezes uma sociedade tomando a dianteira, às vezes a outra. No início da Idade Média, o Ocidente ficou dramaticamente para trás, em parte devido à ruptura com o passado clássico, em parte devido à rejeição deliberada de tudo que fosse secular por parte da Cristandade e da religião abraâmica.

Já mencionei a ampla base do capitalismo mercantil; essa base fica bastante evidente considerando a extensão das atividades mercantis anteriores na Ásia e

---

[20] Southall, 1998:22. [21] Southall, 1998:21. [22] Southall, 1998:116-7.

da exportação do algodão indiano para as ilhas das Índias Orientais (Indonésia) e sudeste da Ásia (Indochina), assim como da exportação do bronze, seda e porcelana da China para essas regiões. Comparado com a Europa ocidental ou mesmo com o Mediterrâneo, o Extremo Oriente era uma colmeia de atividade mercantil. De acordo com Bray, a China permaneceu como a maior potência econômica no mundo até o final do século XVIII.[23] E quanto à manufatura ou mesmo a indústria, que são corretamente consideradas características-chave do capitalismo moderno? O amplo comércio na Ásia Oriental já envolvia a atividade manufatureira. A cerâmica não era o único produto submetido às técnicas de produção em larga escala. Na Índia, como na China, os têxteis eram produzidos domesticamente, muitas vezes a atividade era organizada por mercadores em sistema similar aos dos primórdios da Revolução Industrial europeia.[24] Entretanto, também existiam grandes instituições do tipo-fábrica.[25] Na China, o exemplo mais impressionante era o da indústria do papel. Isso reflete o fato de que, em todas as grandes sociedades da Ásia, as culturas urbanas experimentaram um desenvolvimento contínuo desde a Idade do Bronze. Houve interrupções devido a fatores ecológicos, econômicos, militares ou religiosos, invasões "bárbaras", desorganização do comércio, falhas de governo, proibição de se imprimir. No entanto, por toda parte, ao longo dos séculos, as culturas urbanas tornaram-se mais complexas com relação à produção, comércio, distribuição, finanças, assim como no que diz respeito à vida material, artística e intelectual, em artes, educação, comércio e manufatura. Entretanto, a maioria dos historiadores ocidentais produziu uma leitura retrospectiva de caráter teleológico. A partir de uma perspectiva centrada nas vantagens posteriores à Revolução Industrial, eles desconsideraram esses desenvolvimentos paralelos e explicaram vantagens posteriores em termos de imaginadas vantagens anteriores. A unidade relativa da Idade do Bronze é ignorada e eles localizam o nascimento da Antiguidade exclusivamente na Europa. Essa exclusividade se estende ao feudalismo e ao capitalismo, ponto a partir do qual eles começaram suas pesquisas. A extensa continuidade de sociedades da Idade pós-Bronze foi quebrada por uma perspectiva concentrada exclusivamente na experiência europeia. É essa concentração, perpetrada por acadêmicos e pelo seu público em geral, que tem levado ao roubo da história.

Para atingir uma comparação válida seria necessário abandonar categorias predeterminadas do tipo Antiguidade, feudalismo, capitalismo e construir uma grade sociológica que pudesse apreender as variações do

---

[23] Bray, 2000:1.   [24] Bray, 1997.   [25] Goody, 1996b:187.

que estivesse sendo comparado. Isso é exatamente o que falta na maioria dos discursos históricos no Ocidente. Os historiadores apenas apresentam uma lista de características desejáveis e "progressivas" para si mesmos. Eles têm roubado a história, impondo suas categorias e cronologias ao resto do mundo.

O problema do roubo da história e das ciências sociais também afeta outras humanidades. Em anos recentes, acadêmicos têm tentado tornar suas disciplinas mais comparativas e mais relevantes para o resto do mundo. Essas tentativas, porém, estão longe de cumprir o objetivo. Literatura passou a ser "literatura comparada", mas o leque de comparações geralmente se limita a algumas fontes europeias; o Oriente é ignorado e culturas orais desconsideradas. O campo dos estudos culturais, tanto na Inglaterra quanto na América, é caótico. A base textual desses trabalhos é quase que exclusivamente de escritores ocidentais, usualmente filósofos, muitas vezes franceses, que comentam a vida sem oferecer apoio factual, exceto suas reflexões internas ou comentários sobre outros filósofos, todos representantes das sociedades urbanas modernas. O nível de generalização de tais comentários é tal que não se tem necessidade de informação para entrar na conversa.

Em conclusão, este não é um livro sobre história mundial, mas um livro sobre como os europeus vêm percebendo a história mundial. O problema aparece quando se tenta explicar as razões da vantagem comparativa europeia. O estudo do passado quase inevitavelmente convida a adotar um viés teleológico, implícita ou explicitamente. Descobrir o que levou um povo à "modernização" produz julgamentos sobre outro povo: ausência da ética protestante, do espírito empreendedor, do potencial para mudanças seriam as razões da diferença.

A dificuldade fundamental nessa história é a forma como a vantagem europeia tem sido explicada. Se a Europa é vista como o continente que desenvolveu uma forma única de economia, algo chamado "capitalismo", então se justifica a procura das raízes dessa forma única de economia em outras coisas tais como "absolutismo", "feudalismo", "Antiguidade", e mesmo considerá-la resultado de um grupo de instituições, virtudes, emoções e religiões sem paralelo. No entanto, pode-se encarar o desenvolvimento da sociedade humana a partir da Idade do Bronze de forma diversa, como uma progressiva elaboração da cultura mercantil e urbana sem qualquer ruptura radical que envolva distinções de categoria do tipo sugerido pelo uso do termo "capitalismo". Em sua pesquisa magistral, Braudel adota a posição de que essa atividade pode ser encontrada em uma série de sociedades na Europa e na Ásia. No entanto, ele reserva o conceito de "capitalismo verdadeiro" para o Ocidente moderno, da mesma forma que Needham, que distinguiu "ciência" de "ciência moderna". Mas, se o capitalismo caracteriza várias sociedades, seu caráter de exclusividade desaparece. O erro é confundir o que é apenas um aumento de intensidade com o que seriam mudanças categóricas. Na verdade, a situação pode ser esclarecida pelo abandono do termo "capitalismo", na medida em que ele sempre sugere uma posição privilegiada e de longo prazo alcançada pelo Ocidente. Assim, por que não colocar a discussão da vantagem conseguida pelo Ocidente em tempos modernos no que tange à intensificação das atividades econômicas e outras, dentro da estrutura de longo prazo dos desenvolvimentos urbano e mercantil, uma estrutura que permitiria períodos de atividade mais ou menos intensa e assumiria os aspectos negativos, assim como os positivos, do "processo civilizador"? Claro que essa sequência precisa ser retalhada, periodizada de tempos em tempos, mas podemos falar da ampliação do escopo da industrialização, e mesmo de uma Revolução Industrial, sem negar as origens desse processo na Ásia e em outras sociedades e sem classificá-lo como desenvolvimento puramente europeu.

OBRAS CITADAS EM PORTUGUÊS

ANDERSON, Perry. 1980 *Passagens da Antiguidade ao Feudalismo*. Porto: Afrontamento

ANDERSON, Perry. 1995 *Linhagens do Estado absolutista*. Rio de Janeiro: Brasiliense

BLOCH, Marc. 1982 *A sociedade feudal*. Lisboa: Edições 70

BRAUDEL, Fernand. 1970 *Civilização material e capitalismo, séculos XV-XVIII*. Lisboa: Cosmos

CHILDE, Gordon. 1981 *O que aconteceu na História*. Rio de Janeiro: Zahar Editores

DURKHEIM, Émile 1999 *Da divisão do trabalho social*. São Paulo: Martins Fontes

GILSON, Etienne 2001 (1997) *A filosofia na Idade Média*. Trad. Eduardo Brandão. São Paulo: Martins Fontes

ELIAS, Nobert. 1990 *O processo civilizador – vol. 1*: Uma história dos costumes. Rio de Janeiro: Jorge Zahar

ELIAS, Nobert. 1990 *O processo civilizador – vol. 2*: Formação do Estado e civilização. Rio de Janeiro: Jorge Zahar

EVANS-PRITCHARD, Edward E. 2004 *Bruxaria, oráculos e magia entre os azande*. Trad. Eduardo Viveiros de Castro. Rio de Janeiro: Jorge Zahar

FORTES, Meyer e EVANS-PRITCHARD, Edward E. (ed.). 1981 *Sistemas políticos africanos*. Lisboa: Fundação Calouste Gulbenkian

FREUD, Sigmund. 1975 *O futuro de uma ilusão*. Rio de Janeiro: Imago

FREUD, Sigmund. 1997 (1939) *Moisés e o monoteísmo*. Rio de Janeiro: Imago

FREUD, Sigmund. 1997 *O mal-estar na civilização*. Rio de Janeiro: Imago (Obras completas de Sigmund Freud, v. 21)

FREUD, Sigmund. 1997 *Por que a guerra*. Lisboa: Edições 70

GIBBON, Edward. 2005 *Declínio e queda do Império Romano*. São Paulo: Cia. das Letras

GOODY, Jack. 1986 *Lógica da escrita e organização da sociedade*. Lisboa: Edições 70 (Perspectivas do Homem, 28)

GOODY, Jack. 2000 *O Oriente no Ocidente*. Trad. João Pedro George. Lisboa: Difel

GOODY, Jack e WATT, Ian. 2006 *As consequências do letramento*. Trad. Waldemar Ferreira Neto. São Paulo: Paulistana

TREVOR-ROPER, Hugh. 1966 *A formação da Europa cristã*. Lisboa: Verbo

REFERÊNCIAS BIBLIOGRÁFICAS

Adams, R. M. 1966 *The evolution of urban society: early Mesopotamia and prehispanic Mexico*. Chicago: Aldine

Ágoston, G. 2005 *Guns for the Sultan: military power and the weapons industry in the Ottoman Empire*. Cambridge: Cambridge University Press

Amory, P. 1977 *People and identity in Ostrogothic Italy, 489–554*. Cambridge: Cambridge University Press

Amstutz, G. 1998 Shin Buddhism and Protestant analogies with Christianity in the west. *Comparative Studies in Society and History* 40: 724–47

Anderson, P. 1974a *Passages from Antiquity to feudalism*. London: Verso
1974b *Lineages of the absolutist state*. London: Verso

Arizzoli-Clémental, P. 1996 *The textile museum, Lyons*. Paris: Paribas

Asin, P. M. 1926 *Islam and the Divine Comedy*. London: J. Murray

Astour, M. C. 1967 *Hellenosemitica*. Leiden: Brill

Bacon, F. 1632 *The essays, or counsels, civil and moral*. London: John Haviland

Baechler, J., Hall, J. A., and Mann, M. (eds.) 1988 *Europe and the rise of capitalism*. Oxford: Blackwell

Barnard, A. 2004 Mutual aid and the foraging mode of thought: re-reading Kropotkin on the Khoisan. *Social Evolution and History* 3 (1): 3–21

Barnes, R. 2002 Cloistered bookworms in the chicken-coop of the muses: the ancient library of Alexandria. In R. MacLeod (ed.), *The Library of Alexandria: centre of learning in the ancient world*. Cairo: American University Press

Barth, F. 1961 *Nomads of South Persia*. Boston: Little, Brown, & Co.

Barthélemy, D. 1996 The 'feudal revolution'. *Past and Present* 152: 196–205

Bayly, C. 1981 *Rulers, townsmen and bazaars: northern Indian society in the age of British expansion 1770–1870*. Cambridge: Cambridge University Press
2004 *The birth of the modern world 1780–1914*. Oxford: Oxford University Press

Beloch, J. 1894 Die Phoeniker am aegaeischen Meer. *Rheinisches Museum für Philologie* 49: 111–32

Berkey, J. 1992 *The transmission of knowledge in medieval Cairo: a social history of Islamic education*. Princeton, New Jersey: Princeton University Press

Berlin, I. 1958 *Two concepts of liberty* (Inaugural lecture). Oxford: Clarendon Press

Bernal, M. 1987 *Black Athena: the Afroasiatic roots of classical civilization*. Vol. I: *The fabrication of Ancient Greece 1785–1985*. London: Free Association Books

350 O ROUBO DA HISTÓRIA

1990 *Cadmean letters: the transmission of the alphabet to the Aegean and further west before 1400 B.C.* Winona Lake, IN: Eisenbrauns

1991 *Black Athena: the archaeological and documentary evidence.* London: Free Association Books

2001 *Black Athena Writes Back: Martin Bernal Responds to his Critics,* ed. D. C. Moore London: Duke University Press

Bernier, F. 1989 [1671] *Travels in the Mughal empire, AD 1656–68.* Columbia, Missouri: South Asia Books

Beurdeley, C. and M. 1973 L'amour courtois. In *Le Chant d'Oreiller: l'art d'aimer au Japan.* Fribourg, Switzerland: Office du Livre

Bietak, M. 1996 *Avaris, the capital of the Hyksos.* London: British Museum

2000 Minoan paintings at Arquis/Egypt. In S. Sherratt, ed., *Proceedings of the First International Symposium: The Wall Paintings of Thera.* Athens: Thera Foundation

Bion, W. R. 1963 *Elements of psychoanalysis.* London: Heinemann

1970 *Attention and interpretation: a scientific approach to insight in psycho-analysis and groups.* London: Tavistock

Birrell, A. 1995 *Chinese love poetry: new songs from a jade terrace – a medieval anthology.* Harmondsworth: Penguin Classics

Blaut, J. M. 1993 *The colonizer's model of the world: geographical diffusionism and eurocentric history.* New York: The Guilford Press

2000 *Eight eurocentric historians.* New York: The Guilford Press

Bloch, Marc 1961 *Feudal society,* trans. L. A. Manyon. London: Routledge and Kegan Paul

Bloch, Maurice (ed.) 1975 *Political language and oratory in traditional society.* New York: Academic Press

Bloom, J. M. 2001 *Paper before print: the history and impact of paper on the Islamic world.* New Haven: Yale University Press

Blue, G. 1999 Capitalism and the writing of modern history in China. In T. Brook and G. Blue (eds.), *China and historical capitalism.* Cambridge: Cambridge University Press

1999 China and Western social thought in the modern period. In T. Brook and G. Blue (eds.) *China and historical capitalism.* Cambridge: Cambridge University Press

Boas, F. 1904 The folk-lore of the Eskimo. *Journal of American Folk-Lore.* 17: 1–13

Bodin, J. 1576 *Les six livres de la republique.* Paris: Chez Iacques du Pays

Bohannan, P. J. and Dalton, G. (eds.) 1962 *Markets in Africa.* Evanston, IL: Northwestern University Press

Bonnassie, P. 1991 *From slavery to feudalism in south-western Europe.* Cambridge: Cambridge University Press

Boserup, E. 1970 *Woman's role in economic development.* London: Allen & Unwin

Bovill, E. W. 1933 *Caravans of the old Sahara: an introduction to the history of the Western Sudan.* London: Oxford University Press

Braudel, F. 1949 *Méditerrané et le monde Méditerranéen à l'époque de Phillipe II.* Paris: Colin

Braudel, F. (cont.)[1979] 1981–4 *Civilization and capitalism, 15ᵗʰ–18ᵗʰ century. The structures of everyday life.* Vol. I. London: Phoenix Press

1981–4b *Civilization and capitalism, 15ᵗʰ–18ᵗʰ century. The wheels of commerce.* Vol. II. London: Phoenix Press

1981–4c *Civilization and capitalism, 15ᵗʰ–18ᵗʰ century. The perspective of the world.* Vol. III. London: Phoenix Press

Bray, F. 1997 *Technology and gender: fabrics of power in late imperial China.* Berkeley: University of California Press

2000 *Technology and society in Ming China (1368–1644).* Washington, DC: American Historical Society

Briant, P. 2005 'History of the Persian Empire, 550–330 BC'. In J. Curtis and N. Tallis (eds.) *Forgotten empire: the world of ancient Persia.* London: British Museum

Brodbeck, M. (ed.) 1968 *Readings in the philosophy of the social sciences.* London: Macmillan

Brook, T. 1998 *The confusions of pleasure: commerce and culture in Ming China.* Berkeley: University of California Press

Brook, T. and G. Blue (eds.) 1999 *China and historical capitalism.* Cambridge: Cambridge University Press

Brotton, J. 2002 *The Renaissance bazaar: from the silk road to Michelangelo.* Oxford: Oxford University Press

Brough, J. 1968 *Poems from the Sanskrit.* Harmondsworth: Penguin

Browning, J. 1979 *Palmyra.* London: Chatto & Windus

Browning, R. 2000 Education in the Roman empire. *The Cambridge Ancient History*, vol. XIV. Cambridge: Cambridge University Press

Burke, P. 1998. *The European Renaissance: centres and peripheries.* Oxford: Blackwell

Burkhardt, J. 1990 *The civilisation of the Renaissance in Italy.* New York: Penguin

Buruma, I. and Margalit, A. 2004 Seeds of revolution. *The New York Review of Books* 51: 4

Butterfield, H. 1949 *Origins of modern science 1300–1800.* London: G. Bell

Bynum, C. 1987 *Holy feast and holy fast: religious significance of food to mediaeval women.* Berkeley: University of California Press

Cabanès, Dr. 1954 *La vie intime.* Paris: Albin Michel

Cahen, C. 1992 Iqta. *Encyclopaedia of Islam.* Leiden: Brill 1988–91

Cai Hua 2001 *A society without fathers or husbands: the Na of China.* New York: Zone Books

Cameron, A. 2000 Vandals and Byzantine Africa. *The Cambridge Ancient History*, vol. XIV. Cambridge: Cambridge University Press

Cantarino, V. 1977 *Casidas de amor profano y mistico.* Mexico: Porrúa

Capellanus, A. 1960 [1186] *The art of courtly love*, ed. J. J. Parry. New York: Columbia University Press

Cardini, P. 2000 *Breve Storia di Prato.* Sienna: Pacini

Cartledge, R. 1983 Trade and politics revisited. In *Trade in the ancient Economy*, eds. P. Garnsey, K. Hopkins, and C. R. Whittaker. London: Hogarth Press

Caskey, J. 2004 *Art as patronage in the medieval Mediterranean: merchant customs in the region of Amalfi.* Cambridge: Cambridge University Press

Casson, L. 1989 *The Periplus Maris Erythraei: text with introduction, translation, and commentary.* Princeton: Princeton University Press

Castoriadis, C. 1991 The Greek polis and the creation of democracy. In D. A. Curtis (ed.), *The Castoriadis reader.* Oxford: Blackwell

Cesares, A. M. 2002 La logique de la domination esclavagiste: vieux chrétiens et neo-convertis dans la Grenade espagnole des temps moderne. *Cahiers de le Méditerranée. L'Eslavage en Méditeranée à l'epoque moderne*, 219–40

Chan, W. K. K. 1977 *Merchants, mandarins, and modern enterprise in late Ch'ing China.* Cambridge, MA: Harvard University Press

Chandler, A. D. 1977 *The visible hand: the managerial revolution in American business.* Cambridge, MA: Harvard University Press

Chang, K. C. (ed.) 1977 *Food in Chinese culture – anthropological and historical perspectives.* New Haven: Yale University Press

Chartier, R. 2003 Emmanuel Le Roy Ladurie Daniel Gordon and 'The second death of Norbert Elias'. In E. Dunning and S. J. Mennell (eds.), *Norbert Elias* (vol. IV). London: Sage Publications

Chase-Dunn, C. and Hall, T. D. 1997 *Rise and demise: comparing world systems.* Oxford: Westview Press

Chayanov, A. V. 1966 *The theory of peasant economy.* Madison: The University of Wisconsin Press

Chesneaux, J. 1972 *La Révolte des Tai-Ping 1851–1864: prologue de la révolution chinoise.* Paris

1976 *Le Mouvement paysan chinois. 1840–1949.* Paris: Seuil

Childe, G. [1942] 1964 *What happened in history.* Harmondsworth: Penguin Books

1951 *Social evolution.* London: Watts

Ching-Tzu Wu 1973 *The scholars.* Beijing: Foreign Languages Press

Cipolla, C. 1965 *Guns, sails and empires: technological innovation and the early phases of European expansion 1400–1700.* New York: Minerva Press

Clark, G. D. 1961 *World prehistory: an outline.* Cambridge: Cambridge University Press

1977 *World prehistory in new perspective.* Cambridge: Cambridge University Press

Clone, R. (ed.) *The story of time and space.* Greenwich: National Maritime Museum

Clunas, C. 1991 *Superfluous things: material culture and social status in early modern China.* Cambridge: Polity Press

Cohen, E. E. 1992 *Athenian economy and society: a banking perspective.* Princeton, N J: Princeton University Press.

Cohen, M. J. 2004 Writs of passage in Late Imperial China: the documentation of partial misunderstandings in Minong, Taiwan. In M. Zelin and J. K. Ocko, and R. Gardella, *Contract and property in Early Modern China.* Stanford, CA: Stanford University Press

Concina, E. 1984 *Arsenale della repubblica di Venezia.* Milan: Electa

1987 *Arsenali e cittá nell'occidente europeo.* Rome: La Nuova Italia Scientifica

Confucius 1996 [*c.* 500 BCE.] *The great learning. The doctrine of the mean.* Beijing: Sinolingua

Conrad, L. I. 2000 The Arabs. *The Cambridge Ancient History*, vol. XIV. Cambridge: Cambridge University Press

Constable, O. R. 1994 *Trade and traders in Muslim Spain: the commercial realignment of the Iberian Peninsula, 900–1500.* Cambridge: Cambridge University Press

Coquéry-Vidrovich, C. 1978 Research on an African mode of production. In D. Seddon (ed.), *Relations of production* (translated from the French, 1969). *Pensée* 144: 61–78. London

Cormack, R. 2000 The visual arts. *The Cambridge Ancient History*, vol. XIV. Cambridge: Cambridge University Press

Coulbourn, R. (ed.) 1956 *Feudalism in history.* Princeton, NJ: Princeton University Press

Crane, N. 2003 *Mercator: the man who mapped the planet.* London: Phoenix

Curtis, J. and Tallis, N. (eds.) 2005 *Forgotten empire: the world of ancient Persia.* London: British Museum

Daniel, G. 1943 *The three ages: an essay on archaeological method.* Cambridge: Cambridge University Press

Daniel, N. 1975 *The Arabs and medieval Europe.* London: Longman

Davies, J. K. 1978 *Democracy and classical Greece.* Sussex: Harvester

Davies, W. V. and Schofield, L. (eds.) 1995 *Egypt, the Aegean, and the Levant.* London: British Museum

Denoix, S. 2000 Unique modèle ou types divers? La structure des villes du monde arabo-musulman à l'époque médiévale, ed. C. Nicolet *et al. Mégapoles méditerranéenes: géographie urbaine rétrospective.* Paris: Maisonneuve et Larose

Djebar, A. 2005 *L'âge d'or des sciences arabes.* Paris: Le Pommier

Dobb, M. 1954 *Studies in the development of capitalism.* London: Routledge

Dronke, R. 1965 *Medieval Latin and the rise of the European love-lyric* (2 vols.). Oxford: Clarendon Press

Duby, G. 1996 *Féodalité.* Paris: Gallimard

Dumont, L. 1970 [1966] *Homo hierarchicus: the caste system and its implications.* Chicago: Chicago University Press

Durkheim, E. 1893 *De la division du travail social: étude sur l'organisation des sociétés supérieures.* Paris: Alcan
  1947 [1st French edn 1912, 1st English trans. 1915] *The elementary forms of the religious life.* Glencoe, II.: Free Press

Dürr, H.-P. 1988 *Der Mythos vom Zivilisationsprozess.* Frankfurt am Main: Suhrkamp Verlag

Edler de Roover, F. 1993 *La sete Lucchesi* (Italian trans. from German 1950. *Die Seidenstadt Lucca.* Basle: CIBA.) Lucca

Eisenstein, E. L. 1979 *The printing press as an agent of change: communications and cultural transformations in early modern Europe.* Cambridge: Cambridge University Press

Elias, N. 1994a [1939] *The civilizing process* (trans. E. Jephcott). Oxford: Blackwell
  1994b *Reflections on a life.* Cambridge: Polity Press

Elvin, M. 1973 *The pattern of the Chinese past*. London: Eyre Methuen

2004 Ave atque vale. In Needham, *Science and civilization in China*, Pt 2, vol. VII. Cambridge: Cambridge University Press

Evans, A. 1921–35 *The palace of Minos at Knossos*. 4 vols. London: Macmillan

Evans-Pritchard, E. E. 1937 *Witchcraft, oracles and magic among the Azande*. Oxford: Clarendon Press

1940 *The Nuer*. Oxford: Clarendon Press

Fantar, M. H. 1995 *Carthage: la cité punique*. Paris: CNRS

Faure, D. 1989 The lineage as business company: patronage versus law in the development of Chinese business. *The Second Conference of Modern Chinese Economic History*, 5–7 January, The Institute of Economics, Academia Sinica, Taipei

Fay, M. A. 1997 Women and waqf: property, power and the domain of gender in eighteenth-century Egypt. In M. C. Zilfi (ed.) *Women in the Ottoman empire: Middle Eastern women in the early modern era*. Leiden: Brill

Fernandez-Armesto, F. 1995 *Millennium: a history of our last thousand years*. London: Black Swan

Fevrier, M., P.-A. Fixot, G. Goudineau, and N. Kruta 1980 *Histoire de la France urbaine. Des origines à la fin du IXe siècle. Période traitée: la Gaule de VIIe au IXe siècle*. Paris: Seuil

Finley, M. I. (ed.) 1960 *Slavery in classical antiquity*. Cambridge: W. Heffer

1970 *Early Greece: the Bronze and Archaic ages*. London: Chatto & Windus

1973 *The ancient economy*. London: Chatto & Windus

1981 *Economy and society in ancient Greece*. ed. B. D. Shaw & R. P. Saller. London: Chatto & Windus

1985 *Democracy ancient and modern*. London: Hogarth

Firth, R. 1959 *Social changes in Tikopia: re-study of a Polynesian community after a generation*. New York: Macmillan

Flannery, K. 1972 The cultural evolution of civilizations. *Annual Review of Ecology and Systematics* 3: 399–426

Fortes, M. and Evans-Pritchard, E. E. 1940 *African political systems*. London: Oxford University Press

Fowden, G. 2002 Elefantiasi del tardantica (Review of the *Cambridge Ancient History*, vol. XIV). *Journal of Roman Archaeology* 15: 681–6

Frank A. G. 1998 *ReOrient: global economy in the Asian age*. Berkeley: University of California Press

Freud, S. 1961 [1927] *The future of an illusion. Civilization and its discontents*, ed. J. Strachey. Standard Edition, vol. XXI (1927–31). London: Hogarth

1964 *New introductory lectures on psycho-analysis and other works*. Trans. and ed. J. Strachey, Standard edition, vol. XXII (1932–6). London: Hogarth

1964 [1933] *Why war?* Letter to Einstein. In Standard edition vol. xxii (1932–6). London: Hogarth

Furet, F. and Ozouf, J. 1977 *Lire et écrire, l'alphabétisation des français de Calvin à Jules Ferry*. Paris: Minuit

Garnsey, P., Hopkins, K., and Whittaker, C. R. (eds.)1983 *Trade in the ancient economy*. London: Chatto & Windus

Geertz, C. *et al*. (eds.) 1979 *Meaning and order in Moroccan society*. New York: Cambridge University Press

REFERÊNCIAS BIBLIOGRÁFICAS 355

Gellner, E. 1994 The mightier pen: the double standards of inside-out colonialism. *Encounters with nationalism*. Oxford: Blackwell (reprinted from *Times Literary Supplement*, 19 February 1998)

Geraci, G. and Marin, B. 2003 L'approvisionnement alimentaire urbain. In B. Marin and C. Virlouvet (eds.) *Nourire les cités de Mediterranée: antiquité – temps moderne*. Paris: M. M. S. H.

Ghosh, A. 1992 *In an antique land*. New York: Vintage Books

Giddens, A. 1991. *Modernity and self-identity: self and society in the late modern age*. Cambridge: Polity Press

Gillion, K. L. 1968 *Ahmedabad: a study in Indian urban history*. Berkeley, CA: California University Press

Gilson, E. 1999 *La Philosophie au Moyen Age* (2nd edition). Paris: Payot

Gledhill, J. and Larsen, M. 1952 The Polanyi paradigm and a dynamic analysis of archaic states. In C. Renfrew *et al.*, *Theory and explanation in archaeology*. New York: Academic Press

Glick, T. F. 1996 *Irrigation and hydraulic technology: medieval Spain and its legacy*. Aldershot: Variorum

Gluckman, M. 1955 *The judicial process among the Barotse of Northern Rhodesia*. Manchester: Manchester University Press

1965 *Custom and conflict in Africa*. Oxford: Blackwell

1965 *The ideas in Barotse jurisprudences*. New Haven: Yale University Press

Godelier, M. 1978. The concept of the 'Asian mode of production' and Marxist models of social evolution. In D. Seddon (ed.), *Relations of production: Marxist approaches to economic anthropology*. London: Cass

2004 *Métamorphoses de la parenté*. Paris: Fayard

Goitein, S. D. 1967 *A Mediterranean society, the Jewish communities of the Arab world as portrayed in the documents of the Cairo Geniza*. Vol. I. Berkeley: University of California Press

1999 *A Mediterranean society. An abridgement in one volume*. Berkeley: University of California Press

Goode, W. 1963 *World revolution and family patterns*. New York: The Free Press

Goodman, M. 2004 *Jews in a Graeco-Roman world*. Oxford: Oxford University Press

Goody, J. 1957 Anomie in Ashanti? *Africa* 27: 75–104

1962 *Death, property and the ancestors*. Stanford, CA: Stanford University Press (reprinted 2004, London: Routledge)

1968 The social organization of time. In *The encyclopaedia of the social sciences*. New York: Macmillan.

1971 *Technology, tradition and the state in Africa*. London: Oxford University Press

1972a The evolution of the family. In P. Laslett and R. Wall (eds.), *Household and family in past times*. Cambridge: Cambridge University Press

1972b *The myth of the Bagre*. Oxford: Clarendon

1976 *Production and reproduction: a comparative study of the domestic domain*. Cambridge: Cambridge University Press

1977 *The domestication of the savage mind*. Cambridge: Cambridge University Press

Goody, J. (*cont.*)1982 *Cooking, cuisine and class: a study in comparative sociology.* Cambridge: Cambridge University Press

1984 Under the lineage's shadow. *Proceedings of the British Academy* 70: 189–208.

1986 *The logic of writing and the organisation of society.* Cambridge: Cambridge University Press

1987 *The interface between the written and the oral.* Cambridge: Cambridge University Press

1993 *The culture of flowers.* Cambridge: Cambridge University Press

1996a *The east in the west.* Cambridge: Cambridge University Press

1996b Comparing family systems in Europe and Asia: are there different sets of rules? *Population and Development Review* 22: 1–20

1997 *Representations and contradictions.* Oxford: Blackwell

1998 *Food and love.* London: Verso

2003a The Bagre and the story of my life. *Cambridge Anthropology* 23, 3, 81–9

2003b *Islam in Europe.* Cambridge: Polity Press

2004 *Capitalism and modernity: the great debate.* Cambridge: Polity Press

Goody, J. and Watt, I. 1963 The consequences of literacy. *Comparative Studies in Society and History* 5: 304–45

Goody, J. and Tambiah, S. 1973 *Bridewealth and dowry.* Cambridge: Cambridge University Press

Goody, J. and Gandah, S. W. D. K. 1980 *Une récitation du Bagre.* Paris: Colin

2002 *The third Bagre: a myth revisited.* Durham, NC: Carolina Academic Press

Gordon, D. 1994 *Citizens without sovereignty: equality and sociability in French thought, 1670–1789.* Princeton: Princeton University Press

Gough, K. 1981 *Rural society in Southeast India.* Cambridge: Cambridge University Press

Griaule, M. 1948 *Conversations with Ogotommeli.* Paris: Fayard. (English trans. 1965 London: Oxford University Press)

Greenberg, J. 1963 The languages of Africa. (Supplement to *International Journal of American Linguistics* 29)

Grudin R. 1997 Humanism. In *Encyclopaedia Britannica* (15th edition). Chicago: Chicago University Press

Guichard, P. 1977 *Structures occidentales et structures orientales.* Paris: Mouton

Gurukkal, R. and Whittaker, D. 2001 In search of Muziris. *Roman Archeology* 14: 235–350

Gutas, D. 1998 *Greek thought, Arabic culture.* London: Routledge

Guthrie, D. J. and Hartley, F. 1997 Medicine and surgery before 1800. In *Encyclopaedia Britannica* (15th edn) 23: 775–83. Chicago: Chicago University Press

Habib, I. 1990 Merchant communities in precolonial India. In J. D. Tracy (ed.), *The rise of merchant empires.* Cambridge: Cambridge University Press

Hajnal, J. 1965 European marriage patterns in perspective. In D. V. Glass and D. E. C. Eversley (eds.), *Population in History.* London: Aldine

1982 Two kinds of pre-industrial household formation systems. *Population and Development Review* 8: 449–94

Halbwachs, M. 1925 *Le Cadres sociaux de la mémoire.* Paris: F. Alcan

REFERÊNCIAS BIBLIOGRÁFICAS 357

Hart, K. 1982 *The political economy of West African agriculture.* Cambridge: Cambridge University Press
  2000 *Money in an unequal world.* New York: Texere
Hart, Mother Columba (trans.) 1980 *Hadewijch: the complete works.* London: Paulist Press
Haskins, C. H. 1923 *The rise of universities.* New York: Henry Holt
Hill, P. 1970 *Studies in rural capitalism in West Africa.* Cambridge: Cambridge University Press
Hilton, R. (ed.) 1976 *The transition from feudalism to capitalism.* London: NLB
Hobsbawm, E. J. 1959 *Primitive rebels.* Manchester: Manchester University Press
  1964 *The age of revolution. 1789–1848.* New York: Mentor
  1965 *Pre-capitalist economic formations.* New York: International Publishing
  1972 *Bandits.* Harmondsworth: Penguin
Hobson, J. M. 2004 *The eastern origins of western Civilisation.* Cambridge: Cambridge University Press
Hodges, R. and Whitehouse, D. 1983 *Mohammed, Charlemagne and the origins of Europe.* London: Duckworth
Hodgkin, L. 2005 *A history of mathematics: from Mesopotamia to modernity.* Oxford: Oxford University Press
Ho Ping-ti 1962 *The ladder of success in Imperial China; aspects of social mobility,* 1368–1911. New York: Columbia University Press
Hopkins, T. J. 1966 The social teaching of the *Bhagavata Purana.* In *Krishna: myths, rites and attitudes,* ed. M. Singer. Honolulu: East–West Center
Hopkins, K. 1980 Brother–sister marriage in Roman Egypt. *Comparative Studies in Society and History* 22: 303–54.
  1983 Introduction to P. Garnsey, K. Hopkins, and C. R. Whittaker (eds.), *Trade in the ancient economy.* London: Chatto & Windus
Hourani, A 1990 L'oeuvre d'André Raymond. *Revue des Mondes Musulmans et de la Méditerranée* 55–6, 18–27.
Howard, D. 2000 *Venice and the East: the impact of the Islamic world on European architecture 1100–1500.* New Haven: Yale University Press
Hsu-Ling 1982 [534–5] *New songs from a jade terrace.* A. Birrel (ed.). New York: Penguin
Hufton, O. 1995 *The prospect before her: a history of women in Western Europe,* vol. I, *1500–1800.* London: Harper Collins
Huntington, S. P. 1991 *The clash of civilizations and the remaking of world order.* New York: Simon & Schuster 1996
Ibn Arabi 1996 *L'interprète des desirs.* Paris: Albin Michel
Ibn Khaldûn 1967[1377] *Al-Muqaddimah.* Beirut: UNESCO
Ibn Hazm 1981 [c. 1022] *The ring of the dove. A treatise on the art and practice of Arab love.* New York: AMS Press
Inalcik, H. with D. Quataert 1994 *An economic and social history of the Ottoman empire, 1300–1914.* Cambridge: Cambridge University Press
Jackson, A. and A. Jaffes (eds.) 2004 *Encounters: the meeting of Asia and Europe 1500–1800.* London: V&A Publications
Jacquart, D. 2005 *L'Épopée de la science arabe,* Paris: Gallimard
Jayyussi, S. K. (ed.), 1992 *The legacy of Muslim Spain.* Leiden: Brill

Jidejian, N. 1991 *Tyre through the ages*. Beirut: Librarie Orièntale
  1996 *Sidon à travers les ages*. Beirut: Librarie Orièntale
  2000 *Byblos through the Ages*. Beirut: Librarie Orièntale
Jones, E. L. 1987 *The European miracle: environments, economies and geopolitics in the history of Europe and Asia*. Cambridge: Cambridge University Press
Kant, I. 1998 [1784] Ideas on a universal history from a cosmopolitan point of view. In J. Rundell and S. Mennell (eds.), *Classical readings in culture and civilization*. London: Routledge
Keenan, J. G. 2000 Egypt. *The Cambridge Ancient History*, vol. xiv. Cambridge: Cambridge University Press
Kennedy, P. 1989 *The rise and fall of the great powers: economic change and military conflict from 1500 to 2000*. New York: Vintage Books
Krause, K. 1992 *Arms and the state: patterns of military production and trade*. Cambridge: Cambridge University Press
Kristeller, P. O. 1945 The School of Salerno: its development and its contribution to the history of learning. *Bulletin of the History of Medicine* 17: 138–94
Kroeber, A. L. 1976 *Handbook of the Indians of California*. New York: Dover Publications
Lancel, S. 1997 *Carthage: a history*. Oxford: Blackwell
Landes, D. 1999 *The wealth and poverty of nations: why some nations are so rich and some so poor*. London: Abacus
Lane, R. C. 1973 *Venice: a maritime republic*. Baltimore: Johns Hopkins University Press
Lantz, J. R. 1981 Romantic love in the pre-modern period: a sociological commentary. *Journal of Social History* 15: 349–70
Laslett, P. 1971. *The world we have lost: England before the industrial age*. New York: Scribners
  and Wall, R. (eds.) 1972 *Household and family in past times*. Cambridge: Cambridge University Press
Latour, B. 2000 Derrida dreams about Le Shuttle. Reviews of E. Durian-Smith, *Bridging divides: the Channel tunnel and English legal identity in the New Europe*, Berkeley. *The Times Higher Education Supplement* 2/6/2000: 31
Ledderose, L. 2000 *Ten thousand things: module and mass production in Chinese art*. Princeton: Princeton University Press
Lee, J. Z. and Wang Feng, *One quarter of humanity. Malthusian mythology and Chinese realities, 1700–2000*. Cambridge, MA: Harvard University Press.
Le Goff, J. 1993 *Intellectuals in the middle ages*. London: Blackwell
Lenin, V. I. 1962. The awakening of Asia. In *Collected works*. Moscow: Foreign Language Press
Letts, M. 1926 *Bruges and its past*. London: Berry
Leur, J. C. van 1955 *Indonesian trade and society: essays in Asian social and economic history*. The Hague: W. van Hoeve
Lewis, B. 1973 *Islam in history: ideas, men and events in the Middle East*. London: Alcove
  2002 *What went wrong? Western impact and Middle Eastern response*. London: Orion House

Lewis, C. S. 1936 *The allegory of love: a study in medieval tradition*. Oxford: Clarendon Press

Liebeschuetz, J. H. W. G. 2000 Administration and politics in the cities of the fifth to the mid seventh century: 425–40. *The Cambridge Ancient History, vol.* XIV. Cambridge: Cambridge University Press

Lloyd, G. E. R. 1979 *Magic, reason and experience: studies in the origin and development of Greek science*. Cambridge: Cambridge University Press

2004 *Ancient worlds, modern reflections: philosophical perspectives on Greek and Chinese science and culture*. Oxford: Oxford University Press

Lopez, R. 1971 *The commercial revolution of the middle ages, 950–1350*. Englewood Cliffs: Prentice Hall

Love, J. R. 1991 *Antiquity and capitalism: Max Weber and the sociological foundations of Roman civilization*. London: Routledge

Maalouf, A. 1984 *The crusades through Arab eyes*. London: Al Saqi Books

Macfarlane, A. 1978. *The origins of English individualism: the family, property and social transition*. Oxford: Blackwell

Macfarlane, A. and Martin G. 2002 *The glass bathyscape*. London: Profile Books

Machiavelli, N. 1996 [1532] *The prince* (trans. S. J. Millner). London: Phoenix Books

Maine, H. S. 1965 [1861] *Ancient law*. London: Everyman Library

Makdisi, G. 1979 An Islamic element in the early Spanish University. In *Islam: past influences and present challenges*. Edinburgh: Edinburgh University Press

1981 *The rise of colleges: illustrations of learning in Islam and the west*. Edinburgh: Edinburgh University Press

Malinowski, B. 1913 *The family among the Australian aborigines*. London: Hodder & Stoughton

1947 *Crime and custom in savage society*. London: Kegan Paul

1948 *Magic, science and religion and other essays* (ed. R. Redfield). Boston: Beacon Press

Mann, M. 1986 *The sources of social power*. Vol. I: *A history of power from the beginning to A.D. 1760*. Cambridge: Cambridge University Press

Marx, K. 1964 *Pre-capitalist economic formations* (intro. E. Hobsbawm). New York: International Publishers

1973 *Grundrisse*. London: Penguin

1976 *Capital*. London: Penguin

Marx, K. and Engels, F. 1969 *Selected Works*, Vol. I. Moscow: Progress Publishers

Matar, N. 1999 *Turks, Moors and Englishmen in the age of discovery*. New York: Columbia University Press

McCormick, M. 2001 *Origins of the European economy: communications and culture A.D. 300–900*. Cambridge: Cambridge University Press

McMullen, I. J. 1999 *Idealism, protest, and the tale of Genji: the Confucianism of Kumazawa Banzan 1619–91*. Oxford: Clarendon Press

Meier, C. 1990 *The Greek discovery of politics* (trans. David McLintock). Cambridge, MA: Harvard University Press

Meilink-Roelofsz, H. A. P. 1962 *Asian trade and European influence in the Indonesian archipelago between 1500 and about 1630*. The Hague: Nijhoff

1970 Asian trade and Islam in the Malay-Indonesian archipelago. In D. S. Richards (ed.), *Islam and the trade of Asia*. Oxford: B. Cassirer

Mennell, S. 1985 *All manners of food: eating and taste in England and France from the Middle Ages to the present*. Oxford: Blackwell

Mennell, S. and Goudsblom, J. 1997 Civilizing process – myth or reality? A comment on Duerr's critique of Elias. *Comparative Studies in Society and History* 39: 729–733

Meriwether, K. L. 1997 Women and waqf revisited: the case of Aleppo 1770–1840. In M. C. Zilfi (ed.), *Women in the Ottoman empire: Middle Eastern women in the early modern era*. Leiden: Brill

Miller, J. 1969 *The spice trade of the Roman empire*. Oxford: Clarendon Press

Millett, P. 1983 Maritime loans and the structure of credit in fourth-century Athens. In P. Garnsey, K. Hopkins, and C. R. Whittaker (eds.), *Trade in the ancient economy*. London: Chatto & Windus

Mintz, S. and Wolf, E. 1950 An analysis of ritual co-parenthood (compadrazgo). *Southwestern Journal of Anthropology*. 341–67

Mitchell, J. 2003 *Siblings*. Cambridge: Polity Press

Montesquieu, C. S., 1914 *The spirit of laws*. London: G. Bell & Sons. (French original 1748 *L'Esprit des lois*)

Morgan, L. H. 1877 *Ancient society*. New York: Henry Holt

Mossé, C. 1983 The 'world of the emporium' in the private speeches of Demosthenes. In P. Garnsey, K. Hopkins, and C. R. Whittaker (eds.), *Trade in the ancient economy*. London: Chatto & Windus

Mundy, M. W. 1988. The family, inheritance and Islam: a re-examination of the sociology of *farā'id* law. In A. al-Azmeh (ed.), *Social and historical contexts of Islamic law*. London: Routledge

    2004. Ownership or office? A debate in Islamic Hanafite jurisprudence over the nature of the military 'fief', from the Mamluks to the Ottomans. In A. Pottage and M. Mundy (eds.), *Law, Anthropology and the constitution of the social: making persons and things*. Cambridge: Cambridge University Press

Murasaki, S. 1955 [11 c.] *The tale of Genji* (trans. A. Waley). New York: Anchor Books

Murdock, G. P. 1967 Ethnographic atlas: a summary. *Ethnology* 6, 109–236

Nafissi, M. 2004 Class, embeddedness, and the modernity of ancient Athens. *Comparative Studies in Society and History* 46: 378–410

Nakosteen, M. 1964 *History of the Islamic origins of western education, A.D. 800–1350*. Boulder, Colorado: University of Colorado Press

Needham, J. (ed.) 1954- *Science and civilization in China*. Cambridge: Cambridge University Press

    1965 *Time and eastern man*. London: Royal Anthropological Institute

    1970 *Clerks and craftsman in China and the west*. Cambridge: Cambridge University Press

    (ed.) 1986a *Biology and biological technology, pt. 1: Botany*, vol. VI, *of Science and civilization in China*. Cambridge: Cambridge University Press.

    (ed.) 1986b *Military technology; the gunpowder epic, pt. 7, Chemistry and chemical technology*, vol. V, *Science and civilization in China*. Cambridge: Cambridge University Press.

    2004 General conclusions and reflections. *Science and civilization in China, Pt 2*, vol VII. Cambridge: Cambridge University Press

Nef, J. U. 1958 *Cultural foundation of industrial civilization*. Cambridge: Cambridge University Press

Ng, Chin-keong 1983 *Trade and society in China: the Amoy network on the China coast, 1683–1735*. Singapore: Singapore University Press

Nicholson, R. 1921 *Studies in Islamic mysticism*. Cambridge: Cambridge University Press

Nykl, A. R. 1931 *Abū Muammad, 'Alā ibn Hazm al-Andalusā: a book containing the Risāla known as the dove's neck-ring about love and lovers*. Paris: Geuthner

Nylan, M. 1999 Calligraphy, the sacred text and test of culture. In C. Y. Liu *et al., Character and context in Chinese calligraphy*. The Art Museum, Princeton University, NJ

Ong, W. 1974 *Ramus, method and the decay of dialogue*. New York: Octagon Books

Oppenheim, A. L. 1964 *Ancient Mesopotamia*. Chicago: Chicago University Press

Osborne, R. 1996 *Greece in the making 1200–479 BC*. London: Routledge

Parker, G. 1988 *The military revolution: military innovations and the rise of the west, 1500–1800*. Cambridge: Cambridge University Press

Parry, J. J. (ed.) 1960 [1184?] *Andreas Capellanus: the art of courtly love*. New York: Columbia University Press

Parsons, T. 1937 *The structure of social action*. New York: McGraw-Hill

Pasinli, A. 1996 *Istanbul archaeological museums*. Istanbul: A Turizm Yayinlari

Passerini, L. 1999 *Europe in love, love in Europe: imagination and politics in Britain between the wars*. London: I. B. Tauris

Passerini, L. Ellena and A. C. T. Geppert (eds.), forthcoming *New dangerous liaisons*. Oxford: Berghahn

Perera, B. J. 1951 The foreign trade and commerce of ancient Ceylon. I: the ports of ancient Ceylon. *Ceylon Historical Journal* 1: 109–19

1952a The foreign trade and commerce of ancient Ceylon. II: ancient Ceylon and its trade with India. *Ceylon Historical Journal* 1: 192–204

1952b The foreign trade and commerce of ancient Ceylon. III: ancient Ceylon's trade with the empires of the eastern and western worlds. *Ceylon Historical Journal* 1: 301–20

Person, E. S. 1991 Romantic love: at the intersection of the psyche and the cultural unconscious. *Journal of the American Psychoanalytic Association* 39 (supplement): 383–411

Peters, F. E. 1968 *Aristotle and the Arabs: the Aristotelian tradition in Islam*. New York: New York University Press

Petit, P. 1997 Greek and Roman civilizations. In *Encyclopaedia Britannica* (15th edition) 20: 2205

Pirenne, H. 1939 *Mohammed and Charlemagne* (trans. B. Miall). London: Allen & Unwin

Polanyi, K. 1947 Our obsolete market mentality. *Commentary* 3: 2

1957 The economy as instituted process. In K. Polanyi, C. Arensberg, and H. Pearson (eds.), *Trade and markets in the early empires*. New York: Free Press

1957 *The great transformation: the political and economic origins of our time*. Boston: Beacon Press

Polybius. 1889 *The histories of Polybius* (trans. E. Shuckburgh). London: Macmillan

Pomeranz, K. 2000 *The great divergence: China, Europe and the making of the modern world economy.* Princeton, NJ: Princeton University Press

Poni, C. 2001a Il *network* della setta nelle città italiana in età moderna. *Iscuola Officina* [Bologna] 2: 4–11

2001b Comparing two urban industrial districts: Bologna and Lyon in the early modern period. In P. L. Porta, F. Scazzieri, and A. Skinner (eds.), *Knowledge social institutions and the division of labour.* Cheltenham: Edwards

Radcliffe Brown, A. R. *Structure and function in primitive society.* London: Cohen and West

Rashdall, H. 1988 [1936] *The universities of Europe in the Middle Ages* (new edn). London: Oxford University Press

Rattray, R. S. 1923 *Ashanti.* London: Oxford University Press

1929 *Ashanti law and constitution.* London: Oxford University Press

Rawson, J. 1984 *Chinese ornament: the lotus and the dragon.* London: British Museum

Renfrew, C., M. J. Rowlands, and B. A. Segraves (eds.), 1982 *Theory and explanation in archaeology.* New York: Academic Press

Repp, R. C. 1986 *The Mufti of Istanbul: a study in the development of the Ottoman learned hierarchy.* London: Ithaca Press

Reynal, J. 1995 Al-Andulas et l'art roman: le fil d'une histoire. In: T. Fabre (ed). *L'Héritage Andalou.* La Tour d'Aigues: Éditions De L'Aube

Reynolds, L. D. and Wilson, N. G. 1968 *Scribes and scholars.* London: Oxford University Press

Ribera, J. 1928 *Disertaciones y opúsculos.* 2 vols. Madrid: E. Maestre

Richards, A. I. 1950 Some types of family structure amongst the central Bantu. In A. R. Radcliffe Brown and C. D. Forde (eds.) *African systems of kinship and marriage.* London: Oxford University Press

Rodinson, M. 1949 Recherches sur les documents arabs relatifs à la cuisine. *Revue études islamique,* 95–106

Rougement, D. de 1956. *Love in the western world.* New York: Princeton University Press

Roux, J. 2004 Cortesia e fin'amor, un nouvel humanism. In R. Bordes (ed.) *Troubadours et Cathares: en occitanie médiévale.* Cahors: L'Hydre

Rowe, W. T. 1984 *Hankow: commerce and society in China, 1796–1889.* Stanford, CA: Stanford University Press

Sabloff, J. A. and Lamberg-Karlovsky, C. C. (eds.) 1975 *Ancient civilisation and trade.* Albuquerque, NM: University of New Mexico Press

Said, E. 1995 *Orientalism.* London: Penguin Books

2003 *Freud and the non-European.* London: Verso

Saikal, A. 2003 *Islam and the west: conflict or cooperation?* London: Palgrave Macmillan

Say, J. 1829 *Cours complet d'économie politique practique.* Paris: Rapilly

Sayili, A. 1947–8 *Higher education in medieval Islam: the madrasas.* Annales de l'université de l'Ankara II: 30–69

Schapera, I. 1985 [1955] The sin of Cain. In B. Lang (ed.) *Anthropological approaches to the Old Testament.* Philadelphia: Fortress Press

Schwartz, S. B. 1985 *Sugar plantations in the formation of Brazilian society: Bahia, 1550–1835.* Cambridge: Cambridge University Press

Setton, K. M. 1991 *Venice, Austria and the Turks in the seventeenth century*. Philadelphia, PA: American Philosophical Society

Sherratt, S. (ed.) *Proceedings of the First International Symposium, the wall paintings of Thera*. Athens: Thera Foundation

Singer, C. (ed.) 1979–84 *A history of technology*. Oxford: Clarendon Press

Singer, C. 1950 Medicine. In *Chambers Encyclopaedia*, vol. IX: 212–28. London: Newnes

Skinner, P. 1995 *Family power in Southern Italy: the Duchy of Gaeta and its neighbours, 850–1139*. Cambridge: Cambridge University Press

Slicher van Bath, B. H. 1963 *The agrarian history of Western Europe A.D. 500–1850*. London: Edward Arnold

Smith, P. J. 1991 *Taxing heaven's storehouse: horses, bureaucrats, and the destruction of Sichuan tea industry, 1077–1224*, Cambridge, MA: Harvard University Press

Snodgrass, A. M. 1983 Heavy freight in Archaic Greece. In P. Garnsey, K. Hopkins, and C. R. Whittaker (eds.) *Trade in the ancient economy*. London: Chatto and Windus

Sombart, W. 1930 Capitalism. In *Encyclopaedia of the Social Sciences*, vol. III. New York: Macmillan

  1911 *The Jews and modern capitalism*. Leipzig: Dunker and Humblot (Engl. trans. 1993, London: T. F. Unwin)

Soskice, J. 1996 Sight and vision in medieval Christian thought. In *Vision in context: historical and contemporary perspectives on sight*, ed. T. Brennan and M. Jay, New York: Routledge, 29–43

Southall, A. 1998 *The city in time and space*. Cambridge: Cambridge University Press

Southern, R. W. 1970 *Medieval humanism*. New York: Harper and Row

Sovič, S. forthcoming *Western families and their Others*. MS.

Speiser, J. M. 1985 Le christianisation de la ville dans l'Antiquité tardive. *Ktema: civilisations de l'orient, de la Grèce et de Rome antiques* 10: 49–55

Steensgaard, N. 1973 *Carracks, caravans, and companies: the structural crisis in the European-Asian trade in the early seventeenth century*. Copenhagen: Studentlitteratur

Stein, G. 1994 The organizational dynamics of complexity in Greater Mesopaotamia. In *Chiefdoms and early states in the Near East, The organizational dynamics of complexity*, G. Stein, and M. S. Rothman M. S. Madison, Wisconsin: Prehistory Press

Stone, L 1977 *Family, sex and marriage in England, 1550–1800*. London: Weidenfeld and Nicolson

Strayer, J. R. 1956 Feudalism in Western Europe, in *Feudalism in History*, ed. R. Coulbourn. Princeton: Princeton University Press

Tandy, D. W. 1997 *Warriors into traders: the power of the market in early Greece*. Berkeley, CA: California University Press

Thapar, R. 1966 *A history of India*. Harmondsworth: Penguin
  2000 *History and beyond*. New Delhi: Oxford University Press

Tognetti, S. 2002 *Un industria di lussoo al servizio del grande commercio*. Florence: Olschki

Tolstoi, L. 1960 *Last diaries* (ed. L. Stilman). New York: Capricorn Books

Trevor-Roper, H. R. 1965 *The rise of Christian Europe*. London: Thames and Hudson

1958 *Historical essays*. London: Macmillan

Tylor, E. B. 1881 *Primitive culture*. London

Valensi, L. 1993 *The birth of the despot: Venice and the sublime porte*, trans. A. Denner. Ithaca: Cornell University Press (French edition, 1987)

Vico, G. 1984 [1744]. *New science*. Ithaca: Cornell University Press

Viguera, M. 1994 Asludu li'l-ma'ālı: on the social status of Andalusi women. In S. K. Jayyusi (ed.), *The legacy of Muslim Spain*. Leiden: Brill

Villing, A. 2005 Persia and Greece. In J. Curtis, and Tallis, N. (eds.), *Forgotten empire: the world of ancient Persia*. London: British Museum.

Von Staden, H. 1992 Affinities and visions – Helen and hellenocentrism. *Isis*, 83: 578–95

Wallerstein, I. 1974 *The modern world-system*, vol. I: *Capitalist agriculture and the origins of European world-economy in the sixteenth century*. New York: Academic Press

1999 The west, capitalism and the modern world system. In T. Brook and G. Blue (eds.), *China and historical capitalism*. Cambridge: Cambridge University Press

Walzer, R. 1962 *Greek into Arabic*. Oxford: B. Cassirer

Ward, W. A. 1971 *Egypt and the east Mediterranean world 2200–1900 BC*. Beirut: The American University of Beirut

Ward-Perkins, B. 2000 Specialised production and exchange. *The Cambridge Ancient History*, vol. XIV. Cambridge: Cambridge University Press

Watson, A. M. 1983 *Agricultural innovation in the early Islamic world: the diffusion of crops and farming techniques, 700–1100*. Cambridge: Cambridge University Press

Watt, I. P. 1957 *The rise of the novel*. London: Chatto

Watt, W. M. 1972 *The influence of Islam on medieval Europe*. Edinburgh: Edinburgh University Press

Weber, M. 1930 *The Protestant ethic and the spirit of capitalism*. London: Allen and Unwin

1949 *The methodology of the social sciences* (trans. E. A. Shils and H. A. Finch). Glencoe, IL: The Free Press

1968 *Economy and society. An outline of interpretive sociology*. Translated and edited by Guenther Roth and Claus Wittich. New York: Bedminster Press.

1976 *The agrarian sociology of ancient civilizations*. London: NLB

Weis, R., 2001 *The yellow cross: the story of the last Cathars, 1290–1329*. London: Penguin

Weiss, W. M. and K. M. Westerman 1998 *The Bazaar: markets and merchants of the Islamic world*. London: Thames and Hudson

Whitby, M. 2000 The army c. 420–602. *The Cambridge ancient history*, vol. XIV. Cambridge: Cambridge University Press

White, K. D. 1970 *Roman farming*. London: Thames and Hudson

1984 *Greek and Roman technology*. London: Thames and Hudson

White, L. 1962 *Medieval technology and social change*. Oxford: Clarendon Press

White, S. D. 1996 The 'feudal revolution'. *Past and Present* 152: 205–23

Whittaker, C. R. 2004 *Rome and its frontiers: the dynamics of empire*. London: Routledge

Wickham, C. 1984 The other transition: from the ancient world to feudalism. *Past and Present* 103: 3–36

2001 Un pas vers le Moyen Age? Permanences et mutations. In P. Ouzoulias *et al.* (eds.) *Les campagnes de la Gaule àla fin de l'antiquité*. Antibes: Editions ACDCA

Will, E. 1954 Trois quarts de siècle de recherches sur l'economie greque antique. *Annales E.S.C.* 9: 7–22

Wilson, A. 1995 Water power in north Africa and the development of the horizontal water wheel. *Journal of Roman Archeology* 8: 499–510

Wittfogel, K. 1957 *Oriental despotism*. New Haven: Yale University Press

Wolf, A. P. and Huang, C.-S. 1980 *Marriage and adoption in China, 1845–1945*. Stanford, CA: Stanford University Press

Wolf, E. R. 1982 *Europe and the people without history*. Berkeley: University of California Press

Wong, R. Bin 1999 The political economy and agrarian empire and its modern legacy. In T. Brook and G. Blue (eds.), *China and historical capitalism*. Cambridge: Cambridge University Press

Worsley, P. 1957 *The trumpet shall sound: a study of cargo cults in Melanesia*. London: MacGibbon and Kee

Wrigley, E. A. 2004 *Poverty, progress and population*. Cambridge: Cambridge University Press

Yalman, N. O. 2001 Further observations on love (or equality). In J. Warner (ed.) *Cultural horizons*. Syracuse, NY: Syracuse University Press

Zafrani, H. 1986 *Juifs d'Andalousie et du Maghreb*. Paris: Maisonneuve Larose

1994 *Los judíos del occidente musulmán: Al-Andalus y el Magreb*. Madrid: Editorial Mapfre

Zan, L. 2004 Accounting and management discourse in proto-industrial settings: the Venice Arsenal in the turn of the 16th century. *Accounting and Business Research* 34: 2, 345–78

Zilfi, M. C. 1996 Women and society in the Tulip Era, 1718–1730. Amira El Aazhary Sonbol (ed.), *Women, the family, divorce laws in Islamic history*. Syracuse, New York: Syracuse University Press

Žižek, S. 2001 A Leftist plea for 'Eurocentrism'. In *Unpacking Europe: towards a critical reading*, S. Hassan and I. Dadi (eds.). Rotterdam: NAI Publishers

Zurndorfer, H. T. 2004 Not bound to China: Étienne Balasz, Fernand Braudel and the politics of the study of Chinese history in post-war France. *Past & Present* 185: 189–221

O AUTOR

Jack Goody é um dos maiores cientistas sociais do mundo. Ao longo dos últimos cinquenta anos, seus escritos pioneiros nas interseções da antropologia, história e estudos sociais e culturais têm feito dele um dos escritores atuantes mais lidos, citados e traduzidos de nossos dias. Professor emérito de Antropologia Social na Universidade de Cambridge. Tem feito pesquisas e proferido palestras por todo o mundo. É membro da Academia Britânica e em 1980 foi designado Membro Estrangeiro Honorário da Academia Americana de Artes e Ciências. Em 2004, foi eleito para a Academia Nacional de Ciências e em 2006 nomeado *Commandeur des Arts et Lettres*.

AGRADECIMENTOS

Apresentei versões de capítulos deste livro em conferências: sobre Norbert Elias em Mainz; sobre Braudel (e Weber) em Montreal e em Berlim; sobre valores numa conferência da Unesco em Alexandria; e de uma forma mais geral sobre história mundial no seminário de História Comparada em Londres; sobre amor em um seminário organizado por Luisa Passerini, na Seção Indiana da Universidade John Hopkins, em Washington, na Universidade Americana de Beirute, no Instituto de Estudos Avançados, em Princeton e no Programa de Estudos Culturais na Universidade de Bilgi, em Istambul.

Neste empreendimento, certamente pouco ortodoxo, mais um produto de *la pensée sauvage* que de *la pensée domestiquée*, mas que toca vários de meus interesses anteriores, fui muito estimulado pelo apoio de amigos, especialmente Juliet Mitchell (não só por razões intelectuais, mas também morais), Peter Burke, Chris Hann, Richard Fischer, Joe McDemott, Dick Wittaker e muitos outros, incluindo meu filho Lokamitra. Também sou grato pelo auxílio de Susan Mansfield (coordenação), Melanie Hale (computação), Mark Offord (computação e edição), Manuela Wedgwood (edição) e Peter Hutton (biblioteca).

* * *

A Editora Contexto agradece a Elisabete Dória Bilac, da Unicamp, e a Mario Sproviero, do Departamento de Línguas Orientais da USP, pela tradução de termos técnicos.